CRITIQUE DE LA MODERNITÉ

ALAIN TOURAINE

Critique
de la
modernité

FAYARD

Pour Adriana,
ce livre que sa vie a inspiré.

SOMMAIRE

PRÉSENTATION

Qu'est-ce que la modernité, dont la présence est si centrale dans nos idées et nos pratiques depuis plus de trois siècles et qui est mise en cause, rejetée ou redéfinie aujourd'hui ?

L'idée de modernité, sous sa forme la plus ambitieuse, fut l'affirmation que l'homme est ce qu'il fait, que doit donc exister une correspondance de plus en plus étroite entre la production, rendue plus efficace par la science, la technologie ou l'administration, l'organisation de la société réglée par la loi et la vie personnelle, animée par l'intérêt, mais aussi par la volonté de se libérer de toutes les contraintes. Sur quoi repose cette correspondance d'une culture scientifique, d'une société ordonnée et d'individus libres, sinon sur le triomphe de la *raison* ? Elle seule établit une correspondance entre l'action humaine et l'ordre du monde, ce que cherchaient déjà bien des pensées religieuses mais qui étaient paralysées par le finalisme propre aux religions monothéistes reposant sur une révélation. C'est la raison qui anime la science et ses applications ; c'est elle aussi qui commande l'adaptation de la vie sociale aux besoins individuels ou collectifs ; c'est elle enfin qui remplace l'arbitraire et la violence par l'État de droit et par le marché. L'humanité, en agissant selon ses lois, avance à la fois vers l'abondance, la liberté et le bonheur.

C'est cette affirmation centrale qui a été contestée ou rejetée par les critiques de la modernité.

En quoi la liberté, le bonheur personnel ou la satisfaction des besoins sont-ils rationnels ? Admettons que l'arbi-

traire du Prince et le respect de coutumes locales et professionnelles s'opposent à la rationalisation de la production
et que celle-ci exige que tombent les barrières, que recule
la violence et que s'instaure un État de droit. Mais cela
n'a rien à voir avec la liberté, la démocratie et le bonheur
individuel, comme le savent bien les Français, dont l'État
de droit s'est constitué avec la monarchie absolue. Que
l'autorité rationnelle légale soit associée à l'économie de
marché dans la construction de la société moderne ne suffit pas — et de loin — à démontrer que la croissance et la
démocratie sont liées l'une à l'autre par la force de la raison. Elles le sont par leur commune lutte contre la tradition et l'arbitraire, donc négativement, mais non positivement. La même critique vaut contre le lien supposé de la
rationalisation et du bonheur, et plus fortement encore.
La libération des contrôles et des formes traditionnelles
d'autorité permet le bonheur mais ne l'assure pas ; elle
appelle la liberté mais la soumet en même temps à l'organisation centralisée de la production et de la consommation. L'affirmation que le progrès est la marche vers l'abondance, la liberté et le bonheur, et que ces trois objectifs
sont fortement liés les uns aux autres, n'est qu'une idéologie constamment démentie par l'histoire.

Plus encore, disent les critiques les plus radicaux, ce
qu'on appelle le règne de la raison n'est-il pas l'emprise
croissante du système sur les acteurs, la normalisation et
la standardisation qui, après avoir détruit l'autonomie des
travailleurs, s'étendent au monde de la consommation et
de la communication ? Parfois cette domination s'exerce
libéralement, parfois de manière autoritaire, mais dans
tous les cas cette modernité, même et surtout quand elle
en appelle à la liberté du sujet, a pour but la soumission
de chacun aux intérêts du tout, que celui-ci soit l'entreprise, la nation, la société ou la raison elle-même. Et n'est-
ce pas au nom de la raison et de son universalisme que
s'est étendue la domination de l'homme occidental mâle,
adulte et éduqué sur le monde entier, des travailleurs aux
colonisés et des femmes aux enfants ?

Comment de telles critiques ne seraient-elles pas
convaincantes à la fin d'un siècle dominé par le mouvement communiste, qui imposa au tiers du monde des régi-

mes totalitaires fondés sur la raison, la science et la technique ?

Mais l'Occident répond qu'il se méfie depuis longtemps, depuis la Terreur en laquelle se transforma la Révolution française, de ce rationalisme volontariste, de ce despotisme éclairé. Il a en effet peu à peu remplacé une vision rationaliste de l'univers et de l'action humaine par une conception plus modeste, purement instrumentale de la rationalité, et en mettant de plus en plus celle-ci au service de demandes, de besoins qui échappent de plus en plus, à mesure qu'on entre davantage dans une société de consommation de masse, aux règles contraignantes d'un rationalisme qui ne correspondait qu'à une société de production centrée sur l'accumulation plutôt que sur la consommation du plus grand nombre. En effet, cette société dominée par la consommation et plus récemment par les communications de masse est aussi éloignée du capitalisme puritain auquel se référait Weber que de l'appel de type soviétique aux lois de l'histoire.

Mais d'autres critiques se lèvent contre cette conception douce de la modernité. Ne se perd-elle pas dans l'insignifiance ; n'accorde-t-elle pas la plus grande importance aux demandes marchandes les plus immédiates, donc les moins importantes ? N'est-elle pas aveugle en réduisant la société à un marché et en ne se souciant ni des inégalités qu'elle accroît ni de la destruction de son environnement naturel et social qui s'accélère ?

Pour échapper à la force de ces deux types de critiques, beaucoup se satisfont d'une conception encore plus modeste de la modernité. Pour eux, l'appel à la raison ne fonde aucun type de société ; il est une force critique qui dissout les monopoles comme les corporatismes, les classes ou les idéologies. La Grande-Bretagne, les Pays-Bas, les États-Unis et la France sont entrés dans la modernité par une révolution et le refus de l'absolutisme. Aujourd'hui, où le mot révolution porte plus de connotations négatives que de positives, on parle plutôt de libération, que ce soit celle d'une classe opprimée, d'une nation colonisée, des femmes dominées ou des minorités persécutées. Sur quoi débouche cette libération ? Pour les uns, sur l'égalité des chances ; pour les autres, sur un multiculturalisme bien tempéré. Mais la liberté politique n'est-elle que négative, réduite à l'impossibilité pour quiconque de parvenir au pouvoir ou de s'y maintenir contre la volonté de la majorité, selon la définition d'Isaiah Berlin ? Le bonheur n'est-il que la liberté de suivre sa propre volonté ou ses désirs ? En un mot, la société moderne tend-elle à éliminer toutes les formes de système et tous les principes d'organisation pour n'être qu'un flux multiple de changements, donc de stratégies personnelles, organisationnelles ou politiques, réglé par la loi et les contrats ? Un libéralisme aussi conséquent ne définit plus aucun principe de gouvernement, de gestion ou d'éducation. Il n'assure plus la correspondance entre le système et l'acteur, qui fut l'objectif suprême des rationalistes des Lumières, et se réduit à une tolérance qui n'est respectée qu'en l'absence de crise sociale grave et profite surtout à ceux qui disposent des ressources les plus abondantes et les plus diverses.

Une conception aussi douce de la modernité ne s'abolit-elle pas elle-même ? Tel est le point de départ des critiques post-modernes. Baudelaire voyait dans la vie moderne, dans sa mode et son art, la présence de l'éternel dans l'instant. Mais n'était-ce pas une simple transition entre les « visions du monde » fondées sur des principes religieux ou politiques stables et une société post-historique, toute faite de diversité où l'ici et l'ailleurs, l'ancien et le nouveau coexistent sans prétention à l'hégémonie ? Et cette culture post-moderne n'est-elle pas incapable de créer, n'est-elle pas réduite à refléter les créations des autres cultures, celles qui se pensaient porteuses d'une vérité ?

De sa forme la plus dure à sa forme la plus douce, la plus modeste, l'idée de modernité, quand elle est définie par la destruction des ordres anciens et par le triomphe de la rationalité, objective ou instrumentale, a perdu sa force de libération et de création. Elle résiste aussi mal aux forces adverses que l'appel généreux aux droits de l'homme, à la montée du différencialisme et du racisme.

Mais faut-il passer dans l'autre camp et se rallier au grand retour des nationalismes, des particularismes, des intégrismes, religieux ou non, qui semblent progresser presque partout, dans les pays les plus modernisés comme dans ceux qui sont le plus brutalement bouleversés par une modernisation forcée ? Comprendre la formation de tels mouvements appelle certes une interrogation critique sur l'idée de modernité, telle qu'elle s'est développée en Occident, mais ne peut justifier d'aucune manière l'abandon à la fois de l'efficacité de la raison instrumentale, de la force libératrice de la pensée critique et de l'individualisme.

Nous voici parvenus au point de départ de ce livre. Si nous refusons le retour à la tradition et à la communauté, nous devons chercher une nouvelle définition de la modernité et une nouvelle interprétation de notre histoire « moderne », si souvent réduite à la montée, à la fois nécessaire et libératrice, de la raison et de la sécularisation. Si la modernité ne peut pas être définie seulement par la rationalisation et si, inversement, une vision de la modernité comme flux incessant de changements fait trop bon marché de la logique du pouvoir et de la résistance des identités culturelles, ne devient-il pas clair que la modernité se définit précisément par cette séparation croissante du monde *objectif*, créé par la raison en accord avec les lois de la nature, et du monde de la *subjectivité*, qui est d'abord celui de l'individualisme, ou plus précisément celui d'un appel à la liberté personnelle ? La modernité a rompu le monde sacré, qui était à la fois naturel et divin, transparent à la raison et créé. Elle ne l'a pas remplacé par celui de la raison et de la sécularisation, en renvoyant les fins dernières dans un monde que l'homme ne pourrait plus atteindre ; elle a imposé la séparation d'un *Sujet* descendu du ciel sur terre, humanisé, et du monde des objets, manipulés par les *techniques*. Elle a remplacé l'unité d'un monde créé par la volonté divine, la Raison ou l'Histoire, par la dualité de la *rationalisation* et de la *subjectivation*.

Tel sera le mouvement de ce livre. Il rappellera d'abord le triomphe des conceptions rationalistes de la modernité, malgré la résistance du dualisme chrétien qui anima la pensée de Descartes, les théories du droit naturel et la Déclaration des droits de l'homme. Puis il suivra la destruction, dans la pensée et dans les pratiques sociales, de cette idée de la modernité, jusqu'à la séparation complète d'une image de la société comme flux de changements incontrôlables au milieu desquels les acteurs élaborent des stratégies de survie ou de conquête, et d'un imaginaire culturel post-moderne. Enfin, il proposera de redéfinir la modernité comme la relation, chargée de tensions, de la Raison et du Sujet, de la rationalisation et de la subjectivation, de l'esprit de la Renaissance et de celui de la Réforme, de la science et de la liberté. Position également éloignée du modernisme aujourd'hui en déclin et du post-modernisme dont le fantôme rôde partout.

De quel côté faut-il livrer la principale bataille ? Contre l'orgueil de l'idéologie moderniste ou contre la destruction de l'idée même de modernité ? Les intellectuels ont plus souvent choisi la première réponse. Si notre siècle apparaît aux technologues et aux économistes comme celui de la modernité triomphante, il a été dominé intellectuellement par le discours antimoderniste. Pourtant, aujourd'hui, c'est l'autre danger qui me semble le plus réel, celui de la dissociation complète du système et des acteurs, du monde technique ou économique et du monde de la subjectivité. Plus notre société semble se réduire à une entreprise luttant pour survivre sur un marché international, plus se répand en même temps partout l'obsession d'une identité qui n'est plus définie en termes sociaux, qu'il s'agisse du nouveau communautarisme des pays pauvres ou de l'individualisme narcissique des pays riches. La séparation complète de la vie publique et de la vie privée entraînerait le triomphe de pouvoirs qui ne seraient plus définis qu'en termes de gestion et de stratégie, et face auxquels la plupart se replieraient sur un espace privé, ce qui ne laisserait qu'un gouffre sans fond là où se trouvait l'espace public, social et politique, et où étaient nées les démocraties modernes. Comment ne pas voir dans une telle situation une régression vers les sociétés où les puissants et le peuple vivaient dans des univers séparés, celui des guerriers conquérants d'un côté, celui des gens ordinaires enfermés dans une société locale de l'autre ? Surtout, comment ne pas voir que le monde est plus profondément divisé que jamais entre le Nord, où règnent l'instrumentalisme et le pouvoir, et le Sud, qui s'enferme dans l'angoisse de son identité perdue ?

Mais cette représentation ne correspond pas à toute la réalité. Nous ne vivons pas entièrement dans une situation post-moderne, de dissociation complète du système et de l'acteur, mais au moins autant dans une société post-industrielle, que je préfère nommer programmée, définie par l'importance centrale des industries culturelles — soins médicaux, éducation, information —, où un conflit central oppose les appareils de production culturelle à la défense du sujet personnel. Cette société post-industrielle constitue un champ d'action culturel et social encore plus fortement constitué que ne le fut la société industrielle aujourd'hui en déclin. Le sujet ne peut pas se dissoudre dans la post-modernité parce qu'il s'affirme dans la lutte contre les pouvoirs qui imposent leur domination au nom de la raison. C'est l'extension sans limites des interventions des pouvoirs qui dégage le sujet de l'identification à ses œuvres et des philosophies trop optimistes de l'histoire.

Comment recréer des médiations entre économie et culture ? Comment réinventer la vie sociale et en particulier la vie politique, dont la décomposition actuelle, presque partout dans le monde, est le produit de cette dissociation des instruments et du sens, des moyens et des fins ? Tel sera plus tard le prolongement politique de cette réflexion, qui cherche à sauver l'idée de modernité à la fois de la forme conquérante et brutale que lui a donnée l'Occident et de la crise qu'elle subit depuis un siècle. La critique de la modernité présentée ici veut la dégager d'une tradition historique qui l'a réduite à la rationalisation et y introduire le thème du sujet personnel et de la subjectivation. La modernité ne repose pas sur un principe unique et moins encore sur la simple destruction des obstacles au règne de la raison ; elle est faite du dialogue de la Raison et du Sujet. Sans la Raison, le Sujet s'enferme dans l'obsession de son identité ; sans le Sujet, la Raison devient l'instrument de la puissance. En ce siècle, nous avons connu à la fois la dictature de la Raison et les perversions totalitaires du Sujet ; est-il possible que les deux figures de la modernité, qui se sont combattues ou ignorées, se parlent enfin l'une à l'autre et apprennent à vivre ensemble ?

Conseil de lecture

C'est dans la troisième partie que j'ai présenté mes idées sur la modernité comme relation tendue entre la Raison et le Sujet. Le lecteur peut, sans inconvénient majeur, commencer par elle. S'il est intéressé par la conception « classique » de la modernité, qui l'identifiait à la rationalisation, il trouvera l'histoire de son triomphe et de sa chute dans les deux premières parties.

REMERCIEMENTS

Ce livre a été élaboré dans mon séminaire à l'École des hautes études en sciences sociales, de 1988 à 1992, et ses idées directrices ont été présentées plusieurs fois au séminaire interne du Centre d'analyse et d'intervention sociologiques (CADIS). Je remercie tous ceux qui, au cours de ces réunions de travail, m'ont aidé de leurs remarques et de leurs questions.

Alessandro Pizzorno, en m'invitant à passer un mois à l'Institut universitaire européen à Florence, m'a permis d'entreprendre la révision de la première version de ce livre.

Simonetta Tabboni, Michel Wieviorka et François Dubet ont bien voulu en lire une autre version : j'ai tenu le plus grand compte de leurs observations et de leurs critiques.

La préparation des versions successives a été assurée surtout par Jacqueline Blayac et Jacqueline Longérinas, avec leur compétence et leur activité habituelles. Qu'elles soient chaleureusement remerciées du soin qu'elles ont pris de ce texte.

A. T.

PREMIÈRE PARTIE

LA MODERNITÉ TRIOMPHANTE

CHAPITRE PREMIER

LES LUMIÈRES DE LA RAISON

L'idéologie occidentale

Comment peut-on parler de société moderne si n'est pas reconnu au moins un principe général de définition de la modernité ? Il est impossible d'appeler moderne une société qui cherche avant tout à s'organiser et à agir conformément à une révélation divine ou à une essence nationale. La modernité n'est pas davantage changement pur, succession d'événements ; elle est diffusion des produits de l'activité *rationnelle*, scientifique, technologique, administrative. C'est pourquoi elle implique la différenciation croissante des divers secteurs de la vie sociale : politique, économie, vie familiale, religion, art en particulier, car la rationalité instrumentale s'exerce à l'intérieur d'un type d'activité et exclut qu'aucun d'eux soit organisé de l'extérieur, c'est-à-dire en fonction de son intégration dans une vision générale, de sa contribution à la réalisation d'un projet sociétal, que Louis Dumont dénomme holiste. La modernité exclut tout finalisme. La sécularisation et le désenchantement dont parle Weber, qui définit la modernité par l'intellectualisation, manifeste la rupture nécessaire avec le finalisme de l'esprit religieux, qui appelle toujours une fin de l'histoire, réalisation complète du projet divin ou disparition d'une humanité pervertie et infidèle à sa mission. L'idée de modernité n'exclut pas celle de fin de l'histoire, comme en témoignent les grands penseurs de l'historicisme, Comte, Hegel et Marx, mais la fin de l'histoire est plutôt celle d'une pré-histoire et le début d'un développement entraîné par le progrès technique, la libération des besoins et le triomphe de l'Esprit.

L'idée de modernité remplace au centre de la société Dieu par la science, laissant au mieux les croyances religieuses à l'intérieur de la vie privée. Il ne suffit pas que soient présentes les applications technologiques de la science pour qu'on parle de société moderne. Il faut en plus que l'activité intellectuelle soit protégée des propagandes politiques ou des croyances religieuses, que l'impersonnalité des lois protège contre le népotisme, le clientélisme et la corruption, que les administrations publiques et privées ne soient pas les instruments d'un pouvoir personnel, que vie publique et vie privée soient séparées, comme doivent l'être les fortunes privées du budget de l'État ou des entreprises.

L'idée de modernité est donc étroitement associée à celle de rationalisation. Renoncer à l'une, c'est rejeter l'autre. Mais la modernité se réduit-elle à la rationalisation ? Est-elle l'histoire des progrès de la raison, qui sont aussi ceux de la liberté et du bonheur, et de la destruction des croyances, des appartenances, des cultures « traditionnelles » ? La particularité de la pensée occidentale, au moment de sa plus forte identification à la modernité, est qu'elle a voulu passer du rôle essentiel reconnu à la rationalisation à l'idée plus vaste d'une *société rationnelle*, dans laquelle la raison ne commande pas seulement l'activité scientifique et technique, mais le gouvernement des hommes autant que l'administration des choses. Cette conception a-t-elle une valeur générale ou n'est-elle qu'une expérience historique particulière, même si son importance est immense ? Il faut d'abord décrire cette conception de la modernité et de la modernisation comme création d'une société rationnelle.

Parfois, elle a imaginé la société comme un ordre, une architecture fondés sur le calcul ; parfois, elle a fait de la raison un instrument au service de l'intérêt et du plaisir des individus ; parfois, enfin, elle l'a utilisée comme une arme critique contre tous les pouvoirs, pour libérer une « nature humaine » qu'avait écrasée l'autorité religieuse.

Mais, dans tous les cas, elle a fait de la rationalisation le seul principe d'organisation de la vie personnelle et collective, en l'associant au thème de la sécularisation, c'est-à-dire du détachement de toute définition des « fins ultimes ».

Tabula rasa

La conception occidentale la plus forte de la modernité, celle qui a eu les effets les plus profonds, a surtout affirmé que la rationalisation imposait la destruction des liens sociaux, des sentiments, des coutumes et des croyances appelés traditionnels, et que l'agent de la modernisation n'était pas une catégorie ou une classe sociale particulière, mais la raison elle-même et la nécessité historique qui prépare son triomphe. Ainsi, la rationalisation, composante indispensable de la modernité, devient de surcroît un mécanisme spontané et nécessaire de modernisation. L'idée occidentale de modernité se confond avec une conception purement *endogène* de la modernisation. Celle-ci n'est pas l'œuvre d'un despote éclairé, d'une révolution populaire ou de la volonté d'un groupe dirigeant ; elle est l'œuvre de la raison elle-même, et donc surtout de la science, de la technologie et de l'éducation, et les politiques sociales de modernisation ne doivent pas avoir d'autre but que de dégager la route de la raison en supprimant les réglementations, les défenses corporatistes ou les barrières douanières, en créant la sécurité et la prévisibilité dont l'entrepreneur a besoin et en formant des gestionnaires et des opérateurs compétents et consciencieux. Cette idée peut sembler banale ; elle ne l'est pas, puisque la grande majorité des pays du monde se sont engagés dans des modernisations bien différentes, où la volonté d'indépendance nationale, les luttes religieuses et sociales, les convictions de nouvelles élites dirigeantes, donc d'acteurs sociaux, politiques et culturels, ont joué un rôle plus important que la rationalisation elle-même, paralysée par la résistance des traditions et des intérêts privés. Cette idée de la société moderne ne correspond même pas à l'expérience historique réelle des pays européens, où des mouvements religieux et la gloire du roi, la défense de la famille et l'esprit de conquête, la spéculation financière et la critique sociale ont joué un rôle aussi important que les progrès techniques et la diffusion des connaissances ; mais elle constitue un modèle de modernisation, une idéologie dont les effets théoriques et pratiques ont été considérables.

L'Occident a donc vécu et pensé la modernité comme une *révolution*. La raison ne reconnaît aucun acquis ; elle fait au contraire table rase des croyances et des formes d'organisation sociales et politiques qui ne reposent pas sur une démonstration de type scientifique. Alan Bloom vient de le rappeler (p. 186)[1] : « Ce qui distingue la philosophie des Lumières de celle qui la précède, c'est son intention d'étendre à tous les hommes ce qui avait été le territoire de quelques-uns seulement, à savoir une existence menée conformément à la raison. Ce n'est pas l'"idéalisme" ou l'"optimisme" qui a motivé ces penseurs dans leur entreprise, mais une nouvelle science, une "méthode" , et, alliée à celles-ci, une nouvelle science politique. » De siècle en siècle, les modernes ont cherché un modèle « naturel » de connaissance scientifique de la société et de la personnalité, que ce modèle soit mécaniste, organiciste, cybernétique ou qu'il repose sur une théorie générale des systèmes. Et ces tentatives ont constamment été soutenues par la conviction qu'en faisant du passé table rase on libère les êtres humains des inégalités transmises, des peurs irrationnelles et de l'ignorance.

L'idéologie occidentale de la modernité, qu'on peut appeler le modernisme, a remplacé l'idée de Sujet et celle de Dieu à laquelle elle se rattachait, de la même manière que les méditations sur l'âme ont été remplacées par la dissection des cadavres ou l'étude des synapses du cerveau. Ni la société, ni l'histoire, ni la vie individuelle, disent les modernistes, ne sont soumises à la volonté d'un être suprême à laquelle il faudrait se soumettre ou sur laquelle on pourrait agir par la magie. L'individu n'est soumis qu'à des lois naturelles. Jean-Jacques Rousseau appartient à cette philosophie des Lumières parce que, commente Jean Starobinski, toute son œuvre est dominée par la recherche de la transparence et la lutte contre les obstacles qui obscurcissent la connaissance et la communication. C'est

---

1. Toutes les indications de page dans le texte renvoient à la bibliographie en fin d'ouvrage.

le même esprit qui anime son œuvre de naturaliste, ses inventions de musicologue, sa critique de la société et son programme d'éducation. L'esprit des Lumières veut détruire non seulement le despotisme mais les corps intermédiaires, comme le fit la Révolution française : la société se devait d'être aussi transparente que la pensée scientifique. Idée qui est restée très présente dans l'idée française de république et dans la conviction que celle-ci doit être avant tout porteuse d'idéaux universalistes : la liberté, l'égalité et la fraternité. Ce qui ouvre les portes aussi bien au libéralisme qu'à un pouvoir qui pourrait être absolu, parce qu'il serait rationnel et communautaire, pouvoir qu'annonce déjà le *Contrat social*, que chercheront à construire les jacobins et qui sera l'objectif de tous les révolutionnaires, constructeurs d'un pouvoir absolu parce que scientifique, et destiné à protéger la transparence de la société contre l'arbitraire, la dépendance et l'esprit réactionnaire. Ce qui vaut pour la société vaut pour l'individu. Son éducation doit être une discipline qui le libère de la vision étroite, irrationnelle, que lui imposent sa famille et ses propres passions, et l'ouvre à la connaissance rationnelle et à la participation à une société qui organise l'action de la raison. L'école doit être un lieu de rupture avec le milieu d'origine et d'ouverture au progrès, à la fois par la connaissance et par la participation à une société fondée sur des principes rationnels. L'enseignant n'est pas un éducateur intervenant dans la vie privée d'enfants qui ne doivent être que des élèves ; il est un médiateur entre eux et les valeurs universelles de la vérité, du bien et du beau. L'école doit aussi remplacer les privilégiés, héritiers d'un passé rejeté, par une élite recrutée à travers les épreuves impersonnelles des concours.

La nature, le plaisir et le goût

Mais cette image révolutionnaire, libératrice, de la modernité ne peut suffire, elle doit être complétée par l'image positive d'un monde gouverné par la raison. Faut-il parler de société scientifique ou rationnelle ? Le projet conduira des révolutionnaires à créer une société nouvelle et un homme nouveau, auxquels ils imposeront, au nom de la raison, des contraintes plus grandes que celles des monarchies absolues. Les régimes communistes voudront construire un socialisme scientifique qui ressemblera plus à la cage de fer dont parlait Weber qu'à la libération des besoins. La réponse des philosophes des Lumières, au XVIIIe siècle, est bien différente : il faut remplacer l'arbitraire de la morale religieuse par la connaissance des lois de la nature. Mais, pour que l'homme ne doive pas renoncer à lui-même en vivant en accord avec la nature, il ne suffit pas de faire appel à sa raison. D'abord parce que les raisonnements ne s'accordent pas facilement et conduisent à la diversité des opinions et des lois ; ensuite, parce qu'on ne peut pas imposer le règne de la raison comme on impose une vérité révélée. Il faut donc montrer que la soumission à l'ordre naturel des choses procure du plaisir et correspond aux règles du goût. Cette démonstration doit être faite dans l'ordre esthétique comme dans l'ordre moral. Tel est ce que Jean Ehrard appelle « le grand rêve du siècle : celui d'une humanité réconciliée avec elle-même comme avec le monde et qui s'accorderait spontanément à l'ordre universel » (p. 205). Le plaisir correspond à l'ordre du monde. Comme le dit le même auteur, « de même que la raison du mathématicien est accordée aux lois générales de la nature physique, l'homme de goût accède spontanément à la vérité du Beau absolu. Une harmonie providentielle fait que la définition du Beau idéal coïncide avec les lois hédonistes du goût. Un absolu se révèle ainsi dans la relativité du plaisir » (p. 187).

C'est Locke qui a formulé le plus clairement cette conception de l'être humain. Il rejette le dualisme cartésien, par conséquent l'idée de substance et la conception cartésienne des idées innées, et plus précisément la place centrale qu'elle accordait à l'idée de Dieu. La conscience de soi n'est pas différente de la conscience des choses et l'homme est âme et corps ensemble dans l'expérience de son identité. L'entendement ne donne pas forme aux choses, il est réflexion, reposant elle-même sur une sensation, et Locke insiste sur sa passivité. Ainsi se trouve définie une pensée sans garant transcendant, détachée de Dieu, raison purement instrumentale. La nature s'imprime en l'homme par les désirs et par le bonheur que procure l'acceptation de la loi naturelle ou par le malheur qui est le châtiment de ceux qui ne la suivent pas.

Ce naturalisme et ce recours à la raison instrumentale se complètent si fortement que leur union traversera toute l'époque moderne jusqu'à Freud, qui, selon l'image de Charles Taylor, fait du Moi un navigateur qui cherche sa route entre les pressions du Soi, du Surmoi et de l'organisation sociale.

De même, la pensée morale du siècle des Lumières est dominée par l'idée de la bonté naturelle de l'homme. La vertu émeut, fait pleurer de joie, d'attendrissement, provoque la jouissance. Et quand l'homme ne suit pas le chemin de la vertu, c'est qu'il est victime de la fatalité ou de la société corrompue, comme Des Grieux dans *Manon Lescaut*. Le langage du cœur doit se faire entendre malgré les mensonges des mots et Marivaux met en scène la victoire de l'amour contre les préjugés de l'éducation. Mais le triomphe du bien ne serait pas possible si la vertu ne donnait pas du plaisir. « C'est alors, dit Diderot, que pour combler le bonheur de la créature, une flatteuse approbation de l'esprit se réunit à des mouvements du cœur délicieux et presque divins. »

Sans être aussi pessimiste sur la nature humaine que Pascal ou La Rochefoucauld, on peut se demander si seul le bien procure du plaisir. Sade est plus convaincant quand il décrit le plaisir de forcer, de soumettre, d'humilier, de faire souffrir l'objet du désir. Cette conception de la raison comme organisation rationnelle des plaisirs deviendra de plus en plus difficile à admettre. Pourquoi aujourd'hui appeler rationnelle une consommation de masse qui répond plutôt à la recherche d'un statut social, au désir de séduire ou au plaisir esthétique ? L'esprit des Lumières était celui d'une élite instruite, de nobles, de bourgeois et d'intellectuels avant la lettre, qui goûtaient dans ces plaisirs une libération et la satisfaction de scandaliser l'Église, surtout dans le cas des pays catholiques. Mais, même au sein du puritanisme, Edmund Leites vient de le montrer, l'idée de constance permit, en particulier aux États-Unis, de combiner le contrôle de soi avec la recherche rationnellement conduite du plaisir sexuel. Ce qui lie la raison et le plaisir, c'est le discours et, si on prend le mot en son sens second, la rationalisation. Mais le but principal de cette éthique et de cette esthétique n'est pas de construire une image de l'homme ; c'est de les éliminer toutes et de s'éloigner de tout recours à une loi divine et à l'existence de l'âme, c'est-à-dire de la présence de Dieu en chaque individu, selon l'enseignement du christianisme. La grande affaire est de se libérer de toute pensée dualiste et d'imposer une vision naturaliste de l'homme. Ce qui ne doit pas être compris d'une manière seulement matérialiste, car l'idée de *nature*, à l'époque des Lumières, a un sens plus large qu'aujourd'hui, comme l'explique bien Cassirer (p. 246) : « Nature ne désigne pas seulement le domaine de l'existence "physique", la réalité (matérielle) dont il faudrait distinguer l'"intellectuelle" ou la "spirituelle". Le terme ne concerne pas l'être des choses mais l'origine et la fondation des vérités. Appartiennent à la "nature", sans préjudice de leur contenu, toutes les vérités qui sont susceptibles d'une fondation purement immanente, n'exigeant aucune révélation transcendante, qui sont pour elles-mêmes certaines et évidentes. Telles sont les vérités qu'on recherche non seulement dans le monde physique, mais aussi dans le monde intellectuel et moral. Car ce sont ces vérités qui font de notre monde un seul "monde", un cosmos reposant en soi-même, possédant en soi-même son propre centre de gravité. »

Ce concept de nature, comme celui de raison, a pour fonction principale d'*unir l'homme et le monde*, comme le faisait l'idée de création, plus souvent associée qu'opposée à celle de nature, mais en permettant à la pensée et à l'action humaines d'agir sur cette nature en connaissant et en respectant ses lois sans recourir à la révélation ni à l'enseignement des Églises.

L'utilité sociale

Si cet appel à la nature a une fonction surtout critique, antireligieuse, c'est parce qu'il cherche à donner au bien et au mal un fondement qui ne soit ni religieux ni psychologique, qui soit seulement social. L'idée que la société est source des valeurs, que le bien est ce qui est *utile* à la société et le mal ce qui nuit à son intégration et à son efficacité, est un élément essentiel de l'idéologie classique de la modernité. Pour ne plus se soumettre à la loi du père, il faut la remplacer par l'intérêt des frères et soumettre l'individu à l'intérêt de la collectivité. Dans sa version encore la plus religieuse, celle des réformes protestante et catholique, cette identification du spirituel et du temporel prend la forme de la recherche de la communauté des saints. C'est ainsi que les paysans souabes qui publient leurs Douze Articles en 1525, date qui marque le début de la guerre des Paysans en Allemagne, se définissent eux-mêmes en tant que communauté ou Église, ce qui les conduit à refuser que les prêtres possèdent en propre des terres ; ils doivent être payés par la communauté. Ce texte, bien analysé par Emmanuel Mendes Sargo, est proche de ce qui sera l'esprit de la Genève calviniste, mais aussi de la politique des jésuites, qui travailleront à convaincre les princes de régner *ad majorem Dei gloriam*. Mais cette vision s'est vite sécularisée et l'intérêt de la collectivité s'est substitué à l'appel à la foi de la communauté. Machiavel fonde cette nouvelle pensée du politique en admirant les citoyens de Florence en lutte contre le pape, car ils ont mis « l'amour de leur cité natale au-dessus de la crainte pour le salut de leur âme », et la cité est le corps social dont l'intégrité est nécessaire au bonheur de chacun. C'est pourquoi la Renaissance et les siècles suivants recourent si volontiers à des exemples empruntés à l'Antiquité grecque et romaine. C'est que celle-ci a exalté la morale civique et reconnu la citoyenneté dans une cité libre comme le bien suprême.

La formation d'une nouvelle pensée politique et sociale est le complément indispensable de l'idée classique de modernité, telle qu'elle est associée à celle de sécularisation. La *société* remplace Dieu comme principe du jugement moral et devient, beaucoup plus qu'un objet d'étude, un principe d'explication et d'évaluation des conduites. La science sociale naît comme science politique. D'abord au cours des luttes entre papes et empereurs, dont les intérêts sont défendus par Occam et Marsile de Padoue ; surtout par la volonté de Machiavel de juger des actions et des institutions politiques sans recours à un jugement moral, c'est-à-dire religieux. Ensuite, par l'idée commune à Hobbes et à Rousseau — et bien différente de l'analyse de Locke — que l'ordre social est créé par une décision des individus qui se soumettent au pouvoir du Léviathan ou à la volonté générale qui s'exprime dans le contrat social. L'ordre social ne doit dépendre de rien d'autre que d'une libre décision humaine, qui fait de lui le principe du bien et du mal et non plus le représentant d'un ordre établi par Dieu ou par la nature. L'analyse de Hobbes a précédé les autres et constitua, après l'œuvre de Machiavel, la première grande réflexion moderne sur la société. Au départ, pour Hobbes, est la guerre de tous contre tous, car chacun dispose d'un *jus in omnia*, d'un droit d'appropriation illimité. La peur de la mort qui résulte de cette hostilité générale conduit à établir la paix par le renoncement de chacun à ses droits au profit d'un pouvoir absolu. Ce qui ne supprime pas le droit de l'individu de se révolter contre le souverain si celui-ci n'assure plus la paix de la société. Il est plus juste de parler ici de philosophie politique que de sociologie, car l'analyse ne part pas chez Hobbes ou Rousseau de l'activité économique — comme chez Locke — ou des caractéristiques culturelles ou sociales — comme dans l'œuvre de Tocqueville —, mais directement du pouvoir et de ses fondements. L'idée d'acteur social n'a pas grande place dans cette philosophie politique, et celle de relations sociales encore moins. Seule importe la fondation de l'ordre politique sans recours à des principes religieux, ce qui est particulièrement important pour Hobbes, qui critique la prétention des divers groupes religieux de justifier leur combat pour le pouvoir en Angleterre par des arguments tirés des Écritures et de leur foi religieuse. La formation de l'État absolutiste en France, depuis Loiseau et les juristes de Louis XI jusqu'à Richelieu et Louis XIV, s'appuie de même sur le passage de l'*universitas* à la *societas* et remplace le divin par le politique comme expression du sacré dans la vie sociale, écartant ainsi la pensée de Bossuet. La Révolution française poussera cette évolution à l'extrême en identifiant la nation à la raison et le civisme à la vertu, et toutes les révolutions ultérieures imposeront aux citoyens des devoirs de plus en plus contraignants, qui aboutiront au « culte de la personnalité ». Au cœur du mouvement des Lumières, Diderot oppose aux passions individuelles la rationalité de la volonté générale. Analysant dans l'*Encyclopédie* l'idée de droit naturel, il écrit « que l'homme qui n'écoute que sa volonté particulière est

l'ennemi du genre humain..., que la volonté générale est
donc dans chaque individu un acte pur de l'entendement,
qui raisonne dans le silence des passions sur ce que
l'homme peut exiger de son semblable et sur ce que son
semblable est en droit d'exiger de lui ». Rousseau, de
manière bien différente, cherche à défendre un principe de
citoyenneté qui rompe avec l'inégalité qui domine ce que
les penseurs écossais de son siècle commençaient à appeler la société civile. Ni bourgeois ni sacré, l'ordre social,
pour Hobbes au XVIIe siècle comme pour Rousseau au
XVIIIe, doit reposer sur une décision libre, et devient ainsi
le principe du bien. Mais cette décision libre est l'expression de la volonté générale.

La formule, qui était couramment employée, a chez
Rousseau un sens rationaliste. Car la volonté générale ne
défend pas les intérêts de la majorité ou du tiers état, position qu'il rejette formellement ; elle ne s'applique qu'aux
problèmes généraux de la société, donc à son existence
même, et quel fondement peut avoir cet universalisme,
sinon la raison ? Il existe un ordre naturel dans lequel
l'homme doit savoir s'insérer, et, quand il en sort, entraîné
par son désir et ses ambitions, il passe de cette existence
naturelle au domaine du mal qui sépare et oppose les individus. Le contrat social fait apparaître un souverain qui
est à la fois la société elle-même, laquelle constitue un
corps social à condition d'être de petite dimension, et la
raison. Comme tous les philosophes des Lumières, Rousseau écarte la révélation divine comme principe d'organisation de la société et la remplace par la raison. Le souverain de Rousseau annonce la conscience collective de
Durkheim, comme sa pensée, après celle de Hobbes, est à
l'origine de toutes les sociologies qui définissent les fonctions principales d'une société et évaluent les conduites
par leur contribution positive ou négative à l'intégration
sociale et à la capacité des institutions de contrôler les
intérêts et passions personnels. Durkheim est en ce sens
un héritier de la philosophie politique des XVIIe et XVIIIe siècles, après la longue éclipse qu'avaient représentée le
triomphe de l'historicisme et la représentation de la société
comme un champ de conflits sociaux entre l'avenir et le
passé, l'intérêt et la tradition, la vie publique et la vie privée. Ainsi se crée un des grands modèles de représentation

de la vie sociale, au centre duquel est placée la correspondance du système et des acteurs, des institutions et de la socialisation. L'être humain n'est plus une créature faite par Dieu à son image, mais un acteur social défini par des rôles, c'est-à-dire par les conduites attachées à des statuts et qui doivent contribuer au bon fonctionnement du système social. C'est parce que l'être humain est ce qu'il fait qu'il ne doit plus regarder au-delà de la société, vers Dieu, sa propre individualité ou ses origines, et qu'il doit chercher la définition du bien et du mal dans ce qui est utile ou nuisible à la survie et au fonctionnement du corps social.

La notion de société, dont nous continuerons dans ce livre à nous servir pour désigner un ensemble concret, défini par des frontières, des sources reconnues d'autorité, des organes d'application des lois et une conscience d'appartenance, a donc reçu dans cette pensée sociale classique un autre sens, explicatif et non descriptif, puisque la société et la position occupée en son sein sont alors des éléments d'explication des conduites et de leur évaluation. C'est ce sociologisme qui est un élément central de la vision moderniste.

Cette vision est renforcée par l'optimisme de Diderot dans son *Essai sur le mérite et la vertu* : « L'homme est intègre ou vertueux lorsque, sans aucun motif bas ou servile, tel que l'espoir d'une récompense ou la crainte d'un châtiment, il contraint toutes ses passions à conspirer au bien général de son espèce : effort héroïque et qui toutefois n'est jamais contraire à ses intérêts particuliers. » Idée qu'il faut bien reconnaître aussi faible que les théories sur la bonté naturelle de l'homme ou la correspondance de la vertu et du plaisir. Et la critique que fait Mandeville de l'ordre social est aussi dévastatrice que celle que fait Sade de l'ordre moral. Comment nier la force de son *Éloge*, publié en 1705, de l'instinct égoïste, et de son affirmation tranchante qu'il faut choisir entre la vertu et la richesse, entre le salut et le bonheur ?

La faiblesse de cette éthique, de cette esthétique et de cette politique vient de ce que l'idéologie moderniste est peu convaincante quand elle cherche à donner un contenu positif à la modernité, tandis qu'elle est forte quand elle reste critique. Le contrat social peut créer une communauté aussi oppressive que le Léviathan qui met fin à la guerre de tous contre tous au profit de leur soumission à un pouvoir central absolu, mais il a été compris comme un appel à la libération, au renversement des pouvoirs qui ne reposaient que sur la tradition et une décision divine. La conception de la modernité élaborée par les philosophes des Lumières est révolutionnaire, mais elle n'est rien d'autre. Elle ne définit ni une culture ni une société ; elle anime les luttes contre la société traditionnelle plutôt qu'elle n'éclaire les mécanismes de fonctionnement d'une société nouvelle. Déséquilibre qui se retrouve dans la sociologie : depuis la fin du XIXe siècle, celle-ci a placé au centre de son vocabulaire l'opposition du traditionnel et du moderne, de la communauté et de la société chez Tönnies, de la solidarité mécanique et de la solidarité organique chez Durkheim, de l'*ascription* et de l'*achievement* chez Linton, des termes opposés des axes qui définissent les *pattern-variables* chez Parsons, et, plus récemment, du holisme et de l'individualisme chez Louis Dumont. Dans tous ces cas, le terme qui définit la société moderne reste vague, comme si seule la société dite traditionnelle était organisée autour d'un principe positivement défini et donc capable de commander des dispositifs institutionnels, tandis que ce qui définit la société moderne serait négatif, force de dissolution de l'ordre ancien plutôt que de construction d'un ordre nouveau.

Cette faiblesse des propositions et cette force des critiques dans la pensée moderniste s'expliquent parce que l'appel à la modernité se définit moins par son opposition à la société traditionnelle que par sa lutte contre la monarchie absolue. Surtout en France, où les philosophes du XVIIIe siècle, Rousseau autant que Diderot ou Voltaire, mènent activement la lutte contre la monarchie, sa légitimation religieuse et les privilèges qu'elle garantit. L'idée de modernité en France a été longtemps révolutionnaire parce qu'elle n'avait pas la possibilité, comme en Angleterre après 1688 et l'élimination de la monarchie absolue, de construire un nouvel ordre politique et social, tâche à laquelle s'employa Locke, embarqué sur le navire qui amenait Guillaume d'Orange en Angleterre. C'est pourquoi elle en appela à la nature contre la société, et à un nouveau pouvoir absolu contre les inégalités et les privilèges. L'idéo-

logie moderniste n'a pas été liée à l'idée démocratique ; elle
a été proprement révolutionnaire, critiquant en théorie, et
plus tard en pratique, le pouvoir du roi et de l'Eglise catholique au nom de principes universels et de la raison elle-
même.

L'identification de la modernité à la raison a été plus
française qu'anglaise ; la Révolution anglaise et le *Bill of
Rights* de 1689 en appelèrent encore à la restauration des
droits traditionnels du Parlement, tandis que la Révolution
française, à partir de sa radicalisation, en appela, au nom
de la raison, à l'unité de la nation et au châtiment des
agents du roi et de l'étranger.

Rousseau, critique moderniste de la modernité

Le nom de Jean-Jacques Rousseau vient d'être cité plusieurs fois et associé à celui de Hobbes. Mais si Rousseau
est un disciple des philosophes et en particulier de Diderot
— qu'il allait visiter dans sa prison au moment où, en 1749,
il eut sur le chemin de Vincennes l'illumination dont sortit
le premier *Discours* remis à l'Académie de Dijon en
1750 —, sa pensée est plus encore la première grande critique interne de la modernité, qui en appelle à l'harmonie
de la nature contre la confusion et l'inégalité sociales. Ce
n'est pas le premier *Discours* mais le second (1754), parce
qu'il prépare *Du contrat social*, qui confère à l'œuvre de
Rousseau son importance exceptionnelle. L'idée que le
progrès des sciences et des arts entraîne aussi le déclin des
mœurs, idée chère à l'Antiquité et en particulier à Hésiode,
permet une dissertation brillante mais ne renouvelle pas
la pensée sociale. En revanche, Rousseau sort du rationalisme optimiste des Lumières dès qu'il dénonce, dans ce
deuxième *Discours*, l'inégalité. Ici, la distance avec Hobbes
devient immense. Ce n'est plus la peur de la guerre et de
la mort qui conduit les êtres humains à créer un ordre
social et à transférer leurs droits à un souverain absolu ;
c'est l'inégalité qui, en se développant dans la société
moderne, conduit à fonder un ordre politique opposé à la
société civile. L'appel à la volonté générale devient chez
Rousseau un instrument de lutte contre l'inégalité. En pratique, l'État, comme communauté des citoyens, est le

contrepoids nécessaire à la différenciation sociale qui résulte de la modernisation elle-même. Tel est l'antimodernisme, révolutionnaire et communautaire, de Rousseau. La communauté, forcément de taille réduite, comme le fut Athènes, comme le sont Genève, la Corse et peut-être la Pologne, s'oppose aux grandes sociétés, dont l'unité est menacée par la division du travail et la recherche du profit. Retour au politique, qui restera jusqu'à aujourd'hui — ou hier — un principe central de la gauche française, prompte à identifier la société civile au capitalisme et au triomphe des intérêts privés et de l'égoïsme, et à se poser en champion de l'État républicain et de l'intégration nationale. Elle regarde la notion de société avec méfiance et lui préfère l'idée de souveraineté populaire, incarnée dans l'État national. Exaltation du politique qui culminera avec l'analyse hégélienne de l'État comme société (*Staatsgesellschaft*). Pour le Rousseau du *Contrat social*, nous ne commençons proprement à devenir homme qu'après avoir été citoyen », idée qui nourrira les plus ambitieuses tentatives de créer une société nouvelle, c'est-à-dire un pouvoir politique nouveau qui fera naître un homme nouveau. Le modernisme exalte la volonté collective de lutter contre l'inégalité et les effets négatifs de l'enrichissement au nom de la raison qui se transforme en souveraineté populaire pour établir l'alliance de l'homme et de la nature. Mais Rousseau est conscient que la volonté générale ne peut pas se maintenir aussi pure, s'imposer aussi absolument aux intérêts des individus et des catégories sociales, et il ne se fait pas d'illusions sur une Genève embourgeoisée. Cette contradiction de la modernité économique et de la citoyenneté, que Montesquieu ou Voltaire cherchent à rendre supportable par la limitation du pouvoir politique, Rousseau la vit comme insurmontable et dramatique, parce qu'elle repose sur la contradiction de l'ordre naturel et de l'ordre social, dit-il dès le début du Livre I de l'*Émile*. Jean Starobinski insiste sur cette opposition de l'être et du paraître, laquelle prend sa forme la plus élaborée dans la Profession de foi du vicaire savoyard (dans le Livre IV d'*Émile*), qui oppose la religion naturelle à des dogmes dont les variations d'une société à l'autre dénoncent le caractère relatif et artificiel. Comment surmonter cette contradiction ? Non par le retour en arrière vers une société primitive, plus amorale que positivement morale, mais par le renversement des contradictions sociales et la construction d'une société de communication fondée sur la connaissance intuitive de la vérité.

Rousseau critique la société, ses artifices et ses inégalités, mais c'est au nom des Lumières, même s'il se retourne de plus en plus contre ses anciens amis les philosophes. Il en appelle à une nature qui est le lieu de l'ordre, de l'harmonie, donc de la raison. Il veut replacer l'homme dans cet ordre, en le faisant échapper à la confusion et au chaos créés par l'organisation sociale. Tel est le but de l'éducation : former un être naturel, bon, raisonnable et capable de sociabilité ; ce qu'expose *Émile ou De l'éducation*.

Ce naturalisme est une critique de la modernité, mais moderniste, un dépassement de la philosophie des Lumières, mais éclairé. Après Rousseau, prolongé ici par Kant, et jusqu'au milieu du XXᵉ siècle, les intellectuels associeront à leurs critiques de la société injuste le rêve d'une cité transparente à elle-même, d'un retour philosophique à l'être et à la raison, rêve qui prendra souvent la forme politique d'une société nouvelle construite sous leur direction au service de la raison après qu'ils auront été portés au pouvoir par les peuples révoltés contre la société du paraître et des privilèges. Avec Jean-Jacques Rousseau s'ouvre la critique interne du modernisme, qui n'en appelle pas à la liberté personnelle ou à la tradition collective contre le pouvoir, mais à l'ordre contre le désordre, à la nature et à la communauté contre l'intérêt privé.

Mais Rousseau n'est-il pas aussi l'auteur des *Confessions*, des *Rêveries* et des *Dialogues*, et l'archétype de l'individu qui résiste à la société ? En réalité, Rousseau n'oppose pas le sujet moral au pouvoir social, mais se sent rejeté par la société et donc obligé d'être le témoin de la vérité et même le dénonciateur des faiblesses que la société dépravée lui a imposées à lui-même. Son individualisme, dans sa définition positive, est avant tout un naturalisme, et sa psychologie est proche de celle de Locke, surtout dans la priorité qu'il reconnaît à la sensation et dans sa conception de l'entendement.

L'idée que la modernité conduirait par elle-même à un ordre social rationnel, idée acceptée par Voltaire, admirateur des succès de la bourgeoisie anglaise et habile à conci lier sa conscience et ses intérêts, devient inacceptable pour Rousseau. La société n'est pas rationnelle et la modernité divise plus qu'elle unit. Il faut opposer aux mécanismes de l'intérêt la volonté générale et surtout le retour à la nature, c'est-à-dire à la raison, retrouver l'alliance de l'homme et de l'univers. De Rousseau sortent à la fois l'idée de souveraineté populaire, telle qu'elle nourrira tant de régimes démocratiques mais aussi autoritaires, et celle de l'individu comme représentant de la nature contre l'État. Avec lui, la critique radicale de la société conduit à l'idée d'une souveraineté politique au service de la raison. Bernard Groethuysen a analysé cette division de l'œuvre de Rousseau entre l'appel au despotisme républicain du *Contrat social* et le personnage des *Confessions* : Rousseau pourrait être comparé à un révolutionnaire d'aujourd'hui qui, conscient de ce que la société n'est pas ce qu'elle doit être, envisagerait à la fois une solution de caractère socialiste et une autre, de caractère anarchiste. Il verrait que ce sont là deux formes incompatibles de régime politique mais, révolutionnaire avant tout, il embrasserait les deux formes d'idéal à la fois, parce que toutes deux s'opposent également à la société telle qu'elle est. » Ne transformons pas Rousseau en romantique car entre *Du contrat social* et l'*Émile* s'introduit le thème de la construction d'un « Nous » social dépassant et élevant l'individu. Mais comment ne pas reconnaître avec Groethuysen que la rupture avec la société commande tout, à la fois la création d'une utopie politique et la solitude d'un individu qui oppose la vérité à la société entraînée par l'orgueil et le paraître ?

Ce qui définit le souverain Bien, dira de même Kant, est l'union de la vertu et du bonheur, donc de la loi et de l'individu, du système et de l'acteur. Et comment cette union peut-elle être atteinte si ce n'est en élevant l'homme au-delà de toutes ses inclinations, au-delà aussi de tout objet ou de toute conduite identifiés au bien, vers ce qu'il y a d'universel en lui, la raison, par où la communication s'établit entre l'homme et l'univers ? Tel est le principe de la morale kantienne, moderne par excellence, puisqu'elle remplace les idéaux et les commandements venus de l'extérieur par une réforme de la volonté qui l'unit à la raison et rend celle-ci pratique. Le Bien est l'action conforme à la raison, soumise donc à la loi morale qui est de chercher l'universel dans le particulier, à la fois en choisissant des conduites universalisables et en prenant l'homme comme fin et non comme moyen. L'homme est un sujet moral, non pas quand il cherche son bonheur ou ce qui lui est enseigné comme vertueux, mais quand il se soumet au devoir, qui n'est rien d'autre que l'emprise de l'universel, qui est un devoir de connaissance : « Ose savoir. Aie le courage d'utiliser ton propre entendement », dit Kant. Les catégories de l'entendement et celles de la volonté ne peuvent se confondre qu'à la limite, par un effort qui conduit à poser les postulats de l'immortalité de l'âme et de l'existence de Dieu sur lesquels repose cet effort jamais achevé de se hisser vers l'action universaliste. Ce dépassement de tous les impératifs hypothétiques conduit vers l'impératif catégorique de soumission à la loi, qui est de conformer la volonté à la loi universelle de la nature.

Le parallélisme est frappant entre la morale de Kant et la politique de Rousseau qui propose une soumission absolue de l'individu à une volonté générale, qui construit une société à la fois volontariste et naturelle, c'est-à-dire qui assure la communication entre l'individu et la collectivité et fonde le lien social à la fois comme nécessité et comme liberté. Rousseau comme Kant ne choisissent pas le bonheur contre la raison ou la raison contre la nature ; ils rejettent la réduction stoïcienne du bonheur à la vertu tout comme l'illusion épicurienne selon laquelle la vertu consiste à chercher le bonheur. Il s'agit pour eux, au sommet de la philosophie des Lumières *(Aufklärung)*, d'unir la raison et la volonté, de défendre une liberté qui est moins révolte contre l'ordre social que soumission à l'ordre naturel.

Tel est le principe central de cette conception « illuministe » de ce qu'on n'appelle pas encore la modernité, mais qu'il faut rétrospectivement appeler de ce nom : elle n'est pas une philosophie du progrès, mais, presque au contraire, une philosophie de l'ordre unissant pensée antique et pensée chrétienne. On peut y apercevoir une rupture avec la tradition, une pensée de la sécularisation et de la destruction du monde sacré ; mais, plus profondément, il faut y voir une nouvelle et puissante tentative pour maintenir, dans une culture en effet sécularisée, *l'union de l'homme et de l'univers*. Après cette pensée des Lumières viendra une ultime tentative d'unification, l'historicisme des philosophies idéalistes du progrès, mais jamais plus, après Rousseau et Kant, l'homme ne retrouvera son unité avec l'univers. Car celui-ci deviendra histoire et action, tandis que l'homme cessera de se soumettre entièrement à l'appel universaliste d'une raison où il ne verra plus un principe d'ordre, mais un pouvoir de transformation et de contrôle contre lequel se rebellera l'expérience vécue, individuelle et collective.

L'idéologie moderniste est la dernière forme de la croyance en l'union de l'homme et de la nature. La modernité, identifiée au triomphe de la raison, est l'ultime forme que prend la recherche traditionnelle de l'Un, de l'Être. Après le siècle des Lumières, cette volonté métaphysique deviendra nostalgie ou révolte ; et l'homme intérieur se séparera toujours davantage de la nature extérieure.

Le capitalisme

L'idéologie moderniste, qui correspond à la forme, historiquement particulière, de la modernisation occidentale, n'a pas triomphé seulement dans le domaine des idées avec la philosophie des Lumières. Elle a dominé aussi dans le domaine économique, où elle a pris la forme du capitalisme, qui ne peut être réduit ni à l'économie de marché ni à la rationalisation. L'économie de marché correspond à une définition négative de la modernité ; elle signifie la disparition de tout contrôle holiste de l'activité économique, l'indépendance de celle-ci par rapport aux objectifs propres du pouvoir politique ou religieux et aux effets des traditions et des privilèges. La rationalisation, de son côté, est un élément indispensable de la modernité, comme on l'a dit au début de ce chapitre. Le modèle capitaliste de modernisation se définit au contraire par un type d'acteur dirigeant, le capitaliste. Alors que Werner Sombart pensait que la modernisation économique avait résulté de la décomposition des contrôles sociaux et politiques, de l'ouverture des marchés et des progrès de la rationalisation, donc du triomphe du profit et du marché, Weber combattit cette vision purement économique et définit, à la fois dans son essai sur *L'Éthique protestante et l'esprit du capitalisme* et dans *Économie et société*, le capitaliste comme un type social et culturel particulier. L'intention générale de Weber était de montrer comment les diverses grandes religions avaient favorisé ou gêné la sécularisation et la rationalisation modernes. Dans le cas du christianisme, son attention se concentra sur la Réforme et sur l'idée calviniste de prédestination qui remplace l'ascétisme hors du monde par l'ascétisme dans le monde. Le capitaliste est celui qui sacrifie tout non à l'argent, mais à sa vocation — *Beruf* —, à son travail, par lequel il n'assure point son salut, comme le pensait l'Église catholique, mais peut découvrir des signes de son élection — la *certitudo salutis* — ou au moins réaliser le détachement du monde qu'exige sa foi. L'homme de la Réforme se retourne vers le monde. Le *Paradis perdu* de Milton se termine, rappelle Weber, par un appel à l'action dans le monde, contraire à l'esprit de *La Divine Comédie*.

Cette thèse célèbre appelle deux interrogations. La première est de type historique. Nul n'ignore que le capitalisme s'est d'abord développé dans des pays catholiques, l'Italie et la Flandre. On peut ajouter que les pays calvinistes les plus rigoristes n'ont pas connu de développement économique remarquable, l'Écosse calviniste restant longtemps en retard sur l'Angleterre anglicane, les pays du Nord restant très longtemps sous-développés, et Amsterdam étant poussée à la pointe du monde capitaliste par les Arminiens ou Remontrants, beaucoup moins rigoristes que les calvinistes de Genève, ville qui ne connut au XVIᵉ siècle ni croissance économique brillante, ni activité universitaire remarquable (l'université de Genève ne devint un centre de production intellectuelle qu'avec l'arrivée des cartésiens français au siècle suivant). D'autre part, au XVIIIᵉ siècle, en Grande-Bretagne et dans les États-Unis en formation, dont Franklin est la figure emblématique, la présence du calvinisme s'est atténuée et le rigorisme a laissé la place à un utilitarisme très sécularisé. Il est donc difficile d'expliquer le développement du capitalisme par l'influence du protestantisme le plus puritain. Ce que cherche à comprendre Weber, c'est plutôt un type particulier, extrême, d'activité économique : non le commerçant ou l'industriel modernes, mais le capitaliste proprement dit, celui qui est entièrement immergé dans l'activité économique, dont la capacité d'investir dépend de son épargne personnelle, qui n'est attiré ni par les spéculations ni par le luxe, et qui use des biens du monde comme n'en usant pas, selon la formule de saint Paul.

La seconde question est plus proche de l'interrogation centrale de Weber. Est-ce la foi qui favorise l'apparition d'un comportement économique ? Mais comment accepter un tel paradoxe, alors que l'esprit religieux, transformé et ravivé par la Réforme, est bien un ascétisme dans le monde, donc conduit plutôt à un détachement des biens du monde difficilement compatible avec une vie consacrée au travail, au commerce et au profit ? On est ainsi porté à une interprétation plus limitée des réalités analysées par Weber. L'essentiel ne serait pas la foi, donc une culture religieuse, mais la rupture des liens sociaux imposés par la peur du jugement d'un dieu caché. Rupture de la famille, des relations amicales, et rejet d'institutions religieuses qui mélangeaient le sacré et le profane, la foi et la richesse, la religion et la politique, à l'exemple des papes et des cardinaux de la Renaissance. Ce qui nous ramène au thème wébérien du désenchantement, de la rupture avec toutes les formes d'interpénétration du sacré et du profane, de l'être et des phénomènes, pour parler un langage kantien. C'est dans son chapitre IV que Weber avance le plus nettement dans cette direction. Si on interprète de cette manière restreinte sa pensée, elle est en parfait accord avec l'ensemble de l'idée occidentale classique de modernité, conçue par Weber comme intellectualisation, comme rupture avec le « sens du monde » et action dans le monde, comme élimination du finalisme des religions, de la révélation et de l'idée de Sujet. L'importance du protestantisme ne tient pas ici au contenu de sa foi, mais à son rejet de l'enchantement du monde chrétien, défini à la fois par le rôle des sacrements et par le pouvoir temporel des papes.

La pensée de Weber correspond donc non pas à une définition générale de la modernité, mais au *capitalisme*, forme économique de l'idéologie occidentale de la modernité, conçue comme rupture et table rase. De la Réforme elle-même, comme de la transformation conséquente de la piété catholique, en particulier avec François de Sales, est sortie aussi une autre moralité éclairée par la foi, bien différente de la peur et du tremblement de ceux qui attendent une décision de Dieu sur laquelle ils ne peuvent agir. De sorte que si le protestantisme a contribué à créer un *ethos* favorable au capitalisme, il a en même temps contribué fortement à développer une morale de la conscience, de la piété et de l'intimité qui a conduit dans une autre direction, celle de l'individualisme *bourgeois* qu'il convient d'opposer à l'esprit du capitalisme, comme Pascal opposait l'ordre de la charité à celui de la raison. Le capitalisme, qu'analyse si profondément Weber, n'est donc pas la forme économique de la modernité en général, mais celle d'une conception particulière de la modernité qui repose sur la rupture de la raison avec la croyance et toutes les appartenances sociales et culturelles, des phénomènes analysables et calculables avec l'Être comme avec l'Histoire. De là la violence — inspirée du principe de la *tabula rasa* — avec laquelle fut mise en œuvre la modernisation capitaliste, qui assura sa domination mais provoqua aussi des déchirements dramatiques qu'il est impossible d'accepter comme une condition nécessaire de la modernisation.

La définition wébérienne du capitalisme — forme sociale particulière de la rationalisation économique — est aussi au cœur de la réflexion de Karl Polanyi dans *La Grande Transformation* (1944) et de Joseph Schumpeter dans *Capitalisme, socialisme et démocratie* (1942). Polanyi accorde une importance centrale à la séparation du marché et de la société symbolisée par l'abolition de la Loi des pauvres en Grande-Bretagne en 1834 et la rupture avec les interventions sociales et politiques qu'avaient été les *Poor Laws* et le *Statute of Artificers* dès le XVIe siècle, puis la *Speenhamland Law*. Et c'est cette même séparation de l'économie et de la société qui faisait prédire à Schumpeter la chute d'un capitalisme qui ne trouverait plus d'appui dans l'opinion publique des pays capitalistes.

Cette séparation est-elle un élément permanent et nécessaire de la modernisation ? Assurément non, et bien peu nombreux sont les pays qui, au centre même du monde moderne, ont connu un développement purement capitaliste. Ce ne fut ni le cas de la France, dont l'industrialisation fut dirigée par l'État, ni celui de l'Allemagne, où Bismarck élimina la bourgeoisie de Francfort, ni celui du Japon, où l'État n'a cessé, depuis la révolution Meiji, de jouer un rôle central dans le développement économique.

Ce fut moins encore le cas des pays dont la bourgeoisie capitaliste était beaucoup plus faible ou inexistante. Le propre du modèle capitaliste, anglais, hollandais et américain en particulier, est d'avoir créé un espace d'action autonome pour les agents privés du développement économique. Encore faut-il ajouter que le capitalisme industriel a largement reposé sur l'exploitation de la main-d'œuvre tandis que l'analyse wébérienne s'applique plutôt à l'économie pré-industrielle, à la « *Household Economy* », où le succès des entreprises de production ou de négoce dépend avant tout de la capacité du capitaliste de limiter sa consommation au profit de son investissement. L'intérêt de l'analyse wébérienne du capitalisme est donc de privilégier le cas historique où des croyances religieuses contribuent directement à isoler une logique économique du reste de la vie sociale et politique. Son danger serait de laisser croire que cette analyse porte sur la modernité en général. Ce que Weber décrit n'est pas la modernité, mais un mode *particulier* de modernisation qui se caractérise à la fois par une grande concentration des moyens au service de la rationalité économique et par la forte répression qui s'exerce sur les appartenances sociales et culturelles traditionnelles, sur les besoins personnels de consommation et sur toutes les forces sociales — travailleurs et colonisés, mais aussi femmes et enfants — qui sont identifiés par les capitalistes au règne des besoins immédiats, de la paresse et de l'irrationalité.

Parce que la modernisation occidentale précéda amplement toutes les autres et parce qu'elle valut pendant trois siècles aux États européens, puis aux États-Unis, une position dominante, les penseurs de ces pays identifièrent souvent leur modernisation à la modernité en général, comme si la rupture avec le passé et la formation d'une élite proprement capitaliste étaient les conditions nécessaires et centrales de la formation d'une société moderne. Le modèle dominant de la modernisation occidentale réduit au minimum l'action volontaire orientée par des valeurs culturelles ou des objectifs politiques et écarte donc l'idée de *développement*, laquelle repose au contraire sur l'interdépendance des entreprises économiques, des mouvements sociaux et des interventions du pouvoir politique et n'a cessé de prendre de l'importance contre le modèle purement capitaliste. Ce qui révèle la complexité de l'analyse wébérienne, puisque celle-ci est basée sur l'idée générale que les conduites sociales sont orientées culturellement, mais cherche en même temps à montrer comment se forme une action libérée d'une vision du monde, commandée par la seule rationalité instrumentale et ne connaissant d'autre loi que celle du marché. Ce qui conduit Weber lui-même à prendre dramatiquement conscience des impasses d'une société moderne enfermée dans la rationalité instrumentale, privée de sens, et qui pourtant est constamment mise en mouvement par l'action charismatique et donc par cette éthique de la conviction *(Gesinnung)* que la modernité cherche à éliminer au profit de l'autorité rationnelle légale et de l'éthique de la responsabilité *(Verantwortung)*.

Le capitalisme, l'appel à la morale naturelle et l'idée de table rase convergent pour définir l'idéologie moderniste de l'Occident dans ses aspects particuliers qu'il ne faut pas identifier à la modernité en général et qu'il serait dangereux de proposer ou d'imposer au monde entier comme la seule bonne méthode, la *one best way*, pour généraliser l'expression de Taylor.

L'idéologie moderniste

Cette conception classique, à la fois philosophique et économique, de la modernité définit celle-ci comme triomphe de la raison, comme libération et comme révolution, et la modernisation comme modernité en acte, comme un processus entièrement endogène. Les manuels d'histoire parlent avec raison de la période moderne comme de celle qui va de la Renaissance à la Révolution française et aux débuts de l'industrialisation massive de la Grande-Bretagne. Car les sociétés où se développèrent l'esprit et les pratiques de la modernité cherchaient une mise en ordre plus qu'une mise en mouvement : organisation du commerce et des règles de l'échange, création d'une administration publique et de l'État de droit, diffusion du livre, critique des traditions, des interdits et des privilèges. C'est bien la raison plus que le capital et le travail qui joue alors le rôle central. Ces siècles sont dominés par les légistes, les philosophes, les écrivains, tous hommes du livre, et les sciences observent, classent, ordonnent pour découvrir l'ordre des choses. Pendant cette période, l'idée de modernité — présente, même si le mot ne l'est pas encore — donne aux conflits sociaux la forme d'une lutte de la raison et de la nature contre les pouvoirs établis. Ce ne sont pas seulement les Modernes qui s'opposent aux Anciens ; c'est tout autant la nature ou même la parole de Dieu qui se dégage de formes de domination appuyées sur la tradition plus que sur l'histoire et répandant les ténèbres que devront dissiper les Lumières. La conception classique de la modernité est donc avant tout la construction d'une image rationaliste du monde qui intègre l'homme dans la nature, le microcosme dans le macrocosme, et qui rejette toutes les formes de dualisme du corps et de l'âme, du monde humain et de la transcendance.

Anthony Giddens donne une image fortement intégrée de la modernité comme effort global de production et de contrôle dont les quatre dimensions principales sont l'industrialisme, le capitalisme, l'industrialisation de la guerre et la surveillance de tous les aspects de la vie sociale. Il ajoute même que la tendance centrale du monde moderne le porte vers une globalisation croissante, qui prend la forme de la division internationale du travail et de la formation d'économies-mondes, mais aussi d'un ordre militaire mondial et du renforcement d'États nationaux qui centralisent les systèmes de contrôle. Vision où se mêlent les éléments de confiance et d'inquiétude en la modernisation accélérée, et qui privilégie nettement l'idée de système prolongeant la notion durkheimienne de solidarité organique. La société moderne, telle qu'elle s'est le plus souvent conçue elle-même, apparaît comme un système capable de « réflexivité », dit Giddens, d'action sur soi, ce qui l'oppose aux sociétés naturelles, qui faisaient communiquer directement l'individu et le sacré à travers la tradition ou en dehors d'elle, alors que la société moderne écarte à la fois l'individu et le sacré au profit d'un système social autoproduit, autocontrôlé et autorégulé. Ainsi s'installe une conception qui écarte de plus en plus activement l'idée de Sujet.

Cette conception classique de la modernité, qui a dominé l'Europe puis l'ensemble du monde occidentalisé avant de reculer devant les critiques et la transformation des pratiques sociales, a pour thème central l'identification de l'acteur social avec ses œuvres, sa production, que ce soit par le triomphe de la raison scientifique et technique ou par les réponses apportées rationnellement par la société aux besoins et aux désirs des individus. C'est pourquoi l'idéologie moderniste affirme avant tout la mort du Sujet. Le courant dominant de la pensée occidentale, du XVIᵉ siècle à nos jours, a été *matérialiste*. Le recours à Dieu, la référence à l'âme ont été constamment considérés comme des héritages d'une pensée traditionnelle qu'il fallait détruire. La lutte contre la religion, si vive en France, en Italie et en Espagne, si centrale dans la pensée de Machiavel, de Hobbes et des Encyclopédistes français, n'a pas seulement été le refus de la monarchie de droit divin, de l'absolutisme renforcé par la Contre-Réforme, de la soumission de la société civile à l'alliance du trône et de l'autel ; elle fut refus de la transcendance et, plus concrètement, de la séparation de l'âme et du corps, appel à l'unité du monde et de la pensée dominée par la raison ou par la recherche de l'intérêt et du plaisir.

Reconnaissons donc la vigueur, la violence même de la conception classique de la modernité. Elle fut révolutionnaire, comme tout appel à la libération, comme tout refus de compromis avec les formes traditionnelles d'organisation sociale et de croyance culturelle. C'est un monde et un homme nouveaux qui doivent être créés en tournant le dos au passé, au Moyen Age, en retrouvant chez les Anciens la confiance en la raison et en donnant une importance centrale au travail, à l'organisation de la production, à la liberté des échanges et à l'impersonnalité des lois. Désenchantement, sécularisation, rationalisation, autorité rationnelle légale, éthique de la responsabilité : les concepts de Max Weber, devenus classiques, définissent parfaitement cette modernité dont il faut ajouter qu'elle est conquérante, qu'elle établit la domination des élites rationalisatrices et modernisatrices sur le reste du monde, par l'organisation du commerce et des fabriques et par la colonisation. Le triomphe de la modernité, c'est la suppression des principes éternels, l'élimination de toutes les essences et de ces entités artificielles que sont le Moi et les cultures, au profit d'une connaissance scientifique des

mécanismes bio-psychologiques et des règles impersonnelles non écrites d'échanges des biens, des mots et des femmes. La pensée structuraliste radicalisera ce fonctionnalisme et poussera au plus loin l'élimination du sujet. Le
modernisme est un antihumanisme, car il sait bien que
l'idée d'homme a été liée à celle d'âme, qui impose celle de
Dieu. Le rejet de toute révélation et de tout principe moral
crée un vide, qui est rempli par l'idée de société, c'est-à-
dire celle d'utilité sociale. L'homme n'est qu'un citoyen. La
charité devient la solidarité, la conscience devient le respect des lois. Les juristes et les administrateurs remplacent
les prophètes.

L'univers de la raison, du plaisir et du goût que les philosophes des Lumières ouvrent aux Modernes ignore les
conflits internes de la société ou les réinterprète comme
la résistance de l'irrationnel aux progrès de la raison. Les
modernistes ont bonne conscience : ils apportent la
lumière au sein des ténèbres et font confiance à la bonté
naturelle de l'homme, à sa capacité de créer des institutions raisonnables, et surtout à son intérêt, qui l'empêche
de se détruire et le conduit à la tolérance et au respect de
la liberté de chacun. Cet univers progresse par ses propres
moyens, par les conquêtes de la raison. La société n'est que
l'ensemble des effets produits par le progrès de la connaissance. Abondance, liberté et bonheur avancent ensemble,
parce qu'ils sont tous produits par l'application de la raison à tous les aspects de l'existence humaine. L'Histoire
n'est que la montée du soleil de la raison au firmament.
Ce qui écarte toute séparation entre l'homme et la société.
L'idéal est qu'il soit un citoyen et que les vertus privées
concourent au bien commun. L'univers des Lumières est
transparent, mais aussi fermé sur lui-même, comme un
cristal. Les modernistes vivent dans une bulle, protégés de
tout ce qui trouble la raison et l'ordre naturel des choses.

Cette tentative pour concevoir une société rationalisée a
échoué. Avant tout parce que l'idée d'une administration
rationnelle des choses qui se substituerait au gouvernement des hommes est dramatiquement fausse et que la vie
sociale qu'on imaginait transparente et gouvernée par des
choix rationnels s'est révélée remplie de pouvoirs et de
conflits, tandis que la modernisation elle-même apparaissait de moins en moins endogène, de plus en plus stimulée

par une volonté nationale ou des révolutions sociales. La société civile s'est séparée de l'État : mais si la naissance de la société industrielle a marqué le triomphe de la première, c'est l'État qui s'est révélé être, au XIXᵉ siècle, le chevalier armé de la modernisation nationale. La distance qui s'est ainsi creusée entre modernité et modernisation, entre capitalisme et nationalisme, a conduit à la ruine du rêve d'une société moderne, définie par le triomphe de la raison. Elle a préparé l'invasion de l'ordre classique de la modernité par la violence du pouvoir et par la diversité des besoins.

Que reste-t-il aujourd'hui de l'idéologie moderniste ? Une critique, une destruction, un désenchantement. Moins la construction d'un monde nouveau que la volonté et l'allégresse de détruire les obstacles accumulés sur le chemin de la raison. L'idée de modernité ne tire pas sa force de son utopie positive, celle de la construction d'un monde rationnel, mais de sa fonction critique, et ne la garde donc qu'aussi longtemps que persiste la résistance du passé.

Cette résistance fut assez forte et durable pour que, surtout en France où la monarchie absolue se voulait de droit divin, la grande affaire de la philosophie des Lumières, depuis Bayle, ait été la lutte contre la religion, ou plutôt contre les Églises, au nom de la religion naturelle ou parfois du scepticisme, voire d'un athéisme militant. Cassirer rappelle avec raison que cette position est surtout française et que l'*Aufklärung* en Allemagne ou l'*Enlightenment* en Angleterre firent meilleur ménage avec la religion ; mais, partout, la philosophie nouvelle rejette l'autorité de la tradition et ne se fie qu'à la raison. Cette pensée critique et cette confiance en la science resteront la force principale d'une conception de la modernité qui associera l'idée de progrès à celle de tolérance, en particulier dans la pensée de Condorcet. Mais son œuvre destructrice est plus convaincante que son œuvre de construction et les pratiques sociales ne correspondront pas aux idées des philosophes, plus redoutables dans leur critique des superstitions que dans leur analyse des transformations sociales.

Avant de nous éloigner de ce modernisme, n'oublions pas qu'il a été associé à un mouvement jubilatoire de libération des individus, qui ne se contentent plus d'échapper aux contrôles politiques et culturels en se réfugiant dans la vie privée, qui proclament leur droit à satisfaire leurs besoins, à critiquer les princes et les prêtres, à défendre leurs idées et leurs préférences. Si la confiance exclusive placée dans la raison instrumentale et dans l'intégration sociale est chargée de dangers, la destruction allègre du sacré, de ses interdits et de ses rites est un accompagnement indispensable de l'entrée dans la modernité. Nul ne représente mieux que Rabelais cette soif de vivre, de manger, d'apprendre, de prendre son plaisir et de construire un monde nouveau, conforme à l'imagination, aux désirs et à la raison, plutôt qu'à des textes sacrés, à des coutumes ou à des hiérarchies établies. Les sociétés industrielles avancées sont aujourd'hui très éloignées de cette libération première et se sentent prisonnières de leurs produits plutôt que des privations traditionnelles, mais elles risquent aussi d'être attirées par le rêve d'une société close, communautaire, protégée contre le changement. La meilleure protection contre ce retour à la communauté fermée est l'appétit de Rabelais, complété par le doute de Montaigne. Il faut sans cesse revenir au flamboiement de la Renaissance et des débuts de la modernité, depuis la marche solitaire de Guidoriccio da Fogliano dans le tableau du Siennois Simone Martini, jusqu'au rire des servantes de comédie, pour se protéger contre toutes les formes de répression exercées au nom de l'État, de l'argent ou de la raison elle-même. La critique de l'idéologie moderniste ne doit pas conduire jusqu'au retour de ce qu'elle a détruit.

CHAPITRE II

L'ÂME ET LE DROIT NATUREL

La résistance augustinienne

La pensée moderniste affirme que les êtres humains appartiennent à un monde gouverné par des lois naturelles que la raison découvre et auxquelles elle est elle-même soumise. Et elle identifie le peuple, la nation, l'ensemble des hommes à un corps social qui fonctionne lui aussi selon des lois naturelles et qui doit se débarrasser des formes d'organisation et de domination irrationnelles qui cherchent frauduleusement à se faire légitimer par le recours à une révélation ou à une décision supra-humaine. C'est une pensée de l'homme dans le monde, donc d'un homme social. Cette pensée s'est opposée à la pensée religieuse avec une violence qui a varié selon les liens qui unissaient pouvoir politique et autorité religieuse.

Que cette pensée ait rencontré de grandes résistances, menées au nom du respect des coutumes et donc de l'histoire et de la culture particulières d'un groupe social, ne surprend pas, mais la résistance de la vie locale et nationale ou des croyances établies n'a jamais réussi durablement à entraver l'utilisation de techniques nouvelles ou l'émigration des campagnes vers les villes. Plus généralement, n'ont de poids que les critiques qui acceptent le rôle central de la raison dans la définition de l'être humain et dans l'évaluation de ses conduites. Pas plus qu'il ne faut perdre beaucoup de temps à critiquer la médecine scientifique au nom de méthodes de soins dont les résultats n'ont pas été évalués scientifiquement, la critique de la modernité ne doit s'égarer du côté de l'irrationalisme et du traditionalisme.

En revanche, ce qui s'est constamment opposé avec force à l'image naturaliste et matérialiste de la modernité, c'est une pensée religieuse qui, en Occident, a en même temps contribué activement au développement de la pensée rationaliste. Revenons à la célèbre analyse de Weber. La modernité n'est pas l'élimination du sacré mais le remplacement d'un ascétisme hors du monde par un ascétisme dans le monde qui n'aurait aucun sens s'il n'en appelait à une forme ou à une autre de divin, de sacré, en même temps que le monde des phénomènes se sépare de celui de la révélation ou de l'être en soi. La sécularisation ne peut être qu'une des moitiés du monde désenchanté, l'autre étant l'appel à un Sujet désormais hors d'atteinte, mais qui n'en est pas moins une référence constamment présente. Weber n'a pas accepté les réponses trop simples du positivisme et du scientisme, qu'il a au contraire violemment combattues quand il les a rencontrées chez les historiens et les juristes allemands au cours du fameux conflit des méthodes *(Methodenstreit)*. Il nous laisse une image contrastée de la société : rationalisme et guerre des dieux, ou encore autorité rationnelle légale et charisme ; on pourrait ajouter : capitalisme et nation. Cet éclatement et cette pensée dualiste ne me semblent pas dépassables. Ils peuvent revêtir d'autres formes et d'autres contenus, mais il faut prendre appui sur eux pour critiquer le rationalisme moderniste.

L'histoire moderne ne suit pas une ligne droite, celle d'une rationalisation supposée autopoiétique. Le dualisme d'origine chrétienne, dont nous allons rappeler dans ce chapitre l'importance pour la formation de la modernité, sera détruit par l'idéologie moderniste au point que s'ouvrira au XVIIIe siècle une longue période rationaliste que beaucoup ont identifiée à la modernité elle-même. Mais quand cette idéologie entrera en crise intellectuelle, sociale et politique dans la seconde moitié du XIXe siècle, comme on le verra dans la deuxième partie de ce livre, de nouvelles interrogations sur la modernité feront revivre le dualisme qu'on croyait à jamais détruit par la puissance de l'industrie et de la guerre. Ce chapitre est donc consacré à la fois à la tradition culturelle qui semble avoir été vaincue par la philosophie des Lumières et aux origines de la réflexion plus personnelle à laquelle sera consacrée la troisième partie de ce livre.

Le christianisme est apparu aux philosophes des Lumières comme un système tendant à sacraliser l'ordre établi ; la réalité historique dans l'Europe de la Contre-Réforme justifiait amplement leur révolte contre l'alliance du trône et de l'autel. Mais c'est précisément cette réalité de la monarchie de droit divin qui fait douter que les critiques aient été bien dirigées quand elles attaquaient le christianisme. Marcel Gauchet a raison d'opposer le christianisme à la religion, si on prend ce mot en son sens précis d'organisation du social autour du sacré, donc d'enchantement du monde, au sens wébérien de ce mot. En fait, toutes les religions de la révélation, et donc d'abord le judaïsme, qui est la première d'entre elles, introduisent un principe de *subjectivation du divin qui est le début du désenchantement du monde.* Le christianisme poussa cette tendance plus loin en rompant le lien de la religion et d'un peuple et en donnant une expression non sociale au peuple de Dieu. Il sépara pouvoir temporel et pouvoir spirituel plus fortement qu'il ne les confondit, et c'est pour appuyer l'empereur dans sa lutte contre le pape que se formera la pensée moderne, dont une des branches conduira jusqu'à Luther. Le christianisme rompt avec la pensée grecque classique à laquelle reste attachée l'idéologie moderniste si on reconnaît qu'elle identifie le bien à l'utilité sociale et donc l'homme au citoyen. La culture grecque est à la fois une pensée enchantée — comme la pensée chrétienne — et une religion sans transcendance, une cosmologie dans laquelle l'idée de Création occupe une place limitée et où, surtout, l'idée de personne ne figure pas plus que celle de relations personnelles entre un individu humain et un dieu. Jean-Pierre Vernant analyse ainsi (« L'individu dans la cité », in *Sur l'individualisme*, p. 33) l'absence de la subjectivité dans la culture grecque : « La *psuchè* est en chacun de nous une entité impersonnelle ou supra-personnelle. Elle est l'âme en moi, plutôt que *mon* âme. D'abord parce que cette âme se définit par son opposition radicale au corps et à tout ce qui s'y rattache, qu'elle exclut par conséquent ce qui relève en nous des particularités individuelles..., ensuite parce que *cette psuchè* est en nous un *daimôn*, un être divin, une puissance surnaturelle, dont la place et la fonction dans l'univers dépassent notre personne singulière. » Conception dont Michel Foucault décrit la chute dans les IVe et IIIe siècles, au moment où une image du Moi commence à se former.

Mais cet appel au christianisme est trop général. Il faut isoler, dans cet ensemble historique trop divers, la ligne de pensée qui confère une importance particulière à la relation personnelle de l'être humain et de Dieu, l'*augustinisme*, dont les expressions les plus modernes sont la pensée de Descartes, les théories du droit naturel, et même la pensée de Kant, au-delà de laquelle le regard aperçoit déjà la sociologie de Max Weber.

Un texte célèbre nous fait entrer d'un coup dans cette ligne de pensée. Il se situe dans les premières pages du Livre X — le plus important — des *Confessions* de saint Augustin (p. 9). Écoutons-le : « J'ai interrogé la mer, les abîmes, les forces rampantes de la vie ; ils m'ont répondu : "Nous ne sommes pas ton Dieu ; cherche au-dessus de nous." J'ai interrogé le vent qui passe, et l'air tout entier avec ses habitants m'a dit : "Anaximène s'abuse, je ne suis pas Dieu." J'ai interrogé le ciel, le soleil, la lune, les étoiles : "Nous non plus, disent-ils, nous ne sommes pas le Dieu que tu cherches." Alors à tous ces êtres autour des portes de ma chair : "De mon Dieu, ai-je dit, que vous-mêmes n'êtes pas, oh dites-moi de lui quelque chose." Et ils m'ont, d'une grande voix, crié : "Il nous a faits, Lui." Mon interrogation, c'est mon attention ; leur réponse, c'est leur dehors. Alors je me suis tourné face à moi : "Toi, me suis-je dit, qui es-tu ?" Et j'ai répondu : "Un homme." Or voici qu'en moi s'affrontent à moi l'un au-dehors, l'autre au-dedans, le corps et l'âme. Auquel m'adresser pour chercher mon Dieu, cherché déjà au moyen de corps depuis la terre jusqu'au ciel, aussi loin que j'ai pu en guise de courrier expédier mes rayons visuels ? Le meilleur est le dedans à qui les courriers du corps ont tous rendu compte et qui présidait, qui jugeait sur chaque réponse, tandis que le ciel et la terre, avec tout ce qu'ils contiennent, disaient : "Nous ne sommes pas Dieu" et "Il nous a faits, Lui !" »

C'est ce mouvement vers l'intérieur qui éloigne Augustin de la pensée platonicienne dont il est en même temps si proche. Car s'il pense que tout ce qui est est beau, puisque tout appartient à l'ordre rationnel de la Création, il ne découvre pas Dieu à travers la beauté de ses œuvres, mais en se tournant vers l'homme intérieur et en y découvrant une lumière qui est celle de la raison, mais plus largement celle de l'âme, créée par Dieu à son image. Ce qui nous fait approcher de très près du cogito cartésien. Augustin a écrit ses *Confessions* parce que la mémoire est une activité de l'esprit, donc de la raison, et permet le passage du dehors au dedans.

Ce dualisme est constamment présent chez Luther, dans la séparation qu'il établit entre philosophie et théologie, entre ce qui est de la raison et ce qui est de la foi. Cette rupture de la vision qui intègre l'homme à la nature porte en soi un appel à l'expérience, à l'affectivité, qui s'oppose à la raison et peut susciter une réflexion sur l'existence qui s'éloigne du rationalisme et nourrit une conception de l'homme qui, pour être théocentrique et non anthropocentrique, n'en a pas moins joué un rôle essentiel dans l'histoire de l'humanisme occidental. La Réforme, tout comme le jansénisme, qui ne rompt pas avec la foi et l'Église catholiques, ont enrichi la liberté de conscience alors même que cette expression est incompatible avec l'idée luthérienne du *serf arbitre*.

L'œuvre de Luther est définie le plus souvent à partir de sa lutte contre l'Église. A juste titre, puisque c'est ce qui la fait appartenir au grand mouvement de sécularisation. Il se bat contre l'Église et le réseau de plus en plus dense de médiations et de pratiques magiques qu'elle a créé entre les hommes et Dieu. Luther a voulu par-dessus tout rompre avec tous les intermédiaires et même avec les sacrements, pour retrouver la subordination de l'être humain à la parole de Dieu. Il fustige la piété, les bonnes œuvres, tout ce par quoi les chrétiens s'efforcent de gagner leur salut, pour les rejeter dans le péché, dans la concupiscence, qu'ils ne parviennent jamais à dominer, et les laisser au bon vouloir de Dieu, dont la justice, qui n'est pas répression mais amour, est la seule voie vers le salut. Le vrai chrétien n'est pas l'homme pieux mais celui qui se transporte par la foi en Dieu, qui a confiance en sa grâce, même s'il ne peut pas vivre dans la certitude d'être sauvé. Ce face-à-face du monde humain et du monde divin conduit à l'exclusion du libre arbitre et Luther vieillissant, rompant avec Érasme et son *Traité sur le libre arbitre*, écrit contre lui un *Traité du serf arbitre* ! Rigueur que Luther ne pousse pas jusqu'au piétisme, qui se développera après lui, mais qui interdit de donner une interprétation libérale de sa pensée. Que les mérites d'une vie pieuse et vertueuse puissent renforcer les effets de la grâce divine, idée centrale de la morale catholique mais qui se réintroduira de bien des manières, et déjà avec Melanchthon, dans la morale protestante, est à l'opposé de la pensée de Luther, surtout de ses grands écrits de 1520. Cette pensée a pour principe central la soumission de la personne humaine à un principe d'action, Dieu. Parmi tant de textes célèbres, rappelons la *Disputation sur l'homme* (1536), *26* : « Ceux qui disent qu'après la chute, les forces naturelles sont restées intactes parlent en philosophes, d'une manière impie, contraire à la théologie. » *27* : « De même ceux qui enseignent que l'homme, en faisant ce qui est en son pouvoir, peut mériter la grâce de Dieu et la vie éternelle. » *29* : « De même ceux qui soutiennent qu'il y a dans l'homme une lumière et la face de Dieu scellée sur nous (psaume 4, 7, d'après la Vulgate), c'est-à-dire un libre arbitre capable de former une pensée juste et une volonté bonne. » *30* : « De même ceux qui soutiennent que l'homme est capable de choisir le bien et le mal, ou la vie et la mort, etc. » Plus brièvement, dans la controverse de Heidelberg, Luther écrit : « L'amour de Dieu ne rencontre pas, mais crée son objet ; l'amour de l'homme est créé par son objet. » La pensée de Luther ouvre une tradition intellectuelle qui s'oppose à la fois au rationalisme des Lumières et à l'humanisme d'inspiration chrétienne, et qui soumet l'homme à un sens, à un Etre, qui le domine et auquel il ne peut que se soumettre par la foi et l'amour.

Tout cela semble enfermé dans un ascétisme hors du monde ; mais cet anti-individualisme moral ne conduit-il pas au surplus à une image sécularisée et communautaire du peuple de Dieu qui a pris la forme du messianisme révolutionnaire des paysans de Souabe aussi bien que celle du nationalisme, dont Luther fut et demeure une référence centrale en Allemagne et qui s'exprima d'abord par ce que

Lucien Febvre a appelé le territorialisme spirituel ?
Comme si, dès le début des temps modernes, se manifes-
taient les aspects dangereux de l'opposition au rationalisme critique. Mais, en même temps, comment ne pas
reconnaître en cette théologie de la foi, comme plus tard
dans la pensée janséniste, une des sources principales de
l'individualisme moral, l'appel à la responsabilité de l'être
humain libéré des médiations entre le ciel et la terre et
dont la solitude et l'impuissance mêmes fondent la saisie
de soi comme Sujet personnel ?

Pour l'histoire des idées, l'enseignement le plus important de la pensée luthérienne est l'échec où elle entraîna le
petit groupe des humanistes, des érasmiens, qui s'effor-
çaient de concilier l'esprit de la Renaissance avec celui de
la Réforme, la foi avec la connaissance. L'histoire de la
modernité est dès le départ déchirée non pas entre les
hommes de progrès et les hommes de tradition, mais entre
ceux qui font naître chacune des deux composantes dont
sera désormais faite la modernité. D'un côté, ceux qui
défendent la raison et qui souvent la réduisent à l'instrumentalité au service d'un bonheur qui replace l'être
humain dans la nature ; de l'autre, ceux qui se lancent dans
la difficile aventure de transformer le sujet divin en sujet
humain et qui ne peuvent le faire qu'en suivant le chemin
le plus indirect, le plus paradoxal même, celui de la
décomposition de l'homme social par la foi, voire par la
prédestination.

La coupure qui sépare les deux faces de la modernité ne
se refermera plus. D'un côté, certains régresseront jusqu'au millénarisme ; de l'autre, certains tomberont au
niveau de la recherche d'une utilité définie par les
marchands. Mais, entre ces précipices, l'histoire de la
modernité sera toujours le dialogue sans compromis possible entre la rationalisation et la subjectivation. La grandeur émouvante du XVIᵉ siècle est qu'il n'a cédé à aucun
grand mythe unitaire, ni celui de la monarchie absolue, ni
celui des Lumières, ni celui du Progrès, et qu'il a vécu, sur
les ruines du monde enchanté et contre les illusions des
humanistes, le déchirement nécessaire, créateur, de la
modernité naissante. Ne sommes-nous pas, en cette fin de
millénaire, plus près de ces débuts dramatiques de la

modernité que de ses triomphes apparents pendant les siècles qui furent ceux des Lumières et des révolutions ?

Beaucoup ont pensé que la rupture du monde sacré et
magique devait laisser la place libre à un monde moderne
gouverné par la raison et par l'intérêt, qui surtout serait
un seul monde, sans ombre et sans mystère, le monde de
la science et de l'action instrumentale. Ce modernisme-là,
dont j'ai placé la statue à l'entrée de ce livre, a semblé longtemps triompher et ce n'est que dans la seconde moitié du
XIXᵉ siècle, avec Nietzsche et Freud, qu'il sera critiqué et
entrera en décomposition. Mais, dès le départ, en particulier au moment de la Réforme et au XVIIᵉ siècle, il est complété ou combattu par une force aussi puissante que la
rationalisation, la *subjectivation*. La décomposition du
monde sacré, l'écartement accéléré du monde créé par
l'homme et du monde de la création divine, déclenche
deux mouvements opposés mais liés l'un à l'autre et également éloignés du naturalisme moderniste. D'un côté, le
Sujet hors de l'homme, divin, est remplacé par l'homme-
sujet, ce qui entraîne la rupture de la personne considérée
comme réseau de rôles sociaux et de particularités individuelles au profit d'une conscience inquiète de soi et d'une
volonté de liberté et de responsabilité. Mais, de l'autre, se
manifeste un retour à un Dieu qui ne s'identifie plus à un
monde sacralisé, divinisé par la rédemption, mais se définit au contraire par sa distance, son absence et l'arbitraire
de sa grâce. C'est ce qu'enseignent les réformés mais aussi
Bérulle, centré sur la personne du Christ, et l'école française de spiritualité. Double héritage de l'augustinisme : la
modernité n'a pas remplacé un univers divisé entre l'humain et le divin par un monde rationalisé ; de manière
directement inverse, elle a rompu le monde enchanté de la
magie et des sacrements et l'a remplacé par deux forces
dont les rapports orageux dessinent l'histoire dramatique
de la modernité : la raison et le Sujet, la rationalisation
et la subjectivation. Les Réformes religieuses débordent le
rationalisme de la Renaissance à la fois par l'appel humaniste à la conscience et à la piété et par le rappel antihumaniste à l'arbitraire divin.

La pensée religieuse, à l'intérieur même du monde
catholique, est déchirée par des tendances contraires et
des polémiques violentes, en particulier entre ce que Henri

Bremond a appelé l'humanisme dévot et les jansénistes ou autres augustinismes extrêmes, proches de la Réforme, emportés par la soumission absolue à la grâce efficace. Une tendance, dans cette seconde école, croit aux tromperies de la raison dominée par les pulsions naturelles ; c'est ce que pensent La Rochefoucauld et Pascal. Celui-ci veut abaisser l'ordre de l'esprit pour ne laisser face à face que l'ordre des corps et l'ordre de la charité ; encore doit-il faire appel à la raison comme instrument de découverte de la condition humaine. Le personnage central de la pensée catholique est François de Sales, car si l'auteur de l'*Introduction à la vie dévote* (1608 ; version définitive, 1619) appartient à l'humanisme dévot, cet évêque d'un diocèse proche de Genève et pénétré par le protestantisme est entraîné vers l'augustinisme du *Traité de l'amour de Dieu* (1616), où se fait sentir l'influence de l'expérience mystique de Jeanne de Chantal. Mais ce quasi-piétisme, qui annonce Fénelon, n'exclut pas une certaine confiance dans la nature humaine, et surtout la volonté de définir une piété non pour les religieux, mais pour les laïcs, s'appliquant à leur vie quotidienne et familiale. L'entrée dans la modernité s'accompagne, dans sa pensée, d'un rappel au dieu lointain et tout-puissant, rappel qui n'est pas orienté vers le retour à un ordre religieux des choses, mais qui résiste à la mondanité et, surtout, à la monarchisation de l'Église catholique, et donc est par là appel à la conscience et à la liberté du sujet humain.

Revenons, pour terminer, à Augustin. De lui-même ou de ses lointains descendants luthériens, calvinistes ou jansénistes, peut-on dire qu'ils résistent à la modernité, qu'ils en appellent à la mystique contre la morale, alors que Pélage, à l'époque d'Augustin, ou les jésuites du xviie siècle français étaient plus proches du monde et donc plus « humanistes » ? Mais l'appel moralisateur à l'homme se transforme toujours en respect de règles qui sont conformes à l'intérêt de la société, ce qui, dans le meilleur des cas, celui de Pélage, par exemple, est anobli par l'appel aux vertus du citoyen de l'Antiquité. Et cette morale, qui en appelle si fort à la conscience, finit vite par introduire si complètement l'homme dans le monde social qu'il s'y intègre totalement et se met au service de la conscience collective, du bien commun ou des pouvoirs établis, quel que soit le nom qu'on leur donne. Inversement, l'appel à Dieu, qui semble détourner l'homme de lui-même, peut avoir l'effet inverse : il écrase l'homme devant Dieu, mais il découvre aussi dans l'âme elle-même ce qui est la vie en Dieu, pour reprendre le récit par Augustin de sa propre conversion, au VIII⁺ Livre des *Confessions*. Dualisme qui se détruit lui-même s'il devient manichéen, s'il sépare complètement un principe du bien d'un principe du mal, mais point de départ de toute construction d'un Sujet qui ne coïncide pas avec les rôles sociaux du Moi, qui ne confond plus l'homme avec le citoyen et reconnaît ainsi le rôle de la subjectivité, si étrangère à la tradition gréco-romaine. Les augustiniens, comme leur maître lui-même, ont une conscience brûlante de la présence en eux de ce qu'ils nomment le péché originel ou, d'un mot plus juste, la concupiscence. Le contrôle moral du Moi sur l'individu est mis à mal par la sexualité, le désir des femmes qui brûlait Augustin et qui ne peut être dominé que par une force « plus centrale que ce qu'il y a de plus intime en moi, et plus haute que le meilleur de moi-même » *(interior intimo meo, superior sumo meo, Confessions*, III-6). A l'unité de la règle et du respect du bien se substitue le combat de Dieu et du Mal, se révèle la double nature contradictoire de l'homme, créature de Dieu marquée par le péché originel, qui explique à la fois que la rédemption soit pour tous et qu'il y ait beaucoup d'appelés et peu d'élus. Cet éclatement du Moi, cette reconstruction toujours partielle et possible d'un Je à partir de la lutte entre le Ça et ce qui est au-dessus du Moi, qui apparaît à tous moments de l'histoire comme antihumanisme, est au contraire le point de départ de l'invention du Sujet dans la culture occidentale.

Ce bref retour aux origines religieuses de l'individualisme moderne conduit dans une direction différente de celle qu'illustre Louis Dumont et qui oppose l'individualisme, idéologie de la société moderne, au holisme, qui caractérise les autres sociétés et presque autant la Grèce des cités que l'Inde des castes. Mais Louis Dumont lui-même, dans ses études sur le christianisme, parle du passage de l'« individu hors du monde » à l'« individu dans le monde ». En employant ces expressions, il montre, dans les sociétés traditionnelles, la présence du renonçant qui vit en Dieu, à côté de celle de l'individu identifié à des rôles sociaux légitimés par un ordre naturel ou divin. Ce qui conduit à faire apparaître de manière parallèle dans la société moderne, à côté de la liberté individuelle, une autre figure de l'individu qui l'identifie à ses rôles sociaux. Au début, dans la Genève de Calvin, l'ordre social est contenu dans l'Église et est imposé à tous avec une rigidité qui correspond à l'idée de la prédestination. Plus tard, cette conception se sécularise et l'individu devient citoyen ou travailleur, mais toujours aussi subordonné au système social et aux exigences holistes de la conscience collective. De sorte que le monde moderne, qui libère l'individu, le soumet aussi à de nouvelles lois, tandis que le monde religieux, bouddhique ou chrétien, affirmait la liberté de l'individu en Dieu en même temps qu'il le soumettait à la tradition. Au lieu d'associer l'individualisme au monde moderne, il faut découvrir dans toutes les sociétés, anciennes et modernes, des formes de soumission de l'individu à la collectivité, mais aussi les recours dont il dispose contre celle-ci. C'est pourquoi, dans le retour actuel des religions ou des morales d'inspiration religieuse, il faut voir à la fois la revanche de la communauté sur l'individualisme moderne et la revanche de l'individu contre les mobilisations sociales et politiques associées à la modernisation, qui ont pris des formes extrêmes dans les régimes totalitaires.

Notre société n'est pas individualiste parce qu'elle est rationaliste, sécularisée et orientée vers la production ; elle l'est malgré les contraintes et la normalisation qu'imposent aux individus la production et la gestion centralisées, et elle l'est en grande partie grâce à l'influence qu'exercent des conceptions morales et sociales d'origine religieuse. Louis Dumont, en rappelant lui-même les origines religieuses de l'individualisme, s'avance dans cette direction, surtout quand il écrit (p. 64) : « Ce que nous appelons le moderne "individu-dans-le-monde" a en lui-même, caché dans sa constitution interne, un élément non perçu mais essentiel d'extramondanité. » Mais il n'est pas suffisant de considérer que l'individu hors du monde marque une étape entre l'ancien holisme et le moderne individualisme dans le monde, car le monde moderne menace autant l'individualisme que la société traditionnelle — ce qui révèle la présence continue et parallèle du modelage des individus par la société et de la libération de l'individu, sans laquelle sa capacité de transformer la société ne pourrait s'exercer.

Ces affirmations peuvent surprendre. Ne faut-il pas au contraire opposer au pessimisme augustinien, à l'idée que la nature humaine est corrompue, incapable de s'élever d'elle-même jusqu'au divin, l'optimisme des humanistes et d'abord de l'humanisme chrétien, de Marsile Ficin à Érasme, ouvert aux sciences et confiant en la raison ? Et ne faut-il pas reconnaître, avec Cassirer, une grande continuité depuis cet humanisme, qui semblera d'abord marginalisé par la Réforme, jusqu'à la religion naturelle du XVIIIᵉ siècle et à la pensée de Rousseau et de Kant ? Le paradoxe, pourtant, ne semble tel que si l'on réduit la culture ancienne à la seule idée de l'impuissance humaine et la culture moderne au sentiment inverse. En fait, dans la culture traditionnelle existe une opposition constante entre la vision cosmologique d'un monde manifestant en toutes choses la toute-puissance et la bonté de Dieu, et une méditation sur le mal, la chute, le péché originel, qui conduit à la soumission à la grâce divine. Cette dualité d'orientations se retrouve dans la pensée moderne : tandis que les philosophes des Lumières reconstruisent une vision rationaliste de l'univers et de l'homme, les descendants d'Augustin découvrent un sujet humain dominé, exploité ou aliéné par la société, mais qui est devenu capable de donner à sa liberté un contenu positif par le travail et par la contestation. C'est au XVIIᵉ siècle, et surtout à travers Descartes et Pascal, plus proches l'un de l'autre qu'opposés entre eux, que l'augustinisme se « modernise » en s'appuyant sur la raison, même quand c'est pour la condamner, ainsi que le fait Pascal.

Descartes, doublement moderne

Il faut que le Sujet et la raison cohabitent dans l'être humain. La pensée qui domine la modernité naissante n'est pas celle qui réduit l'expérience humaine à la pensée et à l'action instrumentales ; ce n'est pas davantage celle qui ne fait appel qu'à la tolérance, voire au scepticisme à la Montaigne, pour combiner raison et religion. C'est celle de Descartes, non pas parce qu'il est le héraut du rationalisme, mais parce qu'il fait marcher la modernité sur ses deux jambes et que sa pensée dualiste, qui sera vite combattue par les empiristes, mais prolongée par Kant, nous fait signe, par-delà deux siècles de philosophie des Lumières et d'idéologie du progrès, pour nous réapprendre à définir la modernité.

Descartes se libère du monde des sensations et des opinions, si trompeur qu'il ne lui permet pas de remonter des faits aux idées et à la découverte de l'ordre du monde créé par Dieu, comme le faisait saint Thomas. Se méfiant de toutes les données de l'expérience, il ne découvre pas seulement les règles de la Méthode qui peuvent le protéger contre les illusions ; il opère le retournement surprenant du *cogito*. Alors qu'il était déjà engagé dans un travail scientifique et dans la formulation des principes de la pensée scientifique censés permettre un jour à l'homme de devenir comme maître et possesseur de la nature, le voici qui bifurque vers le *cogito*, qui le conduit, dans la quatrième partie du *Discours*, à écrire : « Je connais de là que j'étais une substance dont toute l'essence ou la nature n'est que de pensée et qui, pour être, n'a besoin d'aucun lieu, ni ne dépend d'aucune chose matérielle. En sorte que le Moi, c'est-à-dire l'âme par laquelle je suis ce que je suis, est entièrement distincte du corps et même qu'elle est plus aisée à connaître que lui, et qu'encore qu'il ne fût point, elle ne laisserait pas d'être tout ce qu'elle est. »

Laissons les objections que ce raisonnement soulève de la part de Hobbes et d'Arnaud, auteur des *Troisième* et *Quatrième Objections aux Méditations*, pour suivre les implications de ce dualisme radical. L'existence de Dieu ne peut être démontrée à partir de l'observation du monde ; ce serait là confondre les deux substances, l'ordre des corps et l'ordre des âmes. En revanche, le fait que j'aie l'idée de Dieu ne peut pas s'expliquer si Dieu n'existe pas ; c'est l'idée de Dieu qui démontre l'existence de Dieu. La quatrième partie du *Discours* dit : « Je m'avisai de chercher d'où j'avais appris à penser à quelque chose de plus parfait que je n'étais et je connus évidemment que ce devait être de quelque nature qui fût en effet plus parfaite... de façon qu'il restait qu'elle eût été mise en moi par une nature qui fût véritablement plus parfaite que je n'étais et même qui eût en soi toutes les perfections dont je pouvais avoir quelque idée, c'est-à-dire, pour m'expliquer en un mot, qui fût Dieu » — raisonnement qui concerne plus directement notre réflexion que la preuve de saint Anselme, que Kant nommera ontologique et que Descartes présente dans la *Cinquième Méditation*. Ainsi, le détachement de l'expérience immédiate et des opinions que permet la raison conduit à la fois l'esprit humain à découvrir les lois de la nature créées par Dieu et l'homme à définir sa propre existence comme celle de la créature créée par Dieu à son image et dont la pensée est la marque que l'ouvrier divin a laissée sur son travail. Et plus Descartes se tourne vers les problèmes de la morale, en particulier à travers sa correspondance avec la princesse Elisabeth, plus il insiste sur l'opposition entre le monde de la raison et de la sagesse d'un côté, celui de la volonté, du libre arbitre de l'autre. Avec Descartes, dont le nom est si souvent identifié au rationalisme, ce que Horkheimer appellera la raison objective commence au contraire à se briser, remplacée par la raison subjective — raison « substantive », dit Charles Taylor, remplacée par la raison « procédurale » —, en même temps que la liberté du Sujet humain est affirmée et éprouvée dans la conscience de la pensée. Sujet qui se définit par le contrôle de la raison sur les passions, mais qui est surtout volonté créatrice, principe intérieur de conduite et non plus accord avec l'ordre du monde. De là naît l'image du héros que crée Corneille, en qui Cassirer voit un bon disciple de Descartes, bien que Charles Taylor soit plus sensible à l'opposition entre l'honneur aristocratique et l'appel cartésien à la conscience de soi. Ce héros cornélien est entraîné par un amour qui est dépassement de soi, exigence et non partage de sentiment. Descartes lui-même dit dans la *Quatrième Méditation* : « Il n'y a que la seule volonté que j'expérimente en moi être si grande que je ne connais point l'idée d'aucune autre plus ample et plus étendue : en sorte que c'est elle principalement qui me fait connaître que je porte l'image et la ressemblance de Dieu. » Ce qui le conduit à placer au-dessus de tout la générosité. L'article 153 des *Passions de l'âme* en donne la raison : « Je crois que la vraie générosité qui fait qu'un homme s'estime au plus haut point qu'il se peut légitimement estimer consiste seulement, partie en ce qu'il connaît qu'il n'y a rien qui véritablement lui appartienne que cette libre disposition de ses volontés ni pourquoi il doive être blâmé, sinon parce qu'il en use bien ou mal, et partie en ce qu'il sent en soi-même une ferme et constante résolution d'en bien user, c'est-à-dire de ne manquer jamais de volonté pour entreprendre et exécuter toutes les choses qu'il jugera être les meilleures : ce qui est suivre parfaitement la vertu. » Cette morale de la liberté a pu paraître à Jean-Paul Sartre comme une préfiguration de ses propres idées. Cette importance donnée au libre arbitre conduit Descartes à privilégier l'amitié, la reconnaissance de l'autre comme Sujet, ce qui le place dans la suite de Montaigne et marque une rupture avec la morale sociale pour laquelle la vertu se mesurait au dévouement de l'individu au bien collectif.

Ces deux faces de l'homme, celle de la connaissance rationnelle des lois créées par Dieu et celle de la volonté et de la liberté, marques de Dieu en l'homme, ne s'opposent pas l'une à l'autre ; elles se combinent en ce que la volonté et la générosité sont portées par la raison et, plus concrètement, parce que si l'homme est une chose qui pense, cela veut dire, dit la Quatrième Partie du *Discours*, « une chose qui doute, qui conçoit, qui affirme, qui nie, qui veut, qui ne veut pas, qui imagine aussi et qui sent » — et le début de la *Troisième Méditation* de reprendre ce texte en ajoutant : « qui connaît peu de choses, qui en ignore beaucoup, qui aime, qui hait, qui veut ». Descartes ne dit pas : ça pense en moi *(cogitatio sum)*, il dit : je pense. Sa philosophie n'est pas une philosophie de l'Esprit ou de l'Être, mais une philosophie du Sujet et de l'existence. Ce qui conduit à une confiance en l'homme qui ne se réduit pas à la puissance de la pensée scientifique. Ferdinand Alquié commente : « Car, si Dieu a créé vérité et nature, c'est l'homme qui, grâce à la connaissance des vérités, va, en l'ère technique, régner sur une nature privée de fin et de formes propres et pouvant dès lors se plier aux fins de l'homme, recevoir sa forme et prendre son visage. » L'homme n'est pas nature, mais il ne peut pas non plus s'identifier à Dieu, à l'Esprit. Il est entre les deux ordres ; il domine la nature en la déchiffrant et son âme porte la marque de Dieu et reconnaît que celui-ci, présent dans sa pensée, le dépasse. Pensée conforme au mouvement général de sécularisation et qui rejette tout immanentisme. Le monde de la nature et celui de Dieu sont séparés ; ils ne communiquent que par l'homme : l'action de celui-ci soumet le monde des choses à ses besoins ; sa volonté ne se perd pas en Dieu, mais découvre en lui-même un Je qui ne se confond pas avec les opinions, les sensations et les besoins, qui est donc le Sujet. C'est à cet aspect de Descartes qu'était le plus sensible Paul Valéry (*Variété V,* éd. Pléiade, p. 839). Il voyait en l'emploi du Je par le philosophe sa rupture la plus visible avec l'« architecture scolastique ».

Descartes se délivre de l'idée de Cosmos. Le monde n'a plus d'unité ; il n'est qu'un ensemble d'objets offerts à la recherche scientifique, et le principe d'unité passe du côté du créateur qui n'est saisi qu'à travers la pensée de Dieu, donc à travers le *Cogito* dont la démarche est à l'opposé de celle de l'idéalisme. La conscience se saisit dans sa finitude, dans sa temporalité. Pas plus que l'homme ne s'identifie complètement à Dieu, Dieu ne doit être transformé en un être temporel et historique à l'instar de l'homme. Celui-ci est entre Dieu et la nature.

Cette double nature de l'homme, à la fois corps et âme, est aussi au cœur de la pensée de Pascal. « L'homme est à lui-même le plus prodigieux objet de la nature ; car il ne peut concevoir ce que c'est que corps et encore moins ce que c'est qu'esprit et moins qu'aucune chose comme un corps peut être uni avec un esprit. C'est là le comble de ses difficultés et cependant c'est son propre être. » Ce texte est suivi d'une citation de saint Augustin transmise par Montaigne (*Pensée* 72, éd. Brunschvicg, p. 357). Les fragments célèbres sur le roseau pensant (347 et 348) reprennent la même idée : « L'homme n'est qu'un roseau, le plus faible de la nature, mais c'est un roseau pensant. Il ne faut pas que l'univers entier s'arme pour l'écraser. Une vapeur, une goutte d'eau suffit pour le tuer. Mais quand l'univers l'écraserait, l'homme serait encore plus noble que ce qui le tue parce qu'il sait qu'il meurt et l'avantage que le monde a sur lui. Toute notre dignité consiste donc en le penser » (347). Chez Pascal comme chez Descartes, il y a union et non opposition entre la pensée et l'existence personnelle et, à travers elle, une inspiration religieuse. Ce qui remet à sa juste place, bien limitée, l'identification du rationalisme avec une pensée antireligieuse qui passe trop facilement d'une critique sociale de l'Église et des pratiques religieuses à un matérialisme devenu aveugle à la transformation du Sujet religieux en Sujet humain.

L'homme participe de la Création en même temps qu'il est soumis à la vérité. Double nature qui doit lui interdire d'opposer complètement le monde divin au monde humain, et l'ordre de la charité à celui de la raison, comme le veut Pascal. L'homme doit prendre en charge ses passions, signes de l'union concrète en lui — à travers l'hypophyse — de l'âme et du corps. « C'est dans l'usage des passions que je mets toute la douceur et la félicité de cette vie », dit Descartes à Newcastle en 1640, et il le redit à Élisabeth, en 1645, en réponse aux objections de Regius qui voulait séparer complètement l'âme et le corps. Dualisme cartésien complété par la primauté reconnue à l'existence. Le monde de Descartes n'est ni celui de la nature ni celui de l'Esprit universel ; il est celui de l'homme qui doute et, en cela, est séparé de Dieu, mais aussi qui ne trouve d'appui solide qu'en lui-même, par un renversement qui fait apparaître le Sujet, le Je au sein du Moi.

Le rationalisme des Lumières voit la liberté de l'homme dans le triomphe de la raison et dans la destruction des croyances ; ce qui enferme l'homme dans la nature et détruit nécessairement tout principe d'unité de l'homme, et réduit le Moi, non sans raison, à n'être qu'illusion et fausse conscience. Descartes suit un chemin bien différent, puisque sa confiance en la raison conduit à une réflexion sur le sujet humain qui n'est pas seulement créature, mais tout autant image du Créateur. Si on ne prend de la modernité qu'une image négative, critique, Descartes peut n'apparaître que comme un des initiateurs du rationalisme moderne, et c'est souvent à cela que l'on réduit les défenseurs de l'esprit « cartésien » ; on est en droit de voir en lui, au contraire, l'agent principal de transformation du dualisme chrétien en une moderne pensée du Sujet.

L'individualisme de Locke

L'idée de modernité, qui part toujours de la confiance en la raison, connaît donc, dans le droit et la pensée politique comme dans la philosophie, une bifurcation où se séparent un naturalisme, complété par l'idée de société en tant que corps social, et un individualisme au cœur duquel se forme la notion de Sujet. La grandeur de Descartes est que l'auteur rationaliste du *Discours de la Méthode* a aussi défendu un dualisme extrême qui a transformé l'idée chrétienne de la créature créée à l'image de son Créateur en philosophie du Sujet personnel. La pensée politique et juridique a connu de la même manière une séparation de deux courants à partir d'un tronc commun. Dès lors qu'on détruit la définition du Bien par un impératif divin, par les Dix Commandements transmis par Moïse, un premier courant de pensée affirme que la morale et la politique doivent être commandées par l'idée du bien commun, de l'intérêt de la vie en société. Conception exposée surtout par Cicéron dans le *De republica*. Les idées centrales sont, pour ce courant, celles de contrat et d'obligation, et le droit est défini comme l'obéissance à la loi, ce qui peut prendre un tour autoritaire autant que démocratique. L'expression moderne de cette conception est que la loi doit être conforme à l'utilité commune, définie par la paix et la préservation de la vie individuelle et collective. Mais l'appel à la loi naturelle et à la raison peut mener dans une autre direction que celle qui a conduit, de Hobbes à Rousseau, en se chargeant au XVIIIe siècle d'esprit révolutionnaire, à l'idée d'un contrat qui fonde la société politique. Car ce qu'on nomme le bien commun se transforme aisément en puissance de l'État, qui ne reconnaît pas d'autre fondement à son droit positif que son propre intérêt. C'est Hugo Grotius, contemporain de Descartes, qui oppose à cette théorie moderne de l'État absolu, celle de Machiavel ou de Jean Bodin, l'idée d'un *droit naturel* qu'il définit de manière platonicienne comme un ensemble d'idées, de principes juridiques préexistant à toute situation particulière et même à l'existence de Dieu. Si aucun cercle n'existait, dit Grotius, les rayons du cercle ne cesseraient pas d'être égaux. Le droit est une création de l'esprit aussi rigoureuse que les mathématiques, comparaison que Pufendorf reprendra avec plus d'insistance encore.

Cette défense du droit, séparé de la politique et indépendant d'elle, fondé entièrement sur la raison, représente, avec la pensée cartésienne, le moment principal de la transformation de l'ancien dualisme chrétien en philosophie du Sujet et de la liberté. Grotius ne se satisfait pas de l'autonomie relative laissée par les théologiens à la *lex naturalis* par rapport à la *lex divina*. Il n'accepte surtout pas la position extrême de Calvin déniant toute autonomie au droit humain au nom de la toute-puissance de la grâce élective, et sa confiance en la raison l'amènera à soutenir les arminiens, les remontrants et, après leur défaite, à perdre ses charges à Amsterdam.

Cette conception du droit naturel, objet d'une étude scientifique, se retrouve chez Montesquieu, qui, lui aussi, cherche à dégager des expériences sociales l'esprit des lois, c'est-à-dire « les rapports nécessaires qui dérivent de la nature des choses » et qui commandent la cohérence et l'esprit des législations. Quelle différence avec les positions hésitantes de Voltaire et surtout l'abandon de Diderot au pragmatisme ! Quand celui-ci parle d'efficacité, ou d'Alembert des devoirs à l'égard des semblables, la loi redevient sociale, alors que Grotius ou Montesquieu ont pour souci principal de limiter le pouvoir en même temps que de séparer la théorie du droit de la théologie.

Il peut sembler étonnant de rapprocher du rationalisme des jusnaturalistes la position de Locke, dont la théorie de l'entendement occupe une place centrale dans la philosophie des Lumières. On est plutôt tenté d'opposer la révolte sociale de Rousseau à la théorie « bourgeoise » de Locke. C'est pourtant Rousseau qui est au cœur de la philosophie des Lumières, dans son *Deuxième Discours*, l'*Émile* et le *Contrat social*, tandis que Locke donne un nouveau fondement à la séparation de l'individu et de la société, et l'opposition des deux pensées apparaîtra directement, on le verra, à l'intérieur des Déclarations des droits de Virginie ou de France.

Le point de départ de Locke est : « Dieu, ayant donné à l'homme un entendement pour diriger ses actions, lui a accordé aussi la *liberté* de la volonté, la *liberté* d'agir » (*Deuxième Traité*, p. 58). Cette action est avant tout le travail. La loi de la nature est celle de la propriété commune de la terre et de tous ses produits. Mais, alors que certains vivent, comme les Indiens d'Amérique, selon la loi de la nature, d'autres transforment et accroissent les ressources naturelles par leur travail, qui leur donne un droit de propriété. Le paragraphe 27 marque le point de départ de ce raisonnement qui va fonder la propriété, la monnaie et l'inégalité : « Encore que la terre et toutes les créatures inférieures soient communes et appartiennent en général à tous les hommes, chacun pourtant a un droit particulier sur sa propre personne, sur laquelle nul autre ne peut avoir aucune prétention. Le travail de son corps et l'ouvrage de ses mains, nous le pouvons dire, sont son bien propre. Tout ce qu'il a tiré de *l'état de nature* par sa peine et son industrie, appartient à lui seul : car cette peine et cette industrie étant sa peine et son industrie propre et *seule*, personne ne saurait avoir droit sur ce qui a été acquis par cette peine et cette industrie, surtout s'il reste aux autres assez de semblables et d'aussi bonnes choses communes. » Ainsi s'opère le passage de la communauté à la propriété individuelle, ce qui transforme le rôle de la loi : loin de partir du bien commun, elle doit protéger la liberté d'agir, d'entreprendre, de posséder. Ce qui éloigne Locke de Hobbes, c'est qu'il ne se cantonne pas au raisonnement purement politique selon lequel le contrat qui fonde la société politique repose sur la peur de la violence et de la guerre. Il donne au droit naturel une expression économique qui l'oppose au pouvoir politique, plus précisément à la monarchie héréditaire défendue par Sir Robert Filmer, qu'il combat dans son *Premier Traité*. Il établit ainsi une discontinuité complète entre l'état de nature et l'organisation sociale. Ce qu'il souligne en rappelant que le système politique a été constitué en réponse non à l'état de nature, mais à l'état de guerre qui détruit cet état de nature. Louis Dumont a raison de placer Locke à l'origine du passage du holisme à l'individualisme. L'analyse de la communauté et des besoins de ses membres est remplacée par celle du travail et de la propriété qui doivent être protégés par les lois. Mais le souci de la communauté reste présent chez Locke, comme on le voit par la manière dont il justifie la résistance à l'oppression (pp. 203-210). Il ne prend pas la défense de la révolte, mais condamne les magistrats coupables de « *breach of trust* », de rompre le contrat qui fait d'eux des agents du bien commun. Ce sont ces gouvernants indignes qui détruisent l'ordre public. Il ne peut pas y avoir de séparation complète, dans la théorie politique comme dans la théorie économique, entre les droits de l'individu et les conditions d'existence et de paix de la vie sociale.

Conception qui vaut à Locke une position centrale dans l'histoire des idées, puisqu'il associe l'idée individualiste de la propriété et de la richesse fondées sur le travail avec la référence à un ordre humain dont Louis Dumont définit bien la nature par une parenthèse : « (ou ce qui reste de l'ordre cosmique) », de sorte qu'intérêt et moralité se rejoignent grâce à l'existence de Dieu, ainsi que l'a soutenu Raymond Polin. Locke défend à la fois l'individualisme présent dans toutes les pensées dualistes et le déisme naturaliste de la philosophie des Lumières. Unité qui sera peu à peu remplacée par l'opposition croissante entre un empirisme conduisant au positivisme, voire au sociologisme rousseauiste, et l'idée du droit naturel qui nourrira la résistance de tous les mouvements sociaux contre l'ordre établi.

Hobbes, Locke et Rousseau sont également révolutionnaires ou, si on préfère, sont également aux origines de la pensée démocratique qui rejette la légitimation du pouvoir politique par l'héritage ou par la volonté divine, mais ils fondent la société politique sur des bases entièrement opposées. Certes, pour tous ces penseurs et pour tous les théoriciens du droit naturel, il s'agit bien de fonder la société politique sur une décision libre des individus, un contrat *(covenant)* ou un acte de confiance *(trust)*. Mais ces mots utilisés par tous peuvent recouvrir des conceptions très différentes, comme le sent Pufendorf quand il propose l'idée de double contrat : d'association d'abord, de soumission ensuite, ce qui fait éclater les contradictions sans pour autant les résoudre. Locke insiste sur le consentement dans la contrainte, sur la règle de la majorité et non sur la volonté générale, de sorte que la loi est pour lui protection des droits individuels plus que constitution d'un ordre social pacifié, comme le concevait Hobbes. Locke construit lui aussi une théorie de la citoyenneté ; il n'en voit pas moins dans la société civile le moyen de donner des garanties réelles aux droits naturels de l'homme. Sa pensée, comme le *Bill of Rights* de 1689, qui correspondait aux positions politiques de cet orangiste — même si son *Traité* fut conçu bien avant la révolution de 1688 —, insiste sur l'indépendance des citoyens plutôt que sur la construction d'une communauté bénéficiant du transfert des droits individuels à une autorité souveraine. Il répugne à parler du Souverain ; il insiste au contraire sur l'importance de la confiance et de la participation de tous — le mot peuple reste marqué négativement à son époque — dans le fonctionnement des institutions. Whig, s'il croit à la citoyenneté, c'est en insistant sur les droits des citoyens plus que sur l'unité nationale.

L'exact contemporain de Locke, Pufendorf, s'éloigne lui aussi de Grotius et de Cumberland au nom d'un dualisme proche de celui de Descartes et qui sépare complètement les êtres physiques *(entia physica)* et les êtres moraux *(entia moralia)*. Ces derniers ne viennent pas de la nature. De celle-ci naissent des jugements d'utilité ou de plaisir, mais le jugement moral suppose « une norme directive que nous appelons loi », dit-il dans ses *Éléments de jurisprudence universelle*. Cette loi, il est vrai, étant celle de la raison, peut renvoyer au critère de l'utilité sociale et il n'y a pas ici d'opposition entre Grotius et Pufendorf, mais celui-ci insiste davantage sur la distance du devoir être à l'être. Il juge moins l'acte par ses conséquences que par ses intentions et son rapport à la loi divine, ce qui s'éloigne de la conception dite moderne de la loi et ressortit à l'univers des pensées religieuses, confucianisme et bouddhisme autant que christianisme, qui se veulent des morales de l'intention en même temps que de la pureté plus que de la loi.

Le raisonnement de Locke semble éloigné de tout absolutisme moral et même de tout contenu religieux, et son intention principale est bien de combattre la monarchie absolue. Pourtant, il assure le passage d'une définition religieuse à une définition sécularisée d'un acteur humain qui ne s'identifie jamais complètement à la société politique à laquelle il appartient. Le droit à la propriété, à la liberté, à la résistance à l'oppression, est le principe sur lequel repose une société civile qui ne peut être confondue avec un Prince, que celui-ci soit monarchique ou démocratique. Les théologiens espagnols comme Suarez ou Las Casas, qui protestaient contre les massacres perpétrés par les conquistadores, rappelaient que les Indiens étaient des créatures de Dieu autant que les Espagnols. Le pouvoir politique et son bras armé devaient respecter cette égalité des enfants de Dieu et ne pas traiter certains d'entre eux comme des animaux ou des objets mis sur le marché. Qu'on parle de loi de la nature et de raison au lieu de marque du Créateur sur les créatures qu'il a faites à son image n'indique aucune rupture dans la pensée morale, alors que le remplacement de ces raisonnements par ceux qui accordent un rôle central à l'utilité sociale — que celle-ci soit définie en termes chrétiens ou sécularisés — fait passer d'une conception de la vie morale et politique à une autre, toute différente. C'est aller trop vite en besogne que d'identifier la modernité à l'utilitarisme et de croire que la pensée moderne ne se préoccupe que de contrats, de loi et d'équilibre ou d'intégration de la société. Le principe de normativité qu'apportait la religion est remplacé, tout autant que par le « conséquentialisme », par l'apparition d'un acteur humain défini par son action, sa volonté, sa liberté, et plus concrètement par son travail. L'idée de contrat social qui a nourri aussi bien l'absolutisme que la révolution — pour cela même si proches l'un de l'autre — abolit le Sujet dans la communauté politique, dans le peuple souverain, dans la nation, dira la Révolution française ; au contraire, l'idée de droit naturel, telle qu'elle est pensée par Locke comme par Pufendorf, fonde la dualité de la société civile et de l'État, des droits de l'homme et du pouvoir politique, et donne naissance aussi bien à la pensée bourgeoise qu'au mouvement ouvrier, donc à des pensées et à des actions qui sont censées représenter des acteurs sociaux.

Ainsi, il existe deux courants de pensée qui s'opposent mais aussi se mélangent. Pour l'un, né de Machiavel, l'essentiel est de libérer l'État des commandements de l'Église, de redonner vie au modèle de la Rome républicaine transmis par Tite-Live. Ce triomphe de la raison d'État porte en lui des effets aussi bien positifs que négatifs. C'est, d'un côté, à travers la Genève théocratique, l'idée de souveraineté populaire, et jusqu'à nos jours la conviction, si fortement enracinée en France où l'anticléricalisme a joué un grand rôle, que le rationalisme d'État est la condition de la liberté des citoyens et que l'individu ne s'épanouit que par sa participation à la vie publique. C'est, de l'autre côté, et depuis le début, l'autorité absolue de l'État, qu'il soit autoritaire ou populaire, fondé sur un contrat, une volonté générale ou le soulèvement révolutionnaire d'un peuple.

A cette philosophie politique du contrat public s'oppose celle du contrat privé, du *trust*, pour reprendre le mot que Locke emprunte au droit privé. Alors que le premier courant de pensée, issu du nominalisme, ne croit qu'au droit positif, le second donne au droit naturel le sens que lui conféreront les Déclarations des droits et qui est déjà présent dans les textes des *Levellers* anglais du XVIIᵉ siècle. Le premier courant est surtout connu par les révolutions qu'il a nourries, le second peut être appelé bourgeois, mais force est de dire aussi que du premier sont issus les terreurs et les régimes totalitaires et que c'est du second que se sont inspirés tous les mouvements sociaux. Cette dualité empêche d'associer trop étroitement la fondation de l'État à l'individualisme moderne. Car si cette association correspond à la pensée de ceux que Régis Debray a appelés les « républicains », elle est rejetée par les démocrates au sens où lui-même a défini ce mot en marquant bien son propre attachement à l'idée républicaine. C'est, on le comprend, un « démocrate » qui parle ici...

La Déclaration des droits de l'homme et du citoyen

Du dualisme cartésien à l'idée de droit naturel et plus tard à l'œuvre de Kant, les XVIIᵉ et XVIIIᵉ siècles, malgré la force grandissante du naturalisme et de l'empirisme qui annoncent le scientisme et le positivisme du XIXᵉ siècle, restent fortement marqués, sur le plan intellectuel, par la sécularisation de la pensée chrétienne, par la transformation du Sujet divin en un sujet humain, lequel est de moins en moins absorbé dans la contemplation d'un être de plus en plus caché, et devient un acteur, un travailleur et une conscience morale.

Cette période s'achève sur un grand texte : la Déclaration des droits de l'homme et du citoyen, votée par l'Assemblée nationale le 26 août 1789. Son influence a dépassé celle des déclarations américaines et son sens est bien différent de celui du *Bill of Rights* anglais de 1689. Si ce texte est grand, c'est non seulement parce qu'il proclame des principes en contradiction avec ceux de la monarchie absolue et qui, en ce sens, sont révolutionnaires, mais aussi parce qu'il marque l'achèvement des débats de deux siècles et donne une expression universelle à cette idée des droits de l'homme qui contredit l'idée révolutionnaire. La Déclaration française des droits se situe à la jonction d'une période qui fut dominée par la pensée anglaise et de la période des révolutions qui sera dominée par le modèle politique français et par la pensée allemande. C'est le dernier texte qui proclame sur la scène publique la double nature de la modernité, faite à la fois de rationalisation et de subjectivation, avant que ne triomphent pour un long siècle l'historicisme et son monisme.

Ce texte a été tellement identifié aux principes de la démocratie et au renversement de l'Ancien Régime, en France et dans bien d'autres pays, qu'on lui suppose, en le lisant avec le respect qu'il mérite, une unité qui rend sa compréhension difficile. De la même manière que la volonté de Clemenceau, en 1889, de défendre tout l'héritage de la Révolution comme un bloc rendait difficile, voire impossible, l'analyse des dix ans qui, partant de la proclamation de la souveraineté nationale, s'achevèrent sur un coup d'État militaire. Ce qui s'impose, au contraire, c'est le croisement de deux thèmes opposés, celui des droits individuels et celui de la volonté générale, qu'on a l'habitude d'associer au nom de Locke pour le premier, de Rousseau pour le second, et avec tant de force que la question centrale devient celle de savoir ce qui les unit, ce qui confère unité et cohérence à cette Déclaration. Si ce texte historique est évoqué ici, c'est parce qu'il appartient davantage à la pensée individualiste qu'à la pensée holiste, pour reprendre l'opposition construite par Louis Dumont, parce qu'il est plus marqué par l'influence des Anglais et des Américains que par celle des patriotes français — rapport de force et d'influence qui sera bientôt renversé et fera triompher une révolution de plus en plus étrangère et hostile à l'individualisme des droits de l'homme. C'est en ce sens que cette Déclaration marque la fin de la période prérévolutionnaire, alors que la Déclaration de 1793 se situera déjà en pleine logique révolutionnaire. La prééminence du thème des droits individuels est clairement démontrée par le préambule qui place les « droits naturels inaliénables et sacrés de l'homme » en amont du système politique dont les « actes » pourraient être à chaque instant comparés avec le but de toute institution politique, et ne peuvent donc être évalués par référence à l'intégration de la société, au bien commun ou à ce qu'on appellerait aujourd'hui l'intérêt national. L'article II énumère les principaux droits :

liberté, propriété, sûreté et résistance à l'oppression. Le droit de propriété est précisé dans l'article XVII auquel s'est arrêté le travail de l'Assemblée. L'article IV appartient à la même logique individualiste. Mais, face à l'homme, se construit la figure du citoyen dès le premier article, qui affirme : « Les distinctions sociales ne peuvent être fondées que sur l'utilité commune », et surtout dans les articles III et VI, qui mettent en avant les idées de nation et de volonté générale. Ces deux conceptions sont opposées l'une à l'autre, comme l'observe Hegel dans les *Principes de la philosophie du droit* (§ 258) : « Si on confond l'État avec la société civile et si on le destine à la sécurité et à la protection de la propriété et de la sécurité personnelle, l'intérêt des individus en tant que tels est le but suprême en vue duquel ils sont rassemblés et il en résulte qu'il est facultatif d'être membre d'un État. Mais sa relation à l'individu est tout autre s'il est l'esprit objectif ; alors l'individu lui-même n'a d'objectivité, de vérité et de moralité que s'il en est un membre. L'association en tant que telle est elle-même le vrai contenu et le vrai but, et la destination des individus est de mener une vie collective » (cité par Marcel Gauchet dans le *Dictionnaire critique de la Révolution française*). L'opposition des deux conceptions n'est pas celle d'un holisme traditionnel et d'un individualisme moderne ; elle est celle des deux faces de la modernité. D'un côté, l'absolutisme de la loi divine est remplacé par le principe de l'utilité sociale, l'homme doit être considéré comme un citoyen et il est d'autant plus vertueux qu'il sacrifie davantage ses intérêts égoïstes au salut et à la victoire de la nation ; de l'autre, les individus et les catégories sociales défendent leurs intérêts et leurs valeurs face à un gouvernement dont les appels à l'unité entravent les initiatives particulières et donc sa propre representativité.

Cette opposition ne peut pas être dépassée par une meilleure compréhension de ce qu'est la nation, qui n'est pas l'État mais le peuple, donc la volonté générale, car cette référence appartient à l'une des deux conceptions qu'on cherche à combiner, et l'expérience historique interdit absolument d'identifier au bien commun et aux droits de l'homme l'unanimisme des foules. La réponse de la Déclaration de 1789 est différente et plus élaborée : ce qui concilie l'intérêt individuel et le bien commun, c'est la loi, formule presque évidente à la fin d'un siècle où la pensée sociale se confond avec la philosophie du droit ou est dominée par elle. La loi est conçue comme l'expression de la volonté générale et comme l'instrument de l'égalité, mais elle a aussi pour tâche de défendre indirectement les libertés individuelles en définissant les « bornes » qui rendent la liberté de chacun compatible avec le respect des droits des autres. Ce qui propose en peu de mots une théorie de la démocratie (mot qui n'est pas employé). Ce régime n'est-il pas celui qui combine la pluralité des intérêts avec l'unité de la société, la liberté avec la citoyenneté, grâce à la loi qui n'a pas de principes propres autres que cette fonction de médiation et de combinaison, en général limitée et fragile, mais toujours indispensable ? Conception de la loi moins ambitieuse et surtout moins autoritaire que celle des légistes qui ont construit l'État de droit, souvent dans le cadre de la monarchie absolue, et qui ont fait de la loi l'instrument de la soumission de l'individu à un bien commun redéfini en termes d'utilité collective. Ici, au contraire, la loi est placée au-dessous des droits naturels de l'homme ; elle est donc chargée de combiner l'intérêt de chacun avec l'intérêt de la société, ce qui fait sortir de l'utopie à la Rousseau, puisque l'individu peut être égoïste ou malhonnête et que le mot « société » peut cacher les intérêts particuliers des gouvernements, de la technocratie ou des bureaucrates.

Le plus grand nombre des articles de la Déclaration, à partir des articles V et VI, précisent les conditions d'application de la loi, et en particulier le fonctionnement de la justice. Ce qui permet de rappeler la priorité des droits de l'homme, en particulier dans l'article IX qui introduit l'*habeas corpus*, et l'article X avec son étrange formulation : « Nul ne doit être inquiété pour ses opinions, même religieuses », qui donne à la laïcité sa forme la plus éloignée de l'esprit antireligieux des rationalistes du XIXᵉ siècle, celle du respect des libertés fondamentales, donc de la diversité culturelle et politique où s'incarnent les droits de l'homme. La Déclaration se conclut non sur l'article XVII, consacré à la propriété et déjà cité, mais en fait sur l'article XVI, dédié à Montesquieu et dont la formule même — « Toute société dans laquelle la garantie des droits n'est pas assurée ni la séparation des pouvoirs déterminée n'a point de constitution » — tranche absolument en faveur des droits individuels contre l'intégration politique, en faveur de la liberté contre l'ordre.

Les révolutions qui éliminent la monarchie absolue d'Angleterre des anciennes colonies anglaises devenues États-Unis d'Amérique, et de France, ont donc été définies par le recouvrement de la pensée des Lumières et du dualisme chrétien et cartésien. L'individualisme bourgeois, qui survivra longtemps à cette période, a combiné la conscience du Sujet personnel avec le triomphe de la raison instrumentale, la pensée morale avec l'empirisme scientifique et la création de la science économique, en particulier chez Adam Smith.

L'histoire des deux siècles suivants sera celle de la séparation croissante de ces deux principes, si fortement associés dans la pensée de Locke : la défense des droits de l'homme et la rationalité instrumentale. Plus celle-ci construira un monde de techniques et de puissance, et plus l'appel aux droits de l'homme se dissociera, d'abord dans le mouvement ouvrier, puis dans d'autres mouvements sociaux, de la confiance dans la raison instrumentale. L'humanité, entraînée par le progrès, se demandera si elle ne perd pas son âme, si elle ne la vend pas au diable en acquérant la domination de la nature. Ce n'est pas encore le cas au XVIIIe siècle, tant reste prédominante la lutte contre les traditions et les privilèges de l'Ancien Régime, avant que les bouleversements introduits par la Révolution française, l'Empire napoléonien et la révolution industrielle venue de Grande-Bretagne ne suscitent la crise romantique qui mettra fin à l'identité affirmée de l'expérience intérieure et de la raison instrumentale. C'est pourquoi la Déclaration des droits est bourgeoise en même temps que jusnaturaliste ; son individualisme est en même temps affirmation du capitalisme triomphant et résistance de la conscience morale au pouvoir du Prince. Création suprême de la philosophie politique moderne, la Déclaration des droits porte déjà en elle les contradictions qui vont déchirer la société industrielle.

La fin de la modernité prérévolutionnaire

Le triomphe de la liberté en France et, quelques années plus tôt, dans les États-Unis d'Amérique affranchis de leur dépendance coloniale met fin à une période de trois siècles, celle qui forme ce que les historiens ont nommé la « période moderne ». J'ai voulu rappeler que cette période n'est pas seulement celle de la sécularisation, de la rationalisation et de l'esprit du capitalisme. En plaçant en face de cette conception critique et rationaliste de la modernité, identifiée au désenchantement d'un monde si longtemps peuplé de dieux et de *numina*, une autre image, complémentaire de la première mais surtout opposée à elle, celle de la naissance du Sujet, du progrès de la subjectivation, j'ai voulu d'abord écarter une conception évolutionniste dont la simplicité a fait le succès — la modernité serait le passage du sacré au profane, de la religion à la science —, mais surtout remplacer l'idéologie moderniste qui identifie entièrement la modernité à la rationalisation par une vision dont le sens et les conséquences sont bien différents : la modernité est la séparation de plus en plus grande du monde de la nature, régi par des lois que découvre et utilise la pensée rationnelle, et du monde du Sujet, dont disparaît tout principe transcendantal de définition du bien, remplacé par la défense du droit de chaque être humain à la liberté et à la responsabilité. Les principes donnés au monde par la Révolution française, liberté, égalité, fraternité, ne viennent pas de l'idée de sécularisation ni d'une pensée empirique naturellement plus sensible aux inégalités de toutes sortes, mais du thème fondateur du droit naturel.

A l'image des Lumières dissipant les brumes du passé, d'abord sur les sommets de la société, puis sur des espaces de plus en plus larges, j'ai voulu substituer celle de deux courants de pensée et d'organisation sociale opposés. Appelons le premier le *capitalisme* et le second l'esprit *bourgeois*. D'un côté, l'homme détaché de tous liens sociaux et qui, parce qu'il est peut-être élu, se contraint à des disciplines sévères, mais impose aussi un ordre répressif à ceux qui ne vivent pas dans la justice et sous le regard de Dieu. Ainsi se construit une société juste, élitiste, sévère, efficace, qui transforme la foi en activités prati-

ques. De l'autre, la découverte de la conscience de soi, qui
se soucie de cette « maîtresse forme », comme disait Montaigne, autrement dit de la personnalité individuelle, et
aussi du sentiment amoureux, qui échappe au domaine de
la loi.

On peut unir ces deux images qui se mêlent souvent,
tant la distance qui les sépare est réduite, surtout au
XVIIe siècle, mais encore à la veille de l'industrialisation. Et
pourtant, elles regardent dans des directions opposées. La
première construit une société de production, de travail,
d'épargne et de sacrifices ; la seconde cherche le bonheur
et privilégie la vie privée. Vie publique et vie privée commencent à se séparer et ne cesseront plus de s'éloigner
l'une de l'autre. C'est la même dualité d'orientations que
j'ai observée d'abord chez Jean-Jacques Rousseau, qui
fonde une société où la volonté générale se transforme
presque nécessairement en conscience collective intégratrice et intolérante, mais témoigne aussi d'une sensibilité
plus proche de celle de Montaigne que des Genevois de
l'époque de Calvin.

Ce qui vient d'être dit vaut aussi pour les pays catholiques. D'un côté, ils résistent à la sécularisation en donnant
un pouvoir très grand à l'Église, armée des sacrements, et
en reconnaissant le droit divin des monarques absolus. De
l'autre, ils préservent la séparation du spirituel et du temporel sous la forme de l'ultramontanisme d'un côté, de la
nouvelle piété née de la réforme catholique de l'autre. Au
lieu d'opposer catholiques attachés au passé et protestants
lancés vers l'avenir, il vaut donc mieux opposer la création
du Sujet personnel au renforcement de l'ordre social par
des valeurs religieuses, car ces deux tendances sont visibles l'une et l'autre dans chacun des camps du christianisme divisé. Jusqu'à aujourd'hui, la référence religieuse a
servi aussi souvent à renforcer l'ordre établi et ses privilèges qu'à nourrir les révoltes contre lui.

L'histoire de la vie religieuse, surtout dans le monde
qu'on nomme judéo-chrétien, n'est-elle pas surtout celle de
la séparation croissante du rationalisme, issu de Platon et
d'Aristote et transformé par les théologiens, et de la mystique du Sujet, de la découverte du Sujet personnel par sa
perte dans l'amour de Dieu ? Dans les sociétés modernes,
le rationalisme devient organisation d'une société juste,

modèle mobilisateur et contraignant, tandis que la mystique devient romantisme puis mouvement social, à la fois perte et découverte du Sujet personnel. Cette séparation est complète aujourd'hui et oppose les sociétés qui se veulent fondées sur des principes religieux, que ce soient les États-Unis ou certaines sociétés islamiques, aux mouvements sociaux qui en appellent à la liberté personnelle et collective comme à ceux qui luttent au nom d'une foi contre un pouvoir. Et nous nous sentons bien éloignés des pensées des XVIIe et XVIIIe siècles qui cherchaient encore à unir la loi de la raison et la révélation divine. Union qui se réalisait, comme nous l'avons vu, à travers l'idée de société, comprise comme commerce des biens et des idées, donc comme division organique du travail. De là la place centrale occupée par la pensée sociale et plus précisément par la philosophie politique dans la pensée classique. Ce qui annonce que la séparation croissante des deux courants de pensée, de vie religieuse et d'organisation sociale que j'ai opposés se fera nécessairement au prix d'un abandon de toute image de la société idéale.

Dans son grand livre *Sources of the Self*, Charles Taylor a largement identifié la modernité à la formation du Soi, à l'affirmation de l'homme intérieur, rejetant presque en marge de sa vision ceux qui forment ce qu'il appelle le « *radical enlightenment* » et qui sont pour l'essentiel ceux que les Français appellent leurs philosophes du XVIIIe siècle, de Diderot à Helvétius, d'Holbach et même Condorcet. Pour lui, l'extrême utilitarisme eut moins d'influence que la transformation des sentiments moraux et de l'image de l'homme. Je crois comme lui à l'importance centrale du thème du Sujet, mais celui-ci s'affaiblit au XVIIIe siècle dans la mesure où il reste lié à une vision chrétienne qui recule devant les progrès de la sécularisation, tandis que l'individualisme bourgeois est et sera de plus en plus subordonné à la rigueur capitaliste. Ce qui prépare alors le triomphe de l'historicisme et même du scientisme, qui entraînera au XIXe siècle une éclipse presque complète de l'idée de Sujet avant que celle-ci ne renaisse à mesure que s'affaiblira la confiance dans la raison conquérante et libératrice.

Cette renaissance s'est manifestée au moment de l'étrange célébration par les Français du bicentenaire de la Révolution. Elle a écarté l'idée si longtemps dominante que la Révolution avait été la victoire de la science, de la raison et des partis qui comprennent les lois de l'Histoire. Et, comme l'idée d'Europe unie empêchait de célébrer trop bruyamment la lutte de la nation contre les princes et les armées européennes coalisées contre la Révolution, les Français ont réservé tout l'espace de leur mémoire à la Déclaration des droits de l'homme, célébrant ainsi l'acte le moins révolutionnaire et le plus éloigné de la pensée histo-riciste, celui qui rattache le plus la transformation de la société française à celle de la société anglaise et à la nais-sance de la société américaine. Choix qui s'est traduit par la victoire intellectuelle de François Furet sur les descen-dants d'Albert Mathiez.

On assiste ainsi à une résurrection de la période et de la pensée prérévolutionnaires en même temps que le mot de *démocratie* tend à remplacer dans les discours celui de révolution, car nous nourrissons désormais des sentiments mêlés envers toutes les philosophies du progrès. Nous les rejetons rarement, mais nous trouvons souvent les Lumiè-res aussi aveuglantes qu'éclairantes. Nous avons surtout peur de devenir des êtres humains purement sociaux, donc entièrement dépendants d'un pouvoir politique dont nous savons qu'il ne coïncide jamais avec une volonté générale plus mythique que réelle. Le retour du religieux est, certes, très souvent un mouvement de contre-modernité ; il réagit contre la sécularisation et tente de reconstruire une com-munauté en réunissant pouvoir spirituel et pouvoir tempo-rel ; mais il est aussi un effort pour réintroduire une force non sociale dans la vie sociale, l'éthique de la conviction dans un monde dominé par l'éthique de la responsabilité, pour parler comme Weber. Comme au début du monde moderne, nous voyons à présent se mêler trois grandes for-ces : la rationalisation, l'appel aux droits de l'homme et le communautarisme religieux. Qui osera se dire certain que seule la première défend la modernité, que la seconde ne doit être comprise que comme le respect du consomma-teur et que la troisième est entièrement réactionnaire ?

L'idée centrale qui s'impose est que sont en train de se séparer les deux pôles de la modernité, la rationalisation et la subjectivation, alors que le monde antérieur, dominé par l'union de la philosophie et de la théologie chrétienne, était installé dans une pensée à la fois magique et rationaliste, chrétienne et aristotélicienne. Cette séparation affectera peu à peu tous les domaines. L'idée que les conduites humaines puissent et doivent se placer entièrement à l'intérieur de la rationalité et de son universalisme sera contestée à la fois par les explorateurs de la personnalité, par les nationalismes et, de manière plus récente, par les analystes de la consommation et de la communication de masse.

Les plus grands penseurs du XVIIᵉ siècle ont tenté d'empêcher cet éclatement en transformant une pensée d'inspiration religieuse, une pensée de l'âme, en pensée du sujet libre, sans pour autant se contenter d'un empirisme individualiste, d'un utilitarisme qui rendrait inintelligible l'organisation sociale. Descartes, Grotius ou Locke cherchèrent à surmonter la grande rupture qui s'était produite au début du XVIᵉ siècle entre Luther et Érasme, entre la Réforme et la Renaissance.

Mais si les XVIIᵉ et XVIIIᵉ siècles n'ont pas été obligés de choisir entre deux orientations en conflit ouvert, ne fut-ce pas parce que la commune opposition des deux courants au passé était plus forte que leur conflit à l'intérieur de la modernité elle-même ?

C'est pourquoi cette longue période moderne s'achève avec la Révolution française et avec l'industrialisation de la Grande-Bretagne. Les nouvelles sociétés industrielles acquièrent une capacité d'intervention sur elles-mêmes si grande qu'elles se jettent de toutes leurs forces dans la conception la plus orgueilleuse, la plus conquérante de leur modernité. L'homme n'a plus de nature ni de droits naturels ; il n'est que ce qu'il se fait, et ses droits sont sociaux. La raison n'est plus pensée, découverte d'un ordre ; elle devient force de transformation historique, et l'idée de société, qui était mécanique, devient organique. Du coup, la séparation du Sujet et de la société disparaît, l'homme devient un être entièrement social et historique. Triomphe de l'idéologie moderniste, si complet, si violent qu'il faudra attendre un siècle pour le voir contesté et pour que réapparaisse la distance entre la rationalisation et le Sujet personnel.

CHAPITRE III

LE SENS DE L'HISTOIRE

L'historicisme

La modernisation économique accélérée a eu pour conséquence principale de transformer les principes de la pensée rationnelle en objectifs sociaux et politiques généraux. Alors que les dirigeants politiques, comme les penseurs sociaux, des XVIIe et XVIIIe siècles réfléchissaient sur l'ordre, la paix et la liberté dans la société, désormais, et pendant un long XIXe siècle qui a débordé sur une grande partie du XXe, ils transforment une loi naturelle en volonté collective. L'idée de *progrès* représente le mieux cette politisation de la philosophie des Lumières. Il ne s'agit plus simplement de laisser passer la raison en écartant ce qui fait obstacle à sa marche ; il faut vouloir et aimer la modernité ; il faut organiser une société créatrice de modernité, automotrice. Mais la pensée sociale de cette période est encore dominée par l'identification des acteurs sociaux à des forces naturelles. C'est aussi vrai pour la pensée capitaliste, dont le héros est l'entrepreneur, conduit par la recherche du profit, que pour la pensée socialiste, pour qui le mouvement ouvrier révolutionnaire est l'expression des forces productives qui cherchent à se dégager des contradictions où l'emprisonnent les rapports capitalistes de production. La libération sociale et politique marque le retour à la nature, à l'Être, grâce à la raison scientifique qui permet ces retrouvailles de l'homme et de l'univers. Condorcet

comptait sur les progrès de l'esprit humain pour assurer le
bonheur de tous ; au XIXᵉ siècle, c'est la mobilisation
sociale et politique, c'est la volonté de bonheur qui agissent comme moteurs du progrès industriel. Il faut travail-
ler, s'organiser et investir pour créer une société technicienne génératrice d'abondance et de liberté. La modernité
était une idée, elle devient de surcroît une volonté, mais
sans que soit rompu le lien entre l'action des hommes et
les lois de la nature et de l'histoire, ce qui assure une continuité fondamentale entre le siècle des Lumières et l'ère
du progrès.

Pour les pensées les plus brutales, cela se réduit au succès de la pensée positive, et donc à une dissolution de la
subjectivité dans l'objectivité scientifique véhiculée par la
raison. Jusqu'au début du XXᵉ siècle, le scientisme a connu
un grand succès dans la vie intellectuelle, jusqu'à ce que
les sciences sociales, et surtout Weber en Allemagne et
Durkheim en France, dont l'action fut prolongée par celles
de Simiand, puis de Marc Bloch et de Lucien Febvre, rom-
pent, au cours de débats célèbres, en Allemagne avec plus
de profondeur qu'en France, avec le scientisme, qui croyait
que des faits clairement établis révéleraient les lois de
l'évolution historique.

D'un intérêt beaucoup plus considérable est la pensée
historiciste, qu'elle revête une forme idéaliste ou non, qui
identifie la modernisation avec le développement de
l'esprit humain, le triomphe de la raison avec celui de la
liberté, la formation de la nation ou la victoire finale de la
justice sociale. Pour certains la correspondance de l'activité économique et de l'organisation sociale forme l'infrastructure qui détermine toutes les manifestations de la
vie politique et culturelle, idée qui introduit un déterminisme économique, mais plus importante est l'affirmation
de l'unité de toutes les formes de la vie collective comme
manifestations d'une capacité et d'une volonté d'autopro-
duction et d'autotransformation de la société.

La pensée sociale s'est éloignée de l'historicisme avec
une telle violence, surtout au cours des dernières décennies, que nous oublions presque ce qu'a représenté cette
pensée, qu'il serait imprudent de jeter sans discrimination
aux « poubelles de l'Histoire ». La pensée antérieure s'in-
terrogeait sur la nature de la politique, de la religion, de la

famille et surtout du droit, et par conséquent sur les relations de causalité entre ces divers ordres de réalité. Les idées commandent-elles la politique ou celle-ci est-elle déterminée par l'économie ? Quelles sont les causes de la victoire d'une nation ou de la décadence de l'empire romain ? L'historicisme remplace ces interrogations par une analyse qui définit un phénomène par sa position sur l'axe qui va de la tradition à la modernité. La pensée marxiste elle-même est moins un déterminisme économique qu'une vision de la société comme produite par une pratique de travail et par la contradiction entre le progrès rationnel des forces productives et le profit, entre le sens de l'évolution historique et l'irrationalité de l'intérêt privé. Et l'image du communisme qu'elle propose n'est pas celle d'une société rationalisée, mais celle d'une société où chacun recevrait selon ses besoins. La pensée historiciste sous toutes ses formes est dominée par le concept de *totalité* qui remplace celui d'institution, si central dans la période antérieure. C'est pourquoi l'idée de progrès a voulu imposer l'identité de la croissance économique et du développement national. Le progrès est la formation d'une *nation* comme forme concrète de la modernité économique et sociale, ainsi que l'indique le concept, surtout allemand, d'économie nationale, mais aussi l'idée française de nation, associée dans la pensée républicaine et laïque au triomphe de la raison sur la tradition. L'idéologie scolaire de la IIIe République, qui ne s'est affaissée que dans la seconde moitié du XXe siècle, a repris ce thème. La modernité n'est donc pas séparée de la modernisation, ce qui était déjà le cas dans la philosophie des Lumières, mais elle revêt beaucoup plus d'importance en un siècle où le progrès n'est plus uniquement celui des idées, mais devient celui des formes de production et de travail, où l'industrialisation, l'urbanisation et l'extension de l'administration publique bouleversent la vie du plus grand nombre. L'historicisme affirme que le fonctionnement interne d'une société s'explique par le mouvement qui conduit celle-ci vers la modernité. Tout problème social est en dernière analyse une lutte entre le passé et l'avenir. Le sens de l'histoire est à la fois sa direction et sa signification, car l'histoire tend au triomphe de la modernité, qui est complexité, efficacité, différenciation et donc rationalisation, en même

temps que montée d'une conscience qui est elle-même raison et volonté se substituant à la soumission à l'ordre établi et aux héritages reçus.

La vision historiciste a souvent été combattue comme
inhumaine ; elle a été accusée de justifier le pouvoir de
plus en plus absolu des dirigeants de l'économie et de la
société sur les individus, les groupes particuliers, les minorités. Mais il serait faux de la réduire à la soumission de la
vie et de la pensée individuelles à des forces économiques
impersonnelles. L'historicisme, dans ce qu'il a eu de meilleur comme dans ses pires conséquences, a été un volontarisme plus qu'un naturalisme. En ce sens, l'idée de *sujet*,
identifiée à celle de sens de l'histoire, est partout présente
au XIXᵉ siècle, siècle des grands récits épiques et lyriques,
alors qu'elle était tenue en marge par les philosophies du
XVIIIᵉ siècle dont elle suscitait la méfiance à cause de ses
origines religieuses. On voit en réalité se fondre ici deux
courants d'idées, l'idéalisme et le matérialisme, au-delà de
l'ancienne opposition de la raison et de la religion, de
l'éthique de la responsabilité et de l'éthique de la conviction, du monde des phénomènes et du monde des noumè-
nes ; ce qui prime, c'est l'unité des pratiques de production
de la société et de la culture dans une nation tout entière
engagée dans sa modernisation. L'idée de modernité
triomphe et ne laisse plus rien subsister à côté d'elle.
Moment central de notre histoire que celui où nous nous
sommes pensés entièrement en termes historiques.

Comment cette fusion s'est-elle réalisée ; comment l'héritage de Locke et celui de Rousseau, le libéralisme des
défenseurs des droits de l'homme et l'idée de la volonté
générale, se sont-ils unis ? Comment la séparation de ces
deux courants pendant les XVIIᵉ et XVIIIᵉ siècles a-t-elle été
remplacée par un système unique de pensée, par une
croyance dans le progrès qui eut la force mobilisatrice
d'une religion en même temps que l'évidence de la vérité
scientifique ? La raison principale de cette transformation
est la Révolution française et non pas la révolution
industrielle. Tandis que celle-ci renforce une pensée évolutionniste et même positiviste, c'est la Révolution française
qui fait entrer dans l'histoire et dans la pensée l'idée de
l'acteur historique, de la rencontre d'un personnage ou
d'une catégorie sociale et du destin, de la nécessité histori-

que. Et cela hors du contexte religieux où se plaçait l'idée judaïque de peuple élu. La révolution qui bouleversa la France ne fut pas seulement française, alors que la *Glorious Revolution* de 1688 avait été et demeura proprement anglaise. Les personnages de cette révolution, ceux qui firent couper des têtes comme ceux dont la tête tomba, ceux qui vécurent les journées révolutionnaires comme les soldats de l'an II, sans oublier Bonaparte transformé en Napoléon, furent tous des personnages épiques dont la signification historique dépassait de loin la personnalité individuelle. L'espace d'un temps bref, ramassé, tous vécurent l'affrontement d'un passé millénaire et d'un avenir qui se comptait en siècles. Comment, dans une telle situation, la séparation de l'objectivité naturelle et de la subjectivité humaine se serait-elle maintenue ?

L'idée de *progrès* occupe une place intermédiaire, centrale, entre l'idée de rationalisation et celle de développement. Celle-ci donne le primat à la politique, la première à la connaissance ; l'idée de progrès affirme l'identité entre politiques de développement et triomphe de la raison ; elle annonce l'application de la science à la politique et donc identifie une volonté politique à une nécessité historique. Croire au progrès, c'est aimer l'avenir, à la fois inéluctable et radieux. Ce que la IIᵉ Internationale, dont les idées se répandirent dans la plupart des pays d'Europe occidentale, a exprimé en affirmant que le socialisme sortirait du capitalisme quand celui-ci aurait épuisé sa capacité de créer de nouvelles forces productives et en faisant appel en même temps à l'action collective des travailleurs et à l'intervention des élus qui les représentent. *Amor fati*, amour du destin, faut-il dire en empruntant à Nietzsche une de ses expressions les plus célèbres.

Selon cette vision, les conflits sociaux sont avant tout ceux de l'avenir contre le passé, mais la victoire du premier sera assurée non pas seulement par le progrès de la raison, mais tout autant par la réussite économique et le succès de l'action collective. Cette idée est au cœur de toutes les versions de la croyance dans la modernisation. Un sociologue influent, Seymour Martin Lipset, a voulu démontrer que croissance économique, liberté politique et bonheur personnel avancent du même pas et que c'est cette synchronie qu'il faut appeler le progrès. Comment celui-ci se réalise-t-il ? D'abord par la rationalisation du travail, qui sera le grand mot d'ordre de l'industrie, de Taylor et de Ford jusqu'à Lénine, leur disciple enthousiaste. Ensuite et surtout par l'action d'un pouvoir politique mobilisant les énergies — terme emprunté à la physique — pour obtenir une modernisation accélérée. Ce qui impose de subordonner les traditions et les appartenances locales à une forte intégration nationale. Cette correspondance de la raison et de la volonté, cette subordination de l'individu à la société, et de celle-ci à la modernisation de la production et à la puissance de l'État, permettent une mobilisation collective à laquelle ne pouvait pas parvenir l'appel, toujours élitiste, à la rationalisation.

La révolution

C'est pourquoi la pensée historiciste est étroitement associée à l'idée *révolutionnaire*, présente dès les débuts de la pensée moderniste, mais qui occupe, après la Révolution française, une place centrale qu'elle ne quittera qu'avec la sortie de nombreux pays du Centre et de l'Est européen du système communiste en 1989. L'idée révolutionnaire unit trois éléments : la volonté de libérer les forces de la modernité, la lutte contre un ancien régime qui fait obstacle à la modernisation et au triomphe de la raison, enfin l'affirmation d'une volonté nationale qui s'identifie à la modernisation. Pas de révolution qui ne soit modernisatrice, libératrice et nationale. La pensée historiciste est plus faible, au centre même du système capitaliste, là où l'économie semble commander l'histoire et où on peut rêver d'un dépérissement de l'État. Elle est d'autant plus forte au contraire qu'une nation identifie davantage sa renaissance ou son indépendance avec la modernisation, ce qui fut le cas de l'Allemagne et de l'Italie, avant d'être celui d'un grand nombre de pays en Europe et sur les autres continents. L'universalisme des Lumières n'avait concerné que des élites, parfois même l'entourage étroit de despotes éclairés ; l'idée de révolution soulève des nations ou du moins une vaste classe moyenne. La France est devenue le pays phare de ces mouvements révolutionnaires internationaux, même si c'est en Allemagne que s'est développé le plus largement un mouvement politique révolutionnaire et si c'est en Russie qu'éclatera la révolution qui devait exercer la plus profonde influence sur le XXᵉ siècle. C'est qu'en France, la « Grande Révolution » avait associé avec une force exceptionnelle la destruction de l'Ancien Régime au triomphe de la nation, victorieuse des Princes coalisés et des ennemis de l'intérieur. Vision politique si forte qu'elle se fait encore sentir aujourd'hui, alors que la situation politique, sociale et intellectuelle a profondément changé. Des intellectuels et des hommes politiques continuent d'exalter un nationalisme révolutionnaire sans lequel l'étrange alliance des socialistes et des communistes à partir de 1972 et, avec une interruption, jusqu'en 1984, n'aurait pas été concevable.

Toutes ces idées, qui sont plus encore des sentiments, se trouvent unies avec passion chez Michelet. De l'*Introduction à l'histoire universelle* (1831) au *Peuple* (1846) et à l'*Histoire de la Révolution française* (1852-53), aucun thème n'est plus central chez lui que l'histoire de la France comme personne et comme nation qui s'est sacrifiée pour la justice. Sa passion pour la Révolution vient en effet de ce que celle-ci a été l'œuvre du peuple qui, à Valmy et à Jemmapes, a sauvé la liberté et, plus largement encore, de ce qu'elle a créé l'unité entre la raison et la foi, permettant ainsi la victoire de la liberté sur la fatalité et de la justice sur la grâce, pour reprendre les mots qui lui sont propres. A partir de 1843, Michelet devient non seulement anticlérical — c'est le moment où il publie son livre contre les jésuites —, mais antireligieux. Il abandonne son travail sur le Moyen Âge et s'enthousiasme pour la Renaissance avant de se jeter dans l'étude de la Révolution. Mais quand il parle du monde moderne, il ne parle que de foi et d'amour, d'unité retrouvée par-delà les luttes de classes, unité qui est celle de la France, de la patrie, et que symbolise le mieux pour lui la fête de la Fédération du 14 juillet 1790. Si on ajoute que le peuple ne crée la justice et la liberté qu'à travers les sacrifices et par son sang versé, tous les thèmes majeurs de la pensée historiciste sont présents dans cette œuvre qui relève autant de la philosophie de l'histoire que de l'historiographie : croyance en l'évolution vers la liberté, identification de la justice et d'une nation, la France, recherche de l'unité de la patrie au-delà des déchirements sociaux, rêve d'une nouvelle religion capable de donner son unité à la société. La révolution n'est pas la rupture, la discontinuité ; elle est au contraire le mouvement même de l'évolution historique vers la liberté. La modernité est le règne de l'amour et de la justice, la réconciliation des éléments d'un Tout qui est, plus encore que leur somme, la fin vers laquelle tend chacun d'eux.

Même quand elle prend des formes atténuées, l'idée révolutionnaire est beaucoup plus mobilisatrice que celle de sélection naturelle, laquelle réduit l'histoire à la lutte pour une survie où triomphent les plus adaptés, c'est-à-dire les plus forts. Comment, en effet, les majorités s'enthousiasmeraient-elles pour une idéologie qui exalte la victoire des minorités ? Au contraire, l'historicisme et son expression pratique, l'action révolutionnaire, mobilisent les masses, au nom de la nation et de l'histoire, contre les minorités qui bloquent la modernisation pour défendre leurs intérêts et leurs privilèges. François Furet a montré que l'idée centrale de la Révolution française, et d'abord de son principal acteur, Robespierre, fut d'affirmer que le processus révolutionnaire était naturel et devait en même temps être volontaire, que la révolution était autant l'œuvre de la vertu que de la nécessité. C'est pourquoi le corps politique doit être aussi pur qu'un cristal et doit être débarrassé de toutes les scories, de tous les traîtres qui complotent au service des tyrans. La révolution est définie par l'emprise des catégories politiques sur toutes les autres et donc par la fermeture de l'univers politique, tendu vers la recherche de sa pureté, mobilisant ses forces et déchaînant ses armes contre les ennemis de l'intérieur, surtout contre les révolutionnaires infidèles à l'esprit de la révolution. Ce qui se traduit par l'importance des séances publiques des Clubs, celle des discours des dirigeants jacobins où il ne faut chercher aucun programme, mais plutôt une défense de la pureté révolutionnaire, du mouvement interne de la Révolution, et une inlassable dénonciation des tièdes, qui se transforment inéluctablement en traîtres. Ce que Furet résume ainsi (p. 397) : « L'idée française de la révolution est caractérisée par son formidable investissement sur le politique : sur la capacité de l'État nouveau à changer la société. » Quelques pages auparavant, il en avait tiré la conclusion : « La République suppose le caractère inséparable du peuple et de l'État. »

C'est donc en France que les problèmes sociaux se dégagent avec le plus de difficulté des problèmes politiques. Ici, le meilleur observateur et le plus critique est Marx, qui dénonce l'« illusion politique » si forte en France, surtout dans la Commune de Paris en 1871, dont la majorité singe la Commune de 1793, s'enivre de rhétorique révolutionnaire et ose expulser de ses rangs une minorité à laquelle appartiennent les représentants de l'Internationale. Cette domination des forces politiques sur les forces sociales n'a pas disparu en France après 1848 et 1871 ; elle se retrouvera intacte dans le Programme commun de la gauche en 1972. Le XIXᵉ siècle est un siècle épique, même si nous avons longtemps appris à y voir surtout la naissance de l'industrialisation massive, et ceux qui parlent de l'ère des révolutions ont eu raison de considérer cette définition politique comme plus chargée de sens que l'idée de société industrielle. Car celle-ci introduit souvent un déterminisme économique qui laisse dans l'ombre les mécanismes de formation d'une telle société, tandis que le thème révolutionnaire, même appliqué à des pays qui n'ont pas connu de rupture de leurs institutions politiques, souligne l'extrême force de la mobilisation au service du progrès, de l'accumulation et de la puissance.

Le long XIXᵉ siècle n'est donc plus dominé par la séparation du monde des techniques et du monde de la conscience, de l'objectivité et de la subjectivité : il se consacre au contraire, par un effort unique dans l'histoire, à faire de l'individu un être public, non pas au sens athénien ou romain du mot, qui subordonne l'individu à la cité, mais en surmontant l'opposition du spirituel et du temporel au nom du sens de l'histoire et donc de la mission historique de chaque acteur social.

Vision plus militaire qu'industrielle, plus mobilisatrice qu'organisatrice. C'est donc, par un apparent paradoxe, du côté de la vie économique qu'il faut chercher la présence, dominée mais jamais complètement supprimée, de cette subjectivation dont on vient de rappeler qu'elle avait occupé, dans la période prérévolutionnaire, une place si importante que le rationalisme des Lumières n'était jamais parvenu à la masquer. Car ce qui résiste à cette mobilisation générale de la société, c'est moins l'intérêt que le _travail_. Celui-ci constitue, selon l'analyse de Weber, une vocation au nom de laquelle agissent beaucoup d'entrepreneurs, et qui sera aussi la justification centrale du mouvement ouvrier. Appel au Sujet qui est, dans la société industrielle, inséparable des conflits du travail. L'entrepreneur représente à ses propres yeux le travail et la raison contre la routine et la paresse des salariés, tandis que les militants ouvriers dénoncent l'irrationalité du profit et des crises qui détruisent le travail humain, force productrice et progressiste par excellence.

Le Sujet ne s'était formé dans la longue tradition chrétienne qu'à travers l'éclatement du Moi entre le péché et la grâce divine ; dans la société industrielle, il se renforce en se transformant en mouvement social, tout en risquant de se perdre — comme l'individu dans la grâce divine — lorsque ce mouvement devient une nouvelle figure de l'État, du progrès et de la nécessité historique. Une fois encore, le Sujet ne s'affirme qu'en courant le risque de se perdre soit dans une force quasi naturelle, soit dans un pouvoir qui fonde sa légitimité sur des lois naturelles.

Au-delà de cette résistance des acteurs sociaux et de leurs conflits au mouvement de la totalité historique, comment ne pas ressentir d'emblée la fragilité de cette identification entre la croissance économique, c'est-à-dire l'industrialisation, et l'action collective, sociale et nationale, entre l'économie et la politique, entre l'histoire et le Sujet ? La pensée historiciste a triomphé dans les marges de la modernité ; elle s'est plus difficilement imposée au cœur du capitalisme industriel triomphant, ou encore dans les pays où la question nationale dominait la question économique et sociale, voire s'opposait à elle. C'est pourquoi elle fut une pensée surtout allemande, qui se répandit ensuite sur l'Europe continentale bouleversée par les débuts du capitalisme et la formation des mouvements révolutionnaires. Espace immense qui va de Herder à Lénine en passant par Marx, mais qui n'incorpore pas la Grande-Bretagne ni les États-Unis et ne pénétra que partiellement la culture politique française. D'un côté, celui des nations soumises aux empires austro-hongrois, russe ou turc, la lutte pour l'indépendance l'emporte souvent sur le désir de modernité. Les ouvriers tchèques, à la veille de la Première

Guerre mondiale, ayant à décider s'ils étaient d'abord ouvriers ou surtout tchèques, choisirent la seconde réponse, et les mouvements nationaux furent souvent dominés par d'anciennes classes dirigeantes ou par des catégories moyennes qui entretenaient des rapports ambigus avec la modernité. De l'autre côté, celui des pays « centraux », l'appel au marché, à la concentration du capital, à la rationalisation des méthodes de production a subordonné l'idée de société moderne ou même industrielle à celle d'économie capitaliste et a séparé brutalement vie publique et vie privée, modernisation et conscience, conférant ainsi aux hommes, identifiés à la vie publique, une domination extrême sur les femmes, enfermées dans la vie privée mais qui compensent leur absence de droits et de pouvoir par la forte autorité qu'elles exercent sur la famille et la formation des enfants. Entre le capitalisme sauvage et les ruptures nationalistes, la pensée et les mouvements historicistes sont restés toujours fragiles. Surtout en France, pays qui fut soumis à la fois au règne de la bourgeoisie financière et à celui de l'État nationaliste et contrôleur, où la société ne connut qu'une faible autonomie et où la pensée sociale fut plus souvent une histoire de la nation qu'une sociologie de la modernité, au moins jusqu'au succès de l'école durkheimienne qui coïncida avec la percée limitée des politiques solidaristes.

L'intégration historiciste de la vie privée et de la vie publique eut aussi des effets sur la production culturelle et fit de cette période celle du *roman* : celui-ci se définit par la correspondance d'une biographie et d'une situation historique et perd de sa force si le personnage central n'est qu'un symbole d'une histoire collective ou si, à l'inverse, il vit dans un espace purement privé.

La modernité sans révolution : Tocqueville

Il faut, pour terminer cette présentation générale de l'idée de progrès, dessiner au moins la figure d'un rebelle à cette philosophie progressiste de l'histoire. Je n'en vois pas de plus intéressante que celle de Tocqueville. Parce qu'il semble d'abord partager l'idée générale que l'histoire a un sens : c'est une nécessité inéluctable, naturelle, qui

conduit de l'aristocratie à la démocratie, de l'inégalité et
des barrières entre les castes et les classes à une égalité de
conditions qui est moins l'absence de différences que la
suppression des obstacles à la mobilité. Tocqueville croit
non pas que l'Amérique est différente de l'Europe mais
qu'elle indique en toute clarté l'avenir vers lequel la France
et l'Europe n'avancent qu'à travers maintes contradictions
et détours. Mais à peine a-t-il exprimé cette idée qu'il
donne, dans le second volume de *De la démocratie en Amérique*, un autre sens à cette évolution. L'égalité croissante
conduit à la concentration du pouvoir, ce qui ouvre une
réflexion à laquelle les aristocrates et tous ceux qui étaient
attachés à des traditions sociales et culturelles étaient le
plus sensibles et qui ne laisse personne indifférent : la
société moderne, parce qu'elle a arraché tous les particularismes, les traditions et les coutumes, ne devient-elle pas
une foule atomisée qui laisse libre cours au pouvoir absolu
et à ses excès ? Tocqueville se demande pourquoi l'Amérique ne tombe pas dans le despotisme de la majorité ou
d'un dictateur. Cela tient d'abord à son gouvernement
fédéral, à l'autonomie des communes et à l'indépendance
du pouvoir judiciaire, mais ces explications ne peuvent pas
satisfaire, car il s'agit là de manifestations de la démocratie
plutôt que de ses causes. Il en vient donc à l'essentiel : la
religion. Dans le chapitre IX de la deuxième partie du premier volume, il affirme à la fois que la religion introduit
un principe d'égalité entre les hommes et, raisonnement
plus complexe, qu'en dirigeant vers le Ciel le problème des
fins dernières, elle limite les conflits et, peut-on dire, sécularise la politique. Il n'y a aucune tautologie, de la part de
Tocqueville, à dire que ce sont les mœurs et les idées qui
déterminent l'égalité, qui définit elle-même la démocratie.
Non seulement celle-ci est sociale avant d'être politique,
mais elle est culturelle encore plus que sociale. Du coup,
les convictions et les mœurs se séparent de l'organisation
sociale et politique, agissent sur elles et peuvent aussi
entrer en conflit avec certaines tendances internes de la
modernité.

   Si cette pensée, si influente en Grande-Bretagne et aux
États-Unis, a été si longtemps tenue en marge de la pensée
sociale en France, n'est-ce pas parce qu'elle s'oppose à la
vision intégrée, monolithique, de la modernité, à l'image

martiale de l'avancée parallèle de la richesse, de la liberté
et du bonheur, qui a été diffusée et imposée par les idéologies et les politiques de la modernité ? Tocqueville refuse
absolument l'idée révolutionnaire qui a dominé la pensée
française, qui affirme l'unité du mouvement volontariste
qui porte la société moderne vers la liberté et l'égalité. Il
accepte pleinement le renversement de l'Ancien Régime,
mais il rejette la Révolution, semblable en cela à beaucoup
de penseurs de son temps et, par exemple, on le verra dans
un instant, à Auguste Comte. Il admet le déclin des nota-
bles et des corps intermédiaires, la victoire progressive de
l'égalité, c'est-à-dire l'abaissement des barrières sociales et
culturelles. Il adhère à la séparation des Églises et de
l'État, dont il voit les bienfaits aux États-Unis, mais sa pensée est nourrie de la tradition du droit naturel et du spiritualisme chrétien. Tocqueville rêve rétrospectivement
d'une continuité historique à l'anglaise, combinant modernisation et limitation du pouvoir central. Il reprend la
réflexion de Montesquieu en la transportant sur une terre
nouvelle et réduit les États-Unis à une société des XVIIe et
XVIIIe siècles, bien éloignée de ce qu'elle était déjà devenue
à l'époque de Jackson, et davantage encore à ce qu'elle
était au moment où le Nord industriel s'apprêtait à
détruire l'économie des plantations du Sud. L'intérêt qui
se porte aujourd'hui en France sur Tocqueville fait partie
du mouvement plus ample qui ramène vers la philosophie
politique du XVIIIe siècle nombre de ceux qui veulent
échapper aux ruines de l'historicisme ; car Tocqueville, s'il
est un post-révolutionnaire convaincu du triomphe de
l'égalité, n'en est pas moins à la recherche d'une force
capable de résister à la société de masse et à son produit
le plus dangereux, la concentration du pouvoir. Force qu'il
trouve dans les mœurs, donc dans une conception religieuse et morale qui s'impose à l'organisation économique
et sociale, comme on le voit dans les titres des quatre parties du second volume qui traitent de l'influence de la
démocratie, c'est-à-dire de l'esprit d'égalité, sur le mouvement intellectuel, sur les sentiments, sur les mœurs et sur
la société politique aux États-Unis. La qualité intellectuelle
des analyses de Tocqueville ne les empêche pas d'appartenir à la culture politique des XVIIe et XVIIIe siècles, à laquelle
les Américains resteront plus attachés que les Français. Le

Sujet que Tocqueville oppose à la modernisation économique et politique reste le Sujet chrétien, dont l'origine tient, dit-il, dans l'irrépressible besoin d'espérance qui habite l'homme.

Que peuvent peser de telles idées au moment où se répand la misère sur laquelle philanthropes et socialistes attirent l'attention, où le monde européen et nord-américain est emporté par une révolution industrielle qui ne mérite peut-être pas son nom, disent les historiens, mais qui bouleversa si profondément la vie matérielle et mentale qu'elle rendit désormais impossible de parler de l'homme en général et de s'interroger sur les fondements moraux ou religieux de l'ordre social ? Cette rencontre avec Tocqueville est donc un dernier adieu à la pensée du droit naturel et au dualisme chrétien et cartésien. La combinaison de la Révolution française et des transformations de l'économie nées en Grande-Bretagne emporte le monde européen et bientôt une grande partie de la planète dans une modernité qui déborde le monde des idées, crée une société et des acteurs sociaux définis par ce qu'ils font plutôt que par leur nature. La philosophie politique laisse place à l'économie politique.

La nostalgie de l'Être

L'entrée dans l'historicisme et dans le monde technique par le double choc de la Révolution française et de l'industrialisation anglaise provoque des résistances plus extrêmes que celles de Tocqueville, qui refusait la révolution pour trouver dans la modernité la réalisation des idées des XVIIe et XVIIIe siècles. L'entrée dans l'Histoire, le passage des idées aux pratiques, la distance infranchissable créée entre les phénomènes et l'Être, engendre une nostalgie de l'Être, principe d'unité du monde naturel et du monde humain, et donc d'une vision rationaliste, qui ne cessera de se renforcer avant de devenir la force principale de la réaction intellectuelle contre la modernité. Prométhée triomphant regrette la beauté perdue de l'Olympe. Comment le désenchantement du monde, dont a parlé Weber, n'aurait-il pas entraîné des tentatives de réenchantement ? Sans grande importance sont les tentatives visant à recréer le monde prérévolutionnaire, celui des particularismes, des traditions et aussi des privilèges. Tocqueville, et tout autant Guizot ou Thiers, ont compris la vanité de ces velléités réactionnaires, dans l'ordre intellectuel comme dans l'ordre politique. Beaucoup plus profonds sont les efforts de réenchantement qui ont pris une forme esthétique, préromantique ou *romantique*. Nostalgie de l'Être qui conteste le triomphe de la rationalité modernisatrice de manière tout à fait opposée à celle du Je cartésien ou des droits individuels des jusnaturalistes. De Schiller à Hölderlin et à Schelling, l'Allemagne, restée à l'écart de la modernisation politique qui avait transformé la Grande-Bretagne puis la France, voit monter en elle cette nostalgie de l'Être, qui ne disparaîtra plus de sa pensée et qui prendra souvent la forme d'une critique antimoderniste, en particulier chez les philosophes de l'École de Francfort au milieu du XXe siècle.

La reconstruction de l'ordre

La forme la plus élémentaire de l'historicisme est une pensée obsédée par l'idée de destruction de l'ordre ancien et de recherche d'un ordre nouveau. Pensée directement opposée à celle des grands libéraux à la Tocqueville. Elle n'invente aucune relation nouvelle entre le progrès et l'intégration sociale ; au contraire, elle se méfie de l'individualisme triomphant et, contre ses dangers, invente un nouvel ordre, un nouveau principe d'intégration sociale. Auguste Comte est le meilleur représentant de cette pensée. La référence à la modernité est pourtant centrale et constante dans sa pensée, dont la postérité a retenu surtout la loi des « trois états » annonçant, après le déclin de l'état théologique et les soubresauts de l'état métaphysique, l'avènement de l'état positif. Mais il serait dangereux de voir dans Auguste Comte le prophète de la victoire de l'esprit scientifique. Il n'est même pas certain que les sciences de la nature recèlent une vérité propre ; il est possible, dit-il, qu'existent plusieurs théories particulières qui expliquent divers ordres de phénomènes sans se fondre dans une théorie générale de la nature. Surtout, comme son maître Saint-Simon, il voit moins le progrès conduire d'un état à un autre qu'il n'est sensible au passage d'une ère organique à une ère critique, de la communauté à l'individualisme marchand. La sociologie, à laquelle Auguste Comte a donné son nom, est née en grande partie de cette inquiétude des intellectuels de l'époque post-révolutionnaire, qui se demandent comment reconstruire un ordre qui ne peut plus être celui de l'Ancien Régime. Préoccupation qui traversera tout le siècle, qui se retrouvera dans l'Allemagne bouleversée à son tour par la modernité — où Tönnies opposera la communauté à la société qui se forme, avec l'idée de retrouver la voie de la communautarisation *(Vergemeinschaftung)* — et qui réapparaît de nos jours dans la pensée d'un Louis Dumont, chez qui l'opposition entre holisme et individualisme est chargée d'inquiétudes face au triomphe du second. Les légistes de la Révolution, dit Comte, ont remplacé le concret par l'abstrait et ont libéré l'individu, le jetant du même coup dans le rêve, la folie, la solitude.

Cette vision de la modernité est au plus loin de l'idée de Sujet personnel. Pour Auguste Comte, il s'agit plutôt de se débarrasser des illusions de l'individualisme, de passer du Moi au Nous. C'est pourquoi, contre le jugement de Littré et de John Stuart Mill, et en suivant les conclusions d'Henri Gouhier, il ne faut pas voir de rupture complète entre les deux grandes étapes de la vie intellectuelle de Comte, celle du *Cours de philosophie positive* et celle de l'appel à la religion de l'humanité qui domine le *Système de politique positive*. Étapes séparées par la rencontre fulgurante avec Clotilde de Vaux en 1845, pour quelques mois seulement, puisqu'elle meurt en 1846. Les positivistes se détournent de cette tentative de créer une religion nouvelle, de l'affirmation que « les vivants sont toujours et de plus en plus gouvernés par les morts : telle est la loi fondamentale de l'esprit humain », mais Gouhier voit plus juste quand il souligne que l'idée centrale de Comte et l'objectif de son action sont de découvrir un nouveau principe d'intégration sociale après le triomphe inévitable — mais qui ne peut être que passager — de l'individualisme. Positivisme et recherche de l'intégration sociale sont convergents. Ce sont les catégories les plus engagées dans les rapports aux choses, le prolétariat, les femmes (surtout « illettrées », qui sont les plus sensibles à l'unité de l'humanité, contre l'esprit métaphysique des intellectuels. Plus largement, la société doit être une communauté, un ordre, et l'esprit scientifique a le mérite suprême de prémunir contre la subjectivité et l'intérêt personnel. Pensée hostile aux luttes sociales et politiques, tant elle accorde une priorité absolue à la création d'un ordre qui fasse participer l'espèce humaine à la tendance universelle à « la conservation et au perfectionnement du Grand Être ». L'esprit positif, selon Auguste Comte, est donc à l'opposé du souci de l'homme que manifestent les philosophes du droit naturel. « L'esprit positif, au contraire, est directement social, autant que possible, et sans aucun effort, par suite même de sa réalité caractéristique. Pour lui, l'homme proprement dit n'existe pas, seule peut exister l'Humanité puisque tout notre développement est dû à la société, sous quelque rapport qu'on l'envisage. Si l'idée de société semble encore une abstraction de notre intelligence, c'est surtout en vertu de l'ancien régime philosophique car, à vrai dire, c'est à l'idée d'*individu* qu'appartient un tel caractère, du moins chez notre espèce. L'ensemble de la nouvelle philosophie tendra toujours à faire ressortir aussi bien dans la vie active que dans la vie spéculative la liaison de chacun à tous, sous une foule d'aspects divers, de manière à rendre involontairement familier le sentiment intime de la solidarité sociale, convenablement étendu à tous les temps et à tous les lieux » (*Discours sur l'esprit positif*, 1844, Éd. Vrin, 1987, p. 56).

Qu'est-ce que cette Humanité extérieure aux individus, sinon la société elle-même ? Qu'est-ce que cette solidarité qui doit devenir la principale source de la félicité personnelle, sinon l'équivalent de ce qu'est l'espèce pour les autres animaux ? La pensée historiciste s'ouvre sur cette identification de la liberté personnelle avec la participation collective, sur cette position antilibérale et antichrétienne, qui subordonne les individus aux représentants de la société, c'est-à-dire, en termes plus concrets, aux détenteurs du pouvoir. Chez Auguste Comte, elle a en outre des connotations autoritaires qui s'expliquent par l'expérience révolutionnaire et la peur qu'elle a laissée d'une décomposition de la société conduisant au règne de l'intérêt et de la violence. Ses attaques contre les intellectuels, les « littéraires », les débats parlementaires et les luttes sociales auront connu une longue et active postérité. Autant que l'idée que la vraie liberté naît de l'intégration sociale et que la solidarité fait participer chacun à la vie de tout le corps social. S'il est vrai que le cœur de l'historicisme est un appel à la mobilisation politique, sociale et nationale pour la modernisation, chez les positivistes cette mobilisation est réduite au minimum ; confiance est faite aux dirigeants de la modernisation à condition qu'ils sachent encourager la religion de l'Humanité, qu'on peut considérer comme une première définition, encore utopique, du socialisme, en ce qu'elle porte en elle une conception purement sociale, purement fonctionnelle de l'homme. Ce positivisme est plus proche du sociologisme de la philosophie politique de Hobbes et de Rousseau que de l'analyse des conflits sociaux de la société industrielle par Proudhon et surtout par Marx, mais il s'en éloigne du fait que les philosophies politiques de la modernité légitimaient le pouvoir absolu pour libérer la société du pouvoir religieux. Après la Révolution française, au contraire, il s'agit de recréer un pouvoir communautaire, une religion du progrès et de la société. Le positivisme, comme le saint-simonisme qui en fut le départ et exerça une influence plus directe sur les nouveaux dirigeants industriels, eut tôt fait de se briser : d'un côté l'appel à la science et à la croissance ; de l'autre, le rêve de constituer une nouvelle Église. Pourtant, sa volonté d'associer raison et foi, si semblable à celle de Michelet, traversera le siècle ; elle influencera Durkheim, qui se demandera comment recréer l'ordre dans le mouvement, comment assurer la solidarité organique dans une société utilitariste et en changement permanent.

La « belle totalité »

La faiblesse du positivisme vient de ce qu'il est étranger aux traditions culturelles auxquelles il s'oppose. Il se consacre tout entier à résoudre le problème du présent : comment réintroduire de l'ordre dans le mouvement ? Et la solution qu'il propose se situe seulement au niveau de la société conçue comme un organisme qui a besoin à la fois de la diversité de ses organes et de l'unité de la vie et de l'énergie. Mais quelle réponse apporte-t-il au débat le plus important de la pensée des XVIIᵉ et XVIIIᵉ siècles : la difficile conciliation du droit naturel et de l'intérêt individuel, de l'universel et du particulier, de la raison et de la sensation ? La religion de l'humanité est jetée entre ces deux univers, mais on ne voit pas comment elle s'impose à eux. Et, de fait, la politique positive est restée sans effet sur les pratiques sociales.

Hegel s'identifie au contraire, dans ses années de formation, à la Révolution française, à l'identification de la liberté personnelle et de la transformation de la société. Il reprend à son compte le cri révolutionnaire : la liberté ou la mort. Et sa philosophie recherche une synthèse entre la subjectivité et la totalité à partir d'une double critique de la moralité abstraite et de la société civile qui repose sur l'intérêt particulier. Jeune, Hegel se définit d'abord contre Kant, contre la moralité *(Moralität)* abstraite, à laquelle il oppose l'éthique, le domaine des mœurs *(Sittlichkeit)*, qui n'est pas séparable de celui des institutions, donc de la participation active à la liberté dont la citoyenneté est la forme la plus haute. Ce qui le conduit à une critique du droit naturel. Son thème central est proche de Rousseau : l'universel ne se réalise que dans le particulier, qui devient ainsi singularité. L'histoire du monde ne constitue pas une évolution linéaire, mais la succession de personnages et de cultures qui représentent chacun une action de l'universel dans l'histoire. Le Christ est par excellence la figure de la subjectivité inscrite dans l'histoire, comme le sera plus tard la Révolution française. Le Christ brise le légalisme juif et la correspondance du spirituel et du temporel que les juifs partageaient avec les Grecs. Mais l'individualité du Christ réside aussi dans l'accomplissement de son destin messianique et son sacrifice est *amor fati.*

L'histoire est donc animée par deux processus complémentaires : le déchirement et l'intégration. Hegel est proche de la tradition chrétienne quand, dans la *Phénoménologie*, il écrit : « L'Esprit ne conquiert sa vérité qu'autant qu'il se retrouve lui-même dans l'absolu déchirement. Il n'est pas semblable au positif qui se détourne du négatif, comme lorsque nous disons : ce n'est rien, c'est faux, et que, en ayant fini avec une chose, nous nous en débarrassons pour penser à une autre. La force de l'esprit, c'est de regarder le négatif en face et d'y demeurer. Demeurer ainsi dans le négatif est la puissance magique qui le transforme en Être. Cette puissance est ce qui, plus haut, a été appelé Sujet. En donnant dans son propre élément une existence à la détermination, le Sujet supprime *(aufheben)* l'immédiateté abstraite, c'est-à-dire qu'il n'est que *étant* en général, et par là le Sujet est la véritable substance, l'être ou l'immédiateté qui est elle-même médiation, et non l'immédiateté qui est extérieure à la médiation. » Ce que la préface du livre dit en termes plus généraux encore ; tout dépend de ce point essentiel : « Appréhender et exprimer le vrai non comme substance, mais précisément aussi comme Sujet. »

Mais ce déchirement, et la naissance de la subjectivation qu'il entraîne, conduit aussi, à travers des médiations, à l'intégration de la volonté et de la nécessité, jusqu'à parvenir à leur réconciliation complète au moment où la liberté existe « comme réalité et comme nécessité autant que comme volonté subjective » *(als Wirklichkeit und Notwendigkeit existiert wie als subjektive Wille)*. Quel est l'être qui peut atteindre cette liberté concrète ? C'est le citoyen, tel que l'a créé la Révolution française, mais qui est le citoyen d'une nation historique concrète, d'un « *Volk* ». Hegel est ici le successeur direct de Herder comme de Luther, et l'ancêtre des culturalistes, qui résistent à l'universalisme abstrait de la raison, non pour lui opposer un différentialisme sans limite, vite absurde et destructeur, mais l'idée, si centrale chez Herder, de la possibilité et du droit de chaque nation, de chaque culture, historiquement réelles, de participer au progrès de la raison.

C'est ici que Hegel est le plus éloigné du XVIIIe siècle français et de son individualisme et le plus consciemment attaché à la pensée allemande du développement. Le Sujet n'est pas un être abstrait ; il est présent dans des œuvres et une vie collectives, surtout dans les grandes religions qui ont marqué le développement de l'humanité, qui passe d'une figure historique à une autre, et non pas d'un niveau de rationalisation à un autre. Ce qui écarte le dualisme qui avait dominé la pensée philosophique de Descartes à Kant, et, du même coup, les jugements moralisateurs sur l'histoire. Hegel est proche des préoccupations de son temps quand il voit dans la société civile la soumission de l'homme aux lois de la production et du travail, et en appelle contre cette dépendance à la citoyenneté, donc à la relation à l'État. Idée si présente aujourd'hui encore où, à gauche comme à droite, certains identifient l'État à l'Histoire et réduisent la vie sociale à la défense d'intérêts immédiats. Ce qui réintroduit un nouveau dualisme aussi dangereux que le dualisme d'origine chrétienne était libérateur, car ce n'est plus l'individu qui porte les valeurs universelles, c'est l'État qui les accomplit dans l'Histoire, tandis que la société civile doit être dépassée, c'est-à-dire, en termes historiques concrets, contrôlée par l'État. Cette vision a la grandeur de la tragédie, récit du destin dont le héros s'accomplit en disparaissant, comme le Christ, figure centrale de la conscience malheureuse qui intériorise la chute du monde, mais accomplit ainsi la volonté de son Père. Hegel ne revient pas, au-delà du christianisme, à la cité grecque, à l'identification de l'homme et du citoyen, parce qu'il retient le moment chrétien de la séparation du spirituel et du temporel, le remplacement de la loi par la moralité, et donc la création de la religion privée comme la naissance de la subjectivité sans laquelle ne peut s'opérer la remontée de l'Esprit vers le pour-soi. L'Esprit ne peut se trouver qu'en se divisant, qu'en rompant avec la nature, en devenant liberté.

Mais déchirement et totalité ne sont-ils pas intégrés par Hegel seulement comme idées ? demande Marx. Le thème du déchirement et de la subjectivité ne conduit-il pas à celui des luttes entre maîtres et esclaves, tandis que l'appel à la totalité se transforme soit en création d'un pouvoir absolu, héritier de la volonté générale de Rousseau, soit en absorption de tous les acteurs historiques dans l'Esprit absolu, ce qui, dans l'œuvre de Hegel lui-même, se marque par le remplacement d'une philosophie de l'histoire par une philosophie de l'Esprit, qui place l'art, la religion et la philosophie au-dessus de la vie sociale ?

La philosophie hégélienne n'a peut-être pas à choisir entre une interprétation de droite, qui voit dans l'État la réalisation de la raison, et une interprétation de gauche, qui transforme les déchirements de l'Esprit en contradictions réelles entre la nature et la société, la raison et le profit, et qui combat les idéologies religieuses et culturelles qui masquent cette lutte proprement sociale. Mais il est difficile d'appliquer de telles idées philosophiques aux pratiques historiques sans voir l'affirmation de la subjectivité et le mouvement vers la totalité s'opposer, ce qui rompt l'unité du Sujet et de l'histoire dont rêve l'historicisme. Écartèlement qui se retrouve dans le marxisme, lequel est à la fois un déterminisme économique et un appel à l'action libératrice du prolétariat.

Mais nul n'a poussé aussi haut que Hegel l'ambition intellectuelle de l'historicisme ni n'a intégré avec autant de force les deux traditions intellectuelles de la période prérévolutionnaire, le respect du Sujet et la croyance au progrès et à la raison. Sa philosophie de l'Histoire est chargée de force dramatique et plus proche de l'histoire chrétienne de la rédemption que de l'optimisme intelligent d'un Condorcet. Après lui, il n'est plus possible de parler, comme au XVIIIᵉ siècle, en termes a-historiques des acteurs sociaux. La raison comme le Sujet sont devenus Histoire.

La praxis

Le danger le plus grand de la pensée historiciste est de subordonner les acteurs sociaux à l'État, agent de transformation historique, de ne voir dans la subjectivité qu'un moment nécessaire à l'apparition de l'esprit objectif, puis de l'Esprit absolu. Une tendance profonde de l'historicisme est, parlant au nom d'un Sujet identifié à l'histoire, d'éliminer les sujets, c'est-à-dire les acteurs en tant qu'ils cherchent à transformer leur situation pour accroître leur liberté.

La pensée historiciste, chez Marx comme chez Hegel ou chez Comte, n'introduit l'idée de l'homme faisant son histoire que pour la supprimer aussitôt, car l'histoire est celle de la raison, ou est une marche vers la transparence de la nature, ce qui n'est qu'une autre version de la même croyance générale. La pensée des XVIIᵉ et XVIIIᵉ siècles était dominée par le face-à-face de la raison et du Sujet, de l'utilitarisme et du droit naturel ; l'historicisme du XIXᵉ siècle absorbe le Sujet dans la raison, la liberté dans la nécessité historique, la société dans l'État.

C'est dans la pensée de Marx que la philosophie de l'histoire vit le plus dramatiquement la contradiction entre sa force libératrice et la soumission du sujet à l'Histoire.

Nulle part ailleurs dans la pensée sociale ne s'est fait entendre avec une pareille force l'affirmation que l'homme est l'auteur de sa propre histoire. L'inspiration première de Marx est de retrouver des pratiques derrière les catégories abstraites de la religion, du droit et de la politique. De là sa condamnation, déjà rencontrée, du règne des catégories politiques en France. Derrière l'esprit doctrinaire de Robespierre et l'autocratie de Napoléon, il voit le triomphe de l'individualisme bourgeois, comme, derrière la rhétorique gauchiste des dirigeants de la Commune, il voit la faiblesse de la classe ouvrière française, et derrière la propriété, catégorie juridique, le travail et les rapports sociaux de production. Économiste, philosophe ou dirigeant de l'Internationale, Marx en appelle constamment à l'« humanisme positif » qui naîtra de « l'anéantissement de la détermination aliénée du monde objectif », dit-il dans le troisième *Manuscrit* de 1844.

Marx est le sociologue de l'industrialisation parce qu'il réfléchit sur une société qui n'est plus celle du marché, mais celle de l'usine. Il ne se soucie pas de faire respecter les règles de droit, et donc de morale, qui permettent la paix et la justice indispensables au commerce ; il observe un monde industriel où les hommes sont réduits à l'état de marchandise, où le salaire tend à descendre au niveau de la simple reproduction biologique de la force de travail, où l'« être générique » de l'homme est détruit par la domination de l'argent, des objets et des idéologies individualistes. Cette vision culmine avec les *Thèses sur Feuerbach*, écrites entre 1844 et 1847, et surtout avec leur première phrase : « La grande défaite de tout le matérialisme passé (y compris celui de Feuerbach), c'est que la chose concrète, le réel, le sensible, n'y est saisi que sous la forme de *l'objet* ou de *l'intuition*, non comme activités humaines sensibles, comme *pratiques*, non pas subjectivement. » Or cette pratique, ce sont avant tout les rapports sociaux de production. C'est avec de tels textes que naît la science sociale de l'action. Comment ne pas en reconnaître aujourd'hui la grandeur, alors que l'écroulement de l'historicisme, surtout dans le dernier quart du XXᵉ siècle, éloigne à l'excès de la pensée de Marx ?

Mais qu'est-ce que ce Sujet, cet être générique ou social qui est aliéné et exploité ? Marx, économiste et militant politique, saisit comme fait central la prolétarisation absolue, la contradiction entre la situation du prolétaire et la créativité humaine. Contradiction objective plutôt que conflit vécu, car celui-ci n'existait guère dans une société où le mouvement ouvrier était loin d'être devenu un acteur important et autonome. Bifurcation décisive. La pensée de Marx n'est pas une analyse des conflits sociaux mais des contradictions entre forces productives et totalité d'un côté, domination de classe et idéologie individualiste de l'autre. Ce n'est pas à un mouvement social qu'il fait appel contre le capitalisme, mais à la nature. L'action des prolétaires et de leur Internationale ne peut pas être une revendication menée par un groupe d'intérêts au nom de ses droits : elle est, exactement à l'opposé, la transformation des travailleurs aliénés en force d'éclatement des contradictions du capitalisme dont la capacité d'action positive repose entièrement sur l'appui donné aux forces de production retenues prisonnières par le capitalisme. Pas de mouvement possible qui ne soit au service du progrès, qui lui-même marche vers la totalité, c'est-à-dire vers la libération de la nature, des forces de production et, plus profondément encore, des besoins humains.

A aucun moment Marx ne fonde une sociologie des mouvements sociaux, même s'il la rend possible par sa critique destructrice des illusions « institutionnelles » et son rappel constant au primat de la pratique. L'aliénation complète empêche les travailleurs de devenir acteurs de leur propre histoire. La destruction de la domination capitaliste n'aboutira pas au triomphe d'un acteur jusque-là dominé et parvenant à l'autogestion de la production — vision proche de celle de Proudhon —, mais à la suppression des classes et au triomphe de la nature. Sa pensée ne prépare nullement l'image réformatrice et social-démocrate d'une action ouvrière, syndicale et politique, au service des droits des travailleurs et de leur influence dans les décisions économiques et sociales. Elle est d'un radicalisme si extrême qu'elle voit dans toutes les institutions et les idéologies des masques de l'intérêt et de la domination et ne croit, pour combattre l'exploitation capitaliste, qu'à la force irrépressible de la nature, du progrès, de la raison, de la pression des besoins humains.

La pensée de Marx élimine l'acteur social. Elle rejette

toute référence non seulement à l'homme comme être moral, à la mode du XVIIIᵉ siècle, mais aussi au mouvement social guidé par des valeurs de liberté et de justice. Ces mots peuvent troubler, car Marx n'a-t-il pas été le plus actif dirigeant de l'Internationale ouvrière et l'adversaire le plus constant de la subordination du mouvement ouvrier à l'action politique ? Affirmations exactes, mais qui ne constituent nullement une objection contre l'interprétation donnée ici. Marx en appelle à la nature plus qu'à l'action sociale comme force capable de dépasser les contradictions de la société de classes. Il est beaucoup plus près des grands destructeurs de l'idée de modernité que nous allons rencontrer dans la deuxième partie de ce livre, Nietzsche et Freud, que des syndicalistes de l'action directe.

Tel est le sens concret du matérialisme historique exposé dans *L'Idéologie allemande* et dont l'expression, devenue classique, se trouve dans la préface (avant-propos, dit Rubel) à la *Critique de l'économie politique* de 1859 : « Dans la production sociale de leur existence, les hommes nouent des rapports déterminés, nécessaires, indépendants de leur volonté ; ces rapports de production correspondent à un degré donné de développement de leurs forces productives matérielles. L'essence de ces rapports forme la structure économique de la société, la fondation réelle sur laquelle s'élève l'édifice juridique et politique et à quoi répondent des formes déterminées de la conscience sociale... Ce n'est pas la conscience des hommes qui détermine leur existence, c'est au contraire leur existence sociale qui détermine leur conscience. A un certain degré de leur développement, les forces productives matérielles de la société entrent en collision avec les rapports de production existants ou avec les rapports de propriété au sein desquels elles s'étaient mues jusqu'alors et qui n'en sont que l'expression juridique. Hier encore formes de développement des forces productives, ces conditions se changent en de lourdes entraves. Alors commence une ère de révolution sociale. » Ces derniers mots annoncent : « l'Humanité ne se propose jamais que les tâches qu'elle peut remplir », formule qui justifiera l'économisme de la Deuxième Internationale et de bien des réformateurs qui, pour opposés qu'ils soient à l'action révolutionnaire violente, partagent avec elle, comme avec toutes les manifestations de la pensée historiciste, l'idée que le sens de l'action est dans le devenir historique conçu comme une libération de la nature ou un retour à celle-ci, et non comme la construction d'un monde institutionnel et moral reposant sur des principes absolus.

Marx est moderne au plus haut point, car il définit la société comme un produit historique de l'activité humaine, et non pas comme un système organisé autour de valeurs culturelles ou même de hiérarchie sociale. Mais il n'identifie pas la vision moderniste à l'individualisme ; au contraire, l'homme dont il parle est d'abord l'homme social, défini par sa place dans un mode de production, dans un univers technique et dans des relations de propriété, un homme défini par des rapports sociaux plus que par la recherche rationnelle de l'intérêt. A son propos, il est insuffisant de recourir à l'opposition du holisme et de l'individualisme, comme cherche à le faire Louis Dumont, car il est également éloigné de ces deux conceptions qui laissent de côté, l'une comme l'autre, la définition de l'acteur en termes proprement sociaux.

En fait, Marx ne défend pas les « droits de l'homme », le Sujet moral ; ce qu'il oppose aux constructions aliénantes de l'ordre social, c'est le besoin humain. Ne peut-on pas déjà l'appeler le Ça, comme le feront Nietzsche et, après lui, Freud ? L'historicisme s'est débarrassé du dieu moral du christianisme. Il l'a remplacé d'abord par la simple volonté de réunir le progrès et l'ordre, puis, plus profondément, chez Hegel, par la dialectique qui conduit au triomphe de l'Esprit absolu, ce que Marx transforma, en se rapprochant des pratiques économiques et sociales, en poussée de la nature et de la raison renversant les défenses construites par la classe dominante et ses agents. Au centre de toutes ces tentatives intellectuelles se retrouve l'obsession de la totalité, principe de sens se substituant à la révélation divine et au droit naturel. Dans tous les cas, l'acteur social tel qu'il était apparu dans la société civile, d'abord comme bourgeois, plus tard comme mouvement ouvrier, n'a pas de place. L'historicisme est bien la subordination de l'Histoire à une philosophie de l'Histoire, du social au non-social, que celui-ci soit défini comme raison, comme esprit ou comme nature.

Mais cette vision de la société, qui correspond si bien à

l'expérience des premières sociétés industrielles dominées
par un capitalisme presque sans limites, apporte aussi un
élément indispensable à toute pensée du Sujet personnel.
Car même si l'action ouvrière ne peut aboutir, selon Marx,
que si elle va dans le sens de l'Histoire, elle détruit la représentation de la société comme machine ou comme organisme. En fait, la disparition de Dieu et le refus de l'utilitarisme social ouvrent deux voies à l'affirmation de la
liberté : ou le retour à l'Être par l'art, la sexualité ou la
philosophie, ou l'affirmation du Sujet et de sa liberté — ce
qui peut se révéler dérisoire si cette liberté n'est pas incarnée dans des combats contre des forces dominantes. Marx,
comme Nietzsche, rejette tout appel au Sujet, mais le mouvement ouvrier, dont son œuvre est inséparable, fut la
principale expression, après l'épuisement des révolutions
bourgeoises, de l'appel au Sujet. Ici comme dans beaucoup
de cas, la pratique fut en avance sur la théorie.

Mais elle fut en général écrasée par elle et par l'action
politique qui s'en inspirait. Les dirigeants politiques s'arro-
gèrent de plus en plus le monopole de la transformation
de l'action du prolétariat et des nations opprimées — qui
ne peut aller par elle-même, disent-ils, au-delà de la négation de la négation — en action positive de réconciliation
de l'homme et de la nature, de la volonté et de la raison. Le
marxisme a rarement conduit à une sociologie de l'action
collective. C'est même parce qu'il a produit si peu d'analyses sur elle et sur les mouvements sociaux qu'il faut
reconnaître une importance durable à l'œuvre à la fois
marginale et centrale de Georg Lukacs, *Histoire et
conscience de classe*, par laquelle s'achève, au lendemain
de la Première Guerre mondiale, l'histoire de l'historicisme
hégéliano-marxiste et s'annonce le triomphe du totalitarisme. La bourgeoisie, dit Lukacs, a conscience de ses intérêts, a une conscience subjective de classe, mais n'a pas,
refuse d'avoir une conscience de la *totalité* du processus
historique. Elle l'avait quand elle luttait contre la féoda-
lité ; elle la perd quand elle est attaquée par le prolétariat
et qu'elle détruit toute analyse des rapports sociaux en
séparant l'objectif et le subjectif. Le prolétariat, au
contraire, parvient à la conscience de classe, qui n'est pas
du tout pour Lukacs une subjectivité de classe, mais le
contraire : l'identification de ses intérêts avec la nécessité

historique. « Le prolétariat est donc en même temps le produit de la crise permanente du capitalisme et l'exécuteur
des tendances qui poussent le capitalisme à la crise »
(p. 62). Ce qui est dit plus clairement encore (p. 220-221) :
« Cette conscience n'est que l'expression de la nécessité
historique. Le prolétariat n'a pas d'"'idéaux" à réaliser. » Et,
un peu plus loin, Lukacs ajoute que l'action ouvrière « ne
peut jamais, par contre, se placer "pratiquement" au-dessus de la marche de l'histoire et lui imposer de simples
souhaits ou de simples connaissances. Car le prolétariat
n'est lui-même que la contradiction de l'évolution sociale,
devenue consciente. »

Telle est *la praxis* : ni simple défense des intérêts ni,
inversement, poursuite d'un idéal, elle est l'identification
des intérêts d'une classe avec son destin, avec la nécessité
historique. Les ouvriers, pas plus qu'une autre catégorie
sociale, ne s'élèvent spontanément à cette conscience de
la totalité alors qu'ils sont exploités, aliénés, réprimés. La
conscience pour soi, c'est le parti révolutionnaire. Seul le
parti peut accomplir l'extraordinaire renversement qui
transforme une classe absolument aliénée en un acteur
révolutionnaire capable de rejeter absolument la société de
classes et de libérer l'humanité. Lukacs, au moment où il
écrit ces pages, est membre du parti communiste et a été
ministre de Béla Kun, mais il a été aussi un défenseur des
conseils ouvriers. Son léninisme ne doit donc pas être cari-
caturé ; il dit pourtant : « La victoire révolutionnaire du
prolétariat n'est donc pas, comme pour les classes antérieures, la réalisation immédiate de l'être socialement
donné de la classe ; c'est, comme le jeune Marx l'avait déjà
reconnu et nettement souligné, son *dépassement de soi* »
(p. 97). Comment ce dépassement, comment ce passage à
la conscience de la totalité, qui fait du prolétariat un Sujet-
objet dont la praxis transforme la réalité, pour citer Lukacs
lui-même, ne serait-il pas accompli, plutôt que par la
masse, par un parti qui soit détenteur du sens de l'Histoire
et guidé par des intellectuels révolutionnaires ? « Le prolétariat n'accomplit sa mission historique qu'en se supprimant, en faisant disparaître la société de classes et en
créant une société sans classes. » Toutes ces formules, qui
sont au cœur non seulement de la pensée de Lukacs mais

de la pensée révolutionnaire marxiste, au-delà de débats qui opposent une tendance à une autre, ont fondé le pouvoir absolu du parti révolutionnaire comme agent de mutation historique, de passage de la société de classes à la société sans classes.

Certains ont été plus radicaux encore, comme Régis Debray dans *Révolution dans la révolution*, et les praticiens du *foco revolucionario*. Pour eux, la dépendance de l'Amérique latine ou d'autres régions à l'égard de l'impérialisme était si complète que non seulement l'action de masse y était impossible, mais que l'était même l'existence d'un parti révolutionnaire. Seule l'action armée d'une guérilla mobile, c'est-à-dire non enracinée dans une population, pouvait atteindre le maillon le plus faible de l'impérialisme, l'État national corrompu et répressif. Jamais la séparation entre la classe ouvrière ou paysanne et l'action révolutionnaire n'avait été poussée aussi loin. Guevara, relançant de Bolivie la lutte anti-impérialiste, ne passa d'accord ni avec les mineurs, principale force syndicale du pays, ni avec le parti communiste, mais installa sa guérilla dans une région rurale où les agriculteurs parlaient guarani plutôt qu'espagnol, et avaient de plus bénéficié d'une réforme agraire. Ce qui conduisit vite à son écrasement et à sa mort. Des intellectuels et d'autres militants politiques, dans nombre de pays, se sont lancés dans ces guérillas sans enracinement social et dont la victoire, qui s'est produite à Cuba, ne pouvait conduire qu'à une dictature *sans* prolétariat. Situation limite, mais qui fait apparaître la logique générale de l'action révolutionnaire marxiste. Là où elle a triomphé, il est vrai qu'elle a réalisé le passage d'une société de classes à une société sans classes, mais si les classes furent supprimées, ce fut au profit d'un pouvoir absolu et de son appareil. Ceux-ci exercèrent une terreur permanente qui finit, avec le temps, par devenir plutôt technocratique et bureaucratique, tout en restant policière et en s'opposant à l'autonomie et à la libre expression des acteurs sociaux.

La pensée marxiste ne peut pas conduire à la formation d'un mouvement social. Le socialisme, dans la forme que le marxisme lui a donnée et qui fut la plus influente, n'a pas été le bras politique du mouvement ouvrier ; c'est la social-démocratie qui l'a été. Le mouvement ouvrier a voulu donner à un acteur social une capacité d'action autonome qui suppose le recours à des principes moraux d'égalité et de justice pour animer une politique démocratique ; le socialisme marxiste, au contraire, est hostile à la subjectivité de classe, est étranger à la démocratie, et se soucie moins de justice sociale que de réalisation d'un destin historique. Même si Marx, après Hegel, a conscience de construire une philosophie du Sujet, ce mot est au plus loin de ce que nous entendons par subjectivité et subjectivation, ou encore par liberté et responsabilité. Lukacs a raison de dire : « Ce n'est pas la prédominance des motifs économiques dans l'explication de l'histoire qui distingue de façon décisive le marxisme de la science bourgeoise, c'est le point de vue de la totalité » (p. 47). Or ce point de vue ne peut pas être celui d'un acteur particulier ; il ne peut être que celui d'un agent proprement politique de la nécessité historique qui s'empare du pouvoir absolu pour la réaliser.

Tandis que la subjectivité apparaît comme bourgeoise, les visions qui en appellent à la totalité historique, qu'elles soient révolutionnaires ou petites-bourgeoises, comme Mathiez aimait à le dire de Michelet, identifient si fortement une classe ou une nation au mouvement naturel de l'histoire, donc à une idée, que les acteurs sociaux réels ne sont plus que des références, plus pratiquement des « masses » au nom desquelles s'expriment un parti ou les intellectuels. La vision d'une humanité acteur de sa propre histoire, renversant les illusions trompeuses des essences et des principes du droit et de la moralité pour se comprendre et se transformer dans ses pratiques, conduit à la soumission violente ou modérée, totalitaire ou bureaucratique des acteurs sociaux, en particulier des classes, au pouvoir absolu d'une élite politique qui proclame sa légitimité au nom de sa prétendue connaissance des lois de l'Histoire.

Adieu à la révolution

Nous savons d'expérience aujourd'hui que le progrès, le peuple et la nation ne se fondent pas dans l'enthousiasme révolutionnaire pour créer une force historique à laquelle les barrières élevées par l'argent, la religion et le droit ne peuvent résister. Cette synthèse historique dont rêva l'ère des révolutions ne s'est jamais réalisée spontanément, malgré les rêves de Michelet. Elle n'a donné naissance qu'au pouvoir absolu de dirigeants révolutionnaires qui se sont identifiés à la pureté et à l'unité de la révolution. L'unité du processus historique ne s'est réalisée qu'en remplaçant la pluralité des acteurs sociaux et la complexité de leurs relations par l'Un de la nation, du peuple, de la communauté assiégée à l'intérieur de laquelle doivent régner la loi martiale et le châtiment des traîtres.

Les révolutions ont toujours tourné le dos à la démocratie et imposé une unité, qui ne pouvait être que celle d'une dictature, à la diversité d'une société divisée en classes. C'est même parce que la participation active des acteurs sociaux à la vie publique est restée faible, même en France où le suffrage universel existait depuis 1848, que s'est installée cette domination de l'élite politique sur le peuple, sur les classes sociales, qui commença avec la Terreur et deviendra permanente avec les régimes totalitaires du XXe siècle.

Si nous acceptons un moment l'idée, que je défends au long de ce livre, que la modernité se définit par la séparation croissante de la rationalisation et de la subjectivation, l'affirmation de l'unité fondamentale des lois naturelles de l'histoire et de l'action collective tourne le dos à la modernité. Elle conduit inéluctablement, quand elle dépasse le petit cercle des idéologues, à la construction d'un pouvoir absolu et répressif imposant une unité factice, autoritaire, aussi bien au monde de l'économie, qui perd dans l'aventure sa rationalité interne, qu'au monde des acteurs sociaux, privés de leur identité au nom de leur mission universelle. L'ère des révolutions a conduit, par des chemins sinueux, à la Terreur, à la répression du peuple au nom du peuple et à la mise à mort des révolutionnaires au nom de la révolution. Parce qu'elle affirmait l'unité de la modernité et de la mobilisation sociale, elle a conduit à l'échec économique et à la disparition de la société dévorée par l'État-Saturne.

Le triomphe du progrès aboutit nécessairement à cette naturalisation de la société au nom de laquelle ceux qui s'opposent à la modernité et à sa révolution sont considérés comme des obstacles, des éléments antisociaux qui doivent être supprimés par les bons jardiniers attachés à arracher les mauvaises herbes. Nous voici parvenus à l'autodestruction complète de la modernité au moment où l'idéologie proclame avec le plus de force l'identité d'une volonté et d'une nécessité, où elle fait de l'histoire à la fois une montée vers la liberté et la libération de la nature, où elle croit faire triompher le social en le dissolvant dans le cosmos. Cette idée extrême de la modernité n'a pas réussi à s'imposer complètement dans les centres les plus actifs de la modernisation occidentale où le pouvoir politique n'a pas contrôlé l'économie et la culture, mais plus la modernisation s'est étendue à des régions où elle rencontrait de grands obstacles, plus elle est devenue volontariste et s'est identifiée à l'idée révolutionnaire.

Le premier devoir des intellectuels est donc aujourd'hui de proclamer que la grande synthèse historiciste fut un rêve dangereux et que la révolution a toujours été le contraire de la démocratie. La modernité n'est pas le triomphe de l'Un mais sa disparition et son remplacement par la gestion des difficiles mais nécessaires relations entre la rationalisation et la liberté individuelle et collective.

Il faut donc nous demander, après la défaite de la pensée chrétienne et du droit naturel devant la philosophie des Lumières, quelle est la forme de retour à la subjectivité qui doit succéder à l'historicisme. Une telle formule a au moins deux mérites. Le premier est de nous placer aujourd'hui à égale distance des deux siècles qui ont précédé le nôtre, de nous obliger à reconnaître à la fois l'appel à la raison et la libération du Sujet personnel. Le second est d'accepter une mise en situation historique de notre réflexion, certainement pas sous la forme d'une échelle des formes de modernisation ou des étapes de la croissance économique, mais sous celle d'une recherche des formes d'intervention de la société sur elle-même qui peuvent appeler à une nouvelle définition des rapports entre l'efficacité et la liberté. Le modernisme, nous l'avons dit, a d'abord accordé la priorité à la destruction du passé, à la libération et à l'ouverture. Ensuite, les philosophies de l'histoire et du progrès ont donné un contenu positif à la modernité. Ils l'ont appelée totalité, et ce mot est assez proche de totalitarisme pour que ses ambiguïtés et ses dangers soient évidents. Peut-on concevoir une nouvelle situation historique, un nouveau type de société où la modernité soit définie non par un principe unique et totalisateur, mais au contraire par de nouvelles tensions entre la rationalisation et la subjectivation ?

DEUXIÈME PARTIE

LA MODERNITÉ EN CRISE

CHAPITRE PREMIER

LA DÉCOMPOSITION

Les trois étapes de la crise

La force libératrice de la modernité s'épuise à mesure que celle-ci triomphe. L'appel à la lumière est bouleversant quand le monde est plongé dans l'obscurité et l'ignorance, dans l'isolement et l'esclavage. Est-il encore libérateur dans la grande ville illuminée jour et nuit, où les lumières qui clignotent racolent l'acheteur ou lui imposent la propagande de l'État ? La rationalisation est un mot noble quand elle introduit l'esprit scientifique et critique dans des domaines jusque-là dominés par des autorités traditionnelles et l'arbitraire des puissants ; elle devient un mot redoutable quand elle désigne le taylorisme et les autres méthodes d'organisation du travail qui brisent l'autonomie professionnelle des ouvriers et soumettent ceux-ci à des cadences et à des commandements qui se disent scientifiques, mais qui ne sont que des instruments au service du profit, indifférents aux réalités physiologiques, psychologiques et sociales de l'homme au travail.

Nous vivions dans le silence, nous vivons dans le bruit ; nous étions isolés, nous sommes perdus dans la foule ; nous recevions trop peu de messages, nous en sommes bombardés. La modernité nous a arrachés aux limites étroites de la culture locale où nous vivions ; elle nous a jetés, au moins autant que dans la liberté individuelle, dans la société et la culture de masse. Nous avons longtemps lutté contre les anciens régimes et leur héritage, mais, au XXᵉ siècle, c'est contre les nouveaux régimes, contre la société nouvelle et l'homme nouveau qu'ont voulu créer tant de régimes autoritaires que se font entendre les appels les plus dramatiques à la libération, que se lèvent des révolutions dirigées contre les révolutions et les régimes qui en sont nés. La force principale de la modernité, force d'ouverture d'un monde qui était clos et fragmenté, s'épuise à mesure que les échanges s'intensifient et qu'augmente la densité en hommes, en capitaux, en biens de consommation, en instruments de contrôle social et en armes.

Nous voulions sortir de nos communautés et nous engager dans la construction d'une société en mouvement ; nous cherchons maintenant à nous dégager de la foule, de la pollution et de la propagande. Certains fuient la modernité, mais ils ne sont pas nombreux, car les centres de la modernité ont tellement accumulé de ressources disponibles et dominent si complètement l'ensemble du monde qu'il n'existe plus de lieu pré-moderne ni de bons sauvages, seulement des réservoirs de matières premières ou de main-d'œuvre, des terrains d'exercices militaires ou des dépotoirs jonchés de boîtes de conserve et de programmes de télévision. La plupart ne se satisfont plus d'une opposition trop souvent proclamée entre le passé ténébreux et l'avenir rayonnant, voire radieux, pour reprendre le titre grinçant de Zinoviev s'attaquant à l'hypocrisie des bureaucrates soviétiques. Il s'agit moins, dans tous les cas, de rejeter la modernité que de la discuter, de remplacer l'image globale d'une modernité opposée en tout à la tradition par une analyse des aspects positifs mais aussi négatifs de ses objectifs culturels et des rapports de domination ou de dépendance, d'intégration ou d'exclusion qui donnent au thème culturel de la modernité un contenu proprement social. Alors que les hymnes à la modernité ont souvent appelé à un front commun de tous les modernes, et plus concrètement à la subordination de tous à l'élite qui dirige la modernisation, la *critique de la modernité* ne conduit pas le plus souvent à la rejeter mais, conformément au sens originel de ce mot, à séparer ses éléments, à analyser et à évaluer chacun d'entre eux au lieu de se laisser enfermer dans un tout ou rien qui oblige à tout accepter par peur de tout perdre.

Cet épuisement de l'idée de modernité est inévitable, puisqu'elle se définit non comme un nouvel ordre mais comme un mouvement, une destruction créatrice, pour reprendre la définition du capitalisme par Schumpeter. Le mouvement attire ceux qui ont été longtemps enfermés dans l'immobilité ; il fatigue, devient vertige quand il est incessant et ne conduit qu'à sa propre accélération. C'est parce que la modernité est une notion critique plutôt que constructive qu'elle appelle une critique qui doit elle-même être hypermoderne, ce qui protège contre des nostalgies dont on sait qu'elles prennent facilement un tour dangereux.

L'épuisement de la modernité se transforme vite en sentiment angoissant du non-sens d'une action qui n'accepte plus d'autres critères que ceux de la rationalité instrumentale. Horkheimer a dénoncé la dégradation de la « raison objective » en « raison subjective », c'est-à-dire d'une vision rationaliste du monde en une action purement technique par laquelle la rationalité est mise au service de besoins, que ce soient ceux d'un dictateur ou ceux des consommateurs, qui ne sont plus soumis à la raison et à ses principes de régulation de l'ordre social comme de l'ordre naturel. Cette angoisse conduit à un renversement de perspective. Brusquement, la modernité est renommée l'« éclipse de la raison » par Horkheimer et Adorno et tous ceux qu'ils ont influencés, bien au-delà de l'École de Francfort. Raisonnement qui prolonge l'inquiétude de Weber, le plus grand analyste de la modernité. La sécularisation et le désenchantement du monde, la séparation du monde des phénomènes, dans lequel s'exerce l'action technique, et du monde de l'Être, qui ne pénètre dans notre vie que par le devoir moral et l'expérience esthétique, ne nous enferment-ils pas dans une cage de fer, selon l'expression célèbre sur laquelle se termine l'essai sur *L'Éthique protestante et l'esprit du capitalisme* — thème repris plus tard avec force par Jürgen Habermas au début de sa réflexion ? Max Weber définit la modernité par la rationalité des moyens et l'oppose à la visée rationnelle des valeurs, ce qui se traduit plus concrètement par l'opposition de l'éthique de la responsabilité, caractéristique de l'homme moderne, et de l'éthique de la conviction, qui ne peut plus intervenir que dans des circonstances exceptionnelles, de même que l'autorité charismatique, dans un monde rationalisé. Telle est l'image wébérienne du monde moderne : la coexistence de la rationalisation quotidienne et d'une guerre des dieux occasionnelle. Ce kantisme a souvent donné lieu à des expressions modérées dans les pays européens ; c'est lui, par exemple, qui a inspiré les créateurs de l'école laïque française à la fin du XIXᵉ siècle. Plusieurs d'entre eux étaient protestants et leur laïcisme n'était nullement agressif à l'égard des convictions religieuses. Ils voulaient seulement tracer fermement la frontière entre les convictions privées et une vie publique à l'intérieur de laquelle devait se placer l'école et qui n'avait à reconnaître que la pensée rationnelle et critique. Séparation de l'Église et de l'État qui arrangeait bien une classe moyenne « progressiste », laquelle se défendait ainsi contre la bourgeoisie catholique, mais aussi contre le mouvement ouvrier révolutionnaire qui remettait en cause cette tolérance modérée au nom d'un contre-projet de société. La modernité, selon Weber, rompt l'alliance et l'unité du ciel et de la terre. Ce qui désenchante le monde et élimine la magie, mais brise aussi les cosmologies rationalistes et met fin, en effet, au règne de la raison objective. Qu'on se satisfasse ou non du règne de la rationalité instrumentale, il n'est plus possible de revenir à l'idée d'un monde entièrement commandé par les lois de la raison que dévoile la science. Le dieu que supprime la modernité est tout autant le dieu créateur d'un monde intelligible que le dieu des sacrements et des prêtres. Qu'on accepte ou non le dualisme kantien et sa réinterprétation par Weber, on ne peut plus croire à un ordre du monde, à l'unité totale des phénomènes naturels dont les conduites humaines ne seraient qu'une espèce particulière.

Les grands intellectuels rationalistes refusent cette image complète du désenchantement. Ce qui les enchante encore n'est pas le souvenir des légendes de la forêt de Brocéliande, mais l'idée de Logos qui leur a été transmise par tant de siècles de pensée gréco-chrétienne. Cette nostalgie de la raison objective n'a jamais été aussi forte que chez Horkheimer. L'exil, la destruction de la culture allemande par l'hitlérisme, l'extermination des Juifs européens dont une grande partie s'était identifiée, plus que tout autre groupe social, à l'universalisme de la raison, expliquent aisément son sentiment tragique que l'éclipse de la raison objective ne pouvait mener qu'à la barbarie nazie à travers les crises d'une société bourgeoise désorientée. Souvent, le marxisme a redonné vie à un positivisme qui se voulait lui-même l'héritier des grands penseurs de l'Antiquité et a offert à des intellectuels inquiets le réconfort d'une image intégrée, stable, de l'ordre rationnel du monde. L'École de Francfort fut le lieu par excellence de ce mélange de nostalgie de l'ordre du monde et de critique sociale associant progressisme politique et traditionalisme culturel.

Ces deux étapes de la crise de la modernité, l'épuisement du mouvement initial de libération et la perte de sens d'une culture qui se sentait enfermée dans la technique et dans l'action instrumentale, conduisirent à une troisième étape, plus radicale en ce qu'elle mettait en cause non pas les carences de la modernité, mais ses objectifs positifs eux-mêmes. Depuis le premier chapitre de ce livre, nous percevons clairement que la disparition des fondements métasociaux de la morale a entraîné le triomphe de la morale sociale, de l'utilitarisme et du fonctionnalisme. Est bon ce qui est utile à la société. Soyons chacun bon citoyen, bon travailleur, bon père ou bonne fille. L'idée de droit n'est pas séparable de celle de devoir, bien que les constituants aient finalement décidé de ne pas parler des devoirs dans la Déclaration des droits de l'homme et du citoyen. Mais cette société que chacun doit servir n'est-elle que la volonté générale dont parle Rousseau et à laquelle les magistrats, c'est-à-dire l'État, doivent rester subordonnés ? Comment ne pas penser que le Tout est autre chose que les parties et tend à les dominer ? Comment ne pas voir que la Société, et en premier lieu l'État, impose la logique de l'Un à une vie sociale qui est un réseau de rapports sociaux et donc le lieu de la pluralité ? Qui croit encore à l'identité de l'intérêt de l'État et de ceux des individus, à l'identité de l'homme et du citoyen ? A la séparation de l'Église et de l'État, il faut ajouter, plus importante et plus radicale encore, la séparation de la société et de l'État, ce qui revient à écarter l'idée même de *société* comme ensemble, système ou corps social, et à souligner l'opposition entre l'idée de société et la réalité de la vie sociale, ouverte, changeante, plurielle.

La pensée sociale, quand elle a traversé ces trois critiques de la modernité, se retrouve au plus loin de son point de départ. L'élan libérateur de la modernité a toujours consisté à opposer à des volontés transmises par des règles et des lois l'évidence impersonnelle de la vérité, celle de la science, mais aussi celle de la réussite économique et de l'efficacité technique. Contre les prophètes et les conquérants, l'esprit de modernité a entraîné ceux qui se méfiaient des systèmes et voulaient moins construire un monde nouveau que découvrir des horizons inexplorés, vivre dans un monde de recherche plus que de certitude, et donc de liberté et de tolérance plus que d'ordre et de principes. Or voici que la modernité apparaît comme un instrument de contrôle, d'intégration et de répression ; Foucault, entre beaucoup d'autres, a dénoncé cette tendance des sociétés modernes à étendre le champ de la moralisation. Il ne s'agit plus seulement de ne pas contrevenir aux commandements du gendarme, mais encore d'y croire, d'ajuster ses sentiments et ses désirs aux règles de la réussite sociale et à un hygiénisme social formulé souvent au nom de la science. Si la modernité se traduit par une plus grande capacité d'action de la société sur elle-même, n'est-elle pas chargée de pouvoir encore plus que de rationalisation, de contraintes plus que de libération ? La pensée sociale se sent désormais prisonnière d'une modernité dont elle se méfie. Certains courants de pensée cherchent à en modifier la définition ; mais d'autres la rejettent en bloc et s'efforcent d'arrêter l'histoire, ou du moins de redonner priorité à l'équilibre sur le progrès ; d'autres encore plongent dans la modernité extrême parce qu'elle s'accélère tellement, pensent-ils, qu'elle s'abolit elle-même. Mais ces réponses restent relativement marginales et la critique de la modernité conduit à l'éclatement de cette idée plus sûrement qu'à son remplacement.

C'est cette décomposition qu'il faut décrire puisque, si cette hypothèse est correcte, notre champ social et culturel d'action doit être compris comme l'ensemble des fragments décomposés de la modernité. La culture qu'on pourrait appeler *post-moderne*, si ce mot ne servait pas aujourd'hui à nommer un ensemble plus délimité d'idées, n'a pas de principe central détectable ; elle associe des orientations contraires, elle semble tirée à hue et à dia. Quoi de commun entre les aspects si divers de la culture et de la société qui se développent à partir du milieu du XIXe siècle ? Y a-t-il un thème central dans l'œuvre et l'apport des plus grands adversaires de la modernité, ceux dont l'œuvre a dominé, avec celle de Marx, plus d'un siècle de vie intellectuelle : Nietzsche et Freud ? Pourtant, derrière ce kaléidoscope culturel, on peut découvrir l'unité d'un processus : la décomposition de la modernité. Commençons donc par décrire cet éclatement.

Quatre fragments

1. La réaction antimoderne la plus profonde est celle qui résiste avec le plus de force au volontarisme des pouvoirs modernisateurs. Au début de la modernité, on l'a vu, c'était le spiritualisme chrétien et sa transcription dans les théories du droit naturel qui avaient constitué la principale barrière au pouvoir politique. Mais si Dieu est absent, à qui s'adresser contre les envahissements du pouvoir social, sinon au diable ? L'homme, créature de Dieu, portant en lui la marque de la liberté du Créateur, est remplacé par l'être de désir. Le Moi n'est que l'enveloppe du Ça, de la *sexualité*, qui cherche à retrouver son énergie vitale en traversant les barrières élevées par les conventions sociales et les agences de moralisation. La nouvelle anthropologie est moderne en ce qu'elle pousse à l'extrême la lutte contre la religion et plus précisément contre le christianisme, thème central des œuvres de Nietzsche et Freud, mais aussi antimoderne en ce qu'elle écarte l'être historique de l'homme au profit de sa nature anthropologique, lutte éternelle du désir et de la loi.

L'intimité était apparue, surtout en Grande-Bretagne et en France à la fin du XVIIIe siècle, en dehors de la vie religieuse où elle avait déjà conquis son autonomie, avec les réformes protestante et catholique, grâce à l'importance donnée à la piété et à la confession. Rapidement, elle se sécularise ; la confession des péchés se transformera en conseil psychologique, bientôt en psychanalyse. Le Moi perd le contrôle de la vie psychique. Ce qui brise le plus complètement l'idée rationaliste de la conscience, c'est la reconnaissance de ce que Nietzsche a appelé le Ça, mot qui sera transmis par Groddeck à Freud, qui souligne lui-même cet emprunt.

2. On ne peut pas réduire à une anthropologie du désir l'économie de la *consommation*, car celle-ci est indissociable de la rationalisation industrielle. Jean Fourastié et Colin Clark se sont rendus célèbres en mesurant les progrès récents et accélérés de la productivité, auxquels les économistes du xixe siècle n'avaient pas prêté toute l'importance qu'ils méritaient. A partir de la fin du xixe siècle, nos sociétés passent d'équilibres quasi stables ou de cycles de longue durée à la croissance. L'image du décollage *(take off)* correspond bien à cette mutation. Alors que, pendant un siècle de révolution industrielle, la consommation et le genre de vie n'avaient pas profondément changé dans les sociétés en voie d'industrialisation, de la fin du xixe à la fin du xxe siècle, malgré crises et guerres, la consommation est bouleversée, en même temps que le travail occupe une place de plus en plus réduite dans la vie grâce à la diminution de l'année de travail et à l'allongement des études et de la retraite. L'économie protomoderne, qui était une économie de production, était dominée par l'esprit scientifique et technique ; l'économie définie par la production et la consommation de masse est dominée par le marché et le marketing. Changement spectaculaire et qui fut symbolisé par la victoire, après la Première Guerre mondiale, d'Alfred Sloane et de la General Motors, attentifs aux demandes des clients, sur Ford, héros de la rationalisation industrielle, et dont on connaît la boutade : « Le client peut avoir une voiture de la couleur de son choix, à condition qu'elle soit noire. » La rationalité ne peut désormais être qu'instrumentale puisqu'elle est au service d'une demande exprimant la quête de symboles d'un statut social ou le désir de séduction et d'exotisme autant que la recherche d'appareils remplaçant le travail ou permettant des déplacements rapides ou encore d'aliments de qualité garantie et rapides à préparer.

3. Dans le domaine de la production, c'est l'idée d'*organisation* qui conquiert la place centrale. Si les plus grandes figures du capitalisme au xixe siècle avaient été celles de banquiers, les Pereire en particulier, ce sont des figures

d'organisateurs et de chefs d'entreprise qui s'imposent à la fin du siècle, d'abord aux États-Unis. Les années 1920 furent, en Allemagne surtout, celles de la rationalisation et les syndicats, aux États-Unis ou en France, s'adaptèrent, comme le syndicalisme allemand, à ces thèmes nouveaux : la productivité et le taylorisme. L'entreprise comme centre de décision occupe aujourd'hui la place qui était reconnue auparavant au capitalisme comme système de mobilisation de ressources financières et humaines. Et les luttes sociales se placent de plus en plus au sein de l'entreprise jusqu'à choisir comme arme suprême l'occupation des entreprises, aux États-Unis ou en France, au moment du Front populaire. A la fin du XXe siècle, il semble qu'on soit revenu au règne du capitalisme financier, mais des observateurs comme Lester Thurow et Michel Albert dénoncent avec raison l'erreur de ceux qui oublient le rôle central de l'entreprise de production.

4. Les luttes sociales se mêlent souvent à des luttes *nationales*. Elles aussi se veulent modernisatrices, comme le *Zollverein* qui, en créant un marché commun des États allemands, avait préparé à la fois le développement économique et l'unité politique de l'Allemagne réalisée en 1871. Mais, davantage encore, elles introduisent ou font revivre l'idée d'identité culturelle. La défense des langues nationales est essentielle dans le mouvement des nationalités dont le triomphe sera, beaucoup plus tard, la résurrection de l'hébreu dans le nouvel État d'Israël. Chaque nationalité cherche à délimiter et à agrandir son territoire, se crée des symboles d'identité collective, s'arme et se constitue une mémoire collective. Mouvement qui se généralise : même la Grande-Bretagne et la France, qui s'étaient si volontiers identifiées à l'universel de la modernité économique, institutionnelle ou politique, renforcent à cette époque la conscience de leur identité nationale.

La nation se sépare de la raison et l'indépendance conquiert de plus en plus la priorité sur la modernisation. Alors que les deux objectifs restent étroitement unis en Allemagne, en Italie et au Japon dans la seconde moitié du XIXe siècle, l'objectif d'indépendance nationale devient si prédominant dans une grande partie du monde au XXe siècle qu'il s'allie plus facilement au fondamentalisme populaire qu'au libéralisme des nouvelles bourgeoisies, voire au volontarisme des appareils d'État.

L'unité cachée

Ce rapide relevé des forces principales qui dominent la scène sociale et culturelle au cours du dernier siècle : la *sexualité*, la *consommation marchande*, l'*entreprise*, la *nation*, ne peut apporter qu'un premier repérage, orienter notre attention sur l'apparente hétérogénéité de cette scène qui ne peut plus être appelée une société. N'avons-nous pas l'impression de vivre dans un monde fragmenté, dans une non-société, puisque la personnalité, la culture, l'économie et la politique semblent aller chacune dans une direction qui l'éloigne des autres ? Essayons pourtant de mettre de l'ordre dans cette apparente incohérence, avant même d'explorer successivement les quatre univers, non pas pour faire apparaître l'image d'une nouvelle société, mais, au contraire, pour montrer que l'ensemble de ces forces sociales ou culturelles résulte de la décomposition de la modernité classique.

Comment situer les unes par rapport aux autres la sexualité, la consommation marchande, l'entreprise considérée comme organisation et comme lieu central des conflits sociaux, et la nation ou le nationalisme ? Le plus visible est la dissociation de l'ordre du changement et de l'ordre de l'être, associés auparavant dans l'idée de modernité qui signifiait à la fois rationalité et individualisme. La distance s'accroît entre les changements incessants de la production et de la consommation et la reconnaissance d'une personnalité individuelle qui est à la fois sexualité et identité culturelle collective. La réalité sociale et culturelle, au lieu de s'effacer peu à peu devant la transparence de la pensée rationnelle, envahit ainsi de deux côtés l'espace de la modernité. Et on ne voit apparaître aucun principe capable de réunifier les forces diverses qui viennent occuper le monde éclaté de la modernité. Le long siècle qui va du milieu du XIXe au milieu du XXe, et même au-delà, est celui de l'éclatement du monde rationaliste, mais non de son remplacement par un autre principe unificateur ou par un nouveau modèle plus complexe.

En second lieu, et plus simplement, on voit se séparer ordre personnel et ordre collectif. D'un côté la sexualité et la consommation, de l'autre l'entreprise et la nation.

Ces deux dichotomies s'intègrent facilement. A l'espoir d'une modernisation endogène, du triomphe des lumières de la raison et des lois de la nature écartant les illusions de la conscience, les mensonges des idéologies et l'irrationalité des traditions et des privilèges, succède la reconnaissance brutale des forces dont la diversité désorganise le champ social et culturel. L'idée de modernité est remplacée par celle d'action modernisatrice ; celle-ci mobilise des forces non modernes, elle libère l'individu et la société jusque-là prisonniers des lois impersonnelles de la raison après l'avoir été de la loi divine.

	ÊTRE	*CHANGEMENT*
INDIVIDUEL	Sexualité	Consommation
COLLECTIF	Nation	Entreprise

Le champ culturel et social dans lequel nous vivons depuis la fin du XIXe siècle n'a pas d'unité : il ne constitue pas une nouvelle étape de la modernité, mais sa décomposition. Jamais peut-être une civilisation n'avait autant manqué d'un principe central, puisque aucune grande religion n'exerce une influence dominante dans cette culture sécularisée où la séparation des Églises et de l'État est un principe essentiel. Mais, en même temps, jamais la nostalgie du passé et d'un ordre perdu n'a été aussi faible. La rapide présentation des fragments éclatés de la modernité vient de démontrer que chacun d'eux porte gravée en lui la marque d'une modernité volontaire. C'est évident du côté des éléments qui définissent la nouvelle société de production et de consommation ; c'est aussi manifeste du côté des nationalismes, qui ne sont jamais des traditionalismes. C'est plus confus du côté des grands penseurs du Ça, Nietzsche et Freud, antimodernistes résolus mais qui sont des rationalistes et croient qu'il est possible de libérer l'homme des entraves créées par une culture de la moralisation. C'est pourquoi je ne vois pas de meilleure appellation pour cet ensemble historique que celle de *post-*

moderne. Cette définition, qui peut sembler paradoxale, devrait modérer un optimisme trop hâtif et rappeler que ce siècle dit de progrès a été pensé, en Europe au moins, comme un siècle de crise et souvent de déclin ou de catastrophe. La grande poussée de l'industrialisation occidentale, en particulier en Allemagne et à Vienne à la fin du XIXe siècle, n'a-t-elle pas été accompagnée d'un vaste mouvement intellectuel de critique de la modernité ? Et un long demi-siècle plus tard, la période que Jean Fourastié a appelée les « Trente Glorieuses » n'a-t-elle pas été dominée en France par la pensée antimoderne et profondément pessimiste des descendants de Nietzsche, Michel Foucault en tête, après avoir été influencée par les critiques radicales de Jean-Paul Sartre ? Il est impossible de citer en France un seul intellectuel d'importance qui ait chanté la modernité et Raymond Aron lui-même, le plus près de jouer ce rôle, a trop constamment reconnu la priorité des problèmes de la guerre et de la paix sur ceux de la production et de la distribution, a trop été un politique plutôt qu'un économiste, pour s'être écarté du pessimisme dominant que justifiaient à ses yeux la guerre froide et l'extension des régimes totalitaires. L'image de notre siècle que nous donnent les statisticiens est en contradiction ouverte avec celle qu'ont élaborée les penseurs et écrivains les plus importants, de Thomas Mann à Jean-Paul Sartre. Cette dissociation des faits et du sens, de l'économie et de la culture définit au mieux la crise de la modernité.

Pendant le long XIXe siècle, celui de la modernité triomphante, nous avons vécu et pensé à l'intérieur du modèle de la société nationale et de classe dont nous avions fini par faire l'expression concrète de la modernité. Nous avons affirmé — sous des formes assez diverses selon les pays — qu'économie, société et existence nationale étaient liées entre elles autant que les doigts de la même main, que l'expérience collective avait une unité fondamentale qu'on appelait volontiers la société, et Talcott Parsons, mieux que tout autre, nous montra comment politique, économie, éducation et justice constituaient les quatre fonctions principales de ce corps social. La modernité se définissait à la fois par l'augmentation des échanges, le développement de la production, la participation élargie à la vie politique et la formation de nations et d'États nationaux. Correspondance à laquelle les Français reconnaissaient la force de l'évidence, tandis que les États-Unis lui donnaient un tour plus volontaire et donc plus juridique, et les Allemands un contenu plus prophétique et plus culturel.

Un siècle plus tard, de la droite à la gauche, la plupart des intellectuels insistent sur ce que Daniel Bell a appelé *Les Contradictions culturelles du capitalisme*, sur la divergence croissante des normes qui régissent la production, la consommation et la politique. La France de la fin du XXᵉ siècle croit-elle encore à son image de nation républicaine, universaliste et modernisatrice, qu'entretiennent quelques intellectuels et des dirigeants politiques écoutés distraitement ? Ce qu'on nomme la crise de l'éducation n'est-elle pas avant tout la reconnaissance de ces contradictions culturelles et de la décomposition du système de valeurs et de normes que l'école, la famille et toutes les agences de socialisation sont censées transmettre aux nouveaux membres de la société ? La conscience nationale, qui était l'autre face de la libération révolutionnaire, s'oppose aujourd'hui à elle, et le XXᵉ siècle a eu trop de raisons d'associer nationalisme et antiprogressisme pour qu'on puisse comprendre encore nos derniers jacobins. La consommation de masse est certes l'un des moteurs principaux de la croissance économique, mais qui ne lui trouve que des effets positifs, alors que se multiplient les mises en garde des écologistes, et qui oserait chanter la rationalisation comme Taylor le fit il y a cent ans ? Chacun des fragments éclatés de la modernité porte en lui à la fois la marque de la modernité et celle de sa crise. Tout, dans notre culture et notre société, est marqué par cette ambiguïté. Tout est moderne et antimoderne, au point qu'on exagérerait à peine en disant que le signe le plus sûr de la modernité est le message antimoderne qu'elle émet. La modernité est autocritique et autodestructrice, est « *heautontimoroumenos* », selon le titre du poète qui a lancé le premier — avec Théophile Gautier — le thème de la modernité, Baudelaire. Pour lui, la modernité est présence de l'éternel dans l'instant, dans le provisoire. Elle est la beauté dans la mode qui change à chaque saison. Définition qui porte en elle le sentiment que l'éternel finira par se dissoudre dans l'instant, comme l'amour dans le désir, jusqu'à ce que l'éternité ne s'appréhende plus que dans la conscience de son absence et dans l'angoisse de la mort.

Le tableau qui vient d'être dressé doit être complété. Le modèle plein, global, de la modernité, à la fois culturelle, économique et politique, en se décomposant en sexualité, consommation, entreprise et nation, réduit la rationalité à un résidu : la rationalité instrumentale, la *technique*, considérées comme la recherche des moyens les plus efficaces pour atteindre des objectifs qui échappent eux-mêmes aux critères de la rationalité en ce qu'ils relèvent de valeurs sociales ou culturelles, donc de choix qui parfois sont faits selon des critères éloignés de toute référence à la rationalité. La technicité se met au service de la solidarité sociale, mais aussi de la répression policière ; de la production de masse, mais aussi de l'agression militaire ou de la propagande et de la publicité, quel que soit le contenu des messages délivrés. Cette technicité est peu discutée, puisqu'il est clair pour la plupart qu'elle n'impose aucun choix concernant les fins de l'action.

De nombreux intellectuels ont pourtant dénoncé, à la suite de Weber, le règne de l'instrumentalisme et le culte de la technique et de l'efficience. Ces critiques reposent sur la conscience du déclin de la raison objective, de la vision rationaliste du monde, commandée ou non par un dieu rationnel garant de la capacité de notre raison de comprendre les lois du monde. Mais elles manquent de tout fondement dès lors qu'elles prétendent se donner un contenu social et politique. Aussi faible est la dénonciation des technocrates, comme si l'emprise de la rationalité technique était si grande qu'elle en était venue à se substituer à toutes les finalités. Il est trop facile de dénoncer l'omniprésence des techniciens et dangereux de croire qu'ils mènent un monde dont les gouvernants ne seraient que des ingénieurs des âmes et de la société. Le monde des techniques, monde des moyens, reste d'autant plus subordonné au monde des fins personnelles ou collectives que la liaison a été rompue entre la raison objective et la raison subjective, que la technique n'est plus au service exclusif d'une vision rationaliste du monde ou des commandements d'un dieu philosophe ou mathématicien.

La dénonciation de la technique est une forme particulière de la nostalgie de l'Être ; elle nourrit toutes les idéologies qui veulent redonner à l'un des fragments de la modernité éclatée le rôle de principe central du monde moderne. Pour l'une, tout est national, et il faut recréer des communautés fermées sur elles-mêmes, rejetant les agressions étrangères ; pour telle autre, au contraire, les traditions et les défenses nationales doivent être renversées pour faciliter les opérations d'entreprises transnationales installant partout leurs techniques et leurs produits ; pour une autre encore, le marché remplace tout autre principe d'organisation sociale ; pour la dernière, enfin, il faut s'abandonner à un pansexualisme qui peut seul réunir tous les êtres humains dans un nouveau culte dionysiaque répandu par la télévision et les cassettes vidéo.

Face à ce chaos culturel, à l'éclatement de la modernité, on peut s'interroger sur la possibilité de reconstruire un univers culturel cohérent. J'essaierai de le faire, et les deux premières parties de ce livre ne sont que des travaux préparatoires à cette tentative. On peut aussi en prendre son parti, admettre un pluralisme fondamental d'expériences et de valeurs, et se borner à organiser une société de tolérance, de pluralisme, de recherche de l'authenticité. La référence à la rationalité instrumentale, si faible qu'elle soit, a la fonction majeure d'empêcher chacun des fragments de la modernité éclatée de couper ses liens d'interdépendance avec les autres, de se croire entièrement différent d'eux, souverain, et donc obligé de mener contre eux une guerre sainte.

La rationalité technique limite les prétentions à la domination de chaque tendance culturelle et les empêche ainsi de se transformer en forces sociales à la conquête de l'hégémonie politique. Au centre de la société post-moderne, celle d'hier et plus encore celle d'aujourd'hui, se trouve dans le meilleur des cas un vide de valeurs qui garantit l'autonomie de la rationalité technique et permet de protéger ce vide de pouvoir au centre de la société, dont Claude Lefort a raison de faire le principe premier de la démocratie.

L'éclatement de la modernité peut donc être figuré ainsi :

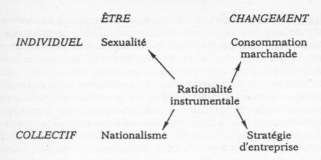

Rappelons encore que ce tableau doit être lu de deux manières complémentaires. Il décrit l'éclatement de la modernité et, par conséquent, dresse la liste des forces qui tendent à devenir antimodernes, comme le disent si constamment et si fortement toutes les pensées critiques, quelles que soient leurs orientations : dans la sexualité comme dans la consommation, il y a consommation, destruction ; dans la politique des entreprises, le profit ou la puissance tendent à écraser la fonction de production ; et les nationalismes, comme tous les différentialismes, portent en eux la guerre. Mais chacun de ces éléments, je l'ai dit, porte aussi en lui une revendication de modernité : l'indépendance de la nation est la condition du développement économique ; la sexualité met en cause des normes qui visent à l'intégration sociale et à la reproduction culturelle ; la consommation entraîne la production des grandes entreprises et permet la satisfaction de demandes de plus en plus diverses. Cette fonction modernisatrice implique chaque fois une alliance avec la rationalité instrumentale, tandis que les attaques contre la technique sont associées à l'orientation antimoderne et intégriste de chacun des fragments de la modernité éclatée.

Cette affirmation ne saurait se substituer à la recherche d'un principe culturel central permettant la reconstruction d'un champ culturel intégré, mais elle définit une limite qui ne peut en aucun cas être franchie : si la rationalisation ne peut plus être le principe intégrateur de la culture, aucune réunification de celle-ci contre la pensée et l'action rationnelles n'est possible. L'irrationalisme conduit à une fragmentation extrême, à une séparation complète des éléments autrefois intégrés dans le modèle de la rationalité objective. C'est pourquoi la dénonciation de la technique est dangereuse et a nourri les pensées totalitaires plus souvent que les pensées libérales ou anarchistes. On peut dénoncer le règne du profit, les politiques guerrières, la destruction de l'environnement ou la marchandisation du sexe ; chaque fois, le débat peut s'engager, les arguments s'échanger. Mais la dénonciation de la technique se justifie d'autant moins qu'elle n'a jamais pu montrer que, dans une société moderne, les moyens soient devenus des fins. Quelques ingénieurs, surtout dans des périodes de crise, ont défendu la cause de la technocratie, à la fois contre le capitalisme et contre les traditions sociales et culturelles considérées comme des obstacles à la croissance. Cette pensée, qui atteignit sa plus forte expression aux États-Unis avec Thorstein Veblen, n'a jamais prévalu, car aucune société n'est qu'une machine, aucun État n'est qu'une bureaucratie. La faiblesse de nos sociétés ne résulte pas de la disparition des fins détruites par la logique interne des moyens techniques, mais, au contraire, de la décomposition du modèle rationaliste, brisé par la modernité elle-même, et donc par le développement séparé de logiques d'action qui ne se réfèrent plus à la rationalité : recherche du plaisir, du statut social, du profit ou de la puissance.

CHAPITRE II

LA DESTRUCTION DU MOI

Marx, encore

La présence de Marx à l'orée de cette critique culturelle de la modernité peut surprendre, puisque je l'ai moi-même, de manière classique, mis au premier rang des penseurs de la modernité, trop situé par sa volonté de renverser la pensée de Hegel pour appartenir à un autre univers culturel que celui de son maître et adversaire. Mais ce renversement constitue une rupture avec l'idéalisme des philosophies de l'histoire. Le progrès n'est plus pensé comme le triomphe de la raison ou la réalisation de l'Esprit absolu, mais comme la libération d'une énergie et de besoins naturels auxquels s'opposent les constructions institutionnelles et idéologiques. La séparation du spirituel et du temporel, chassée par l'idéalisme, revient en force, sous une forme si extrême qu'elle déborde le domaine des institutions et la scène politique elle-même ; d'un côté les besoins, de l'autre le profit ; entre les deux, plus qu'un conflit qui pourrait déboucher sur des compromis : la contradiction, qui n'est surmontée que par la convergence finale de la révolte libératrice et du développement des forces productives, de la socialisation de la production et du socialisme pour aboutir à la naturalisation de la société et à l'élimination des obstacles créés par la conscience. Pour Marx aussi, l'adversaire intellectuel principal est l'idée de Sujet. Entre les besoins et les profits affrontés, tout ce qui est figure de la société ou de la personnalité, modèle de société ou modèle humain, subjectivité individuelle ou collective, est ruse de la bourgeoisie. La conscience est toujours fausse conscience, ce qui justifie le rôle des intellectuels révolutionnaires, qui ne sont nullement des agents de prise de conscience, mais des déchiffreurs des lois de l'histoire, et c'est en cela que Marx reste historiciste : la vie sociale n'est que la lutte de la valeur d'usage et de la valeur d'échange, des forces de production contre les rapports sociaux de production.

Peut-être parce qu'elle se place au moment de la plus forte prolétarisation, l'œuvre de Marx ne fait aucune place à un Sujet ouvrier. L'exploitation repose sur le fait que les capitalistes paient le travail produit au prix minimum nécessaire pour la reproduction de la force de travail, pour la survie de l'ouvrier. Ce qui nous enferme dans une logique économique implacable dans laquelle l'acteur ouvrier collectif, le mouvement ouvrier, ne peut pas intervenir. Et Marx écarte l'objection qu'à côté des manœuvres non qualifiés, payés au plus bas niveau, existent aussi des ouvriers qualifiés, dont certains occupent une position favorable sur le marché du travail et qui sont les créateurs du mouvement ouvrier. Cette figure du travailleur qualifié, qu'il me semble indispensable de placer au centre de toute étude du mouvement ouvrier, est éliminée par Marx, qui affirme péremptoirement que le travail qualifié et complexe n'est qu'un composé de travail simple non qualifié.

Ainsi se lient les uns aux autres les grands thèmes marxistes : lois du développement historique et déterminisme technologique et économique ; contradiction entre cette histoire naturelle de l'humanité et la domination de classe ; critique de la conscience comme effet de la domination bourgeoise ; absence d'acteurs de classe et, résultat de tous ces thèmes, rôle moteur des intellectuels révolutionnaires armés de la science de l'histoire.

Marx est le premier grand intellectuel post-moderne parce qu'il est antihumaniste et parce qu'il définit le progrès comme libération de la nature, non comme réalisation d'une conception de l'homme. Sa conception de la totalité varie selon les textes et même selon les étapes de sa vie, mais il existe une unité de son œuvre qui est le matérialisme, et par conséquent la lutte contre le subjectivisme. L'héritage sociologique de Marx est bien celui-là. L'appel à la conscience, à l'action intentionnelle et *a fortiori* aux valeurs, est « petit-bourgeois » et n'a d'autre fonction que de cacher l'exploitation et sa logique purement économique. Aujourd'hui encore, les marxistes se sentent plus près des libéraux qui défendent un individualisme méthodologique extrême que des réformateurs sociaux, et ils ne renoncent toujours pas à leur dénonciation des sociaux-démocrates.

L'essentiel de cette pensée et de sa lutte contre le socialisme utopique ou contre les hégéliens de gauche consiste à remplacer la révolte lancée au nom du Sujet humain par l'analyse des contradictions du capitalisme, à opposer à celui-ci non pas des valeurs mais l'énergie naturelle des forces de production — y compris le travail humain — et la pression des besoins qui finiront par s'épanouir librement dans la société communiste, laquelle se définit par le principe : à chacun selon ses besoins. Cette pensée a une force polémique et politique sans égale, précisément parce qu'elle attaque de front le moralisme des philanthropes, des réformateurs et des utopistes, et surtout parce qu'elle concentre le sens de l'action politique entre les mains d'une contre-élite révolutionnaire. Au milieu du XIXᵉ siècle, quand triomphe la société victorienne, quand l'esprit des institutions au service du capitalisme triomphant est transformé avec tant de succès en convictions morales et en règles d'organisation de la vie collective, la pensée marxiste est un pavé dans une mare qui ne retrouvera plus la tranquillité.

On peut penser que c'est la brutalité de l'industrialisation capitaliste, la rupture complète entre l'économie et la société qui expliquent la longue prédominance du marxisme sur l'étude des mouvements sociaux et sur les réformes démocratiques en Europe, en particulier là où un pouvoir politique absolu s'est opposé avec le plus de succès à l'organisation autonome du mouvement ouvrier. Unis, le capitalisme et l'État ont écrasé les acteurs sociaux et la démocratie si violemment que la société occidentale n'a plus perçu que la lutte du travail et de la production contre la violence et le profit, et a renvoyé toute référence aux orientations de l'action aux royaumes de la moralité et de l'art.

Nietzsche

La société industrielle qui se forme en Europe, puis en Amérique du Nord, apparaît coupée en deux par un capitalisme brutal : d'un côté, le monde de l'intérêt et de l'individualité, dont Schopenhauer dit qu'il est esthétiquement une taverne pleine d'ivrognes, intellectuellement un asile d'aliénés, et moralement un repaire de brigands ; de l'autre, le monde impersonnel du désir, qui ne communique pas avec celui du calcul. La raison instrumentale au service de l'égoïsme possessif n'est plus rattachée par rien aux forces de la vie, du corps et du désir, qui ne peuvent être saisies par la représentation mais seulement par l'intuition. Le dualisme kantien devient tragique. L'homme est malheureux, pense Schopenhauer, parce qu'il est déchiré entre son désir de vivre cosmiquement et le mouvement qui l'entraîne vers l'individuation. Sa réponse est qu'il faut choisir, se libérer de cette individuation et d'une conception libérale du droit qui se réduit à limiter les empiétements de la volonté de l'autre sur ma volonté, non pas pour s'abandonner au désir mais pour le désindividualiser, donc s'en dégager en atteignant le nirvana. Schopenhauer, intéressé par le bouddhisme, est également sensible au quiétisme de Mme Guyon. Son nihilisme ascétique est une libération du vouloir-vivre grâce à l'art, à la philosophie et à une méditation sur la mort.

Dès le début du XIXe siècle (*Le Monde comme volonté et comme représentation* paraît en 1818), Schopenhauer prend ses distances avec le monde de la raison, de la science et de la technique, qui est pour lui celui de l'égoïsme et de la désocialisation, non pas pour recréer un ordre social impossible, mais pour en appeler à la vie et au désir, c'est-à-dire à ce qui est impersonnel dans l'expérience vécue, et non à ce qui est conscient et volontaire. Il faut détruire le Moi et l'illusion de la conscience comme il faut se méfier de l'illusion d'ordre social qui protège seulement les appétits égoïstes. Comment la pensée et l'action critiques n'auraient-elles pas rejeté les illusions du Moi, de l'individualisme et de l'ordre social, et comment les pensées morales et sociales les plus vigoureuses n'auraient-elles pas été, de Schopenhauer à Bergson, des défenses de la vie contre la technique, du continu et du collectif contre le discontinu et l'individuel ? Ne cherchons surtout pas dans ce mouvement intellectuel la naissance du Sujet : il est au contraire hostile à cette idée ; nous y trouvons néanmoins la destruction du Moi et la critique de l'individuation, qui sont certes au plus loin de la construction du Sujet, mais sans lesquelles celle-ci serait impossible.

Nietzsche combat la réponse de Schopenhauer, mais adopte sa critique de l'individualisme. Il se place à l'intérieur de la modernité et revendique l'héritage des Lumières, de Voltaire en particulier, surtout par rejet du christianisme : les hommes se sont séparés des dieux, mais cette rupture n'est pas la fin d'un monde, elle est à la fois une libération qui ouvre une nouvelle époque et un meurtre qui laisse l'homme chargé de culpabilité. « Dieu est mort », dit-il dans *Le Gai Savoir*, et il ajoute : « Nous l'avons tué » ; il reprend : « Dieu est mort, Dieu reste mort ! Et c'est nous qui l'avons tué. Comment nous consoler, nous les meurtriers des meurtriers ? Ce que le monde avait possédé jusqu'alors de plus sacré et de plus puissant a perdu son sang sous nos couteaux. Qui essuiera ce sang de nos mains ? Quelle eau lustrale pourra jamais nous purifier ? Quelles solennités expiatoires, quels jeux sacrés nous faudra-t-il inventer ? La grandeur de cette action n'est-elle pas trop grande pour nous ? Ne nous faut-il pas devenir nous-mêmes des dieux pour paraître dignes de cette action ? Il n'y eut jamais d'action si grande — et quiconque naîtra après nous appartiendra, en vertu de cette action même, à une histoire supérieure à tout ce qui fut jamais l'histoire jusqu'alors ! »

La mort de Dieu marque aussi la fin de la métaphysique définie comme la recherche de la correspondance, de l'unité de l'Être et de la pensée, qui s'est poursuivie de Parménide à Platon et de Descartes à Spinoza. Au cœur du siècle de l'historicisme, Nietzsche remplace l'Être par le devenir, la substance par l'action, et il pourrait dire, avec Marx, la praxis. Le renversement des valeurs *(Umwertung)* qu'il annonce remplace l'adaptation à l'ordre rationnel du monde par l'exaltation de la volonté, de la passion. « Le monde de la vérité, nous l'avons aboli. Quel monde nous est-il resté ? Le monde des apparences, peut-être ?... Mais non ! *Avec le monde-vérité, nous avons aussi aboli le monde des apparences*. Midi, moment de l'ombre la plus courte, fin

de l'erreur la plus longue ; point culminant de l'humanité.
INCIPIT ZARATHOUSTRA » *(Le Crépuscule des idoles,*
Comment le « monde-vérité » devient enfin une fable,
n° 6).

Rien de plus moderne que ces paroles dirigées contre
Kant, qui pourraient être attribuées à Auguste Comte, en
tant que contempteur de la métaphysique. Mais il existe
plusieurs chemins dans cette modernité. Le plus fréquenté
est celui de l'utilitarisme que Nietzsche appelle la pensée
anglaise et qu'il rejette avec la plus grande vigueur : on ne
peut pas vivre enfermé dans le monde des apparences. La
civilisation française est aussi haïssable que la pensée
anglaise, car d'elle aussi la vie s'est retirée et les objets de
culture y flottent dans le vide.

Si l'on se détourne de ces voies classiques de la modernité, on peut, pour contrecarrer l'utilitarisme, revenir à
l'idée de droit naturel et à la pensée chrétienne en plaçant
les idées de sujet et de démocratie au centre de la réflexion.
Mais ce choix n'est celui d'aucun des trois penseurs qui
dominent la crise de la modernité : Marx, Nietzsche et
Freud. Et c'est Nietzsche qui s'en trouve le plus éloigné.

Son argument central est présenté dans *Généalogie de la
morale.* Il existe des forts et des faibles, des dominants et
des dominés, des oiseaux de proie et des agneaux. Entre
eux, il y a des rapports matériels dont tout élément moral
est absent et qui sont ceux de la vie elle-même et des rapports entre espèces et individus. Mais le faible, pour échapper à ces rapports de force qui lui sont défavorables,
interprète la force de son adversaire comme méchanceté.
Il introduit, derrière ses actes, une volonté, une essence.
Ainsi naît la notion de Sujet, aussi irrationnelle et artificielle que celle de foudre que les ignorants introduisent
pour expliquer la décharge électrique, qui devient elle
aussi Sujet et prend même la figure de Jupiter. Tout ce qui
introduit une intention générale et une conscience comme
explication des conduites est un instrument de défense des
faibles, et par conséquent détruit l'ordre de la nature et
crée des essences, ces principes dont Auguste Comte faisait l'essentiel de la pensée juridique et métaphysique. Gilles Deleuze le dit avec précision (p. 44) : « La conscience
n'est jamais conscience de soi mais conscience d'un Moi
par rapport au Soi qui, lui, n'est pas conscient. Elle n'est

pas conscience du maître, mais conscience de l'esclave par rapport à un maître qui n'a pas à être conscient. »

Ce qui importe ici, c'est la force avec laquelle Nietzsche rejette cette pensée du Sujet, en particulier le christianisme, religion des faibles, et avant lui le psychologisme de Socrate et de son élève Euripide, qui détruit l'esprit de la tragédie grecque. « Cette espèce d'homme, écrit Nietzsche dans *Généalogie de la morale* (p. 104), a *besoin* de croire au "Sujet" neutre, domaine du libre arbitre, et cela par un instinct de conservation personnelle, d'affirmation de soi, par quoi tout mensonge cherche d'ordinaire à se justifier. Le Sujet (ou, pour parler le langage populaire, *l'âme*) est peut-être resté jusqu'ici l'article de foi le plus inébranlable, pour cette raison qu'il permet à la grande majorité des mortels, aux faibles et aux opprimés de toute espèce, cette sublime duperie de soi qui consiste à tenir la faiblesse elle-même pour une liberté, son être-ainsi pour un mérite. »

Dans *Par-delà le bien et le mal*, sa critique se concentre sur les philosophes du Sujet et d'abord sur le *cogito* de Descartes. « Il dit "je pense" et ici le Sujet détermine le verbe ; il y a un Je qui pense. Les modernes pensent à l'inverse : "pense" déterminant, "Je" déterminé. "Je" serait alors une synthèse opérée par la pensée elle-même. »

En des termes très proches de ceux qu'emploiera Freud, Nietzsche voit dans la conscience une construction sociale liée au langage et à la communication, donc aux rôles sociaux. Le plus personnel est aussi le plus conventionnel, le plus médiocre. La conscience, dit *Le Gai Savoir*, est « ce qu'il y a de moins accompli et de plus fragile dans l'évolution de la vie organique, de sorte que plus un être a de conscience et plus il multiplie les faux pas, les actes manqués qui le font périr ». Comment ne pas penser aussi à Marx opposant les forces productives, créatrices, expressions de la vie, de l'énergie, aux rapports de production, constructions de la conscience, qui est pour lui celle de la classe dominante ?

Jusqu'ici, la modernité a été, pense Nietzsche dans le triomphe de la conscience, l'aliénation de l'énergie humaine qui se détache d'elle-même et se retourne contre elle-même en s'identifiant à un dieu, à une force non humaine à laquelle l'homme doit se soumettre. La modernité a conduit au nihilisme, à l'épuisement de l'homme dont toute la puissance a été projetée dans l'univers divin par le christianisme et qui n'a plus en propre que sa faiblesse, ce qui entraîne sa décadence et sa disparition inéluctable. Le retournement des valeurs entraîne le rejet de cette aliénation et la récupération par l'homme de son être naturel, de son énergie vitale, de sa volonté de puissance.

Seul le renoncement à l'idéal, à Dieu, seul le triomphe de la volonté de vie sur la volonté de mort permettent la libération. Mais la lutte est incessante entre ces deux forces opposées, car tout désir rêve de sa réalisation, ce qui fait naître l'idéal. A la fin du siècle, Weber reprendra ce thème de l'ascétisme, si important pour Nietzsche, mais il souligne le passage de l'ascétisme extra-mondain à l'ascétisme intra-mondain pour expliquer le développement du capitalisme, donc du monde des riches et des forts, et non celui des pauvres et des faibles. Nietzsche, au contraire, oppose brutalement l'ascétisme des prêtres et des philosophes, qui exaltent le silence, la pauvreté et la chasteté, à la volonté de puissance. C'est que Weber se place dans le monde économique et social, et Nietzsche dans celui de la pensée, puisqu'il accuse les philosophes d'avoir fait des conduites favorables à leur propre travail des vertus pour l'humanité entière. Cette différence de perspective a des conséquences décisives. L'homme de Nietzsche n'est pas un homme social, comme l'est celui de Weber. Nietzsche cherche ses modèles dans le passé, dans l'Antiquité romaine et dans la Renaissance italienne, dont la *virtù* est la meilleure expression d'une volonté de puissance chargée de goût de la connaissance. Nous avons tué Dieu et notre culpabilité nourrit notre soif de soumission et de rédemption. Alors qu'il faut aller au-delà de ce meurtre, par-delà le bien et le mal, retrouver ou créer une existence naturelle libérée de tous les ascétismes, de toutes les aliénations, grâce à un effort qui est à la fois désir et raison, domination et contrôle de soi, qui est, au contraire d'une intériorisation, une libération de soi, un retour à Dionysos. Thème premier de la réflexion du jeune Nietzsche quand il écrivait *Naissance de la tragédie* et qu'il voyait dans Wagner ce retour à Dionysos, avant de dénoncer, quelques années plus tard, le retour à la morale chrétienne de celui qui était devenu l'auteur de *Parsifal*. Gilles Deleuze a raison de dire

que Dionysos s'oppose à Socrate et à Jésus plus directement qu'à Apollon dont il est le complément nécessaire.
Car Dionysos est la vie, donc un principe supra-individuel.

Nietzsche n'échappe à l'utilitarisme anglais qu'en débordant l'idée chrétienne de Sujet et en s'éloignant toujours
davantage de l'empirisme, en s'élevant au-dessus de la personne. Ce qui l'attire dans les mystères d'Éleusis, c'est « la
constatation de l'unité de tous les êtres, l'idée que l'individuation est le fondement de tout mal et que l'art représente
le pressentiment et la joyeuse espérance qu'un jour le
charme de l'individuation sera rompu et l'unité restau-
rée ». Nostalgie de l'Être, retour, au-delà de la conscience
et contre elle, à l'Un, qui n'est pas le monde divin mais le
monde d'avant les dieux, celui du paganisme où l'homme
lui-même est un dieu ou un demi-dieu, un héros. Notre
civilisation privée de mythes, entraînée dans une décomposition dont la France donne le plus brillant et le pire
exemple, cherche à recréer un mythe fondateur et s'épuise
à le chercher dans les cultures passées. *Naissance de la tragédie* dit de la manière la plus directe la volupté de vivre.
« Cette volupté, toutefois, nous avons à la chercher non
dans les phénomènes, mais au-delà des phénomènes...
Nous nous identifions vraiment, pour de brefs instants, à
l'Être originel dont nous éprouvons la soif insatiable
d'exister... En dépit de la terreur et de la pitié, nous goû-
tons le bonheur de vivre, non comme individus mais
comme participant à la substance vivante unique qui nous
englobe tous dans sa volupté d'où naît la vie. »

Pour Nietzsche, ce mythe dionysiaque qui échappe aux
contraintes de la vie sociale et qui ne peut apparaître que
quand disparaît l'union d'un peuple et d'une civilisation,
réalisée si bien et si dangereusement en France, ne peut
être qu'un mythe allemand, précisément parce qu'il ne correspond pas à une conscience nationale, parce qu'il est a-
social. L'Allemagne, depuis Luther, est la terre du devenir,
d'une volonté d'être qui ne s'est jamais épuisée dans des
formes politiques et sociales. L'esprit allemand peut seul
lutter contre la dégénérescence moderne, contre la détério-
ration de la race européenne. Pensée difficile à interpréter,
très éloignée du nationalisme, de la bureaucratie et du
militarisme de l'État bismarckien. On sait en outre que
Nietzsche fut, à son époque, un des rares et un des plus

résolus adversaires de l'antisémitisme, ce qui devrait éviter toute confusion avec le nazisme qui s'est réclamé de lui. Nietzsche ne s'identifie pas à la nation, au *Volk* allemand. Néanmoins, cet Être, cet Un auquel il en appelle se manifeste dans l'histoire par la volonté d'un peuple, en particulier du peuple allemand qui s'est élevé « avec un profond dégoût », dit *Par-delà le bien et le mal*, contre les « idées modernes ». Constamment, Nietzsche fait référence aux peuples esclaves, à la Russie et à la Pologne à laquelle il s'identifie en partie par ses origines, mais surtout au peuple allemand qu'il oppose à la civilisation française comme à la pensée anglaise, opposition qui sera reprise sous une autre forme par Tönnies, lequel définira la société par opposition à la communauté, non sans nostalgie pour cette dernière, et non sans nationalisme.

Pour la philosophie des Lumières, la société et l'histoire constituaient les deux faces de la même réalité. Cette idée reste fortement présente dans la pensée française qui identifie la France au triomphe de la raison et de la liberté. Cette nouvelle alliance du temporel et du spirituel ne laisse aucun espace de liberté à ce qui se définit autrement que par sa participation au progrès incarné dans la nation. La pensée allemande, dont Nietzsche est un représentant central, dissocie au contraire la nation de la rationalisation. Il attaque « l'homme abstrait privé de mythe constructeur l'éducation abstraite, le droit abstrait, l'État abstrait », au nom du mythe national, de ce qui est plus profond qu'une volonté collective, la force même de la vie d'un Être historique concret. La pensée de Nietzsche en appelle à la fois à l'Être et au mouvement d'affirmation par soi de la nation. L'appel à l'Être, par-delà le bien et le mal, conduit à réunir la liberté et la nécessité. « Je veux apprendre de plus en plus à considérer la nécessité dans les choses comme la beauté en soi. Ainsi je serai l'un de ceux qui embellissent les choses. *Amor fati* : que ceci soit désormais mon amour », dit-il dans *Le Gai Savoir*.

Le surhomme est celui qui s'élève à l'*amor fati*, celui qui, selon le mot de Zarathoustra, sait qu'il « a besoin de ce qu'il y a de pire en lui s'il veut parvenir à ce qu'il y a de meilleur ». Nietzsche n'appelle assurément pas à la libération des instincts, mais à leur spiritualisation, à la transformation de la nature en œuvre d'art, à la montée

vers l'Éternel Retour. « Tout passe et tout revient ; éternellement tourne la roue de l'Être. Tout meurt, tout refleurit,
éternellement se déroule l'année de l'Être. Tout se brise,
tout se rajuste ; éternellement s'édifie la demeure de
l'Être ». Montée vers l'Être et vers l'art qui rejoint un courant central de la pensée allemande, de Schiller à Hölderlin, à Schelling et au jeune Hegel, tous trois condisci-
ples au Stift de Tübingen. Montée associée à l'esprit
national par leur commun rejet d'une modernité identifiée
à l'intégration sociale, à la moralisation et à la civilisation
bourgeoise.

Cette association est fragile : l'appel au peuple devient
vite nationalisme et entre en conflit avec l'esthétisme. Mais
pas plus fragile que celle de la conscience chrétienne et de
la revendication sociale sur laquelle repose l'action démocratique moderne. L'utilitarisme triomphant trouvera
constamment en face de lui ces deux adversaires qui semblent parfois se rapprocher l'un de l'autre et qui pourtant
se placent à des points opposés de l'horizon : le paganisme
nietzschéen et l'esprit démocratique appuyé sur la défense
des faibles et des exploités en même temps que sur l'idée
des droits de l'homme. Les intellectuels de ma génération
ont choisi plus souvent la critique anthropologique faite
par Nietzsche de la civilisation bourgeoise que la critique
sociale de la domination capitaliste, bien que l'extension
des régimes totalitaires ait créé entre elles deux certaines
convergences et complémentarités plus apparentes que
réelles car la « grande politique » à laquelle songe
Nietzsche dans les dernières années de sa vie consciente
est tout sauf démocratique. Le renversement des valeurs
se résume ici dans le passage de la Révolution à Napoléon.
Cette politique entend lutter contre la décadence, c'est-à-
dire contre le christianisme et le socialisme, contre la
morale des esclaves. Mais s'agit-il bien de politique ? La
lutte contre le christianisme et contre la morale kantienne
veut avant tout libérer l'homme, être capable de promesse,
selon les mots qui ouvrent la Deuxième dissertation de
Généalogie de la morale, et faire de la vie, conclut *Le Gai
Savoir*, « une expérimentation de la connaissance ». Il
conclut : « Avec le sentiment dans le cœur, on peut non
seulement vivre courageusement mais aussi *gaiement vivre*

et *gaiement rire*. Et qui donc s'entendrait à bien rire et bien vivre s'il ne s'entendait d'abord à guerroyer et à vivre ? »

Tous les thèmes se retrouvent dans ces mots : le refus de la morale chrétienne, la gaieté, le combat. Ce qui les unit est avant tout la critique d'une modernité identifiée à la fois à l'utilitarisme et à la subordination de l'Être individuel, et en lui de la vie, aux intérêts de l'organisation économique et sociale. La critique de Nietzsche n'est si radicale que parce qu'elle est antisociale, comme l'est l'hostilité de tant d'artistes et d'intellectuels à l'égard d'une société civile et d'une démocratie identifiées à un capitalisme philistin. Sa pensée éclaire tout un pan de cette modernité éclatée que j'ai présentée au chapitre précédent. Nostalgie de l'Être et appel à l'énergie nationale sont les deux formes principales de résistance à la modernité, de retour à un au-delà du social qui remplace le dieu mis à mort. Avec Nietzsche, la pensée devient antisociale et antimoderne. Parfois elle sera antibourgeoise, parfois antidémocratique ; toujours elle se méfiera des forces et des acteurs sociaux de la modernité et de leur rapport face à face. Qu'elle en appelle à l'unité de l'Être, à l'esprit national ou au devenir de l'histoire, elle s'engage dans la voie du retour à l'Un, au Tout, débouchant sur un XXᵉ siècle qui sera celui d'affrontements où les sociétés jetteront toutes leurs forces au service de leurs dieux, en lutte à mort les uns contre les autres sur le sépulcre vide du dieu des chrétiens. Si Nietzsche échappe à ces combats trop réels, c'est en partie parce qu'il refuse la rupture absolue avec le christianisme. Dans *Par-delà le bien et le mal* comme dans les dernières lignes de *Généalogie de la morale* se rétablit une certaine continuité avec la religion qui a associé la souffrance à la volonté de soi dans la figure du Christ et qui a appris à l'instinct « à plier l'échine et à se soumettre, mais aussi à se purifier et à s'aiguiser », se sublimant ainsi en amour-passion.

A mesure que s'épuisent l'historicisme et la confiance mise dans le progrès, la pensée de Nietzsche prend une importance croissante jusqu'à devenir dominante, en France par exemple où elle anima la réaction contre l'idéologie de la modernisation qui accompagna la grande croissance économique de l'après-Seconde Guerre mondiale. Gianni Vattimo a raison de voir en lui l'origine du post-modernisme, car il fut le premier à montrer l'épuisement de l'esprit moderne dans l'« épigonisme ». Plus largement, il représente le mieux l'obsession philosophique de l'Être perdu, du nihilisme triomphant après la mort de Dieu. La pensée contemporaine est marquée par la division croissante entre ceux qui, à la suite de Marx, mettent à la place de l'Être, comme principe d'ordre et d'unité du monde, la lutte menée au nom du sujet humain ou de la nature contre une domination sociale, et ceux qui, inspirés par Nietzsche, se tournent vers un Être-dans-le-monde qui est énergie mais aussi porteur d'une tradition, d'une culture, d'une histoire, et qui se définit donc surtout par l'appartenance à une nation. Nietzsche est à la fois celui qui a dénoncé le premier l'illusion moderniste, l'idée de la correspondance entre le développement personnel et l'intégration sociale, et celui qui a engagé une partie de la pensée européenne dans une nostalgie de l'Être qui a souvent conduit à l'exaltation d'un être national et culturel particulier.

Face à une pensée moderniste devenue critique s'élève depuis Nietzsche une pensée antimoderne qui concentre ses attaques contre l'idée de Sujet. Pensée anthropologique et philosophique opposée aux sciences sociales, qui ont presque naturellement partie liée avec la modernité. Pensée qui n'est pas nostalgique du passé, mais qui refuse l'identification de l'acteur et de ses œuvres. La pensée nietzschéenne sort du modernisme en réintroduisant l'Être a-historique ; mais celui-ci ne peut plus être le monde des idées platoniciennes ou le Logos divin, il est le rapport au Ça, la conscience du désir. L'homme ne dépasse pas son histoire parce que son âme est à l'image de Dieu, comme le voulait Descartes, mais parce qu'il est habité par Dionysos, force impersonnelle du désir, sexualité, nature en l'homme. Contre la pensée des Lumières qui plaçait l'universel dans la raison et appelait au contrôle des passions par la volonté mise au service de la lucidité, l'universel émerge avec Nietzsche, et, après lui, avec Freud, dans l'inconscient et son langage, dans le désir qui renverse les barrières de l'intériorité. Ce renversement peut être poussé jusqu'à l'antimodernisme le plus extrême ; mais il est aussi la condition de création d'un Sujet qui ne soit ni le Moi individuel, ni le Soi *(self)* construit par la société ; un Sujet qui se définisse par le rapport à soi-même et non aux normes culturelles institutionnalisées, mais qui ne peut exister que si se découvre le chemin qui mène du Ça au Je, chemin qui doit contourner le Moi identifié à la raison. Nietzsche est étranger au souci du Je ; l'amour du destin, *amor fati*, qu'il proclame, veut délivrer l'homme de toutes les tendances décadentes, chrétienne, démocratique, féminine, à la subjectivation.

Cette pensée bascule dans une nostalgie de l'Être et une fascination de la nation comme communauté vivante, ce qui conduira Heidegger, nourri de Nietzsche, à s'allier au nazisme, et il n'est pas possible d'isoler Nietzsche lui-même de la montée des nationalismes en Europe centrale, qui marque la première grande crise de l'idéologie moderniste. Mais il serait aussi excessif d'identifier Nietzsche à cette poussée *(Drang)* des nations que de considérer son anthropologie comme une réponse nécessaire à l'utilitarisme et au conformisme social. Un penseur peut être compris comme un élément particulier d'une configuration culturelle où entrent d'autres éléments qui sont non des idées, mais des forces sociales ou politiques collectives. Il faut même, en suivant Nietzsche, rappeler qu'une pensée se situe au cœur d'une société divisée en intérêts opposés. La conscience et l'intériorité sont des instruments de défense des pauvres, tandis que les puissants, eux, portent la vie. L'opposition que fait Nietzsche entre conduites actives et réactives est bien une opposition sociale, et ce n'est pas un hasard s'il dirige ses attaques à la fois contre les faibles, la démocratie et les femmes. Attitude que je tiens pour capitale et dont j'entends prendre le contre-pied en défendant dans ce livre l'idée que le thème du Sujet n'est plus la recherche d'un fondement métasocial de l'ordre social, un nouveau nom donné à l'Un, à Dieu, à la raison ou à l'histoire, mais, tout au contraire, un mouvement social, l'acte de défense des dominés contre les dominants qui s'identifient à leurs œuvres et à leurs désirs. Car dans la société moderne, le naturalisme et le matérialisme sont la philosophie des dominants, tandis que ceux qui sont pris dans les réseaux et les idéologies de la dépendance doivent établir un rapport à eux-mêmes, s'affirmer eux-mêmes comme sujets libres, faute de pouvoir se découvrir à travers leurs œuvres et leurs relations sociales, puisqu'ils y sont aliénés et dominés. En attaquant l'idée de conscience et de Sujet, Nietzsche s'identifie aux maîtres, indiquant ainsi la voie inverse que doit suivre une philosophie du Sujet qui ne peut être qu'une sociologie du Sujet, puisque le sujet ne se constitue qu'en rompant ses liens de dépendance. Et qu'est-ce que la démocratie, si souvent attaquée par tant d'intellectuels au nom de l'élitisme de la raison autant qu'au nom de la volonté de puissance, si ce n'est la création de garanties qui protègent les faibles et leur permettent d'établir ce rapport à eux-mêmes que nous appelons liberté, qui est la force à partir de laquelle peut être tentée la reconquête de l'espace social que les dominants gèrent en le décrivant comme naturel, étranger à la conscience, conforme aux mouvements de l'histoire ou à la nature de l'être humain ? Enfin, comment oublier que le triomphe de la modernité marqua aussi celui de la virilité et de la séparation de l'homme, identifié à la fois à la raison et à la volonté, et de la femme, réduite à n'être que tradition et passion ?

L'opposition du maître et de l'esclave domine tout ce siècle, de Hegel à Nietzsche en passant par Marx. Elle nous impose de situer la défense ou le rejet du Sujet à l'intérieur d'une société divisée en classes, avec une élite qui s'identifie au progrès et des catégories dominées qui toutes se replient, non pas seulement sur une identité, toujours définie par une tradition, mais sur une intériorité, sur une conscience qui, même quand elles emploient un langage traditionnel, est le seul espace de liberté d'où puisse s'organiser leur contre-offensive.

Acceptons l'idée que l'utilitarisme et la religion de la société qui enferment l'homme moderne dans une cage de fer peuvent être attaqués de deux côtés opposés. Celui où se place Nietzsche est celui du Ça, de la vie qui se révolte contre les normes de l'ordre et contre la moralisation. L'autre est celui du Je, de sa liberté, des mouvements sociaux qui combattent un ordre social que ses maîtres tentent de faire passer pour naturel. L'important est de reconnaître cette opposition, plus déterminante que la volonté commune des deux courants de pensée d'attaquer l'utilitarisme social et le fonctionnalisme sociologique. La critique de l'ordre bourgeois au nom de la vie et du désir, qu'elle ait viré au gauchisme ou au contraire au fascisme, a toujours

été chargée d'hostilité envers la démocratie et surtout
envers ce qui était appelé avec mépris la social-démocratie.

Au moment où mon analyse commence à suivre le déclin
de l'historicisme dont elle avait suivi le triomphe sur le
dualisme chrétien, il m'est impossible de marquer mon
éloignement de Nietzsche sans reconnaître en même
temps la nécessité d'appuyer son attaque contre le positivisme et contre un historicisme de plus en plus étouffant.
Car ce qu'il rejette comme Sujet et conscience est plus
proche de ce que la sociologie nomme socialisation, intériorisation des normes sociales, ou encore moralisation,
que de l'idée de Sujet telle qu'elle s'exprime parmi nous
quand la conscience du *Zek* résiste aux camps de concentration et l'idée des droits de l'homme à l'arbitraire du pouvoir absolu.

Nietzsche n'est pas la seule grande figure intellectuelle
qui ait combattu l'idéologie moderniste. Les philosophes
de l'histoire et de la société se sont largement identifiés à
un aspect ou à un autre de la crise de la modernité. Souvent ils se sont liés au thème national, comme on l'a vu en
France avec Michelet, comme ce sera le cas de la plus
grande partie des intellectuels allemands et, *a fortiori*, de
ceux des pays danubiens où se développera le mouvement
des nationalités ; ils seront plus souvent encore habités par
la recherche de l'Être qu'ils découvriront dans la nature,
dans la beauté et surtout dans la vie, plus précisément
dans la sexualité. Les *philosophies de la vie* seront à la fois
une expression intellectuelle de la modernité et une réaction contre l'intellectualisme de la culture réduite à la
rationalité instrumentale. Elles pénétreront tardivement
en France avec l'œuvre de Bergson. Il est aisé de les opposer à une sociologie du Sujet, mais plus utile de reconnaître qu'elles constituent le point d'appui qui a permis à la
pensée de se dégager d'un rationalisme de plus en plus
dévoré par le conformisme et l'utilitarisme social, mouvement critique sans lequel ne serait pas concevable la constitution du Sujet, même si la tension est forte entre toutes
les philosophies de l'Être et toutes les pensées du Sujet.

Si je suis parti de Nietzsche, c'est assurément parce qu'il
est au plus loin de la redéfinition de la modernité à laquelle
est consacré ce livre, mais aussi parce que l'idée de Sujet
ne peut être introduite avant la destruction du rationa-

lisme des Lumières qui réduisit la modernité à la rationalisation et à la sécularisation. Avec Nietzsche commence
aussi le réenchantement de la vie sociale, au centre duquel
je placerai l'idée de Sujet.

Freud

La destruction du Moi, défini par l'intériorisation des
normes sociales, est poussée jusqu'à ses plus extrêmes
conséquences par Freud ; son œuvre est l'attaque la plus
systématique qui ait été menée contre l'idéologie de la
modernité. A l'unité de l'acteur et du système, de la rationalité du monde technique et de la moralité personnelle, il
substitue la rupture entre l'individu et le social. D'un côté
le plaisir, de l'autre la loi, mondes si complètement opposés l'un à l'autre qu'il est impossible de les penser ensemble. De sorte que l'affirmation centrale de Freud a pu être
interprétée de manières opposées : pour les uns, Freud est
un pessimiste qui estime indispensable la soumission des
pulsions individuelles aux règles et aux contraintes de la
vie sociale ; pour d'autres, il est celui qui a révélé, et donc
libéré, la sexualité. Il est impossible de s'en tenir à pareille
dualité qui correspond au point de départ et non au point
d'arrivée de la réflexion de Freud ; mais reconnaissons
qu'elle n'est jamais abolie et que la pensée de Freud est
incompatible avec tout effort de moralisation et de socialisation. Radicalité d'une force explosive. Freud proclame sa
lutte contre la conscience et le Moi : « La psychanalyse se
refuse à considérer la conscience comme formant l'essence
même de la vie psychique, mais voit dans la conscience
une simple qualité de celle-ci pouvant coexister avec d'autres qualités ou faire défaut » (*Le Moi et le Ça*). Renversement analogue à celui de Nietzsche. Au lieu de partir de la
conscience, il faut partir de l'inconscient, non pas au sens
second donné à ce mot, de contenu psychique refoulé,
mais au sens premier d'activité psychique profonde dont
la conscience n'est que l'enveloppe, au contact de la réalité
qu'elle perçoit. Cette activité psychique relève d'une analyse biologique et même physique. L'être humain est habité
par des instincts qui créent des besoins, c'est-à-dire des
tensions, que l'organisme cherche à satisfaire pour revenir

à un état d'équilibre. Le plaisir est la satisfaction du désir, le relâchement de la tension qu'il crée. Poussée à l'extrême, cette vue signifie que l'organisme tend à la réduction des tensions, donc à l'inertie. Ce que Freud exprime le plus clairement dans *Au-delà du principe de plaisir* : « Un instinct ne serait que l'expression d'une tendance inhérente à tout organisme vivant et qui le pousse à reproduire, à rétablir un état antérieur auquel il avait été obligé de renoncer sous l'influence de forces perturbatrices extérieures ; l'expression d'une sorte d'élasticité organique ou, si l'on préfère, de l'inertie de la vie organique. » Et, un peu plus loin, il ajoute de manière plus radicale encore : « Si nous admettons, comme un fait expérimental ne souffrant aucune exception, que tout ce qui vit retourne à l'état inorganique, meurt pour des raisons internes, nous pouvons dire : *la fin vers laquelle tend toute vie est la mort*, et inversement : *le non-vivant est antérieur au vivant*. » Peu avant, dans le même texte, Freud avait tiré la conséquence principale de ses affirmations : « Si donc les instincts organiques sont des facteurs de conservation historiquement acquis, et s'ils tendent vers la régression, vers la reproduction d'états antérieurs, il ne nous reste qu'à attribuer l'évolution organique comme telle, c'est-à-dire l'évolution progressive, à l'action de facteurs extérieurs perturbateurs et détournant l'organisme de sa tendance à la stagnation. » Ces textes sont au plus loin des représentations, comme celles de Fromm, qui font de la sexualité le milieu naturel de la sociabilité, du désir d'autrui, et donc du pansexualisme qui s'est répandu dans la culture contemporaine. La pensée de Freud n'a pas cessé de se radicaliser, surtout après l'expérience dramatique de la guerre mondiale et de ses destructions, jusqu'à accorder une importance extrême à l'agressivité et à l'instinct de mort. Sa pensée rejoint ici celle de Hobbes. L'état naturel est celui de la guerre de tous contre tous, et l'organisation de la vie sociale, loin de s'appuyer sur les tendances naturelles de l'homme, doit être en rupture avec elles. Le domaine de la loi s'oppose à celui des instincts, le principe de réalité au principe de plaisir. Récemment, Marie Moscovici, dans *L'Ombre de l'objet*, a accentué cette orientation de la pensée freudienne en soulignant le rôle de la haine et de l'agressivité dans la pensée de Freud comme dans celle de Winnicott. La manière dont

Freud explique la formation de la règle sociale ne repose-t-elle pas, dans *Totem et Tabou*, sur le meurtre du père et l'établissement par les frères meurtriers de la loi qui doit arrêter la violence ? Les analyses freudiennes des instincts et de la recherche du plaisir écartent complètement la subjectivité, l'intentionnalité des conduites, comme l'illustre l'importance de l'hypnose dans la formation de cette pensée.

Face au plaisir la loi, aussi extérieurs à la conscience l'un que l'autre. Le Moi n'est presque rien entre la loi, qui est avant tout répressive, et le Ça. L'adaptation au monde social ne s'opère que par la répression. C'est la peur de la castration qui détourne l'enfant de la mère et l'oriente vers la réalité. Ce que la loi inculque aux membres de la société, c'est leur subordination aux intérêts de celle-ci. La socialisation, l'intériorisation des normes, que les sociologues fonctionnalistes décrivent comme une acquisition, apparaissent ici comme refoulement, qui n'est jamais stabilisé.

Cette première image de la pensée freudienne, qui devra être critiquée, a pourtant le mérite d'y débusquer une interprétation, en termes de vie psychique, de la nature de la société capitaliste, qui n'est pas seulement une société de l'acquisition *(acquisitive society)* mais surtout le lieu de la rupture, si bien décrite par Polanyi, entre l'économie et les croyances culturelles ou les formes d'organisation sociale.

Cette image de la société capitaliste qui correspond à l'expérience principale qu'elle a eue d'elle-même, qui s'est traduite dans ses normes sociales et ce qu'on appelle ses valeurs, repose en effet sur la séparation complète entre, d'une part, l'intérêt individuel et le marché défini comme non social, comme champ de bataille et lutte à mort, et, de l'autre, la loi ou, plus précisément, la discipline par laquelle sont imposées à l'être de désir des contraintes qui en font un être social. Le monde capitaliste ne sacrifie ni la violence de l'argent ni la rigueur de l'ordre social ; il sait que les deux sont indispensables à son fonctionnement, ce qui suppose à la fois qu'on libère l'instinct d'acquisition et qu'on impose des règles strictes aussi bien dans le travail productif que dans l'éducation. Cette opposition du plaisir et de la loi explique que la société capitaliste soit construite sur deux oppositions : d'une part, entre les bourgeois conduits par le désir d'acquisition et les ouvriers soumis à la discipline, d'autre part entre l'activité économique, donc publique, dominée par la concurrence ou l'argent, et la vie privée où s'impose la subordination aux lois, règles et conventions. Ce qui donne à cette société capitaliste son caractère très particulier : c'est dans la vie publique que se libèrent les instincts ; c'est dans la vie privée que se fait sentir le poids de la loi. Ce qui a pu faire croire à des esprits superficiels que les individus, dans cette société, étaient parfaitement socialisés et contrôlés. La libération des instincts que d'autres sociétés acceptent dans la vie privée se réalise ici dans la vie publique, dans la vie économique, sur le marché, lieu de violence, d'agressivité et de mort. Tel est d'ailleurs le thème principal de beaucoup de romans du XIXe siècle, et d'abord de l'œuvre de Balzac.

On peut tirer de l'analyse freudienne des perspectives de renversement et même de dépassement de la séparation entre plaisir et réalité. La définition du communisme : à chacun selon ses besoins, n'est-elle pas un rêve de naturalisation de la société ? De manière plus réaliste, l'action du mouvement ouvrier et les réformes sociales ont fortement atténué la séparation de l'économie et de la société qui définissait la société capitaliste pure. Mais ce n'est pas Freud lui-même qui a développé de telles idées, car il était très éloigné de la conscience et de l'action révolutionnaires, du fait même que sa démarche excluait de définir les conduites humaines en termes d'action et d'intention. Mais il est temps de rappeler que cette rupture complète entre plaisir et réalité, entre les instincts individuels et l'ordre social, si elle a une valeur critique dont Freud ne s'est jamais éloigné, ne laisserait aucun espace à la plupart de ses analyses si on l'acceptait sous cette forme simple. En particulier, elle éliminerait le thème de la libido d'un côté, ceux de la culpabilité et de la sublimation, de l'autre.

Car ce qui distingue la *libido* des autres instincts, c'est qu'elle est désir d'un objet et non désir de sa propre satisfaction. Les lignes qui ont été citées plus haut obligent à opposer instinct de vie et instinct de mort, relation à l'objet et destruction de l'objet, attachement à l'objet du désir que traduit le mot amour dans son sens le plus courant et répétition d'un désir qui ne s'attache qu'à lui-même. Complémentairement, la loi ne reste pas extérieure à l'individu, elle entre en lui, le gouverne partiellement et installe en même temps en lui la culpabilité qui naît de la résistance du désir à la loi.

Enfin, et cette interrogation conduit aux problèmes les plus difficiles, le Surmoi peut-il n'être que répressif ? N'est-il pas en même temps capable d'accueillir les demandes du Ça et de leur donner un sens sublimé, opération par laquelle le Surmoi devient le créateur, non du Moi, mais du Sujet ? En résumé, la séparation des instances de la vie psychique — inconscient, préconscient et conscient, pour prendre les termes de la première topique freudienne — ne doit-elle pas laisser la place à une relation plus dynamique entre des instances redéfinies comme le Ça, le Surmoi et le Moi ? L'histoire de l'individu n'est pas seulement ni même centralement celle du conflit grandissant entre le plaisir et la loi, et de la soumission finale du premier à la seconde ; elle est dépassement de la fusion originelle avec la mère et du rejet du père qu'elle entraîne, et passage, au-delà du conflit œdipien, à l'identification au père. Celui-ci n'est pas seulement une figure répressive qui menace de castrer l'enfant qui désire la mère. *Le Moi et le Ça* est ici explicite : « Le Moi idéal représente ainsi l'héritage du complexe d'Œdipe et par conséquent l'expression des tendances les plus puissantes des destinées libidinales les plus importantes du *Ça*. Par son intermédiaire, le Moi s'est rendu maître du *complexe d'Œdipe* et s'est soumis en même temps au *Ça*. Alors que le *Moi* représente essentiellement le monde extérieur, la réalité, le *Surmoi* s'oppose à lui en tant que chargé des pouvoirs du monde intérieur, du Ça. » Nous voici passés de l'affrontement entre le Ça et le Surmoi, pour employer des expressions qui n'apparaissent qu'alors, à l'alliance du Ça et du Surmoi contre le Moi, toujours considéré comme un ensemble d'identifications sociales. Cette alliance est la *sublimation* par laquelle « ce qui fait partie des couches les plus profondes de la vie psychique individuelle devient, grâce à la formation du *Moi* idéal, ce qu'il y a de plus élevé dans l'âme humaine ». La religion, la morale et le sentiment social, pour reprendre l'expression de Freud lui-même, sont les produits de cette sublimation.

Est-il excessif de dire que la pensée de Freud, guidée au

départ par la volonté de détruire l'image dominante du Moi et de la conscience, aboutit, sans renoncer en rien à ce travail critique, à remplacer le Moi par le Je ? Ne peut-on pas comprendre la formule célèbre : « Là où était le Ça, le Je peut advenir », comme la complémentarité des deux opérations de subordination du Moi au Ça, puis de transformation d'une partie du Ça en un Surmoi qui n'est désormais plus la loi extérieure à l'individu, mais un Sujet, qui n'est plus le représentant intériorisé de la loi, mais bien un instrument de libération des contraintes sociales ? L'essentiel de ce qu'on appelle la seconde topique réside dans l'absence de séparation entre le Ça et le Surmoi. La césure qui existait entre le refoulant et le refoulé est remplacée par le passage d'une partie du grand réservoir de libido qu'est le Ça dans le Surmoi. Le Ça se différencie et se transforme en Surmoi et en Moi, au nouveau sens de ce mot, c'est-à-dire en Je. Plus précisément, si on suit les indications données dans *Pour introduire le narcissisme*, publié en 1914, donc antérieur à *Au-delà du principe de plaisir* et à *Le Moi et le Ça*, la libido, d'abord investie sur le Moi dans le narcissisme primaire, est projetée ensuite sur des objets extérieurs, mais sans cesser de s'investir dans le Moi, se comportant envers les investissements d'objets, écrit Freud, « comme le corps d'un animalcule protoplasmique envers les pseudopodes qu'il a émis ». Au narcissisme primaire se substitue alors un narcissisme secondaire qui n'est plus dirigé vers le Moi, mais vers le Surmoi. « Il ne serait pas étonnant que nous trouvions une instance psychique particulière qui accomplisse la tâche de veiller à ce que soit assurée la satisfaction narcissique provenant de l'idéal du Moi et qui, dans cette intention, observe sans cesse le Moi actuel et le mesure à l'idéal. » Sublimation et narcissisme secondaire expliquent la formation de la conscience morale, ce qui met fin à la séparation première de l'instinct du Moi et de la libido d'objet. Les pulsions d'autoconservation sont aussi de nature libidinale, dit Freud dans *Sigmund Freud présenté par lui-même (Selbstdarstellung)* en 1925. Alors que les identifications soumettent l'individu à la société, le narcissisme est un retour vers lui-même, chargé de libido, sans signification pathologique, mais au contraire comme recentration sur soi, au-delà de la sexualité. Laplanche et Pontalis formulent clairement cette analyse de Freud : « La transformation d'une activité sexuelle en une activité sublimée... nécessiterait un temps intermédiaire, le retrait de la libido sur le Moi, qui rend possible la désexualisation. »

Ce retour sur soi prend une importance particulière dans la société de masse où chaque membre d'une foule tend à s'identifier aux leaders qui exercent sur lui une influence hypnotisante. C'est le Surmoi qui donne à l'individu, par la sublimation et la libido qu'il lui apporte, la capacité de résister à cette séduction et à cette manipulation. Il serait très excessif de privilégier ces aspects de la pensée de Freud, bien qu'ils correspondent à un ensemble d'écrits où la métapsychologie de l'auteur se trouve le plus clairement présentée, mais tout autant de limiter Freud à un pessimisme total reposant sur l'absolue contradiction du plaisir et de la loi sociale. Ce qui est refoulé joue aussi un rôle positif en étant sublimé, moyennant, dit Freud dans sa *Métapsychologie*, une certaine séparation de la représentation et du « quantum d'affect » qui cherche de nouvelles représentations pour pénétrer dans le conscient. La conscience morale ne se forme qu'en relation avec la répression et l'angoisse, mais elle ne s'y réduit pas. Car Freud est aussi éloigné de la morale hédoniste qui se répand au XXe siècle que de la vieille morale de la culpabilité. Il explore les voies par lesquelles l'individu peut à la fois échapper à la perte de soi dans l'objet du désir et à l'angoisse. S'il accorde tant d'importance à l'instinct de mort, à Thanatos, dans la seconde partie de sa vie, c'est pour opposer aux pulsions du Moi, à la recherche du plaisir — qui ne peut conduire, comme dit Marcuse, qu'au nirvana, à la mort —, le rôle créateur d'Éros qui est ce qui unit, dans la mesure où sa fonction première est la reproduction sexuelle, et qui se sublime dans ce que Freud appelle lui-même l'amour. Mais Éros peut conduire lui aussi à la perte du Moi, dissous dans ses identifications. Seul le retour sur soi, le narcissisme secondaire en particulier, permet d'éviter ces deux écueils opposés, l'enfermement en soi et la perte de soi dans l'objet, et autorise ainsi la construction d'une personnalité qui n'est plus cette mince pellicule du Ça au contact du monde extérieur à laquelle Freud réduisait le Moi.

L'opposition absolue du plaisir et de la loi peut conduire

à une conception autoritaire et très masculinisée de la formation de la personnalité. Il est tentant d'affirmer que la fille, qui rompt moins complètement la relation avec la mère pour s'identifier à un modèle de son sexe, reste dans l'ordre de l'imaginaire, pour prendre le vocabulaire de Lacan, et pénètre plus difficilement dans l'ordre du symbolique, c'est-à-dire dans la culture. Si, au contraire, on insiste sur la continuité du Ça au Surmoi, sur l'envahissement de l'idéal du Moi par la libido, il n'y a plus, entre l'imaginaire et le symbolique, la même séparation complète, ce qui conduit à une certaine féminisation de la théorie de la personnalité. Celle-ci se forme par ce que les pragmatistes appellent une conversation intérieure — entre le Je et le Moi, dit Mead —, donc une séparation entre le Je de l'énonciation et le Je de l'énoncé, dit Lacan. Mais il faut donner autant d'importance à la communication entre ces deux Sujets qu'à leur séparation. Cette vue, qui est si présente dans la seconde partie de l'œuvre de Freud, surtout avant l'extrême pessimisme des derniers textes, nous sépare de la vision imposée par un certain rationalisme qui identifie le Sujet à la raison et à son triomphe sur les passions — conception qui n'était déjà pas celle de Descartes, comme le rappelle Lacan pour qui, chez le philosophe, le Je du « Je pense » ne coïncidait pas, dans le *Cogito*, avec le Je de son « Je suis ». La formation du Sujet n'est pas seulement un éloignement de l'individu et une identification au groupe et aux catégories de l'action rationnelle ; elle est liée à un désir de soi en même temps qu'à un désir de l'autre.

Ce que nous avons appris de Freud, c'est la méfiance à l'égard de la « vie intérieure » remplie d'identifications aliénantes et de modèles sociaux inculqués, qui nous oblige à chercher le Je hors du Moi, dans le refus de la correspondance entre l'individu et la société, à lier sa défense à la révolte contre l'ordre établi.

La pensée de Freud est proche de celle de Nietzsche, mais davantage encore opposée à elle. La proximité est soulignée par Freud lui-même à plusieurs reprises, par exemple dans la *Selbstdarstellung*. L'un et l'autre combattent les thèmes dominants de la socialisation et de la moralisation en renversant le rôle central donné à la conscience et en le remplaçant par une analyse qui part du Ça, de la vie qui est désir, sexualité. Mais, à partir de là, leurs voies se séparent. Freud le dit directement dans *Au-delà du principe de plaisir* : il ne croit pas à une tendance générale des êtres humains à devenir des surhommes et, par conséquent, il est beaucoup plus pessimiste que Nietzsche sur la possibilité de renverser les valeurs, car la culture humaine est avant tout répression des instincts. Mais, dans *Psychologie collective et analyse du Moi*, il ajoute que le surhomme nietzschéen était un meneur d'hommes « sans attache libidinale, n'aimant que lui-même, n'estimant les autres que pour autant qu'ils serviraient à la satisfaction de ses besoins ». Alors que Nietzsche cherche à échapper aux pressions de la société par un retour à l'Être, parce qu'il n'accepte pas que le Grand Pan soit mort, Freud cherche la construction de la personne à partir du rapport à l'autre et de relations entre le désir de l'objet et le rapport à soi. Ce qui lui permet d'explorer la transformation du Ça, force impersonnelle, extérieure à la conscience, en force de construction du Sujet personnel à travers la relation à des êtres humains.

La critique de la modernité marquée par ces deux penseurs est tournée, l'une, celle de Nietzsche, vers le refus de la modernité, l'autre, celle de Freud, vers la recherche de la liberté de l'individu, opposition qui ne doit pas cacher leur commun pessimisme et leur rejet des illusions modernistes, surtout de la dangereuse prétention à identifier la liberté personnelle à l'intégration sociale. Nietzsche fait revivre le monde antérieur au christianisme ; Freud donne naissance au sujet personnel dans un monde sécularisé où il risque d'être écrasé par la culpabilité ou par des identifications sociales et politiques aliénantes. Reconnaissons que ces deux influences se conjuguent souvent et conduisent nombre d'intellectuels à un rejet global de la société réduite à un réseau de règles et de contraintes, au nom du désir, mot qu'ils préfèrent pour des raisons historiques à celui de volonté de puissance. Cet antimodernisme radical, étranger à tout choix politique et social, qui peut donc conduire aux choix les plus divers, sera, au XXᵉ siècle, la nouvelle forme d'opposition de l'« artiste » au monde bourgeois. Mais la pensée de Freud peut également être poursuivie dans une direction différente. Son antimodernisme le conduit à chercher ce qui résiste au contrôle social dans le langage de l'inconscient. Il est aussi proche des religions en général qu'il est éloigné du christianisme. Ce qui nourrira en particulier la pensée surréaliste, dont la critique radicale de la société bourgeoise sera elle aussi associée à la libération de l'inconscient par le dérèglement des sens et par des techniques comme l'écriture automatique.

Mais on ne peut oublier ce qui sépare la sexualité, libido d'objet, des instincts du Moi : la sexualité est relation, en ce qu'elle est avant tout instinct de reproduction, et donc recherche de la rencontre entre deux êtres de sexe opposé. Surtout, il faut rappeler que cette libido pénètre un Surmoi qui n'est donc pas seulement répressif, qui est bien un idéal du Moi. Ainsi se dessine une conception de l'action sociale comme condition d'une conscience de soi qui ne soit pas névrotique, narcissique. Pourquoi faudrait-il choisir entre ces deux lignes de réflexion qui sortent l'une et l'autre de la pensée freudienne ? N'est-il pas préférable de souligner leur complémentarité, qui n'exclut pas les tensions qui les opposent l'une à l'autre ? Le versant critique de la pensée freudienne est celui de la destruction du Moi, de la conscience du caractère répressif, inévitable et inacceptable de l'ordre social. Son versant éducateur est au contraire celui qui souligne la possibilité de réinvestissement par le Sujet des situations interpersonnelles ou sociales dans lesquelles il est placé. Cette opposition des deux versants de la pensée freudienne paraît plus proche de la réalité que le contraste extrême qu'on a parfois voulu établir entre une pure analyse du symbolisme de l'inconscient et la pensée « révisionniste », qui serait surtout thérapeutique et viserait à adapter l'individu à la société — idée qui ne peut en aucun cas être attribuée à Freud, mais pas davantage à l'auteur de *La Peur de la liberté*, Erich Fromm, analyste du fascisme, ou à Karen Horney.

Freud a exercé une influence beaucoup plus large que Nietzsche. Tandis que celui-ci n'offrait d'autre voie, pour sortir du modernisme, que l'art et sa nostalgie du Tout, du monde disparu où « là, tout n'est qu'ordre et beauté/luxe, calme et volupté », selon les mots de l'*Invitation au voyage*, la pensée de Freud, en même temps qu'elle pousse à l'extrême la déconstruction du Moi, explore aussi les voies par lesquelles devra passer toute pensée du Sujet.

Herbert Marcuse a suivi de manière systématique ces

voies en comprenant que l'idée de Sujet ne peut être réin-
troduite qu'à travers une critique proprement sociale,
notion introduite par le courant de pensée né de la rencontre de la pensée freudienne et du mouvement révolutionnaire dans les années vingt et trente. Au premier
abord, Marcuse semble pousser plus loin encore le pessimisme de Freud en opposant aux contraintes de la vie
sociale le libre épanouissement d'une sexualité prégénitale.
Mais ce thème a tôt fait de se transformer, car un tel épanouissement serait impossible s'il ne trouvait pas quelque
appui dans l'expérience sociale. Là est l'essentiel de la pensée de Marcuse. Ce que Freud conçoit comme la réalité
sociale se divise pour lui en deux réalités opposées : d'un
côté, l'activité, le travail non seulement n'est pas uniquement peine et contrainte et peut être aussi relation, mais
surtout peut avoir un contenu libidinal, relationnel, de
plus en plus réel à mesure qu'on quitte la société proto-
industrielle pour entrer dans des activités tertiaires où la
communication remplace la fabrication ; de l'autre, la
domination proprement sociale qui s'exerce dans le travail,
en particulier dans l'industrie taylorisée. Et cette contradiction entre deux aspects de l'activité sociale ne cesse de
croître au point que, pour Marcuse, les aspects négatifs du
travail de la société industrielle avancée tiennent de plus
en plus à la domination sociale et de moins en moins à
des contraintes professionnelles. La condamnation « gauchiste » d'une domination de classe qui détruit le désir de
relations affectives a donc pour contrepartie une confiance
très grande dans la modernité, celle dont feront preuve la
Flower Generation et les jeunes rassemblés à Woodstock.
Marcuse rejoint ici le thème dont j'ai souligné l'importance
dans la pensée de Freud, celui de la pénétration du Ça dans
le Surmoi, et, plus directement encore, il partage la pensée
de Roheim qui écrivait : « Dans la sublimation, le terrain
n'est pas conquis sur le Ça par le Surmoi, mais, au
contraire, ce qui se passe est que le Surmoi est inondé par
le Ça » *(in* article « Sublimation » du *Year Book of Psychoanalysis*, 1945). La libido s'élève de la sexualité à la civilisation car elle est avant tout lien social.

Ce qui concerne le plus directement notre analyse, c'est
que Marcuse, après Roheim, comprend que la libido ne
se sublime qu'en devenant un phénomène social, ce qui

s'éloigne beaucoup de l'opposition brutale entre plaisir et réalité. Seule la relation à l'autre permet d'échapper à l'autodestruction qui menace toujours la libido et qui est si fortement présente dans la société de consommation. Marcuse s'écarte de la condamnation absolue de la technique qui marque si fortement l'École de Francfort et se place dans une perspective marxiste, en associant force productive et libido et en les opposant aux rapports capitalistes de production, qui sont aussi répressifs affectivement qu'économiquement injustes. Le rejet global de la société moderne réduite au triomphe de la rationalité instrumentale renvoie à la nostalgie de l'Être et à un modèle préindustriel de société souvent identifié à la Cité grecque. Au contraire, le marxisme est chargé de confiance dans la modernité et concentre ses critiques sur son mode de gestion sociale, non sur son instrumentalisme.

Ce qui rapproche Freud de Marx et qui donnera naissance, après la Première Guerre mondiale, à d'importants courants de pensée qui combineront l'inspiration de ces deux grandes œuvres, c'est le refus du discours de l'ordre et des mécanismes d'identification aux dirigeants. A ce niveau, Freud comme Marx sont fidèles à l'inspiration centrale des sciences sociales : la méfiance envers les catégories de la pratique et de l'empirisme. Les catégories les plus quotidiennes, celles qui sont le plus fortement investies par des normes, ne sont pas les plus objectives mais, au contraire, celles qui transmettent le plus directement des rapports de domination. Le point de départ de la science sociale sera toujours la méfiance envers le « social », la distance prise à l'égard de tout ce qui réduit le fonctionnement de la société à des opérations technico-administratives. Pas plus qu'aucune autre, la société industrielle moderne n'est gouvernée par la seule raison instrumentale. Marx rappelle ici le rôle du profit, et Freud l'accumulation du pouvoir des dirigeants qui suscitent l'identification des membres de la foule. A ces ruses de la domination sociale, Marx oppose encore, en historiciste, la logique naturelle des forces productives, et Freud, qui est à la fois plus traditionnel et plus moderne, la force de la raison, mais aussi des principes de morale universelle, comme celui de Jésus : aimez-vous les uns les autres, qui introduit l'idée de Sujet. A la fin de *Psychologie collective et analyse du Moi*,

Freud oppose l'armée et l'Église. Dans la première, le soldat s'identifie au chef et, à travers lui, à l'organisation et à la société qu'elle définit. A l'opposé, dit Freud, le chrétien ne s'identifie pas au Christ pour s'absorber en lui ; il cherche au contraire à l'imiter, c'est-à-dire à se soumettre comme lui à la loi morale universelle de la charité. A l'identification au groupe s'oppose l'imitation de la personnalité charismatique, qui n'est que le porteur d'une valeur. Ainsi Freud, comme Marx et comme Nietzsche, appelle à la désocialisation et, par là, rompt avec la tradition née de Rousseau et de la Révolution, et qui sera répandue par les nationalismes qui se généralisent au XIXe et surtout au XXe siècle. Cette désocialisation, fondement de toute pensée critique, peut renvoyer à l'Être à travers l'art ; elle peut retrouver la tradition rationaliste des Lumières, mais aussi le dualisme chrétien et cartésien ; elle peut aussi trouver dans l'individu lui-même la principale force de résistance aux dominations sociales, et son individualisme peut prendre soit la défense des besoins particuliers et de la liberté d'initiative d'un individu, soit l'affirmation du droit de chaque individu à se construire soi-même, à travers sa résistance aux logiques de domination, comme un Sujet personnel.

Les débats de la pensée sociale depuis un siècle opposent ces réponses les unes aux autres, toutes ont en commun de rejeter l'identification de l'acteur et du système. Mais seule des trois pensées qui dominent notre siècle, celle de Freud — ou du moins une partie d'elle — nous met sur la voie du Sujet, alors que Marx souhaite le triomphe de la nature et Nietzsche celui de Dionysos.

La sociologie fin de siècle

Face aux attaques dévastatrices de Nietzsche et de Freud contre l'image rationaliste de l'homme, la sociologie apparaît comme une défense de la modernité et de la rationalisation. Mais cette image n'est-elle pas fausse ? En réalité, la sociologie appartient à la pensée fin de siècle, qui doute de l'esprit des Lumières et redécouvre, avec Nietzsche et Freud, la force de la volonté et des désirs illimités face à la raison opératoire. Ce n'est pas un paradoxe de dire que

le philosophe auquel se réfère le plus directement la sociologie naissante est Schopenhauer. C'est vrai surtout de
Durkheim, que ses étudiants avaient même surnommé
« Schopen ». Son combat contre la conception utilitariste
du contrat s'appuie sur l'idée que l'homme est double —
homo duplex —, ou plus précisément qu'au monde des
représentations, qui est celui de la société, s'oppose celui
de la volonté et du désir. L'opposition qu'il établit entre le
monde des représentations et celui de la volonté ne vient-
elle pas directement de Schopenhauer ? Et sa conception
de l'anomie n'est-elle pas celle d'un conflit entre les limitations imposées par les règles sociales et le désir sans limite
qui est en l'homme ? Durkheim, dans *L'Éducation morale*
(publiée en 1925) en particulier, est proche de Freud et
pense comme lui que la société moderne impose des
contraintes de plus en plus difficiles à surmonter à
l'homme de désir ; mais, comme Freud aussi, il maintient
que c'est la société qui impose les règles morales par lesquelles la raison triomphe du désir. Ce en quoi il s'oppose
à Tönnies, près de penser que l'artificialité de la société ne
doit pas l'emporter sur la force naturelle de la communauté. Le rationalisme de Durkheim n'est pas un sociologisme élémentaire. Comme Schopenhauer lui-même, et
avant lui comme Hobbes, Durkheim pense que l'individu
est égoïsme et violence et que seuls un contrat et l'idée de
justice peuvent construire des barrières suffisantes contre
les forces de destruction. C'est pourquoi il définit, contre
les utilitaristes, un État fort, capable d'établir et de faire
respecter les compromis nécessaires entre l'intérêt de la
société et les désirs individuels.

La sociologie naissante rompt avec l'esprit des Lumières.
Même Weber, qui se rattache certes à Kant, mais qui
insiste sur le caractère non rationnel des valeurs des calvinistes et fait du prophète la figure centrale de la vie sociale
et politique. Et Simmel, qui écrit en 1907 un texte sur
Schopenhauer et Nietzsche, donne plus fortement encore
un rôle central à la volonté de vie comme source première
à la fois de la moralité et de l'immoralité.

C'est pourquoi la sociologie n'est pas étrangère à la
conscience fin de siècle du déclin de l'Occident, c'est-à-dire
à la crise du rationalisme des Lumières qui se développe
surtout en Allemagne.

Le triomphe du capitalisme impose la rupture de l'image rationaliste de l'homme, tant il est évident, pour les sociologues comme pour les historiens de l'économie, que la volonté de profit et de puissance, la guerre sur le marché et les contraintes imposées aux travailleurs dans l'entreprise ne se laissent pas réduire à l'image adoucie de la rationalisation.

La sociologie est un mouvement intellectuel trop fort et trop divers pour être réduite à une telle image. Elle saisit la force du désir d'enrichissement comme l'étendue des destructions que subit la société ; elle en appelle quelquefois à la résistance des travailleurs, plus souvent à l'intervention de l'État. Dans tous les cas, elle combat l'utilitarisme, comme Durkheim combattit Spencer, et s'inscrit donc dans le mouvement général de destruction de la conception rationaliste de l'homme lancé par Nietzsche et Freud. Ce en quoi elle est très éloignée de la vulgate fonctionnaliste qui triomphera au milieu du XXe siècle, et à qui fera défaut la force dramatique des œuvres de Weber ou de Durkheim, l'une et l'autre dominées par l'image de la rupture et du conflit entre des forces opposées, la rationalité sociale d'un côté, la conviction ou le désir personnel de l'autre. Il est vrai que, comme Freud lui-même, les sociologues restent convaincus que l'ordre social repose sur le triomphe de la raison et sur la subordination du désir à la règle, ce qui les place dans le prolongement des penseurs politiques des XVIIe et XVIIIe siècles. Mais plus importante encore est leur rupture avec les idéologies du progrès. La sociologie est née pessimiste et les œuvres sociologiques de Freud, dans la seconde moitié de sa vie, appartiennent à ce courant. Elles ont conscience de l'incompatibilité entre le désir et la raison et de l'identité entre raison et règles sociales. Si l'homme est double, il faut abandonner l'idée que l'institution et les motivations puissent se correspondre. Peu importe que cette lutte entre l'individu et la civilisation semble souvent posée en des termes qui évoquent surtout la première industrialisation de l'Occident, celle de la prolétarisation massive, plutôt que la société de consommation qui ne naîtra aux États-Unis qu'après la Première Guerre mondiale et en Europe après la Seconde. L'enrichissement et la diversification des consommations ne feront qu'éloigner la société moderne de l'optimisme de ses débuts. Comme le rappelle Durkheim, plus avance la modernité et plus s'éloigne le bonheur, plus augmentent l'insatisfaction et les frustrations.

Les deux critiques de la modernité

Si la pensée moderniste, aussi bien dans sa version libérale que dans sa version marxiste, repose sur la correspondance affirmée entre la libération de l'individu et le progrès historique, ce qui se traduit par le rêve de créer un homme nouveau dans une société nouvelle, Nietzsche et Freud ont brisé l'idée de modernité. Est-il excessif de reconnaître que cette destruction du modernisme a été définitive, qu'elle reste aussi complète aujourd'hui qu'à la fin du XIXᵉ siècle, et qu'en particulier la grande période de croissance de l'après-Seconde Guerre mondiale n'a pas entraîné de résurgence des philosophies du progrès ? L'influence du parti communiste, en particulier en France, explique le maintien d'un « progressisme » très idéologique, mais n'a pas été assez forte pour susciter des expressions originales de confiance en l'avenir. Au contraire, elle s'est exercée dans un sens opposé, celui de la dénonciation de la crise générale du capitalisme et de la paupérisation relative et même absolue, ce qui annihilait la pensée socialiste pour qui la confiance dans la classe ouvrière révolutionnaire ne pouvait être séparée de la croyance dans le mouvement naturel de l'économie vers une plus forte « socialisation » de la production.

A partir de Nietzsche et de Freud, l'individu cesse d'être conçu seulement comme un travailleur, un consommateur ou même un citoyen, d'être uniquement un être social ; il devient un être de désir, habité par des forces impersonnelles et des langages, mais aussi un être individuel, privé. Ce qui oblige à redéfinir le Sujet. Il était le lien qui attachait l'individu à un universel : Dieu, la raison, l'Histoire ; or Dieu est mort, la raison est devenue instrumentale et l'Histoire est dominée par les États absolus.

Comment, dans cette situation, l'individu peut-il échapper aux lois de son intérêt qui sont aussi celles de l'utilité sociale ? La plupart des penseurs recourent à l'idée que l'être humain doit retrouver sa nature profonde, réprimée ou pervertie par le renforcement des contrôles sociaux, grâce surtout à l'art : il faut faire de la vie une œuvre d'art, retrouver par la beauté les correspondances qui unissent l'homme au monde. Freud est plus attiré par les mythes fondateurs des sociétés anciennes, mais leur connaissance est aussi une expérience esthétique, puisque les objets religieux de ces cultures anciennes sont aussi ceux qu'ils nous ont légués comme œuvres d'art. Retour à l'Être, au Tout, qui attire la plupart des critiques philosophiques de la modernité et s'éloigne de plus en plus complètement d'une critique sociale qui doit elle-même s'appuyer sur une nouvelle conception du sujet, défini comme désir de liberté, volonté d'être un acteur social autonome.

Mais si ces deux critiques de la modernité s'opposent l'une à l'autre, Nietzsche et Freud, en détruisant le mythe de la modernité, font réapparaître un dualisme qui avait été si longtemps détruit par l'esprit des Lumières et la philosophie du progrès. Même si leur ennemi principal est le christianisme et sa définition du Sujet comme l'âme de l'homme créé par Dieu à son image, ils opposent l'Être à l'action. Ils cherchent ce qui est fondamental, naturel, biologique, et en appellent à lui contre le social considéré comme l'expression achevée de ce que Nietzsche nomme le nihilisme, qui prive l'homme de toute sa créativité pour la projeter hors de lui-même dans la société, qui est le dieu de la modernité. Ce qui oppose une société utilitaire à un individu porté par la force vitale de l'Éros. Nietzsche et Freud sont proches dans leurs critiques de la société moderne, mais, alors que Nietzsche rejette absolument l'idée de Sujet et le mouvement de subjectivation introduit par le christianisme, Freud ne sépare pas la destruction de la conscience et du Moi de la recherche d'un Je qui associe en lui la libido et la loi en rejetant à la fois le désir autodestructeur et l'autorité du chef. C'est pourquoi ce livre restera constamment éloigné de Nietzsche, alors qu'il restera dans l'ombre de Freud.

La destruction du Moi, dans une société moderne où le mouvement et l'indétermination ont remplacé l'ordre et le « devoir d'État », marque, plus que toute autre transformation, la fin de la modernité classique. Celle-ci nous est longtemps apparue comme l'opposé de la société tradition-

nelle, puisqu'elle proclamait que l'individu, au lieu d'occuper la place particulière qui est la sienne, doit s'identifier
à la raison universelle et que l'éducation doit élever l'enfant vers des valeurs impersonnelles, celles de la connaissance et de l'art. Mais, depuis Nietzsche et Freud, qu'on
peut considérer pour cette raison comme les fondateurs du
post-modernisme, cette modernité classique nous apparaît
plus proche de la société religieuse traditionnelle que de la
modernité telle qu'elle est vécue au xxe siècle. Le règne de
la raison est encore celui d'un universel, tandis que Tocqueville était fondé à annoncer que, dans la société
moderne, tout se ramenait à la vie privée. Le triomphe de
l'individualisme, contrepartie de la destruction du Moi,
définit une nouvelle modernité, nous impose de réviser les
analyses que nous avions reçues de la philosophie des
Lumières et du Progrès. Analyses est d'ailleurs trop peu
dire, car, en cette fin du xixe siècle, plusieurs grandes attitudes culturelles se séparent et leur opposition ouvre un
champ illimité à la critique culturelle *(Kulturkritik)*.

La réaction la plus forte, celle qui domine surtout la
culture viennoise, est la crise de l'identité personnelle. Jacques Le Rider, après Karl Schorske et d'autres, vient de
rappeler les traits dominants de cette crise qui fut avant
tout celle de l'identité masculine et celle de l'identité juive.
A la place de l'identité détruite s'ouvre un monde désinté-
gré et changeant d'identifications. Pour certains, comme
un peu plus tard Robert Musil, cette indétermination du
Moi a des aspects positifs en même temps que des effets
angoissants, mais, pour tous, l'homme perd ses « qualités »
comme dit Musil, qui avait étudié de près la psychologie
de Mach parlant du Moi insauvable *(unrettbarisch)*. En
sociologie, c'est Georg Simmel qui a donné à ce remplacement de la loi rationnelle par l'individuel la place centrale.

Mais cet individualisme extrême est insupportable, car
il interdit toute réponse à la question sur l'identité, toute
acceptation d'une détermination personnelle et sociale.
Suis-je homme ou femme ? Interrogation qui entraîna le
président Schreber dans la folie. Suis-je juif ou allemand ?
Question qui poussa plus d'un intellectuel juif vers les
frontières de l'antisémitisme. La destruction du Moi
pousse hors du lieu où tout repos de l'esprit est impossible
dans deux directions opposées.

La première, la plus importante culturellement, est le retour à la *totalité* qui fut inauguré par Nietzsche, dont Schopenhauer avait préparé la route. Robert Musil parle de l'homme sans qualités au sens de Mach, mais aussi à celui de Maître Eckhart, qui définissait Dieu comme l'être sans qualités et appelait l'homme à retrouver le chemin qui le rapprocherait de Lui au-delà de toutes ses déterminations personnelles et sociales. Musil, comme Nietzsche, cherche à se réconcilier dans la totalité. La fin du siècle est dominée par le mysticisme et par toutes les variantes de la philosophie de la vie *(Lebensphilosophie)*.

Mais ce retour à l'art et à l'Un ne peut attirer que ceux qui entendent sauver leur individualité de cette manière et qui se conçoivent comme des génies. Le double épuisement de la société traditionaliste et de la pensée rationaliste classique provoqua un mouvement plus massif de défense de l'identité collective, qui accompagna la montée du nationalisme et aboutit à la clarté aveuglante du nazisme, lequel définit la femme pour la soumettre à l'homme, le Juif pour l'exterminer, la nation pour proclamer la supériorité de la race et de la nation allemandes. Les intellectuels héritiers des Lumières combattront le nationalisme, qui commence à la fois à Vienne et à Paris au moment de l'affaire Dreyfus. Mais intellectuels libéraux et nationalistes sont également incapables de dépasser la crise de la modernité. Ils cherchent à retrouver l'unité d'une vision du monde, qu'elle soit rationaliste ou populiste. Ce qui produit un discours de plus en plus dérisoire dans un cas et des hurlements de plus en plus sauvages dans l'autre.

Ces tentatives désespérées n'empêcheront pas la décomposition de la conception rationaliste de la modernité d'aller jusqu'à son terme. Nous allons suivre cet épuisement de l'idéologie moderniste avant de chercher, dans la troisième partie, une issue à cette crise qui est à la fois celle des Lumières, de la raison et du progrès historique.

CHAPITRE III

LA NATION, L'ENTREPRISE, LE CONSOMMATEUR

Les acteurs de la modernisation

A la critique intellectuelle de l'optimisme historiciste s'est constamment ajoutée une critique historique, pratique, des illusions positivistes. La société moderne ou industrielle, dit-elle, ne se réduit pas au triomphe du calcul et de l'autorité rationnelle légale ; elle est l'œuvre d'entreprises, elle est portée par la conscience nationale, elle est de plus en plus entraînée par les demandes des consommateurs. Aucun de ces trois acteurs de la modernisation ne se réduit à une action instrumentale.

Les nations se définissent par une culture davantage que par une action économique ; les entreprises visent le profit et la puissance autant que l'organisation rationnelle de la production ; les consommateurs introduisent dans leurs choix des aspects de plus en plus divers de leur personnalité à mesure que leur niveau de vie leur permet de satisfaire des besoins moins élémentaires et donc moins encadrés dans des règles et des statuts traditionnels. L'éclatement de l'idée classique de la modernité, de l'idéologie des Lumières et du progrès, est produit autant par la redécouverte de ces acteurs que par la pensée de Nietzsche et de Freud. Je vais essayer de montrer dans ce chapitre que chacun — la nation, l'entreprise et le consommateur — correspond à un des points cardinaux de cette modernité rationaliste éclatée, de la même manière que les anthropologies du Ça, élaborées par Nietzsche et par Freud, en occupent le quatrième. Théories et pratiques doivent être pensées ensemble comme des manifestations complémentaires de la même crise culturelle générale, celle de la modernité. La sexualité, le nationalisme, le profit, les besoins, telles sont bien les forces dont les relations, les complémentarités et surtout les oppositions donnent à la société industrielle sa chair et son sang. De sorte que ceux qui ne voient dans la modernité que le triomphe de la rationalité instrumentale se battent contre une image si appauvrie qu'ils ne peuvent remporter aucune victoire réelle et ne font que parer de formulations théoriques l'action des forces réelles, la sexualité, le nationalisme, le profit et les besoins, à l'œuvre dans la société industrielle. Il faut considérer une société dans toutes ses dimensions, en réfléchissant autant sur ses pratiques économiques que sur ses idées philosophiques.

La nation

Les acteurs de la vie sociale sont-ils des porteurs de la modernité ou suivent-ils d'autres logiques d'action ? Les théories classiques de la modernité ont pris toute leur force en défendant la première de ces réponses. La nation est la forme politique de la modernité, car elle remplace les traditions, les coutumes et les privilèges par un espace national intégré, reconstruit par la loi qui s'inspire des principes de la raison. De même, l'entreprise est un acteur rationnel grâce auquel la science devient technique de production, et dont l'effet de rationalisation est jugé par le marché. Quant à la consommation, elle est de moins en moins déterminée par l'état des mœurs et des valeurs symboliques attribuées par chaque culture à certains biens ; elle est commandée par des choix rationnels entre des satisfactions réduites à une mesure commune, le prix des biens et services.

C'est dans le cas de la nation que la thèse moderniste s'est exprimée avec le plus de force, mais aussi s'est heurtée aux plus grandes résistances. Cette thèse a été largement adoptée en France où Louis Dumont a écrit que « la nation est la société globale composée de gens qui se consi-

dèrent comme des individus » (in *Essais sur l'individualisme*, p. 21), mais c'est un auteur britannique, Ernest
Gellner, qui lui a donné sa forme la plus élaborée. Définissant la nation comme la correspondance d'une unité politique et d'une culture, il montre comment les sociétés
modernes, industrielles, ont besoin d'une culture nationale, c'est-à-dire construite par et pour la nation, débordant les cultures traditionnelles et locales qui résistent aux
changements. Loin que ce soit l'existence d'une culture
nationale qui fonde la nation et le nationalisme, c'est l'inverse qui est vrai : c'est l'État national qui produit, en particulier par l'école, une culture nationale. Vision durkheimienne dans laquelle la culture nationale joue le rôle de
création de conscience collective. L'État diffuse, généralise, impose une culture déjà élaborée, en particulier une
langue qui devient langue nationale grâce à l'école, à l'administration publique et à l'armée. Conception rationaliste
et moderniste surtout, dont l'objectif principal est de combattre les nationalismes et les populismes qui prétendent
mettre la politique au service de la nation ou du peuple —
Narod ou *Volk* — comme si ceux-ci existaient avant l'action
de l'État. Gellner est ici tout près de la tradition française
pour laquelle c'est l'État qui a constitué la nation et même
la France, depuis les rois jusqu'à la Révolution française et
aux Républiques successives, mais il applique surtout sa
thèse aux nations récentes en critiquant leur thème favori,
celui de la renaissance nationale, alors qu'il s'agit d'une
naissance. Cette thèse générale se heurte cependant à de
fortes objections, car la modernité commerciale et
industrielle appelle les idées universalistes de production,
de rationalisation et de marché plutôt que l'idée de nation,
et nombre d'élites dirigeantes ont surtout tenu à insérer
leur pays dans les échanges internationaux et ont combattu, pour ce faire, certaines formes de vie économique,
sociale et culturelle. Souvent, les producteurs et les diffu-
seurs de connaissances se sont eux aussi rebellés contre
le nationalisme.

C'est dès qu'on s'écarte des lieux centraux du développement économique que modernité et modernisation, société
et État se séparent, car l'État devient non plus le gérant
mais le créateur de la modernité, et c'est au nom de l'indépendance de la nation qu'il combat contre des adversaires

étrangers et modernise l'économie et la société, comme le
firent Napoléon dans sa lutte contre l'Angleterre ou l'empereur Meiji quand il lança le Japon dans l'industrialisation
pour le sauver de la domination américaine ou russe. L'Allemagne et l'Italie comme le Japon, et après eux de nombreux autres pays, ont associé la modernisation à la sauve-
garde ou à la restauration d'une culture nationale, car, face
à une modernité identifiée au commerce anglais ou à la
langue française, comment un État national pourrait-il
faire autrement, pour défendre son indépendance, que de
mobiliser des ressources non modernes, qu'elles soient
culturelles, sociales ou économiques ? De même que ce
sont des propriétaires fonciers, les Junkers prussiens ou
les Daimyos japonais en particulier, qui ont souvent pris
l'initiative du développement capitaliste, c'est l'appel aux
loyautés sociales traditionnelles qui a permis à des pays
tard venus à la modernité de mobiliser leurs ressources.
Ce mouvement n'a cessé de s'amplifier jusqu'à culminer
avec l'islamisme, éloigné du traditionalisme et même du
piétisme musulman, et qui mobilise surtout des élites
modernisatrices, étudiants de sciences et de médecine en
particulier. Dans ce cas, le thème de la renaissance culturelle nationale entre en conflit avec le traditionalisme
autant qu'avec celui de la modernité libérale.

Ailleurs, notamment en Amérique latine, le mélange du
nationalisme et du modernisme prend des formes plus
variables. Si, au Brésil entre les deux guerres, leur association donna naissance au seul vrai mouvement fasciste du
continent, l'intégralisme, ailleurs dominent des régimes
nationaux-populaires qui font appel à une participation
élargie des nouveaux citadins et dont les thèmes modernisateurs sont aussi importants que les appels nationalistes.
Gellner a donc raison d'affirmer que le nationalisme vient
d'en haut, de l'État, mais tort de ne pas voir que cet État
doit s'appuyer sur l'histoire et les particularismes hérités
pour mobiliser des forces capables de résister à l'hégémonie des grandes puissances centrales. Le nationalisme est
la mobilisation du passé et de la tradition au service de
l'avenir et de la modernité. Il ouvre la ou les cultures de
son territoire au vent de la modernité et de la rationalisation, mais il construit aussi un être national, plus modernisateur que moderne. Et d'autant plus attaché à ses origines

et à ses traditions que le pays est plus éloigné des centres de la modernité et se sent plus menacé par un impérialisme étranger. La nation n'est pas la figure politique de la *modernité*, elle est l'acteur principal de la *modernisation*, ce qui veut dire qu'elle est l'acteur non moderne qui crée une modernité dont elle cherchera à garder le contrôle en même temps qu'elle acceptera de le perdre en partie au profit d'une production et d'une consommation internationalisées.

A ce regard jeté du centre vers la périphérie doit s'ajouter le regard de la périphérie sur le centre. Car l'Africain ou le Latino-Américain ont de bonnes raisons de douter que tout ce qui leur arrive de Grande-Bretagne, de France ou des États-Unis soit l'expression de la modernité ; c'est aussi souvent la domination coloniale, l'imposition de modèles culturels simplement étrangers. Quand les Français enseignaient aux Algériens : « Nos ancêtres les Gaulois » ou quand les États-Unis répandent dans les universités latino-américaines des manuels qui parlent de l'agriculture du Kansas et non pas de celle de l'Altiplano, comment oser prendre ce colonialisme pour de la modernisation, alors qu'il ne s'agit que de conquête ? Il a fallu tout l'orgueil des pays dominants pour identifier leur nationalisme à l'universalisme de la raison.

Aujourd'hui, ces nationalismes modernisateurs sont à leur tour largement dépassés, car l'économie et la culture sont de plus en plus transnationales, ce qui n'exclut pas que certains pays, les États-Unis aujourd'hui, le Japon peut-être demain, contrôlent culturellement une grande partie des informations diffusées sur l'ensemble de la planète. Ce qui entraîne depuis longtemps une rupture plus violente entre modernisation et nationalisme. Les nations, qui sont des agents non modernes de modernisation, deviennent de plus en plus des forces de résistance à la modernisation et répandent des idées ouvertement anti-universalistes qui culminent avec l'affirmation de la supériorité absolue d'une culture et même d'une race. Dans l'Europe du XIXe et du XXe siècles, ce renversement de l'alliance de la nation et de la modernité a atteint des formes extrêmes à mesure que progressait l'industrialisation. C'est au moment de la grande industrialisation allemande, à la fin du XIXe siècle, que se développe, surtout après Bismarck, un nationalisme qui pénètre profondément les milieux intellectuels. Weber est à la fois un libéral — opposé à l'antisémitisme — et un nationaliste. L'antisémitisme a remplacé l'antijudaïsme quand le rejet d'une culture juive isolée dans les *shtetls* d'Europe orientale a été éliminé au profit de la peur du Juif émancipé, identifié à l'universalisme de la science, du commerce et de l'art. Le nationalisme allemand ou français est devenu antisémite pour défendre une culture nationale, traditionnelle, nourrie d'histoire, contre un rationalisme réputé déraciné et malfaisant. Ce qui a conduit à la politique nazie d'extermination et aux mesures de discrimination et de répression du gouvernement de Vichy.

C'est donc seulement dans une situation très particulière, celle de l'entrée des nations pionnières — Grande-Bretagne, France et, un peu plus tard, États-Unis — dans la modernité, que la nation s'est identifiée à l'ouverture à cette dernière et au renversement des traditions et barrières culturelles. Rapidement, l'alliance de la nation et de la modernité devint plus complexe partout où la modernisation cessa d'être libérale pour devenir volontariste, partout où elle mobilisa le passé pour construire l'avenir au lieu de s'ouvrir seulement au vent du large. Enfin la conscience nationale se retourna contre la modernité, devint intégriste et rejeta, comme agent de l'étranger ou forces diaboliques, ceux qui ne s'identifiaient pas complètement avec un héritage culturel souvent interprété en termes biologiques.

Comment ne pas voir que le monde moderne industriel n'est pas une vaste machine, mais une constellation de nations dominantes et dominées, confiantes ou méfiantes dans leurs chances de garder leur identité tout en participant davantage aux échanges mondiaux ? Auguste Comte pensait que les progrès de l'industrie rendraient dérisoire la guerre, dont les conquêtes apportaient moins de richesses que l'accroissement de la productivité industrielle. L'histoire lui a donné tort, comme à tous ceux qui ont cru que l'universalisme de la raison remplacerait de plus en plus les particularismes sociaux, culturels et nationaux. Les acteurs de l'histoire sont plus et autre chose que des agents de la modernité. La grande idée des modernistes, que système et acteurs se correspondent dans la société moderne grâce à l'intériorisation par les seconds des normes de la société, est renversée et débordée par une réalité historique dans laquelle c'est avec du vieux que se fait le neuf, par le particularisme qu'on marche à l'universalisme ou qu'on lui résiste, alors que tant d'esprits ont cru que la modernisation était le passage du particularisme à l'universalisme et de la croyance à la raison. L'acteur social ne se réduit jamais aux fonctions qu'il remplit dans le système, pas plus qu'une société n'est qu'un maillon dans une histoire dont les philosophes ou les économistes dévoileraient le sens. C'est dans cette dissociation parfois limitée, parfois extrême, de la modernité et des acteurs de la société en modernisation que réside la crise de l'idéologie classique de la modernité qui reposait sur l'affirmation de leur correspondance parfaite.

A la fin du XXe siècle, la séparation de la modernité, universaliste, et de la modernisation, qui suit des voies et mobilise des ressources toujours particulières, nationales ou locales, a pris des formes plus radicales qu'au siècle passé où l'on avait pu chercher, comme le firent en particulier les austro-marxistes, à combiner la question sociale et la question nationale. Il y a de moins en moins de voies nationales, car la modernité met de plus en plus de distance, au contraire, entre les flux de richesses et d'informations sur le marché mondial et l'identification à un ensemble culturel et social. L'espace public et l'existence même de la vie sociale et politique risquent d'être brisés par le grand écart entre conduites économiques et conduites culturelles, entre l'objectivité du marché et la conscience subjective d'appartenance. Les Québécois ne rêvent pas de créer une économie nationale comme le voulurent les Allemands ou les Japonais au siècle passé ; ils veulent au contraire combiner une participation directe à l'économie nord-américaine avec la défense de leur identité culturelle, comme le font les Flamands et les Catalans en Europe. De la même manière, les Slovènes et les Croates, en revendiquant leur indépendance, entendent s'incorporer, avant les Macédoniens et les Monténégrins, au marché unique européen.

Le nationalisme n'a-t-il pas été surtout dangereux quand il a été un instrument au service d'un État modernisateur, autoritaire et nationaliste qui en appelait à l'idée artificiellement reconstruite de *Volk*, dans le meilleur des cas pour construire un État national, dans le pire pour créer un pouvoir totalitaire au nom de *Ein Volk, ein Reich, ein Führer* (Un peuple, un État, un chef) ? N'est-ce donc pas l'affirmation de la correspondance entre la modernité et la nation, soit sous sa forme coloniale, soit sous sa forme nationaliste, qui a eu des effets destructeurs, tandis que la dissociation de la modernité économique et de la conscience nationale, qui peut certes diviser la société en deux zones superposées et presque sans communication, n'a pas d'effets aussi dramatiques ? Cette dissociation me semble être un des aspects importants de l'éclatement de l'idée classique de modernité et des conceptions de la modernisation qui considéraient l'industrialisation, la démocratisation et la formation des États nationaux comme trois aspects interdépendants du même processus général. Cette idée, à laquelle sont attachés des libéraux comme Seymour Martin Lipset ou des marxistes comme Eric Hobsbawm, doit être de plus en plus fortement rejetée. C'est l'idée inverse, de la dissociation croissante des attributs supposés de la rationalisation, elle-même identifiée à la modernité, qui correspond le mieux au monde d'aujourd'hui.

L'entreprise

Il semble plus difficile de ne pas considérer l'entreprise comme l'agent de la modernité, définie comme rationalisation. Produire efficacement, répondre aux demandes qui s'expriment sur le marché, chercher le profit le plus élevé, diversifier les investissements, tous ces actes qui constituent l'essentiel de la gestion des entreprises ne sont-ils pas autant d'applications de la rationalité économique ? Mais ce qui éveille le doute est d'abord la faible place accordée à l'entreprise dans les analyses de l'activité économique. Pendant une première période, on parla surtout du capital, des cycles économiques et, dans une moindre mesure, des effets de l'innovation technique sur l'activité économique. La seconde période de l'histoire de l'analyse de la production fut dominée par l'idée de rationalisation. Mais, de Taylor et Ford jusqu'à l'âge d'or des business schools américaines dans les années cinquante et soixante, l'entreprise n'apparut que comme le cadre concret de la modernisation : les experts lui conseillaient d'appliquer les principes du rationalisme des Lumières, de définir ses fonctions et ses niveaux hiérarchiques, de dessiner habilement la circulation des informations, des idées, des marchandises et des hommes, bref, de mettre de l'ordre et de la clarté dans des ensembles de plus en plus complexes. Le management, qui se répandit des États-Unis vers l'Europe après la Seconde Guerre mondiale, appliqua donc des principes de valeur générale à des situations particulières, même s'il fit un grand usage des études de cas. Mais, pendant cette période qui marqua l'apogée de l'industrie américaine, l'idée d'entreprise occupait-elle une place centrale ? D'aucune manière. Pour Taylor et pour Ford, c'est l'atelier et les postes de travail qui sont les principaux lieux d'intervention, et les enseignements de gestion ne parlèrent plus d'entreprises, mais d'*organisations*, ce qui substituait à un acteur économique réel des principes généraux. Dans un esprit différent, beaucoup parlèrent, dans le secteur public comme dans le secteur privé, du rôle des technocrates qui, appuyés sur leurs connaissances techniques, administratives ou financières, intervenaient comme des professionnels de la production. Les agents de l'activité économique étaient bien des rationalisateurs et des organisateurs ; du même coup, l'idée d'entreprise devenait marginale.

Parallèlement se développait une image tout à fait différente de l'entreprise, mais qui aboutissait à lui dénier encore plus toute importance : elle était perçue comme le terrain d'une lutte de classes et d'un mouvement ouvrier qui opposaient le travail ouvrier au profit capitaliste, l'autonomie du métier et de la culture ouvrière à ce pouvoir économique qui se traduisait par des barrières de classe, des formes autoritaires de commandement, par la séparation de la conception et de l'exécution qui n'était pas uniquement le produit d'une organisation scientifique du travail, mais bien davantage l'expression d'une domination de classe. Mouvement ouvrier et entreprise ont toujours été des réalités opposées ou étrangères l'une à l'autre. Le mouvement ouvrier se situe à la fois au niveau du lieu de travail, du poste et de l'atelier, et à celui de la société dans son ensemble. Il oppose une classe à une autre, non pas comme une culture ou un groupe social à un autre, mais comme un mode social d'utilisation de l'industrie, des machines et de l'organisation du travail à un autre. C'est pourquoi, là où il était fort, le mouvement ouvrier a poussé à la fois à des affrontements directs — syndicalisme d'action directe, qu'on appelle souvent révolutionnaire — et à une lutte politique opposant le socialisme au capitalisme. Entre ces deux niveaux de l'action collective, l'entreprise jouait un rôle secondaire aussi bien pour les dirigeants — soit des ingénieurs, soit des financiers — que pour les salariés qui voyaient dans l'entreprise une figure de la société de classes. C'est parce que cette vision, qui a élevé le syndicalisme à la hauteur d'un mouvement social, ne correspond plus à la réalité présente que l'entreprise apparaît maintenant comme un acteur économique autonome.

L'entreprise cesse d'être considérée comme l'expression concrète du capitalisme ; elle apparaît de plus en plus comme une unité stratégique sur un marché international compétitif et comme un agent d'utilisation des technologies nouvelles. Ce n'est ni la rationalisation ni la domination de classe qui la définissent le mieux, c'est la gestion de marchés et de technologies. Ce passage d'une analyse en termes de classes sociales ou de rationalisation à une autre, définie en termes stratégiques, modifie complètement notre représentation de l'entreprise. Tant qu'on parle de rationalisation et de conflit de classes, on reste dans l'image classique de la modernité et de sa mise en œuvre sociale ; au contraire, quand l'entreprise est plus définie militairement qu'industriellement, ce que suggère le mot « stratégie », l'acteur est beaucoup plus qu'un agent de modernisation.

C'est Joseph Schumpeter qui a accordé la plus grande importance à l'entrepreneur. En allant même jusqu'à la limite du paradoxe, puisqu'il caractérisait le capitalisme par un esprit de routine croissant au fur et à mesure que la concurrence abaissait le taux de profit. Ce capitalisme, condamné à mort, et qui doit finalement être remplacé par l'économie planifiée, ne s'est maintenu, pensait-il, que par l'intervention d'entrepreneurs qui réintroduisent les valeurs guerrières de l'aristocratie dans un monde routinisé, et qui sont avant tout des agents d'innovation. C'est le choc entre les armées industrielles américaine et japonaise et la victoire de la seconde qui ont accéléré récemment la transformation de notre image de l'entreprise. Car si l'entreprise américaine était plus orientée à la fois vers la rationalisation et vers le marché ou la flexibilité, l'entreprise japonaise, elle, se pense d'abord comme telle, mettant au premier plan la définition de ses objectifs et la mobilisation de ses ressources techniques et humaines en vue de les atteindre. Cette recherche de l'intégration de l'entreprise entraîne en particulier la diminution des distances sociales, ce qui n'exclut pas des relations de travail autoritaires. A partir du moment où on parle de stratégie d'entreprise et non plus de règles générales de rationalisation, l'entreprise devient un acteur essentiel de la vie sociale, et l'analyse ne peut plus se contenter de la réduire à être l'unité de base du système capitaliste. Ce qui se traduit par une rupture croissante entre une macro-économie très formalisée, utile aux décisions gouvernementales, et une micro-économie qui se rapproche des études de gestion et donc d'une approche sociologique. L'étude du système et celle des acteurs se séparent — thème central de ce chapitre, qui vaut pour l'entreprise comme pour la nation et la consommation et qui vise à détruire notre image de la modernité, l'idée que les acteurs se définissent par leur conformité ou leur déviance par rapport à un sens de l'Histoire qui aboutirait au triomphe progressif de la rationalité.

La consommation

Ce domaine est celui où la rupture entre le système et les acteurs semble le plus difficile à concevoir. Nos idées sur la consommation ont été très longtemps dominées par deux types d'explications : selon le premier, la consommation a la forme d'une échelle qui va des biens les plus indispensables, l'alimentation, à ceux qui comportent la plus grande part de libre choix, les loisirs, en passant par le vêtement et l'habitation ; selon le second, la consommation est le langage du niveau social, car ce que chacun de nous croit être son goût est déterminé par la place qu'il occupe dans la société et sa tendance à s'élever ou à descendre, de sorte que la consommation apparaît étroitement déterminée par le statut social. Cette représentation, comme celle qui réduisait la nation ou l'entreprise à des formes de la modernité, correspondait bien à une définition de la modernité, elle-même adaptée à une société de production. Et ceux qui tiennent à maintenir un lien très fort et très direct entre modernité et rationalisation ont toujours condamné la société de consommation pour mieux protéger l'idée d'une société de production axée sur le travail, l'organisation rationnelle de la production, l'épargne et l'intégration nationale. Ce qui explique le succès de l'essai de Weber sur les relations du protestantisme et du capitalisme. Ce qui rassurait dans l'image wébérienne du capitalisme, c'était son ascétisme ; ce qui était refusé à la consommation devait être accordé à la science et au culte de la raison objective. Notre image de la modernité était longtemps restée associée à l'idée chrétienne du renoncement, de la vie simple, de la méfiance vis-à-vis des plaisirs, et l'école publique comme l'école privée, en des termes plus souvent parallèles qu'opposés, nous ont appris à contrôler nos désirs pour devenir bons travailleurs, bons citoyens et bons pères, et *a fortiori* bonnes mères. Il est vrai que longtemps aussi — pendant presque tout le XIXe siècle —, l'industrialisation n'a pas transformé profondément les modes de consommation et que, plus tard, les Trente Glorieuses qui ont suivi la Seconde Guerre mondiale ont pu être qualifiées de telles grâce à un taux très élevé d'épargne et d'investissement ; il est vrai, enfin, que le besoin auquel a répondu la production pendant cette période concernait surtout l'équipement matériel des ménages, donc s'inscrivait encore largement dans le cadre de la société industrielle. C'est seulement à partir de 1968, date retenue pour sa charge symbolique, que les pays d'Europe occidentale commencent à rejoindre les États-Unis dans une société de consommation où ce pays était entré beaucoup plus tôt, surtout après la grande dépression et la guerre.

Cette transformation est si récente et si profonde que nous ne l'avons pas encore assimilée. Le mot consommation reste marqué d'un signe négatif, tandis que celui de production garde des connotations positives, et les théories rationalistes de la consommation, confiantes ou critiques, redoublent d'efforts pour faire de celle-ci un attribut soit du niveau de vie, soit du mode dominant de contrôle des acteurs par le système.

Mais à quoi bon ces combats d'arrière-garde ? Il est impossible de réduire la consommation à l'intérêt et au statut social, car elle est envahie tout autant par la séduction, par le repli tribal et par le narcissisme, autant de facettes dont aucune ne se laisse réduire à l'image d'une société pyramidale de production.

La consommation qu'on peut appeler traditionnelle et subordonnée aux activités de production avait trois orientations principales : la reproduction de la force de travail, la symbolique du niveau, le rapport au monde non utilitaire des idées. La consommation qu'on appelle de masse, bien qu'elle ne soit évidemment pas déconnectée des revenus, a trois aspects elle aussi : à la reproduction physique et culturelle succède la formation de nouvelles communautés ou tribus ; à la hiérarchisation sociale des consommations se substitue la naissance du prosommateur *(prosumer)*, selon le mot de Toffler, c'est-à-dire du consommateur qui est en même temps la finalité de l'entreprise de production, ce qui définit l'élève ou l'étudiant dans l'école ou l'université, le malade à l'hôpital ou le public de la télévision ; enfin, l'appel à la haute culture se transforme en défense et affirmation de la personnalité individuelle. Du côté nouveau comme du côté ancien, la consommation est parfois défensive, parfois imitative, parfois libératrice. Mais l'important pour notre analyse est que, d'un univers de consommation à l'autre, le consommateur se détache de sa place dans l'ordre social, l'acteur se détache du système. L'entrée dans la société de consommation signifie, plus que tout autre changement social, la sortie de la société moderne, puisque ce qui définit le mieux celle-ci, c'est que les conduites y sont déterminées par la place des acteurs dans le processus de modernisation, à l'avant ou à l'arrière, en haut ou en bas. Brusquement, cette armature sociale et économique des conduites se décompose et l'acteur se situe par rapport à lui-même et à des messages émis par un vaste public ou par son appartenance à des groupes restreints primaires. C'est pousser trop loin cette rupture avec la modernité que de parler, avec Baudrillard, de société de simulacre ou de signifiants sans signifiés, mais ces formules ont le mérite d'insister sur une perte de référence sociale que d'autres interprétations s'efforcent de nier ou de cacher. L'acteur n'est plus raison ou tradition, comme le pensait Weber ; il est recherche de lui-même et séduction, *groupie* et spectateur, habitant de l'écosystème ou membre d'une bande.

Ce monde de la consommation est aussi étranger à celui de l'entreprise qu'à celui de la nation. Il rencontre plus facilement celui de la libido, bien qu'il soit beaucoup plus éloigné de lui que le croient ceux qui parlent d'érotisation de la consommation. Éros, nation, entreprise et consommation sont les morceaux éclatés de la modernité qui était rationalisation et identification de l'être humain et de ses rôles sociaux. La logique de la production et celle de la consommation sont aujourd'hui étrangères l'une à l'autre. Elles ne se correspondent plus — du moins dans l'idéologie officielle — que dans cette caricature des sociétés modernes que sont les sociétés communistes qui se sont enfoncées sous nos yeux dans la nuit. L'idée d'une *société* dont tous les éléments se correspondent nous fait aussi peur que celle d'une éducation qui ne serait qu'apprentissage des rôles sociaux.

L'idée de modernité avait remplacé Dieu par la société. Plus que tout autre, Durkheim l'a explicitement dit. Aujourd'hui, la crise de la modernité fait disparaître l'idée de *société*. Cette idée était un principe unificateur et plus encore le principe du bien, alors que le mal était défini comme ce qui est contraire à l'intégration sociale : remplissons nos rôles, accomplissons nos fonctions, sachons aussi accueillir les nouveaux venus et rééduquer les déviants. L'idée de modernité a toujours été associée à cette construction d'une société d'abord mécanique, puis transformée en organisme, en corps social dont les organes contribuent au bon fonctionnement, corps sacré et âme éternelle qui transforme l'homme sauvage en civilisé, le guerrier en citoyen, la violence en loi. Cette représentation n'a pas disparu, elle colore encore les discours officiels, mais elle a perdu toute force. Nous croyons le plus souvent à la nécessité de l'ordre public et des règles du jeu social ; nous avons peur de la violence autant que de la solitude ; mais nous avons appris à défendre l'individu contre le citoyen et la société, et à appeler contrôle ou manipulation ce que nous nommions intégration.

L'éclatement de la modernité en quatre morceaux répartis aux quatre points cardinaux de la vie sociale est aussi un quadruple mouvement de libération : d'un côté, l'affirmation d'Éros par Nietzsche et par Freud contre la loi sociale et la moralisation ; d'un deuxième côté, la montée des dieux nationaux résistant à l'universalisme du marché et de l'argent ; d'un troisième, la concentration des entreprises et des empires industriels ou bancaires, seigneurs de la société industrielle, affirmant leur désir de conquête et de pouvoir au-dessus des froides recommandations des manuels de gestion ; enfin la révélation des désirs qui échappent au contrôle social parce qu'ils ne sont plus associés à une position sociale. Telle est la scène sociale née de la décomposition du modèle qui identifiait la modernité au triomphe de la raison.

La technique

L'éclatement est-il complet ? S'il l'est, la modernité a disparu. Mais il ne l'est pas et la situation que je décris, celle du dernier siècle, doit être définie seulement comme crise de la modernité ; et si j'ai parlé à plusieurs reprises de pensée post-moderne, surtout à propos de Nietzsche et de Freud, c'est seulement pour souligner l'importance de la rupture qu'ils ont introduite. Ce serait tomber dans le paradoxe que d'appeler post-moderne une époque qui apparaît à tous comme celle du triomphe de la modernité. La vérité se trouve entre cette image trop superficielle et l'idée que la critique de la modernité a triomphé dès la fin du XIXᵉ siècle. Cette situation de crise doit être définie avec précision. L'éclatement et le déclin de la raison objective conduisent à la séparation progressive de quatre univers culturels : l'Éros, la consommation, l'entreprise et la nation, mais ceux-ci sont reliés entre eux par la raison instrumentale qu'il est plus clair d'appeler la *technique*. Ce qui est conforme à la vision de Weber et d'Horkheimer. La raison n'est plus qu'instrumentale ; la rationalité des moyens remplace la rationalité orientée vers les fins. C'est ce qui définit une société industrielle qui accorde une place centrale à la production et à la diffusion massive de biens d'équipement et de consommation. Ce que les sociologies fonctionnalistes appellent le système social n'est qu'un appareil technique qui n'intègre que très partiellement les acteurs sociaux. Ce que Weber soulignait en parlant, après Kant, de la séparation des valeurs morales et de la raison instrumentale, et en évoquant cette « guerre des dieux » qui est aussi guerre des entreprises et des nations, et coexiste avec le développement des techniques. Tel est le rôle positif de la technique : elle protège contre tous les totalitarismes culturels.

Ce monde technique n'est pas isolé ; il assure la communication entre les divers univers culturels. Sans lui, chacun d'eux se referme sur lui-même et nous décrirons, dans le dernier chapitre de cette deuxième partie, la post-modernité comme la dissociation complète de la technique et de ces univers culturels qui cessent alors d'être liés à une action instrumentale. La nation peut affirmer son indépendance et sa différence ; elle doit aussi gérer une administration, organiser la production et la consommation, équiper une armée. Tout cela suppose le recours à la technique, même quand il s'agit d'un régime théocratique ou intégriste. L'entreprise est un agent de changement économique avant d'être une organisation, mais elle est aussi un ensemble de techniques de production et de communication, même si les récents *golden boys* réduisent le monde de l'entreprise à des combinaisons financières en oubliant les exigences de la production. Dans le domaine de la consommation, le calcul rationnel est toujours présent, en même temps que les choix qui manifestent une personnalité ou des orientations culturelles. Enfin, Nietzsche et Freud sont très éloignés de tout antirationalisme. Nietzsche surtout, qui a une conception ascétique de la volonté de puissance et voit dans l'expression non contrôlée des sentiments le triomphe de la moralisation, du contrôle culturel, donc la destruction de la morale des forts. Quant à Freud, s'il oppose le principe de plaisir au principe de réalité, ce n'est pas pour libérer le premier du second ; c'est au contraire pour maintenir une relation tendue entre les deux, et sa méthode de traitement des névroses est rationaliste et opposée aux méthodes plus récentes de libre expression des pulsions profondes, qui appartiennent à une culture post-moderne dans laquelle l'instrumental et l'expressif sont dissociés et même opposés l'un à l'autre.

On peut donc schématiser ainsi la modernité :

La rationalité instrumentale est la plaque tournante mais elle n'est pas un principe intégrateur de la modernité. Ce qui montre l'erreur de tous ceux qui, surtout après l'École de Francfort, et avec elle autant que contre elle, ont accusé la société industrielle de n'avoir d'autre principe de légitimation que la technique, d'être donc technocratique. Idée étrange, à vrai dire, quand on l'applique au siècle qui a vu Hitler et Staline, Mao et Fidel Castro, Roosevelt et de Gaulle, pour ne mentionner que des dirigeants politiques importants qui ont tous défini clairement la nature qu'ils donnaient à leur légitimité. De quelle société concrète, de quel pays peut-on dire qu'il a été gouverné par la technocratie ? La *nomenklatura* de type soviétique est le contraire de la technocratie ; elle est soumission des choix et des carrières économiques au pouvoir de l'appareil politique. Dans le capitalisme, de même, la recherche du profit ne conduit pas toujours au développement des forces productives, et les marxistes ont raison sur ce point important contre tous ceux qui, après James Burnham, dénoncent superficiellement la révolution managériale. Le thème de la technique triomphante n'est qu'une erreur de jugement de ceux qui ne voient dans la modernité que le remplacement de la raison objective par la raison subjective, qu'ils soient gauchistes ou hyper-libéraux. La société moderne en crise est aussi pleine de dieux en guerre que de techniques, et les fureurs qui ont bouleversé le XXe siècle devraient nous garder de cette image qui place l'ingénieur — ou plus largement le professionnel — au sommet de la société, alors qu'il n'y occupe que la place moyenne qui est celle des techniciens. Le danger de cette idéologie est qu'elle fait croire que la société moderne n'est qu'un champ de forces d'où ont été éliminés les acteurs, alors que la modernité, en crise ou non, est pleine d'acteurs qui proclament leurs convictions, combattent leurs ennemis, appellent à la renaissance du passé et à la création de l'avenir.

Sous une forme plus limitée, cette idéologie a nourri un déterminisme technologique qui s'est souvent infiltré derrière l'expression de « société industrielle ». Comme si la technique déterminait la division professionnelle et surtout la division sociale du travail, de sorte que la société serait une vaste entreprise. Jeune chercheur, j'ai combattu ce thème, en démontrant que l'organisation du travail, la rationalisation, élément central de la production industrielle, était l'emprise du système de production, avec tous ses aspects économiques et sociaux, sur un travail ouvrier dont il détruisait l'autonomie, et que c'est cette invasion du monde professionnel et ouvrier qui expliquait l'apparition du mouvement ouvrier.

Georges Friedmann a reproché à cette position que je formulais à travers l'observation d'ateliers, en particulier à la Régie Renault, de ne pas voir que, dans la société industrielle, ce qu'il appelait le *milieu technique*, et plus largement la civilisation technicienne, jouissait d'une autonomie croissante par rapport aux relations sociales de production. Ne vivons-nous pas dans un monde de techniques de production et, de plus en plus, de communication, qui nous arrachent à nous-mêmes et nous enferment dans le divertissement ? Si j'emploie ce mot pascalien, c'est parce qu'il s'agit bien d'une critique de nature religieuse qui oppose aux exigences spirituelles, contemplatives, de l'âme l'instrumentalisme et l'utilitarisme de la civilisation technicienne. Le montrent les appels récurrents à un « supplément d'âme » dont aurait besoin notre société, si puissante matériellement et si pauvre spirituellement.

La pensée de Georges Friedmann a joué un rôle si important dans la réflexion sur la société industrielle qu'il faut lui répondre avec une grande attention. D'autant plus que les thèmes principaux de cette pensée ont été depuis largement repris et réinterprétés par des idéologies écologistes. Je crains qu'elle cède trop facilement à la tentation post-moderne, si visible dans l'École de Francfort, de réduire la modernité à la technique, comme si les acteurs sociaux, leurs relations de pouvoir comme leurs orientations culturelles, se dissolvaient dans la mer des techniques. Pensée utile pour répondre au marxisme schématique qui ne voit dans la société industrielle que le masque du profit capitaliste et réduit les conflits sociaux à une guerre entre des intérêts contradictoires. Oui, nous vivons *aussi* dans une société industrielle, et pas seulement dans une société capitaliste ou dans une société nationale, mais c'est le propre de la société industrielle, succédant au rationalisme pré-industriel de la société marchande et étatique, que de donner aux rapports de classes, aux rapports sociaux, la forme de l'organisation technique du travail, ce que Marx fut le premier à comprendre. S'il faut suivre Georges Friedmann dans son analyse de la civilisation technicienne, ce n'est pas pour éviter l'analyse des rapports sociaux, c'est pour une raison inverse : parce qu'il contribue à introduire l'idée que le conflit central n'est plus désormais celui de la raison et de la croyance, mais celui du Sujet personnel et des appareils de production, de gestion et de communication. Vision qui a été rejetée et méprisée par tous ceux qui font la chasse à l'acteur social et au Sujet pour nous imposer l'image d'une société cristallisée, à la structure et à la hiérarchie intangibles, tout entière absorbée, comme une société de fourmis ou d'abeilles, dans le contrôle qu'elle exerce sur ses membres. Georges Friedmann a raison d'affirmer que, dans le travail, ce n'est pas seulement le prolétaire qui est exploité par le capitaliste ou le bureaucrate ; c'est, plus profondément, le Sujet personnel qui est aliéné, privé de toute capacité de construire et de défendre son identité par des règles souvent présentées, sans fondement suffisant, comme scientifiques, et par les appareils de pouvoir. C'est parce que notre société est technicienne que le pouvoir n'y est pas instrumental, qu'il s'exerce à travers la violence, la recherche du profit et de la puissance, l'esprit de conquête. Nous ne sommes pas passés d'une société traditionnelle, fondée sur des privilèges, à une société moderne qui reposerait sur la technique dans ses mauvais comme dans ses bons effets. Nous vivons dans une société de forte dissociation entre les moyens et les fins, et donc où les mêmes moyens, loin de commander les fins ou de les absorber, peuvent être mis au service du mal comme du bien, de la diminution des inégalités comme de l'extermination des minorités. La densité croissante des techniques et des signaux au milieu desquels nous vivons et qui orientent et contrôlent nos comportements ne nous enferme aucunement dans le monde technique, ne détruit nullement les acteurs sociaux dominants ou dominés, n'impose ni une logique de l'efficacité et de la production ni une logique du contrôle et de la reproduction. L'image de la technocratie triomphante est d'une pauvreté dérisoire face à la montée de la consommation, à la poussée des nationalismes et à la puissance des entreprises transnationales.

CHAPITRE IV

LES INTELLECTUELS CONTRE LA MODERNITÉ

Les intellectuels avaient animé le mouvement de rationalisation en associant aux progrès de la science la critique des institutions et des croyances passées. Ils avaient même volontiers servi des princes éclairés, depuis l'époque des Médicis, sans être gênés par leur autoritarisme. Mais, après des siècles de modernisme, les rapports des intellectuels et de l'histoire se renversent au XXᵉ siècle. Pour deux raisons, opposées plus que complémentaires. La première est que la modernité devient production et consommation de masse, et que le monde pur de la raison est désormais envahi par les foules qui mettent les instruments de la modernité au service des demandes les plus médiocres, voire les plus irrationnelles. La seconde est que le monde de la raison moderne est de plus en plus subordonné, en ce siècle, aux politiques de modernisation et à des dictatures nationalistes. Beaucoup d'intellectuels, surtout en France, mais aussi aux États-Unis, ont cherché à sauvegarder le plus longtemps possible leur alliance traditionnelle avec les « forces de progrès ». Les guerres coloniales menées par leurs pays, en Indochine et en Algérie en particulier, les conduisirent à défendre les mouvements de libération nationale, ce qu'ils firent avec conviction et courage, contre les gouvernants de leurs pays. Mais, en même temps, ils restaient plus ou moins fortement attachés à l'idée que les régimes nés d'une révolution anticapitaliste ou anti-impérialiste étaient « progressistes », ce qui les amena souvent à faire preuve d'une étrange indulgence ou même d'une sympathie aveugle à l'égard les régimes communistes les plus répressifs, et conduisit quelques-uns aux erreurs de jugement les plus graves sur la révolution culturelle animée par Mao ou sur les activités terroristes en Europe occidentale. Mais, bientôt, il devint évident, même aux plus attardés d'entre eux, qu'il fallait cesser d'appuyer ces mauvaises causes. Beaucoup d'intellectuels trouvèrent alors, surtout après 1968, une nouvelle philosophie de l'histoire dans l'antimodernisme. Ils brûlèrent ce qu'ils avaient adoré et dénoncèrent le monde moderne comme destructeur de la raison, ce qui satisfaisait leur élitisme antimasse autant que leur hostilité envers l'autoritarisme des dictatures modernisatrices. Surtout dans les années soixante-dix, l'antimodernisme devint dominant et presque hégémonique.

Autant les intellectuels du milieu du XIXᵉ siècle avaient été portés par des rêves d'avenir, autant ceux du milieu du XXᵉ ont été dominés par le sentiment de la catastrophe, du non-sens, de la disparition des acteurs de l'histoire. Ils avaient cru que les idées menaient le monde ; ils en ont été réduits à dénoncer la montée implacable de la barbarie, du pouvoir absolu ou du capitalisme monopoliste d'État.

C'est ainsi que la vie intellectuelle et la vie sociale se sont séparées et que les intellectuels se sont enfermés dans une critique globale de la modernité qui les a conduits à un radicalisme extrême et à une marginalité croissante. Pour la première fois depuis longtemps, les transformations sociales, culturelles et politiques en cours dans le monde ne semblent plus pensées, car les informations données par les experts, si indispensables qu'elles soient, ne produisent pas par elles-mêmes les interprétations que les intellectuels semblent incapables de donner. C'est cette dérive des intellectuels *antimodernes* qu'il faut décrire avant d'explorer les formes extrêmes de la décomposition de l'idéologie moderniste.

Horkheimer et l'École de Francfort

Le groupe intellectuel le plus important, bien que son influence, longtemps limitée par l'exil, ne se soit répandue qu'après sa disparition, fut sans conteste celui de l'Institut pour la recherche sociale *(Institut für Sozialforschung)*, fondé en 1923 à Francfort, et dont Max Horkheimer fut le directeur de 1931 jusqu'à son retour en Allemagne après la guerre. Martin Jay et d'autres ont écrit l'histoire de cet institut et de ses principaux chercheurs.

L'École de Francfort part de la séparation qu'elle constate entre la praxis et la pensée, l'action politique et la philosophie. Horkheimer et ses amis rejettent aussi bien le réformisme social-démocrate de Weimar que le pouvoir bolchevique en Union soviétique. Ne reconnaissant plus aucun acteur historique, ni le prolétariat, ni, comme le voulait Lukacs, le parti, ils inaugurent une critique totale de la société moderne et surtout de sa culture. La distance qu'ils prennent avec la réalité politique et sociale est si grande que ces intellectuels juifs, contraints à l'exil, écrivent peu sur le problème juif et ne publient leurs analyses les plus importantes sur l'antisémitisme que dans le cadre de la célèbre étude sur la personnalité autoritaire, qui doit au moins autant aux sciences humaines américaines qu'à leur apport propre, et ne fut entreprise qu'en 1944 pour n'être publiée qu'en 1950.

Ils jugent le monde dans lequel ils vivent comme celui de la chute de la raison objective, c'est-à-dire de la vision rationaliste du monde. On pourrait dire qu'ils pleurent le capitalisme ancien qui portait encore le grand mouvement de rationalisation, tandis que le monde de la crise économique, qui est aussi celui de la grande industrie et du taylorisme en même temps que du nazisme et du stalinisme, n'est plus que celui de la puissance et de l'argent, entraîné sans principe supérieur de rationalité à la poursuite d'intérêts matériels qui ruinent la vie de l'esprit. L'individualisme est l'ennemi de la raison, forme fondamentale de l'Être. La raison subjective, depuis Locke et tous les utilitaristes, remplace les idées par des idéologies au service du profit et substituent à l'universalisme des Lumières le triomphe des particularismes et, en premier lieu, des nationalismes. La correspondance entre l'individu et la société, qui était assurée par la raison, disparaît. Cette rupture date assurément de loin, de Socrate, et elle éclate dès le début des Temps modernes, dans le personnage de Hamlet en particulier, mais, au xxᵉ siècle, elle atteint tout.

L'homme moderne ne se conduit plus selon les règles universelles de la raison. Dans la *Critique de la raison instrumentale*, Horkheimer écrit : « Le mot "raison", pendant longtemps, a signifié l'activité de connaissance et d'assimilation des idées éternelles qui devaient servir de but aux hommes. Aujourd'hui, au contraire, ce n'est pas seulement le rôle, mais le travail essentiel de la raison de trouver des moyens au service des fins, que chacun adopte à un moment donné » — et il accuse Weber d'avoir exalté le triomphe de la rationalité fonctionnelle sur la rationalité substantielle, alors que cela revient à accepter le déclin de la rationalité objective et le triomphe de la rationalité instrumentale. Pour reprendre l'opposition faite par Walter Benjamin, ami de l'Institut, l'expérience créatrice — *Erfahrung* — est remplacée par le vécu — *Erlebnis*. Le Sujet individuel, séparé de la raison, tombe sous la dépendance du pouvoir politique ou économique. Les moyens remplacent les fins, alors que les théories de la raison objective « visaient à constituer un système compréhensif ou hiérarchique de tous les êtres, incluant l'homme et ses buts. Le degré de rationalité de la vie d'un homme pouvait être déterminé selon que celle-ci était plus ou moins en harmonie avec cette totalité » (*Éclipse de la raison*, trad. fr., p. 14). Le désenchantement du monde moderne dont parle Weber ne réside pas seulement dans la disparition des mythes et du sacré, car ceux-ci étaient déjà un produit de la raison ; c'est bien l'unité du monde qui est perdue. Il faudrait redonner à l'homme la liberté positive dont rêvaient pour lui Hegel et Marx, et ne pas se contenter de la liberté négative, défendue par Locke et Kant, qui protège les individus contre les empiétements du pouvoir. La liberté positive, c'est le pouvoir de se conduire selon les règles universelles de la raison, donc, selon le mot de Horkheimer en 1942, c'est la *polis* grecque sans l'esclavage. Dans des termes qui annoncent déjà Michel Foucault, Horkheimer condamne le mouvement de subjectivation des Temps modernes, « l'éveil du Sujet se paie de la reconnaissance du pouvoir comme principe de toutes les relations » (*Dialectique de la raison*, pp. 26-27). Les philosophies du Sujet conduisent à la résignation ; rien n'est plus dangereux que de revendiquer un individualisme indifférent à l'organisation de la société et qui laisse côte à côte une moralité abstraite et la violence. Au contraire, dit Horkheimer dans *Éclipse de la raison* : « L'individu pleinement développé est la perfection accomplie d'une société pleinement développée » (p. 144).

L'histoire de la modernité est celle de la rupture lente mais inéluctable entre l'individu, la société et la nature. L'augustinisme a fini par triompher du thomisme et le christianisme, dès lors, appuie le triomphe du Sujet personnel et en profite pour établir son propre pouvoir de moralisation, donc de soumission de l'individu à la société. Dans cette société moderne, l'individu, isolé par la décomposition de la famille, est à la merci des pouvoirs sociaux comme le spectateur de cinéma est manipulé par les industries culturelles, alors que le théâtre, lui, faisait appel à la raison. Le cinéma va trop vite pour permettre la réflexion. Pour Horkheimer, l'activité de l'esprit consiste à comprendre l'ordre du monde, non son mouvement. Le cinéma détruit la distance que créaient les grandes œuvres du théâtre et de la musique, et son but principal est l'intégration de l'individu dans la foule. Il est vrai que Leo Lowenthal, dans ses essais réunis en 1961 (*Literature, Popular Culture and Society*), se montre plus nuancé, il reconnaît la présence dans le cinéma et la culture de masse d'un goût du bonheur. Mais tous les philosophes de l'École de Francfort voient dans la culture de masse un instrument de répression et non de sublimation, donc d'asservissement.

Cette pensée ne débouche pas seulement sur une critique générale de la modernité ; elle est plus encore l'histoire de l'abandon progressif de l'optimisme marxiste. Avant 1933, Horkheimer pense encore, comme Marx, que le travail et la production font triompher la raison à laquelle s'oppose le profit capitaliste, donc que l'histoire politique est celle de l'élimination des obstacles sociaux au triomphe de la rationalité. Mais l'impuissance et la liquidation du mouvement ouvrier allemand et, plus tard, le remplacement du nazisme par le stalinisme comme agent de destruction des acteurs historiques le conduisirent à abandonner toute image du royaume de la liberté et à ne plus s'employer à penser que le royaume de la nécessité. Renoncement qui définit la théorie critique, laquelle se refuse à être une théorie positive de la liberté et de la libération.

Avec Horkheimer se liquident l'historicisme et sa confiance
dans la marche au bonheur et à la liberté Comme il ne
veut pas renoncer à l'espoir placé dans les lumières de la
raison, il pense que celles-ci, tout en libérant l'individu,
le détruisent, puisqu'elles le subordonnent au progrès des
techniques et donc détruisent la subjectivité quand règne
la raison instrumentale. Habermas reprochera à Horkheimer et à Adorno de s'être enfermés eux-mêmes dans le pessimisme en réduisant la raison à l'instrumentalité, mais
l'expérience centrale de Horkheimer n'est pas le succès du
technicisme ; elle réside dans le triomphe des pouvoirs
totalitaires qui réduisent la société à un chantier, puis à un
camp de travail forcé. Cette identification de la raison, du
technicisme et de la domination absolue est le principe
central de la pensée de Horkheimer et, au-delà des différences entre les membres de l'École, de tout l'Institut de
Francfort. La seule défense possible contre cette domination par un pouvoir techniciste est dans la pensée elle-
même. Ni la morale, ni le droit, ni l'art n'échappent à la
décomposition ; seule la pensée comme capacité de problé-
matiser — *Denken* — et comme expérimentation, et donc
reproduction contrôlée d'un phénomène — *Mimesis* —,
peut échapper à l'emprise du pouvoir. Ce qui ne laisse
aucun espoir à ceux qui ne sont pas protégés par leurs
compétences intellectuelles.

Reprenons les deux lignes principales de cette critique.
Selon la première, l'industrialisme porte en lui la domination sociale, non seulement par le taylorisme, mais aussi
par le nazisme et le stalinisme, qui transforment la société
en une grande usine et imposent à tous, dans tous les
aspects de leur vie, une discipline calquée sur celle des ateliers. A maintes reprises, Horkheimer et Adorno regrettent
le monde ancien du commerce où l'activité économique
reposait sur le calcul, la prévision, donc sur une activité
rationnelle, et non sur la domination des autres. Plus il
avance, plus le capitalisme élimine la pensée rationnelle
comme les sentiments de pitié et d'humanité. Le modèle
de la société moderne est celui que donne Sade dans
Juliette : la femme-nature est dominée par l'homme-raison
qui a lui-même oublié l'amour pour la jouissance et n'a
d'autres buts qu'instrumentaux.

Je m'étonne que de telles idées aient été si largement

acceptées. Les méthodes tayloriennes et fordistes de production ont été utilisées aux États-Unis et en Union soviétique, en France et en Allemagne nazie ; elles ont partout imposé aux salariés une domination professionnelle et sociale contre laquelle s'est élevé le mouvement ouvrier et s'est organisée la résistance spontanée des travailleurs, mais elle n'est pas responsable des régimes politiques autoritaires, puisqu'elle a été utilisée sous les régimes les plus divers. L'idée que la société devient une grande fabrique et que le consommateur est contrôlé et manipulé autant que le travailleur est un thème de moraliste qu'un sociologue ne peut accepter.

Il est impossible d'admettre ces critiques aristocratisantes de la société de masse comme si l'accès du plus grand nombre à la production, à l'éducation et à la consommation entraînait une baisse générale de niveau et, surtout, produisait en soi des régimes autoritaires. Il y a longtemps que les historiens et les sociologues ont démontré l'erreur de ceux qui croyaient expliquer le nazisme par le déracinement de la société de masse, urbaine et industrielle ; ce sont au contraire les catégories les mieux enracinées qui ont appuyé avec le plus d'enthousiasme la dictature.

Il faut rejeter l'idée que c'est l'industrialisme qui est responsable du chaos et de la violence du XXe siècle. Il est indispensable d'opposer à l'idée de progrès une critique de la société industrielle, mais faux de supposer que tous les éléments d'une société historique sont entièrement interdépendants. C'est bien l'absence d'acteurs historiques capables de transformer un des aspects importants de cette société qui explique le développement d'une pensée purement critique, et surtout l'idée que la société moderne et industrielle doit être rejetée en bloc. Walter Benjamin, dans son étude sur *Les Affinités électives* de Goethe, a écrit : « C'est seulement à cause de ceux qui sont sans espoir que l'espoir nous est donné » (*Œuvres I, Mythe et violence*, p. 260). Phrase terrible et dangereuse : faut-il admettre que les travailleurs, les colonisés, les pauvres sans défense en général ne peuvent pas avoir d'espoir, ne peuvent pas être les acteurs de leur histoire, pour que les intellectuels puissent se substituer à eux ? N'est-ce pas en vertu de cette formule que les avant-gardes, les intellectuels révolutionnaires ont parlé au nom de peuples censés être trop aliénés

pour s'exprimer par eux-mêmes ? Si vraiment les travailleurs ne sont que victimes, la démocratie est impossible et
il faut s'en remettre au pouvoir absolu de ceux qui ont
pour mission de comprendre et d'agir. Le taylorisme qui
sépare ceux qui exécutent de ceux qui pensent n'est qu'un
jeu d'enfant comparé à cette distance infinie créée entre le
peuple et ceux qui sont supposés penser l'histoire.

La seconde idée fondamentale de cette pensée critique
est que l'appel à la subjectivité conduit nécessairement à
soumettre l'individu aux maîtres de la société. Comme si
l'individu laissé à lui-même, privé du soutien de Dieu ou
du Logos, ne pouvait être que cire molle sur laquelle les
forces dominantes impriment les messages correspondant
à leurs propres intérêts. Mais pourquoi écarter l'idée que
l'individu peut être autre chose et plus qu'un consommateur, qu'il peut rechercher à la fois sa liberté et sa capacité
de se lier par une relation affective et intellectuelle à un
autre individu ? Que ces expressions soulèvent plus de problèmes qu'elles n'en résolvent, je l'accepte facilement.
Qu'on puisse réduire l'individualisme à la consommation
passive et à la manipulation subie, voilà ce que je n'accepte
pas. L'être humain a été souvent et fortement soumis à
ceux qui parlaient au nom de Dieu, de la raison ou de l'histoire. De quel droit ceux qui regrettent la disparition de
ces principes métasociaux affirment-ils que l'individu ne
peut pas devenir un Sujet créateur de son Moi, à travers
diverses formes de rapport à soi-même et aux autres ?
Horkheimer porte le deuil de l'historicisme disparu, de sa
confiance perdue en Hegel et Marx ; il ne voit plus dans la
modernité que bruit et fureur et se tourne vers l'Être, vers
la raison objective qui maintenait l'ordre du monde, tandis
que la modernité détruit l'Être en l'entraînant dans un
mouvement qui n'est même plus un devenir Ce pessimisme profond reposait certainement sur la perte d'espoirs que la tragédie de l'Allemagne livrée au nazisme avait
rendus irréalistes. C'est de lui-même que parle Horkheimer
quand il écrit : « Ce mépris de Freud pour les hommes
n'est qu'une manifestation de cet amour désespéré qui est
peut-être la seule forme d'espoir qui nous soit encore per-
mise » (dans *Social Science and Sociological Tendencies in
Psychoanalysis*, pp. 22-23).

L'influence de l'École de Francfort est et demeure considérable, car une société dominée par la production, la consommation et la communication de masse tend à réduire les individus à remplir des rôles que d'autres ont définis pour eux, et cette forme moderne de dépendance, très différente de celle des sociétés traditionnelles qui soumettaient l'individu à des règles et à des rites, est aussi redoutable qu'elle, mais il faut ajouter qu'elle est moins contraignante et que l'image de la société-machine, soumise à des déterminants stricts, correspond plutôt à des représentations anciennes de la science qu'à ses expressions modernes. Ce qui explique le pessimisme de Horkheimer et de ses amis, c'est la disparition ou la perversion des acteurs historiques en une période où il était impossible de parler de mouvement ouvrier en Allemagne et indécent d'appeler « guides » du prolétariat les dictateurs du Kremlin. Mais alors, l'image qu'ils donnent de la société n'est-elle pas seulement celle de sa face d'ombre, privée d'acteurs sociaux, de mouvements sociaux et de démocratie ? Et, au lieu de rejeter la civilisation technicienne, ne faut-il pas pousser plus loin la critique d'une domination sociale et la critique proprement *politique* de la destruction de la démocratie ?

Horkheimer regrette moins les grands espoirs de l'historicisme hégélien que la stabilité d'un monde bourgeois dont l'ordre reposait sur la confiance en la raison et en la science. La théorie critique que l'École de Francfort a élaborée a servi plus tard de support intellectuel à beaucoup de ceux qui s'opposaient à la domination du grand capitalisme, surtout de ce que les Allemands appellent le capitalisme tardif *(Spätkapitalismus)*, qui unit de plus en plus étroitement pouvoir économique et pouvoir politique. Mais c'est par un malentendu grave que se trouvent confondues critique sociale et critique culturelle. La critique sociale est presque absente de la pensée de Horkheimer, tandis que la critique culturelle y est omniprésente, et plus encore dans les écrits d'Adorno ou dans l'œuvre de Thomas Mann, son contemporain. L'esprit des Lumières, dans lequel l'individualisme était étroitement associé à la raison et la liberté à la rigueur de la pensée, est détruit et le monde sombre dans le chaos. Max Weber s'inquiétait des conséquences de la sécularisation, mais il restait avant tout un moderniste et un libéral. Horkheimer a perdu la confiance dans la raison instrumentale qu'avait conservée Weber et il vit dans un monde en feu, alors que ce n'est qu'à la fin de sa vie que Weber connut les grands bouleversements de la guerre mondiale et l'éclatement de mouvements révolutionnaires en Allemagne. Le pessimisme de l'École de Francfort indique la profonde compréhension, par ces philosophes allemands juifs, de l'écroulement d'une civilisation dans laquelle les Juifs émancipés avaient pour la première fois pénétré librement et largement, en se jetant de toutes leurs forces sur les activités les plus chargées d'universel : la science, l'art, le droit, la réflexion philosophique.

C'est comme témoins plus que comme analystes que les membres de l'École de Francfort nous intéressent aujourd'hui. Leur nostalgie d'un rationalisme bien tempéré nous convainc que ce monde auquel ils aspirent a effectivement disparu et qu'il ne peut plus y avoir de principe d'unité solide entre le monde et l'homme, entre l'ordre de la nature et le mouvement de l'histoire. Tandis qu'à travers de tragiques difficultés et des succès spectaculaires la société industrielle se construisait avec ses techniques, sa participation de masse et ses systèmes de communication, apportant avec elle de nouveaux problèmes sociaux, nombre de grands intellectuels européens, depuis les Allemands réfugiés aux États-Unis pendant l'époque hitlérienne jusqu'aux Français des années soixante et soixante-dix, suivirent un chemin éloigné de cette grand-route de l'industrialisme et opposèrent à la modernité l'idée du déclin de la raison, celle du triomphe du pouvoir absolu, ne trouvant de consolation, à défaut de solution crédible, que dans l'expérience esthétique ou dans l'appel, plus esthétique aussi que politique, aux exclus, comme seules forces préservées du pourrissement répandu par la modernité et par ses formes de domination. L'extraordinaire force de la philosophie appliquée à la pensée sociale au milieu du XXe siècle est venue de cette disjonction de la pensée et de l'action sociale, compensation à la disparition d'un militantisme devenu impossible avec le triomphe du stalinisme, et à la transformation de tant de mouvements de libération en pouvoirs d'oppression. Tant que les problèmes de la société industrielle ont été recouverts par ceux du totalitarisme et ceux du colonialisme, la voix de cette théorie critique a été convaincante et s'est opposée à la lâcheté de ceux qui, au nom du prolétariat ou des peuples opprimés, se faisaient les complices des nouveaux dictateurs. Mais cet antimodernisme n'apporte pas une analyse réelle de la société moderne et la sociologie a été paralysée par ce radicalisme indifférent à l'étude des pratiques sociales. Pendant des décennies nous a été présentée l'image d'une société entièrement dominée par une logique de reproduction de l'ordre social dans laquelle les institutions de contrôle social et culturel étaient toutes-puissantes ; au bout de cette longue période de théorie purement critique, nous découvrons autour de nous un paysage complètement transformé, la présence de problèmes, de débats, de mouvements sociaux nouveaux. Dans ce monde supposé sans acteurs, nous voyons de partout réapparaître des acteurs, avec leurs utopies et leurs idéologies, leurs colères et leurs débats, et l'espace public que les philosophes de Francfort et, à leur suite, Jürgen Habermas, dans sa jeunesse, voyaient se refermer, perdant la liberté qu'il avait conquise dans la société bourgeoise, s'ouvrir immensément, ce qui n'élimine aucun problème, ne règle aucun débat, mais rend inacceptable un antimodernisme enfermé dans la nostalgie de la raison objective.

A quoi tient cette dissociation, sinon à la mise en cause des intellectuels eux-mêmes ? Succédant aux clercs qui parlaient au nom de Dieu, ils ont parlé au nom de la raison et de l'histoire. Quand l'espace public mondial s'est immensément élargi, quand les totalitarismes ont remplacé les anciens despotismes, brutaux mais limités, quand les foules se sont fait entendre en même temps que s'organisaient des mouvements de masse, les intellectuels, comme les clercs, ont perdu la clé de leur pouvoir oligarchique. Ils ont résisté à la production, à la consommation et à la culture de masse qui les privait du monopole de la parole et leur ôtait les prétentions élitistes à l'abri desquelles ils développaient leur réflexion et menaient aussi leurs luttes. Voltaire n'est plus possible après la Révolution française ; de même, la théorie critique n'est plus possible à la fin du XXᵉ siècle parce que, chaque fois, le domaine des pratiques sociales, le champ d'action des acteurs sociaux se sont élargis et qu'il devient de plus en plus difficile de s'adresser à la société du dehors, assis sur la branche de l'arbre de la création, de la raison ou de l'histoire, dont les racines plongent dans le ciel et non dans la terre. Ce dont les intellectuels allemands et français du XXe siècle portent le deuil, c'est du ciel où ils sont nés, dont ils gardent la nostalgie, qui faisait d'eux des hommes différents des autres, d'une essence supérieure, puisqu'ils vivaient dans l'absolu, dans l'Être, alors que les êtres humains ordinaires étaient roulés par les vagues de changements accélérés.

Cette protestation des intellectuels contre la disparition de leur rôle de clercs sécularisés doit être entendue en même temps que rejetée. Entendue parce que le danger principal, comme Nietzsche l'a le mieux compris, est bien l'utilitarisme, et que les philosophes de Francfort ont raison de rappeler que la référence aux besoins est aujourd'hui le langage du pouvoir. Rejetée, parce que rien ne justifie l'idée d'un monde clos où le pouvoir se répand sans résistance, comme un gaz toxique. Parce que l'Europe du XXe siècle a été dominée par l'expérience des camps de concentration et des régimes totalitaires, elle n'a pas le droit de confondre la société de consommation de masse avec un régime totalitaire. La limite de la théorie critique est qu'elle n'apporte rien à notre connaissance des sociétés modernes, de leurs formes de pouvoir et des enjeux de la démocratie.

Cette faiblesse n'est nulle part aussi visible que dans la dernière œuvre de Herbert Marcuse, dont l'analyse du freudisme a mérité au contraire notre attention.

La thèse centrale de *L'Homme unidimensionnel* est : « Ainsi, il n'y a plus d'opposition entre la vie privée et la vie publique, entre les besoins sociaux et les besoins individuels. La technologie permet d'instituer des formes de contrôle et de cohésion sociale à la fois nouvelles, plus efficaces et plus agréables. » Marcuse ajoute que cette emprise de la technologie s'étend à la société capitaliste comme à la société communiste et les fait converger. Que la technologie permette, donne les moyens d'étendre le contrôle social, qui le niera ? Mais de quel droit passe-t-on de cette constatation banale à l'affirmation inacceptable que la technologie impose ce contrôle de plus en plus total et que rien ne peut résister à son emprise ? Pourquoi ne pas admettre, avec Edgar Morin, que l'accroissement de la densité sociale, pour reprendre une expression de Durkheim, s'accompagne à la fois de plus de complexité, de plus de contrôle et de plus d'indétermination ou de liberté possible ?

L'image d'une société où le pouvoir est si diffus qu'il est coextensif à toutes les pratiques sociales est loin de la réalité de sociétés où agissent à la fois des États puissants, des bureaucraties publiques disciplinées, des systèmes de représentation politique vivants, des groupes d'intérêts et des revendications sociales, des entreprises, des centres financiers et des institutions juridiques. Cette image d'une société entièrement unifiée dans laquelle technologie, entreprises, État, conduites des consommateurs et même des citoyens se correspondent complètement, forment bloc, est on ne peut plus éloignée de la réalité observable. Au lieu de faire baigner la modernité dans la lumière de la raison, on la plonge dans la lumière glauque de la technocratie, ce qui cache le fait central auquel est consacrée cette deuxième partie : l'éclatement de la modernité, la coexistence, dans la culture et la société — en ce sens postmodernes — où nous vivons depuis un siècle, de la nostalgie de l'Être, de la consommation marchande, du pouvoir des entreprises et de la montée des nationalismes.

On comprend que les intellectuels qui se plongent dans la nostalgie de l'Être élaborent une image négative de la société moderne dans laquelle les trois autres composantes sont supposées si fortement soudées les unes aux autres qu'elles forment un être monstrueux, en passe de dévorer la pensée et les libertés. Un tel danger existe, mais rien n'autorise à dire que la consommation de masse, le développement du capitalisme industriel et le nationalisme soient les trois têtes du même Cerbère que Marcuse appelle la société. « La Société est vraiment la totalité qui exerce son pouvoir sur les individus et cette Société n'est pas un fantasme qu'on ne peut pas déterminer. Elle est installée comme un noyau dur, empirique, dans le système des institutions » (p. 214). De quoi parle-t-on ? De l'État ? Mais alors, c'est reconnaître une séparation entre l'État et la société, qui contredit la thèse centrale. Du droit ? Mais il faudrait expliquer que le droit social et celui de la sécurité sociale, de même que les textes qui protègent les libertés individuelles, n'ont d'autre finalité que l'intégration sociale et le pouvoir de la société, ce qui exigerait des démonstrations que personne n'a poussées au-delà de quelques formules doctrinaires. Cette Société est un mythe, et le propre des sociétés modernes est que le mot *société* ne peut plus s'y écrire avec une majuscule, que toutes les formes de fonctionnalisme, qu'elles soient conservatrices ou critiques, sont inapplicables à des situations sociales où la mise en mouvement est au moins aussi importante que la mise en ordre, comme l'ont perçu avec beaucoup de profondeur les libéraux de droite ou de gauche qui insistent au contraire sur l'absence d'un lieu central de contrôle, qu'il soit au service de la planification ou de la répression politique.

Enfin, comment ne pas remarquer que ce livre fut publié en 1964, l'année même où le mouvement étudiant éclatait avec le *Free Speech Movement* de Berkeley, et au début d'une décennie qui allait être dominée aux États-Unis et ailleurs par les campagnes pour les droits civiques des Noirs, pour l'égalité des femmes, contre la guerre au Vietnam, et par de grands soulèvements étudiants ? Que ces mouvements se soient tournés vers la théorie critique et vers les œuvres des structuro-marxistes, d'Althusser et de Marcuse en particulier, n'empêche pas que leur action, souvent en contradiction avec leur conscience, a montré que la société de masse n'avait pas définitivement éliminé les acteurs sociaux. C'est la retombée rapide des mouvements étudiants qui provoqua le triomphe des pensées qui niaient l'intervention des acteurs sociaux.

L'histoire des idées sociales n'a pas de peine à analyser ce moment particulier et le rôle qu'y jouèrent des idées comme celles de Marcuse. La destruction et l'épuisement du mouvement ouvrier avaient créé un vide immense au centre de la scène sociale. Le réformisme social-démocrate, sans grands principes et enfoncé dans une action lente et technique de modification des formes d'autorité et des lois, attirait peu les intellectuels ; ceux-ci se tournèrent alors vers une critique globale et radicale qui les conduisit, comme beaucoup d'étudiants de Mai 68 en France, à douter de leur propre capacité d'action, puisqu'ils étaient des bourgeois privilégiés et que seul le prolétariat leur semblait assez fort pour lever le drapeau de la révolution. Fausse conscience démentie immédiatement par les faits, puisque c'est la révolte étudiante et non pas la grève ouvrière, si longue et massive qu'elle ait été, qui est restée dans la mémoire collective. Le raisonnement de Marcuse, qui en constitua une des ressources idéologiques, lui ôta aussi toute possibilité de gérer les conséquences de sa propre action. Cette critique intellectuelle mobilisa le fondamentalisme marxiste ; elle ne lui permit pas d'expliquer la naissance de nouvelles contestations, dans le champ culturel plus que dans le champ économique. Elle expliqua encore moins la nature sociale du soulèvement étudiant dont la base ne correspond évidemment pas à la description de Marcuse (p. 280) : « Au-dessous des masses populaires conservatrices, il y a le substrat des parias et des "outsiders", les autres races, les autres couleurs, les classes exploitées et persécutées, les chômeurs et ceux qu'on ne peut pas employer. Ils se situent à l'extérieur du processus démocratique ; leur vie exprime le besoin le plus immédiat et le plus réel de mettre fin à des conditions et à des institutions intolérables. Ainsi, leur opposition est révolutionnaire, même si leur conscience ne l'est pas. » C'est le contraire qu'il faut dire si on examine les faits : l'opposition des exclus n'est en général pas révolutionnaire, même si leur conscience l'est. Les mouvements de chômeurs ou de prisonniers, même s'ils ont été appuyés par les proclamations radicales d'intellectuels, se sont vite transformés en groupes de pression aux objectifs limités. Et l'extrême radicalité de la pensée de Frantz Fanon, qui avait inspiré Ben Bella en Algérie, a été transformée, au-delà de sa mort, en France et ailleurs, en appel de type fondamentaliste qui a finalement conduit à l'intégrisme plutôt qu'à l'action révolutionnaire.

Si l'idée révolutionnaire repose sur la conviction que le pouvoir ne peut être détruit que par ses propres contradictions et non par un mouvement social, il faut d'abord admettre — ce que fait Marcuse dans la suite de ce texte — que la crise révolutionnaire est étrangère à la démocratie, mais aussi qu'elle mène, par définition, à l'antidémocratie, donc à la construction de ce pouvoir intégrateur absolu contre lequel se soulevaient les gauchistes. Ceux-ci auraient alors été les agents inconscients de ce que Thomas et Merton appellent une anticipation créatrice (*self fulfilling prophecy*) : c'est la dénonciation du pouvoir supposé absolu qui crée une crise extrême dont l'issue est la création d'un tel pouvoir absolu, jusqu'alors absent.

La critique sociale et politique des idées de Marcuse risque pourtant de négliger l'essentiel, qui se situe dans le domaine culturel. La culture moderne, dit ce lecteur attentif de Freud, est avant tout désublimante ; elle conduit à une sexualité complètement immergée dans le sexe et dans la recherche de la satisfaction immédiate et directe des besoins. Toute distanciation, pour reprendre le mot de Brecht, toute « bi-dimensionnalité », dit Marcuse lui-même, tendent à disparaître. Ce qui fait triompher l'instinct de mort dans la société industrielle et détruit l'art. « Le principe de plaisir absorbe le principe de réalité, la sexualité est libérée (libéralisée, plutôt) sous des formes socialement constructives. Cette notion implique qu'il y a des formes répressives de désublimation. » A cela s'ajoutent la destruction de l'environnement, la disparition de l'image romantique de la nature en accord avec le sentiment amoureux. En un mot, libido et agressivité se confondent, alors que la pensée de Freud reposait sur leur opposition. Le « grand refus » est refusé par la société moderne, la pensée négative est remplacée par les exercices de la pensée instrumentale. « Dans ce monde où la rationalité technologique est la seule dimension, la conscience heureuse tend à devenir prépondérante. » Cette affirmation, qui n'est pas démontrable, se situe néanmoins au cœur de toute critique de la modernité. Si je l'accepte, c'est dans la mesure où elle révèle l'épuisement de la conception classique, rationaliste, de la modernité ; c'est parce que, dans une civilisation technicienne, l'idée d'ordre du monde et aussi celle de culpabilité, qui exprime la distance vécue entre cet ordre et l'expérience humaine, n'ont plus de place. Les garants métasociaux de la vie sociale ont disparu. Faut-il pour autant en conclure que la société hyper-moderne n'est qu'instrumentalité ou hédonisme ?

En premier lieu, cette affirmation se heurte à une autre affirmation du gauchisme, à savoir que la vie sociale fonctionne selon la logique du pouvoir. Il est impossible de démontrer que la logique du consommateur et la logique du pouvoir se confondent, alors qu'elles s'opposent à chaque instant, dans l'usine ou le bureau autant que dans les débats politiques sur le budget de l'État ou sur la politique macro-économique. En second lieu, surtout, la position radicalement pessimiste de Marcuse oblige à chercher d'un autre côté ce qui peut limiter le triomphe de l'instrumentalité. Non plus dans le respect de la volonté divine ou des lois de la raison, mais dans la volonté de liberté et de responsabilité personnelle et collective. Mais cela oblige à abandonner l'idée d'un système sans acteurs et à accepter ce retour de l'acteur et cette naissance du Sujet contre lesquels la pensée sociale a si longtemps mobilisé toutes ses forces. Si les formulations de Marcuse méritaient attention, c'est à cause de leur caractère extrême, car, avec lui, dont l'influence fut grande, s'achève la décomposition du rationalisme modernisateur.

Elles ont au moins le mérite de réagir contre le pansexualisme de freudo-marxistes comme Wilhelm Reich, selon lequel la régulation sociale se réduit à la répression d'une sexualité qui doit être au contraire libérée. Une conception aussi extrême ne peut opposer qu'une nature, artificiellement reconstruite, à la culture, ce qui fait disparaître le sens de toutes les constructions historiques des normes morales.

C'est en historien plutôt qu'en philosophe qu'il faut conclure. Le milieu du XXᵉ siècle ne voit pas triompher dans la pensée ce que Jean Fourastié a appelé *Le Grand Espoir du XXᵉ siècle*. Les intellectuels sont au contraire dominés par l'obsession de la crise. Au moment où ils se sentaient pris en étau entre le fascisme et le communisme et où bien peu résistaient aux séductions de l'un ou de l'autre, l'École de Francfort fut un exceptionnel foyer de double résistance à ces perversions du sens de l'histoire. Mais, après la brève embellie de la Libération, pendant laquelle Jean-Paul Sartre élabora une pensée de la liberté, les intellectuels se sentirent menacés par le triomphe d'une pratique sociale sans théorie, d'un enrichissement sans modèle culturel autre qu'utilitaire. Les refus de l'École de Francfort face aux dictatures fasciste et communiste furent remplacés, une génération plus tard, par une méfiance diffuse, une résistance générale à une modernité qui semblait plus dangereuse par ce qu'elle offrait que par ce qu'elle refusait. Intellectuel ou non, aucun être humain vivant dans l'Occident de la fin du XXᵉ siècle n'échappe à cette angoisse de la perte de tout sens, à l'envahissement de la vie privée, de la capacité d'être Sujet, par les propagandes et les publicités, par la dégradation de la société en foule et de l'amour en plaisir. Pouvons-nous vivre sans Dieu ? Nous avons cru pendant quelques siècles que nous pouvions réduire Dieu à la raison ; puis Nietzsche et Freud nous ont appris à le remplacer par la vie ou par la loi. Mais ces lignes de défense cèdent à leur tour et le principe d'évaluation des conduites qu'a apporté la modernité, l'utilité sociale, la fonctionnalité pour la société des conduites individuelles, semble tout envahir. Ne peut-on combattre cet envahissement que par la reconnaissance, au-delà de l'homme, d'un principe métasocial, Dieu, Logos ou Vie ? La pensée du XXe siècle est déchirée entre la nécessité de pousser jusqu'au bout la sécularisation et celle de se défendre contre la moralisation et l'utilitarisme social auquel la sociologie a si souvent prêté la main. Elle se rejette alors en arrière, cherche l'Être ou bien se crispe dans un grand refus qui ne s'appuie plus sur aucun modèle de transformation sociale, sur aucun espoir, et ne se maintient qu'aussi longtemps que les menaces apparaissent proches. La difficile décolonisation et surtout le maintien prolongé du système stalinien, puis maoïste, ont permis pendant longtemps de justifier ce *grand refus*, mais tout a une fin : l'écroulement du système communiste, l'absence d'un nouveau danger fasciste, le renforcement de la démocratie nous obligent à en sortir. Nous nous trouvons alors sans défense devant le monde de la consommation auquel beaucoup s'abandonnent en satisfaisant des envies longtemps contenues. Mais pourquoi perdre la tête ? Pourquoi ne pas rattraper le retard accumulé et analyser à la fois les nouveaux problèmes proprement sociaux et culturels qui imposent des choix non pas contre la société dans sa globalité, mais contre certains modes de gestion ou d'organisation ? La pensée en cette fin de siècle s'arrache lentement et difficilement à une nostalgie de l'Être qui n'est plus soutenue par le juste refus d'un présent insupportable. Il faut penser, critiquer, transformer une société présente, plus flexible et plus diverse que ne le croyait l'auteur de *L'Homme unidimensionnel*.

Michel Foucault, le pouvoir et les sujets

La faiblesse de presque toutes les pensées critiques de la modernité vient de ce qu'elles supposent la toute-puissance d'un pouvoir central, celui de l'État ou celui de la classe dirigeante, ce qui est proche de la représentation, bien superficielle, de l'histoire comme complot. Or chacun peut constater que les sociétés qui viennent d'être appelées démocratiques rendent le pouvoir central beaucoup moins visible qu'ailleurs, parfois même invisible, qu'elles sont tolérantes et même libérales, c'est-à-dire ne soumettent pas les conduites personnelles à une représentation sociale de la vérité. Une des forces de la pensée de Michel Foucault est qu'elle rejette l'idée d'une répression et d'une manipulation généralisées, et même d'un pouvoir central installé comme l'araignée au milieu d'une toile de fonctionnaires et d'agents de propagande. Le mouvement central de sa pensée en ce domaine, celui qui lui confère son originalité et explique son influence, consiste à remplacer l'idée que le pouvoir central ne cesse de se renforcer et de se concentrer par l'idée inverse, à savoir que l'exercice même du pouvoir se confond de plus en plus avec les catégories de la pratique elle-même, de sorte que dans la société moderne libérale le pouvoir est partout et nulle part, mais surtout que l'organisation sociale, loin d'être régie par la rationalité technique, l'est par l'exercice du pouvoir. Ce qui pousse à l'extrême une pensée critique qui met en cause l'idée même de modernité. Si le critère du bien et du mal est l'utilité sociale, celle-ci ne se réduit-elle pas à l'utilité pour la société plutôt que pour ses membres, donc au renforcement de l'emprise du système social sur ses éléments de fonctionnement ? Telle est la forme la plus simple de la pensée de Michel Foucault. Le pouvoir est normalisation et c'est l'ensemble de la société qui met constamment en œuvre ce mécanisme et qui donc produit de plus en plus la séparation entre le normal et l'anormal, le sain et le pathologique, le permis et l'interdit, le central et le marginal. Le pouvoir n'est pas un discours lancé du haut d'une tribune ; il est un ensemble d'énoncés produits de manière autonome dans toutes les institutions, et qui sont d'autant plus efficaces qu'ils font moins appel à une volonté souveraine et davantage à l'observation objective, voire à la science. Ce raisonnement avait déjà été introduit par Tocqueville dans la seconde partie de sa *Démocratie en Amérique* : la société moderne et démocratique, libérée de la monarchie absolue, risque d'être esclave de l'opinion publique, de la majorité, qui est naturellement conservatrice et se méfie des innovations comme des minorités ou des idées et conduites qui menacent l'ordre établi.

Mais à ce raisonnement général, Foucault apporte un complément qui en modifie le sens et révèle la préoccupation centrale de l'auteur. Il ne critique pas seulement la nature réelle du libéralisme ; il s'inquiète surtout de voir monter, à travers l'histoire, la présence du Sujet et le rôle croissant de l'éthique que *L'Usage des plaisirs* définit (p. 275) « comme l'élaboration d'une forme de rapport à soi qui permet à l'individu de se constituer comme Sujet d'une conduite morale ». Il découvre dans le souci de la sexualité, si tardif à se reconnaître comme tel, « l'étude des modes selon lesquels les individus sont amenés à se reconnaître comme Sujets sexuels ». Définition qu'il avait déjà complétée en évoquant « les pratiques par lesquelles les individus ont été amenés à porter attention à eux-mêmes, à se déchiffrer, à se reconnaître et à s'avouer comme Sujets de désir » *(ibid.*, p. 11). Entre la fin de la période grecque classique et celle de l'empire romain, il voit se constituer cette ascèse morale qui repousse le plaisir au nom du contrôle exercé par le Sujet sur lui-même et le souci de soi que les Grecs nommaient « *epimeleïa heautou*, les Romains « *cura sui* », et qui se retrouve en grande partie dans la culture chrétienne, laquelle lui donnera un contenu plus répressif tout en renforçant l'appel à la subjectivité, tandis que le modèle antique est encore celui d'un individu qui se contrôle lui-même pour ne pas dissiper l'énergie qu'il doit mettre au service de la société.

L'objectif principal de Foucault, dès lors qu'il reconnaît cette montée de la *subjectivation*, est de démontrer qu'elle est un effet de l'extension première, déterminante, de la « gouvernementalité ». L'apparition du Sujet, la subjectivation, est d'abord sujétion. La constitution du Sujet est produite par « toute cette technologie du pouvoir sur le corps que la technologie de "l'âme"— celle des éducateurs, des psychologues, des psychiatres — ne parvient pas à masquer ni à compenser, pour la bonne raison qu'elle n'en est qu'un des outils » (*Surveiller et punir*, p. 35).

L'objectivation de l'être humain et donc la naissance des sciences humaines ont un double aspect : d'un côté, l'individu anormal est mis à part, rejeté ou enfermé, mais, de l'autre côté, il est canalisé comme un cas particulier, individualisé, de sorte que le châtiment, par exemple, tienne compte des intentions du coupable et s'efforce de le réhabiliter soit par le travail, soit par l'isolement favorable au travail de la conscience. La normalisation n'a donc pas que des effets répressifs et destructeurs, thèse qui satisfait la plupart des penseurs critiques de la modernité et que Foucault rejette avec impatience, de même qu'il écarte l'idée que le XIXe siècle et le capitalisme aient réprimé et caché la sexualité. C'est tout le contraire, dit-il : « Aucune société n'en a autant parlé au point d'en appeler à de multiples démarches scientifiques associées à cette objectivation de la sexualité. » Ce qui importe à Foucault, c'est de démontrer que le Sujet est créé par le pouvoir, c'est-à-dire par l'ensemble des mécanismes de la microphysique du pouvoir, donc par les mécanismes objectivisants de la normalisation.

Les deux étapes de ce raisonnement appellent des objections. En premier lieu, le pouvoir peut-il être identifié à la normalisation ? Ici, le livre le plus influent de la seconde étape de la vie de Foucault, *Surveiller et punir* (1975), dément cette thèse. La société qui enferme les délinquants dans la prison, les élèves dans les internats, les malades dans l'hôpital comme les ouvriers dans l'usine, n'est pas un réseau de mécanismes de normalisation. Elle est — et ici, Foucault reste directement influencé par les recherches marxistes — au service d'une classe dirigeante qui procède à ce que Jean-Paul de Gaudemar a appelé la *mobilisation générale*, et qui transforme la société en une armée industrielle commandée autoritairement. Il n'y a pas seulement normalisation, il y a bien répression, et la prison, analyse Foucault lui-même, vise avant tout à séparer les délinquants du corps social. De cette logique de la répression, il faut distinguer une logique de la marginalisation qui correspond mieux à l'œuvre de normalisation. On écarte l'élève ou le travailleur trop lents qui sont ainsi mis à l'écart et dirigés vers le chômage avant d'être parfois enfermés dans des établissements spécialisés qui les étiquettent comme anormaux. Mais cette logique est celle d'une société libérale, et même d'une société de masse qui multiplie et renforce ses mécanismes d'intégration, ce qui produit par contrecoup un résidu de plus en plus inassimilable. Cependant — et ce n'est pas un mince détail —, cela ne constitue pas un monde enfermé, mais, au contraire, une marge à partir de laquelle beaucoup parviennent, si les circonstances sont favorables, à revenir dans le « *mainstream* ». Les études sur la culture urbaine marginale en Amérique latine ont clairement montré que la frontière entre le secteur formel et le secteur informel était poreuse et très souvent traversée. Cette séparation entre la marginalité et l'enfermement est essentielle, car la première correspond à l'action d'un système ouvert, tandis que le second correspond à l'action d'un pouvoir et, plus largement, d'institutions qui à la fois éliminent et cherchent à produire des sujets autonomes capables d'agir sur eux-mêmes et sur leur environnement, de se contrôler, d'être guidés par une « conscience ». C'est aussi ce modèle social et culturel de répression qui suscite des révoltes et des révolutions, lesquelles en appellent à leur tour à l'idée de Sujet et parlent de liberté et de justice.

Foucault a raison de partir de l'objectivation qui entraîne les interventions croissantes de la société sur ses membres, mais cette objectivation, si elle est associée à l'individualisation — celle du consommateur comme celle du « cas social » —, ne produit pas de subjectivation. Bien au contraire, une société technicienne et administrative transforme l'homme en objet, ce qu'exprime le mot *bureaucratie* en son sens le plus courant. On ne peut parler de Sujet que là où intervient le pouvoir, car l'appel au Sujet est constitutif de l'acteur qui se définit contre l'emprise objectivante des appareils.

La normalisation et l'objectivation de l'homme produisent le Soi (self), *tandis que le Je se constitue par résistance à des centres de pouvoir* perçus comme répressifs.

La situation dans laquelle ces deux ordres, celui de l'objectivation et celui de la subjectivation, se confondent est celle où le pouvoir s'identifie lui-même à la rationalisation, ce qui est le cas des despotismes éclairés et, en notre siècle, des régimes communistes, qui sont proprement totalitaires puisqu'ils installent leur pouvoir sur des sujets-objets et couvrent du nom de progrès les intérêts particuliers du Parti-État. L'analyse de Foucault peut être acceptée comme une critique des régimes totalitaires, mais elle ne correspond pas aux situations dans lesquelles l'État et la société civile sont séparés et où, surtout, la normalisation au nom de la raison ne se confond pas avec le pouvoir dans ce qu'il a de répressif.

Dans *Surveiller et punir* (p. 196), Foucault écrit que l'individu est « une réalité fabriquée par cette technologie spécifique de pouvoir qu'on appelle la "discipline" ». Cette conception suppose que le Sujet soit identifié à la raison. La discipline impose l'effort de la raison à une nature qui ne réagit qu'au plaisir immédiat. Mais cette conception est contraire à ce que Foucault a pourtant si bien analysé lui-même : l'apparition en Grèce et à Rome, et plus encore dans le christianisme, d'une conception du Sujet qui ne l'identifie pas à l'universel de la raison, mais à la transformation de la particularité individuelle en histoire de vie, en personnalisation, qu'on peut appeler salut ou entreprise, et qui est la transformation de l'individu en acteur capable de modifier le monde des règles, des normes, des principes impersonnels. Foucault aurait pu donner une importance plus centrale à l'idée de Sujet, mais il voulait si fortement éliminer la vision idéaliste du Sujet et de l'histoire qui avait dominé la première moitié de son œuvre, notamment *Les Mots et les Choses*, qu'il a accordé la place centrale au thème du pouvoir, seul capable, selon lui, de briser l'image du Sujet. Mais pourquoi réduire la vie sociale à des mécanismes de normalisation ? Pourquoi ne pas accepter qu'orientations culturelles et pouvoir social y soient constamment entremêlés, de sorte que la connaissance, l'activité économique, les conceptions morales portent en elles la marque du pouvoir mais aussi souvent de l'opposition au pouvoir, et qu'en même temps il n'y ait pas de pouvoir — sauf totalement despotique — qui ne soit pas la mise en œuvre d'orientations culturelles qui ne se réduisent elles-mêmes jamais à n'être que des instruments du pouvoir ? La passion de Foucault à l'encontre de ce qu'il appelle le Sujet l'a amené à résister à des thèmes que son regard historique, remarquablement profond, faisait entrer dans notre vision.

Dans le texte *Le pouvoir, comment s'exerce-t-il ?*, inséré dans le livre de Dreyfus et Rabinow, Foucault donne de ses idées une formulation très ouverte (p. 320) : « En fait, entre relation de pouvoir et stratégie de lutte, il y a appel réciproque, enchaînement indéfini et renversement perpétuel. A chaque instant, le rapport de pouvoir peut devenir — et sur certains points devient — un affrontement entre des adversaires. A chaque instant aussi, les relations d'adversité, dans une société, donnent lieu à la mise en œuvre de mécanismes de pouvoir. Instabilité donc, qui fait que les mêmes processus, les mêmes événements et les mêmes transformations peuvent se déchiffrer aussi bien à l'intérieur d'une histoire des luttes que dans celle des relations ou des dispositifs de pouvoir. » Et il ajoute qu'il faut nommer domination l'ensemble formé par ces deux visions opposées mais complémentaires. Il conclut en désignant comme objet central de recherche « l'enclenchement des relations de pouvoir sur les rapports stratégiques et leurs effets d'entraînement réciproques » (p. 321). Qu'on est loin ici — ce texte a été écrit à la fin de la vie de Foucault — de l'idée brutale que la pratique du pouvoir produit le Sujet ! C'est la lutte sociale qui oppose l'individu-objet à l'individu-sujet, et seul le triomphe du pouvoir, l'écrasement des luttes de contestation peuvent laisser le champ libre à une représentation de l'individu comme objet, examinable et manipulable. Tout n'est pas pouvoir, et seul le pouvoir absolu, en désubjectivant l'homme, aboutit à confondre rationalisation et pouvoir en supprimant la capacité et la volonté de presque tous d'agir comme des sujets. Ce que Foucault décrit le plus longuement, c'est ce que je nomme des *antimouvements sociaux*, tandis qu'il n'évoque qu'en passant les mouvements sociaux qui introduisent la défense du Sujet contre un pouvoir qui se présente comme technocratique. Foucault est resté constamment attaché à une vision purement critique, à la dénonciation du Sujet comme un effet de pouvoir, mais son œuvre ne lui appartient pas complètement et elle est trop riche pour être doctrinaire ; je la lis comme allant, dans sa dernière phase, jusqu'aux frontières de sa propre idéologie, là où s'impose la présence du Sujet au cœur des débats sur la modernité. L'importance de Foucault et sa supériorité sur ses contemporains doctrinaires vient de ce qu'il s'approche au plus près de ce qu'il rejette, comme un artiste religieux dont l'art n'est jamais plus réussi que quand il peint ou sculpte les pécheurs précipités en enfer. L'œuvre de Foucault peut participer aussi, malgré Foucault lui-même, à la redécouverte du Sujet.

Cette réflexion sur l'œuvre de Foucault rejoint en partie la profonde critique qu'en font Marcel Gauchet et Gladys Swain dans leur étude de l'institution asilaire, et plus précisément de l'œuvre de Pinel et Esquirol, *La Pratique de l'esprit humain* (1980). Pour eux, le grand mouvement d'enfermement des fous qui se développe du XVIe au XIXe siècle est inséparable de ce que j'ai défini ici comme la modernité, c'est-à-dire la création d'une société autocentrée, séparée du monde humain, de la nature et des dieux à la fois. Or les fous étaient supposés habités par une force divine et dominés par cette nature dont la culture se sépare sans jamais rompre avec elle. Lorsque, au contraire, la société se définit seulement par sa propre action, le fou n'a plus de place en elle. Il n'est pourtant pas exclu ; il est enfermé, ce qui est à peu près le contraire, puisque la société considère qu'elle doit resocialiser le fou, dont l'aliénation est en effet définie comme rupture de la socialité. Cette thèse rejoint celle de Foucault en ce sens qu'elle reconnaît que c'est l'État qui devient, dans cette société, « humaniste ». C'est le changement de représentation de la folie qui entraîne son intervention. Mais Gauchet et Swain vont plus loin, à la fois parce qu'ils affirment que l'enfermement conduit inévitablement à la réinsertion du malade mental — ce qui commence dès le début de l'œuvre d'Esquirol, dont l'affirmation centrale est que les aliénés ne sortent jamais du monde du sens — et, plus important encore, parce que, disent-ils, le fou ne peut être réintroduit dans la société que quand le non-social qu'il porte, n'étant plus rapporté aux dieux et à la nature, réapparaît, grâce à Freud, comme l'inconscient, comme le Ça. Ce qui correspond à l'idée que j'ai définie ici comme la décomposition de la modernité qui, brisant l'autosuffisance de l'action rationnelle, va permettre la reconnaissance de la maladie mentale comme autre chose qu'une maladie, comme la rupture de la relation entre le social et le non-social, le Ça et le Surmoi, sur laquelle repose la formation de la personnalité. Foucault a admirablement montré, depuis *Histoire de la folie* jusqu'à *Surveiller et punir*, le développement du pouvoir sur l'homme, mais il l'a dangereusement séparé de la transformation d'ensemble que représente la modernité dont le pouvoir d'État est certes l'agent principal, mais qui a un sens sociologique et même anthropologique beaucoup plus général. Ce qui doit subsister de son œuvre, c'est que la modernité a porté en elle la toute-puissance d'un État dont l'idéal de rationalisation a produit les pires formes de répression, et que la crise de la modernité est donc aussi une libération.

Foucault, dans le texte inséré dans le livre de Dreyfus et Rabinow qui vient d'être cité, se révèle très près de reconnaître les limites du contrôle exercé par les mécanismes de normalisation, et donc la présence constante d'un Sujet contestataire ou révolté. Il évoque les nouveaux mouvements sociaux qui défendent le Sujet contre l'État. Et son œuvre contient bien des pages — la dernière de *Surveiller et punir*, en particulier — qui font entendre dans la vie sociale le grondement de la révolte. Mais on ne peut pas à la fois montrer une société remplie de conflits et d'affrontements et identifier le pouvoir à la pratique sociale, comme s'il était devenu impersonnel et complètement objective. Ou bien on lutte dans la société contre un adversaire social ou politique défini, ou bien on lutte contre la société, mais alors la lutte se réduit au refus ou se dégrade en marginalité. Je comprends que, dans une société d'appareils et de techniques, on doive s'écarter d'une représentation du pouvoir qui place celui-ci dans la main d'un Dieu personnel ou d'un roi ; mais un appareil reste un centre de pouvoir et continue à se définir par une relation sociale de domination qui, à son tour, ne peut exister que dans une société et surtout dans une culture, comme le conflit des capitalistes et des salariés s'est formé à l'intérieur d'une société et d'une culture industrielles dont les orientations étaient non seulement acceptées mais revendiquées par les deux camps en conflit. Si on détruit le triangle formé par les adversaires et l'enjeu de leur combat, on aboutit, au nom d'une critique radicale, à la même vision que le fonctionnalisme intégrateur : il n'y a plus de force de conflit, il n'y a plus que la marginalité ou la contre-culture, et celles-ci sont d'une autre nature que le conflit social. Ce qui oblige à conclure, contre Foucault plus encore qu'avec lui, que la formation du Sujet s'opère à travers des luttes contre des pouvoirs de plus en plus impersonnels et qui se donnent une apparence d'autorité technique.

La pensée de Foucault correspond à une période de disparition des acteurs sociaux d'opposition, période où les anciens acteurs sociaux, notamment le mouvement ouvrier, ont été transformés en appareils de pouvoir, et où les nouveaux mouvements sociaux sont encore plus près de la contre-culture que du conflit social. C'est pourquoi, en même temps qu'elle détruit la possibilité de comprendre les mouvements sociaux et le Sujet, cette pensée attire l'attention vers ces thèmes et, par là même, prépare une renaissance de la pensée sociale dont en même temps elle se méfie en l'accusant de participer à une politique de normalisation et d'étiquetage.

Cette confusion qu'opère Foucault entre deux aspects opposés de la vie sociale ne se situe pas seulement au niveau de l'analyse ; elle a des conséquences pratiques très visibles. Foucault, comme Marcuse, a cru que les exclus, les « *drop-outs* », étaient les seuls contestataires possibles dans une société de normalisation qui ne laisse plus aucun espace aux conflits sociaux de type classique. C'est pourquoi il a attribué tant d'importance au mouvement des prisonniers. Or il n'y a pas de mouvements sociaux dont les acteurs soient définis par l'exclusion, la marginalité ou l'enfermement. Les prisonniers ne forment pas plus un mouvement social que les chômeurs. Leur situation interroge la société sur elle-même, ou lui donne mauvaise conscience, mais, par eux-mêmes, ils peuvent tout au plus constituer un groupe de pression qui présente des revendications, violemment ou non, à l'administration pour obtenir des avantages concrets. Cela n'a rien à voir avec la mise en cause d'une relation de pouvoir. Ceux qui se définissent par la non-relation, dont l'adversaire est la société dans son ensemble à travers son appareil institutionnel, ne peuvent être des acteurs centraux de la société et de son histoire.

La qualité de son œuvre est telle qu'elle peut être lue dans un sens différent de celui que lui a prêté Foucault lui-même, dont les intentions radicalement critiques ne font aucun doute. On peut lire ses derniers livres, à partir de

Surveiller et punir et de *La Volonté de savoir*, comme la
découverte du thème du Sujet, qui semblait avoir été définitivement écarté par *Les Mots et les Choses*. Ce retour,
presque inattendu, s'impose pendant toute sa période d'enseignement au Collège de France. De livre en livre, il
découvre que le christianisme et l'économie moderne ne
peuvent être accusés d'imposer l'austérité et d'interdire le
plaisir du paganisme. Conclusion principale de son étude
sur *L'Usage des plaisirs*, en particulier sur l'amour pédéras-
tique de la Grèce antique : l'histoire montre le passage du
citoyen au Sujet beaucoup plus que celui du plaisir à la
punition de soi-même. Il résiste aux conséquences qu'on
peut tirer de cette constatation. C'est pourquoi il cherche
à faire de la subjectivation un sous-produit de la gouvernementalité et de la moralisation. Hypothèse qu'on ne peut
accepter, même si on admire la force et l'intelligence de
cette tentative.

   Des intellectuels critiques, depuis l'École de Francfort,
ont engagé toutes leurs forces dans la lutte contre l'idée de
Sujet. Maintenant que s'est achevé l'assaut le plus intelligent et le plus hardi contre cette idée, celui de Michel Foucault, ne faut-il pas déblayer le champ de bataille et
reconnaître que le Sujet, qui a survécu à toutes les attaques
comme à tous les mépris, est la seule idée qui permette de
reconstruire celle de modernité ? Il suffit, pour se persua-
der de cette conclusion, de voir avec quelle rapidité la pensée purement critique de la modernité a basculé dans la
rupture totale avec l'idée même de modernité, et s'est auto-
détruite en sautant dans le post-modernisme. Cette évolution fut en particulier celle de Jean Baudrillard, qui tint à
attaquer Foucault pour expliquer son passage du
gauchisme critique au post-modernisme. On peut, à l'inverse, trouver dans l'échec de Foucault des raisons de
croire au retour du Sujet.

Les clercs contre le siècle

   Les intellectuels avaient annoncé le progrès à une
société encore enfoncée dans la coutume, la tradition et
les privilèges, et ils avaient assez facilement trouvé des
alliés dans la noblesse ou la bourgeoisie, comme l'a montré

Daniel Roche pour la France du XVIIIᵉ siècle. Au cours du long XIXᵉ siècle qui se poursuit jusqu'à la Première Guerre mondiale et à la révolution soviétique, ils avaient de plus en plus fortement accentué leur progressisme, c'est-à-dire leur critique de la société au nom d'un avenir nécessaire aussi bien au regard de la science qu'à celui de la morale. Le mouvement communiste, puis les mouvements de libération nationale les enthousiasmèrent, même s'ils se sentaient mis eux-mêmes en cause par des révolutionnaires qui rejetaient les libertés construites par l'Occident autant que le pouvoir de la bourgeoisie et des puissances coloniales. Faire avancer la connaissance et défendre la tolérance et la liberté leur semblaient des objectifs associés à ceux de la révolution sociale et des guerres anticoloniales. L'idée de modernité, même quand elle n'était pas explicitement invoquée, unissait des luttes qui ne semblaient étrangères les unes aux autres que parce que la planète était divisée entre riches et pauvres, colonisateurs et colonisés. Ce progressisme a longtemps résisté à une réalité qu'il a de plus en plus obstinément refusé de voir.

Mais l'expérience du totalitarisme, qui domine le XXᵉ siècle, explique la réaction d'un groupe important d'intellectuels qui, assez intelligents et courageux pour refuser le statut de compagnons de route des partis totalitaires, ne virent d'autre issue aux contradictions qui les menaçaient que le passage à une critique généralisée. Ils rompirent avec l'espoir progressiste de réconcilier l'histoire et la liberté ; ils tournèrent le dos au marxisme hégélianisé ou même christianisé et à toutes les formes d'historicisme et de philosophie de l'histoire. Louis Althusser exprime le plus clairement, parce qu'au plus près de la politique, cet antihumanisme destiné à enlever au pouvoir politique le droit de parler au nom de l'homme, et donc d'imposer une politique répressive. Si un gouvernement se limitait à l'administration des choses au nom de la science et de la nécessité historique, il aurait un rôle de libération des privilèges et ne risquerait plus de se transformer en Église ou en Inquisition. Ainsi se développe un fondamentalisme rationaliste qui élimine toute référence au Sujet historique par méfiance de l'inculcation totalitaire et, s'installant sur le rocher de la science, peut condamner de la même voix aussi bien les régimes totalitaires que la société de consommation. L'histoire des idées constate non seulement la vigueur du mouvement intellectuel que je viens de décrire, mais aussi son succès et même son pouvoir à l'intérieur du monde intellectuel, dans l'université comme dans l'édition et les médias.

La seconde moitié du XXe siècle est dominée par la rupture de la théorie et de la pratique. Sur les ruines du progressisme se séparent d'un côté ceux qui mettent leur intelligence au service des entreprises et des gouvernements, ou à celui de leur réussite personnelle, de l'autre côté ceux qui voient avant tout dans la société moderne l'accroissement et la diffusion des contrôles sociaux. Marcuse ne dénonce-t-il pas dans la tolérance des sociétés occidentales un système de manipulation aussi répressif que les interdits des régimes totalitaires ? De plus en plus, la société de production et de consommation de masse se divise en deux filières (*situs*, disent les sociologues) qui ne sont nullement des classes sociales, mais des univers sociaux et culturels qualitativement différents. D'un côté, le monde de la production, de l'instrumentalité, de l'efficacité et du marché ; de l'autre, celui de la critique sociale et de la défense de valeurs ou d'institutions qui résistent à l'intervention de la société. L'opposition des « technico-économiques » et des « socio-culturels » n'est pas seulement professionnelle ; elle tend à devenir générale, puisque les premiers votent plus souvent à droite et les seconds à gauche, et surtout que le premier groupe est plus masculin et le second plus féminin. L'histoire des idées a changé d'échelle et de sens avec le développement rapide de l'enseignement universitaire de masse. Car les intellectuels ne sont désormais plus un groupe réduit et influent ; ils se sont transformés en une vaste intelligentsia. Certains magazines et de grandes maisons d'édition s'adressent à cette intelligentsia qui constitue leur public le plus important, de la même manière qu'en France le parti socialiste ne peut ignorer que son appui le plus solide se trouve chez les socio-culturels, en particulier chez les enseignants. De là l'isolement relatif de ceux qui s'efforcent de réfléchir à la société contemporaine, car ils sont pris en étau entre des penseurs critiques de la modernité et des acteurs entièrement immergés en elle. La sociologie a presque succombé à cette double attaque et s'est affaiblie dans la plupart des pays face à ce déchirement de plus en plus complet de la pensée sociale léguée par le XIXe siècle.

Ce qui a entraîné deux types de réactions intellectuelles et politiques dont le mélange a donné son ton au mouvement de Mai 68. D'un côté, la pensée sociale a réagi efficacement contre l'optimisme mièvre des idéologues de la modernisation. Elle a sauvegardé l'espace du refus sans lequel la formation de nouveaux acteurs et de nouveaux mouvements sociaux n'aurait pas été possible, et elle a cherché à dégager le sens des revendications les plus neuves, en particulier du mouvement des femmes, de la critique du centralisme jacobin, du refus écologiste de la destruction de l'environnement. L'antipositivisme et l'antiproductivisme ont préparé le réveil d'une société qui semblait absurdement réduite au marché des biens et des services. Mais, parallèlement, les intellectuels s'enfermaient de plus en plus dans leur critique « gauchiste » de la société moderne décrite comme une machine à manipuler. Ce qui ne correspond pas à la réalité, car si la société moderne est un réseau de plus en plus dense de signaux, on ne peut oublier que ces signaux sont moins impérieux que des normes, et ont en particulier des effets de socialisation de plus en plus faibles. Une convention, une règle n'imposent pas des consignes aussi strictes que des articles de catéchisme ou des formes de dépendance personnelle directe.

Le triomphe de cette pensée, qui fut éclatant, se révéla aussi de courte durée. L'esprit du temps changea vite, non pas seulement parce que les arroseurs furent à leur tour arrosés avec le passage de certains gauchistes au postmodernisme, mais surtout parce que la conjoncture économique mondiale changea dans les années quatre-vingt, qu'une nouvelle période de prospérité, partie des États-Unis et du Japon, et qui n'atteignit la France qu'avec de longues années de retard, succcéda à ce qu'on avait appelé la « crise », mise au jour et déclenchée par la rupture du système monétaire international et les augmentations brutales du prix du pétrole. Les années quatre-vingt furent celles de la revanche de la pratique sur la théorie, des technico-économiques sur les socio-culturels, de la réussite sur la critique. C'est le moment où la pensée critique, héritière affaiblie du progressisme ancien, céda la place à des pensées néo-libérales ou post-modernistes qui achevèrent la destruction de l'idée classique de modernité.

Pourrons-nous encore longtemps osciller ainsi du refus de la société moderne à l'adoration du marché, comme si les interventions politiques de nos sociétés sur elles-mêmes étaient fatalement détestables ? Cette double méfiance à l'égard des réformes et des innovations sociales empêche en fait la formation de nouveaux mouvements sociaux, car ceux-ci, privés d'une élaboration intellectuelle suffisante, tombent vite ou dans un moralisme fade ou dans un pragmatisme à courte vue. Notre société, face à ses problèmes internes comme à ceux de l'ensemble du monde, semble privée d'idées et d'imagination. Hors des pays les plus privilégiés, l'absence ou la faiblesse des intellectuels est encore plus dramatique. Longtemps enfermés dans un révolutionnarisme détaché des masses populaires au nom desquelles ils parlaient, les intellectuels latino-américains, brésiliens et chiliens en tête, ont repris contact avec la réalité, mais ils sont affaiblis par la crise économique et sociale des années quatre-vingt. Dans les pays de l'Est, en Pologne surtout, des intellectuels ont joué un rôle admirable dans la critique et le renversement des régimes communistes, mais ils se trouvent vite étouffés par des programmes de reconstruction qui sacrifient tout à l'économie de marché. Dans le monde islamique, les intellectuels critiques sont presque sans voix face à la montée des mouvements islamistes qui, quand ils parviennent au pouvoir, détruisent la vie intellectuelle.

Les intellectuels ne sont pas seuls responsables de la situation dont ils sont victimes. L'appel croissant du pouvoir politique à l'idéologie, comme la place envahissante des connaissances les plus utilitaires, ont transformé en terrains militaires et en grandes surfaces commerciales une grande partie des terres où poussait la vie intellectuelle. Mais pourquoi celle-ci, de son côté, s'est-elle aussi massivement laissé entraîner dans le refus de la modernité et dans une critique si éloignée des faits observables ? Pourquoi les intellectuels écoutent-ils si peu et si mal les bruits de la rue ? Je ne vois qu'une explication à cet effacement : c'est que les intellectuels se sont identifiés si complètement à l'image rationaliste, illuministe de la modernité, qu'après avoir triomphé avec elle, ils se décomposent comme elle au fur et à mesure que les conduites sociales et culturelles dans toutes les parties du monde se laissent de moins en moins conduire par cette représentation. Redéfinir la modernité n'est pas seulement utile pour les sociétés modernes ou en voie de modernisation ; c'est aussi, pour les intellectuels, un moyen indispensable d'échapper à la perte de sens qui les entraîne à ne voir que contrôle et répression dans la civilisation technicienne, et à nier l'existence d'acteurs sociaux dans un monde pourtant agité par des problèmes et des innovations, des projets et des contestations.

CHAPITRE V

SORTIES DE LA MODERNITÉ

L'idée de modernité n'a dominé la pensée qu'avant la construction de la société industrielle. La lutte contre le passé, l'Ancien Régime et les croyances religieuses, la confiance absolue en la raison donnaient à l'image de la société moderne une force et une cohérence qui eurent tôt fait de disparaître quand l'expérience remplaça l'espoir, quand la société nouvelle devint réalité et non plus seulement l'envers de celle qu'on voulait détruire ou dépasser. L'histoire de la modernité est celle de l'émergence d'acteurs sociaux et culturels qui se détachent de plus en plus de la foi en la modernité comme définition concrète du bien. Les intellectuels, à la suite de Nietzsche et de Freud, sont les premiers à rejeter la modernité, et le courant le plus influent de la pensée moderne, de Horkheimer et de ses amis de Francfort à Michel Foucault, a poussé toujours plus loin une critique de la modernité qui finit par isoler complètement les intellectuels dans une société qu'ils désignaient avec mépris comme société de masse. Mais, à côté d'eux, dans un sens parfois proche de ces critiques intellectuelles, mais plus souvent très éloigné d'elles, les nations et leur passion pour leur indépendance, leur histoire et leur identité prennent une importance croissante, au point que le XX⁰ siècle sera celui des nations comme le XIX⁰ siècle avait été celui des classes, au moins dans les pays modernisés. Plus tard venues, les entreprises, aux États-Unis d'abord, puis au Japon et en Europe, deviennent des acteurs dont la puissance excède parfois celle des États nationaux, des centres de décision politique plus que de simples agents économiques. Enfin, aux États-Unis d'abord, puis en Europe et plus tardivement au Japon, éclate la consommation de masse, suivie par les communications de masse qui font entrer dans la vie publique le monde des désirs, de l'imaginaire, et plus simplement du corps que le rationalisme moderne avait rejeté, réprimé ou enfermé. Mais tant que la rationalité instrumentale tisse son réseau de relations entre ces acteurs sociaux et culturels, la modernité se maintient, et on peut parler de société industrielle, voire néo-ou hyper-industrielle. Les sociétés les plus modernes se sentent menacées d'éclatement, mais l'importance des techniques dans leur fonctionnement leur permet de réagir en combinant formation technique et défense d'un certain ascétisme ; elles sont défendues avec le plus de force par l'école, qui s'est considérée, surtout en France, comme le défenseur du rationalisme des Lumières jusqu'à ce qu'elle soit à son tour débordée par le retour de ce qui avait été éliminé par les bourgeoisies post-révolutionnaires pendant leur longue occupation du pouvoir.

A partir de quel moment cet éclatement de la modernité devient-il complet et non plus partiel ? Précisément quand l'univers de la rationalité instrumentale se sépare complètement de celui des acteurs sociaux et culturels. Éros, consommation, entreprises et nations dérivent dès lors librement, comme des icebergs quand se rompt la banquise, s'éloignant les uns des autres, entrant en collision, parfois aussi se collant provisoirement l'un à l'autre. Plus concrètement encore, nous sortons de la modernité quand nous cessons de définir une conduite ou une forme d'organisation sociale par sa place sur l'axe tradition-modernité ou sous-développement-développement, comme on dit plus souvent pour les pays les moins modernisés. Nous vivons de plus en plus consciemment, au moins depuis 1968, cette sortie de la modernité. Nous cessons d'expliquer les faits sociaux par leur place dans une histoire qui aurait un sens, une direction. La pensée sociale spontanée, les idéologies et l'air du temps jettent toute référence à l'histoire par-dessus bord. C'est cela surtout que signifie le

thème du post-modernisme, qui est avant tout un post-historicisme.

A cette crise de l'idée classique de modernité, de l'idéologie moderniste, deux réponses sont possibles : la première,
celle des post-modernes, affirme que sa décomposition est
irréversible ; la seconde, que la modernité peut et doit être
défendue et même élargie. C'est ce que pense Jürgen
Habermas et c'est aussi, en des termes différents, l'idée que
je défendrai dans la troisième partie de ce livre. Mais,
avant de suivre cette direction, il faut aller d'abord jusqu'au bout de la route qui mène de l'idée classique de la
modernité à sa crise, à sa décomposition et enfin à sa disparition.

Le marché et le ghetto

La crise de la modernité parvient à son terme quand la
société s'écarte de tout principe de rationalisation, soit
qu'elle fonctionne comme un marché, soit qu'elle ne se
définisse que par une identité historique, et quand les
acteurs n'ont plus de références que culturelles, communautaires ou individuelles. Faut-il même parler ici de crise
de la modernité ? N'est-ce pas la modernité elle-même,
telle que je l'ai définie d'emblée, qui tend à cette séparation
croissante du système et des acteurs, et son histoire n'est-
elle pas celle de la destruction de plus en plus complète de
tout principe d'unité entre eux ? A la rupture de l'univers
du sacré ont succédé la destruction de la vision rationaliste
du monde, et aussi l'épuisement de l'image de la société
comme lieu de correspondances entre les institutions et
les acteurs socialisés par la famille et l'école. Du dualisme
chrétien à l'individualisme bourgeois, et du romantisme
post-révolutionnaire à une culture de la jeunesse en tous
points opposée à celle des grandes entreprises, ne sommes-
nous pas entrés dans la grande dissociation où s'accomplit
et s'abolit la modernité elle-même ? Nous avons longtemps
hâté la disparition de l'univers intégré où l'homme occupait sa place dans une nature créée ou non par un Dieu,
mais aujourd'hui, ce qui nous effraie, ce n'est pas la fermeture d'un monde trop immobile et dont les lois sont trop
impérieuses ; c'est au contraire le désordre d'une société

où l'univers des techniques et des organisations se heurte trop violemment avec celui des désirs et des identités. Les divers courants post-modernes éclairent des aspects divers de cet éclatement, mais il faut le décrire dans sa réalité historique avant d'en chercher les reflets dans des pensées elles-mêmes aussi éclatées que le monde qu'elles interprètent.

Ce n'est pas de conceptions de l'homme qu'il faut partir ici, mais, au contraire, de réflexions sur les acteurs économiques.

C'est en effet la sociologie des organisations qui a joué en l'occurrence le rôle intellectuel central. La sociologie fonctionnaliste ou institutionnaliste avait présenté les organisations à buts économiques, administratifs ou sociaux comme des mises en œuvre de la rationalité instrumentale, capables de créer une correspondance entre règles de fonctionnement et conduites individuelles ou collectives. Or la sociologie des organisations a déchiré cette image. Parfois, sur un ton de critique sociale, quand elle a dessiné un portrait beaucoup moins flatteur de l'« homme de l'organisation » comme le fit W. H. Whyte ; plus souvent, et de manière beaucoup plus féconde, en montrant que les règles d'une organisation et même son fonctionnement observable ne sont qu'un compromis fragile et changeant entre un grand nombre de pressions et de contraintes, et que l'organisation efficace n'est pas celle qui est claire, solide et transparente, mais celle qui sait gérer complexité, conflits et changements. C'est ici que l'idée de stratégie remplace celle de management. Peter Drucker a formulé clairement ce renversement. A un niveau plus théorique, les livres de Herbert Simon et James March aux États-Unis, comme ceux de Michel Crozier en France, ont démontré non pas la crise du rationalisme instrumental, mais, au contraire, son renouvellement et même possible, à condition qu'il rompe avec toute référence à l'idée de système social ou à celle de société, et qu'il se lie entièrement au thème du changement social. L'entreprise cesse ainsi d'être la cellule de base de la société industrielle moderne ; elle devient le combattant qui, au nom d'une société nationale ou d'elle-même, se bat sur les marchés internationaux, lutte pour transformer les technologies nouvelles en processus de production et pour s'adapter à un environnement aux changements constants et peu prévisibles. Simon a parlé de rationalité limitée, et Crozier de contrôle de l'incertitude. Ces analyses remarquables présentent l'entreprise comme un stratège, non pas enfermé dans une organisation dite scientifique du travail, mais ouvert au monde extérieur comme aux problèmes humains internes d'une organisation complexe. Au culte de l'organisation forte et simple a succédé l'éloge de l'organisation faible, flexible, complexe. Cette conception est à la fois plus riche que le modernisme fonctionnaliste qu'elle remplace, et plus modeste, puisqu'elle accepte de renoncer au principe central de la sociologie classique, la correspondance des règles institutionnelles et des conduites. La stratégie peut s'appuyer sur une loyauté à la japonaise à l'égard d'une entreprise qui repose sur des relations à la fois autoritaires et participatives ; elle peut aussi se contenter de faire pénétrer dans l'entreprise les contraintes et les incitations du marché, ce qui définit le modèle dit de « Silicon Valley ». On peut concevoir aussi une stratégie d'entreprise très différente, sachant combiner l'intégration à l'entreprise avec l'encouragement de projets professionnels personnels. L'entreprise peut enfin rechercher la plus large participation possible de ses membres à son fonctionnement et à son adaptation au marché. Ces conceptions de l'entreprise sont toutes nettement tournées vers l'extérieur, bien qu'elles se soucient constamment de la mobilisation de ses ressources humaines et techniques.

Cette conception, si on l'élargit de l'entreprise à l'ensemble de la société, amène à dire que nous ne vivons plus dans une société industrielle dominée par des conflits sociaux centraux, mais dans un flux incessant de changements. Nous sommes emportés sur une mer ou une rivière dangereuse, tendus pour donner des réponses rapides à des incidents en grande partie imprévisibles. Certains gagnent la course, d'autres se noient. L'idée de société est remplacée par celle de marché et cette mutation a pris un tour dramatique avec l'écroulement du système communiste, car la conclusion des principaux responsables des pays concernés est que leur système n'est pas réformable, qu'il faut donc se lancer, même dans les pires conditions, sur les rapides d'un fleuve inconnu, et tenter coûte que coûte d'instaurer chez eux l'économie de marché. Nous voici donc, à l'Est comme à l'Ouest, embarqués dans une société formée de trois groupes : les pilotes, groupe peu nombreux de ceux, non pas qui commandent, mais qui répondent aux incitations du marché et de l'environnement en général ; les passagers, qui sont des consommateurs en même temps que des membres de l'équipage ; et les épaves qui ont été emportées par la tempête ou rejetées à la mer comme des bouches inutiles ou en surcharge. Cette société libérale, qui se substitue à la société de classes aménagée par la social-démocratie ou d'autres formes d'État-providence, remplace l'exploitation par l'exclusion, et, surtout, remplace un modèle de fonctionnement par une stratégie de changement, une vision synchronique par une vision diachronique.

Ces images de la société *libérale* séduisent beaucoup de ceux qui ont été déçus par l'action politique la plus volontariste, la plus révolutionnaire. Ce qui explique l'allégresse avec laquelle tant d'anciens gauchistes se jettent dans un libéralisme extrême, faisant l'éloge du vide ou de l'éphémère, de la libération de la vie privée et de la fin des limitations et contraintes qu'imposaient les modèles volontaristes de société. Ainsi se développe ce que les Américains ont appelé le libéralisme libertaire. Mais comment oublier que cette société, réduite à son instrumentalité, à son changement et à la stratégie de ses dirigeants, est aussi une société sauvage où les laissés-pour-compte ont de moins en moins de chances de rentrer dans la course, où les inégalités sociales augmentent, bien que ne cesse de croître la classe moyenne, et dont ne se tiennent éloignés que les adeptes des cultures minoritaires qui entretiennent avec la culture majoritaire des relations inégalitaires de diglossie ?

L'opposition de ces minorités et d'une majorité entraînée par les maîtres de la production, de la consommation et de la communication donne un sens nouveau à l'opposition entre la droite et la gauche. La droite ne défend plus les gens du haut, mais plutôt ceux de l'avant et fait confiance à de bons stratèges pour réduire les coûts sociaux du changement. La gauche défend plus les gens exclus que les gens d'en bas, et est plus sensible aux inégalités croissantes entre le Nord et le Sud, aux menaces qui pèsent sur la planète, à l'exclusion de nombreuses catégories sociales et culturelles. Encore cet esprit de gauche rencontre-t-il de grandes difficultés puisqu'il ne parle plus au nom de la majorité mais de minorités. Le parti démocrate américain a les plus grandes difficultés à échapper à cette définition traditionnelle qui le condamne à la défaite.

Ce libéralisme extrême forme la pointe avancée du modernisme, mais il est déjà au-delà et constitue le type de société économique où se développe la culture postmoderniste. Il est le mode dominant de gestion de notre société en cette fin de siècle.

Quand la société ressemble de plus en plus à un marché où les enjeux idéologiques et même politiques semblent avoir disparu, ne survivent que la lutte pour l'argent et la recherche de l'identité ; les problèmes sociaux ont été remplacés par des problèmes non sociaux, ceux de l'individu comme ceux de la planète, qui débordent le champ social et politique par en bas et par en haut et le vident de presque tout contenu. Société qui ne cherche pas à être pensée, mais se méfie des grandes idées et des grands discours qui troublent son pragmatisme ou ses rêves. La plus grande force de cette vision libérale est qu'elle semble la protection la plus sûre contre toutes les tentatives de prise de pouvoir par des élites dirigeantes et surtout par celles qui prétendent parler au nom de l'homme et de la société. L'argent n'apparaît-il pas comme le moins brutal des maîtres, parce que le moins personnel, alors que les hommes de conviction, porteurs d'un projet grandiose, cherchent toujours à imposer leur foi et leur pouvoir ?

La critique qu'appelle cette vision est qu'elle est victime de son propre instrumentalisme. Elle réduit la société à un marché et à un flux incessant de changements, mais elle ne rend pas compte des conduites qui échappent à ce réductionnisme. Elle n'explique ni la recherche défensive de l'identité ni la volonté d'équilibre ; elle ne comprend ni la passion nationale ni la culture des exclus. En un mot, elle est l'idéologie des élites qui conduisent le changement et qui se sentent assez « dans le coup » pour préférer le mouvement au repos, l'offensive à la défensive, l'impersonnalité des systèmes de communication à la subjectivité. Élites dont il ne faut pas sous-estimer la capacité d'entraînement des majorités silencieuses.

Le libéralisme ne correspond qu'à une face de la modernité éclatée, celle de l'action et du changement, séparée de l'autre face, celle de l'identité coupée de toute action sociale, de l'étouffante subjectivité des nationalités, des ghettos, des bandes agressives, des gestes qui inscrivent sur les murs ou les voitures du métro une identité indéchiffrable et réellement anonyme.

Il n'existe pas de société qui soit seulement un marché, seulement des pays où le marché côtoie le ghetto, où l'innovation et le mouvement entourent les poches d'exclusion. Sociétés éclatées dont les États-Unis donnent depuis longtemps le modèle fascinant et inquiétant, dont se rapprochent à grande vitesse les pays européens, malgré leurs solennelles déclarations sur l'intégration républicaine, la sécurité sociale exemplaire et la lutte nécessaire contre les inégalités. Mais qui prend des formes beaucoup plus dramatiques là où n'existe pas la grande richesse qui permet aux pauvres de survivre et parfois de sortir du ghetto. Les pays sous-développés, et même les pays en situation intermédiaire comme la plupart des pays d'Amérique latine, semblent entraînés vers une dualisation accélérée qui accroît la proportion des pauvres et les éloigne de plus en plus des catégories qui participent au système économique mondial. Peut-on parler de telles sociétés autrement qu'en termes de pathologie sociale, puisque ce qui les caractérise, c'est leur faible et déclinante capacité d'agir sur elles-mêmes, de sorte qu'il ne s'agit plus en effet de systèmes sociaux, mais de sociétés divisées avec elles-mêmes, où les pauvres vivent dans un monde de plus en plus différent de celui des riches, où la coexistence de communautés fermées et de zones d'ouverture à l'économie mondiale détruit toute possibilité aussi bien d'intervention politique que de contestation sociale ?

On ne peut opposer la vision d'une société purement mobile au modèle rationaliste des débuts de l'ère moderne. Celui-ci constituait une vision d'ensemble, même quand la crise de la modernité tendait à la désarticuler. Au contraire, cette vision libérale ne décrit qu'une partie de la société, comme un guide qui ne ferait visiter qu'une partie de la ville : les beaux quartiers. Et la même critique, si on en inverse les termes, vaut contre la vision de la vie communautaire des ghettos ou des groupes exclus.

Ceux qui sont exclus du mouvement incessant des innovations et de la décision ne s'appuient plus sur une culture de classe, sur un milieu ouvrier ou populaire. Ils ne se définissent plus par ce qu'ils font, mais par ce qu'ils ne font pas : par le chômage et la marginalité. Cette société du changement est aussi une société de la panne et de l'immobilité. Ces exclus sont parfois dévorés par l'anomie, parfois entraînés vers la délinquance, de plus en plus souvent intégrés à des communautés de voisinage ou ethniques. C'est le cas depuis longtemps aux États-Unis et en Grande-Bretagne. Celui qui n'est plus défini par son activité se construit ou se reconstruit une identité à partir de ses origines. Ce phénomène revêt une importance beaucoup plus grande encore quand on le considère à l'échelle du monde ; mais limitons-nous ici aux sociétés industrielles devenues post-modernes. Sociétés dynamiques, libérales, parce qu'elles sont lancées dans des changements qui transforment de manière permanente tous les modes de socialité et de modernité, elles sont aussi des sociétés de communautés et de ghettos. Quand l'économie n'est plus qu'un ensemble de stratégies d'entreprise, que l'acteur n'est plus que le non-acteur, le chômeur, l'immigré ou le lycéen inquiet de son avenir, se trouvent dissociés entièrement le système et les acteurs. L'objectivité du marché et la recherche subjective d'une identité qui ne peut plus être socio-professionnelle, celle du paysan ou de l'ouvrier, ne se rencontrent plus. Dualisation qui va bien plus profond que l'économie « à deux vitesses » si souvent dénoncée dans les pays industriels comme dans le tiers-monde.

Dans l'Europe industrialisée, nous venons de vivre en quelques années la fin du mouvement ouvrier, soit perverti par sa participation au totalitarisme communiste, soit incorporé au système des décisions économiques et sociales et donc réduit à n'être qu'un « partenaire social », ce qui lui confère un rôle important dans le système politique, mais non plus dans le débat central sur les orientations de la société. Si la vie sociale est devenue un marathon, on voit quelques-uns lutter pour gagner la compétition, beaucoup s'efforcer de rester dans le peloton, un certain nombre exprimer leur peur d'être distancés et laissés pour compte, d'autres enfin mordre la poussière et abandonner, épuisés. On est passé des conflits sociaux aux espoirs ou aux désespoirs associés à des mutations de plus en plus rapides, des problèmes d'une structure sociale à ceux d'un mode de changement. Les mouvements de jeunes, comme ceux que la France a connus en 1990, sont caractéristiques de cette nouvelle conjoncture sociale. Si les lycéens, surtout ceux des banlieues, ont manifesté, c'est que, souvent issus d'un milieu où la génération précédente était encore loin d'atteindre le même niveau d'études, surtout dans l'immigration, ils ont peur de rater leur entrée dans l'immense classe moyenne des consommateurs urbains. A côté d'eux, des jeunes gens vivant dans des quartiers nouveaux de la périphérie de Lyon ou de Paris ont créé des incidents sérieux, pillant des centres commerciaux ou brûlant des voitures, parfois à l'occasion de la mort de l'un d'eux provoquée par une intervention policière brutale. Eux n'ont plus l'espoir d'intégration sociale des lycéens mais sont animés par une rage qui traduit cette intégration plus souvent impossible que refusée. Mais aucune de ces deux réactions ne donne un point de départ à un nouveau mouvement social, pas plus que ce qu'on appelait au XIXe siècle l'action des classes dangereuses ne fut le berceau du mouvement ouvrier. Elles indiquent la crise d'un système qui détourne de l'action collective plutôt qu'il n'encourage la contestation. On voit même de plus en plus en Europe, comme depuis longtemps aux États-Unis, cette exclusion du monde de la production et de la consommation favoriser l'ethnicité, c'est-à-dire la conscience de l'identité ethnique. Ceux qui ne peuvent plus être définis par le travail, surtout parce qu'ils sont chômeurs, se définissent par ce qu'ils sont, et donc, pour beaucoup, par une appartenance ethnique. Et ces contre-cultures qui s'incarnent dans des bandes, mais aussi dans des expressions musicales à fortes références ethniques, deviennent les points d'appui d'une population marginalisée mais qui garde en elle le désir d'entrer dans le monde qui l'a rejetée. Ce qui s'observe dans certains quartiers de New York, de Londres et, dans une mesure plus limitée, de Paris n'est pas différent de la rupture qui se renforce chaque année entre nations riches et nations pauvres. Le temps est loin où Alfred Sauvy nommait *tiers-monde* ces nations prolétaires pour leur souhaiter le même avenir qu'au tiers état qui renversa l'Ancien Régime en France. Si on parle aujourd'hui de quart-monde, c'est pour souligner que la frustration a remplacé l'espoir, et la marginalité la perspective d'entrer dans la production et la consommation modernes. Ce qui entraîne la décomposition de l'action collective, qui n'est plus capable de contester l'appropriation sociale des moyens de production et est déchirée entre le repli sur une identité de plus en plus mythique et la fascination pour les lumières de la consommation.

Les post-modernismes

Cette dissociation complète de la rationalité instrumentale devenue stratégie sur des marchés mobiles et de communautés enfermées dans leur « différence » définit la situation post-moderne. Le modernisme affirmait que le progrès de la rationalité et de la technique n'avait pas seulement des effets critiques de liquidation des croyances, des coutumes et des privilèges hérités du passé, mais qu'il créait aussi des contenus culturels nouveaux. Longtemps, le modernisme affirma la complémentarité de la raison et du plaisir, de manière libertaire et aristocratique au XVIIIᵉ siècle, bourgeoise au XIXᵉ, populaire au XXᵉ, grâce à l'élévation du niveau de vie. Libéré de la culpabilité que lui avait imposée la pensée religieuse, l'individu moderne pouvait unir les plaisirs du corps à ceux de l'esprit et même aux émotions de l'âme. Il devait être aussi habile que sensible et aussi sensible qu'intelligent. Cette image du *kalos kagathos*, comme disaient les Grecs, n'était guère convaincante, il est vrai, car elle témoignait d'une indifférence choquante à l'égard des conditions de vie réelles de la plupart. Mais l'idée d'un lien direct entre la rationalisation et l'individualisme était rarement mise en cause. Y compris par les critiques de l'inégalité sociale et de l'exploitation économique. On réclamait seulement le droit pour tous d'entrer dans un monde moderne, c'est-à-dire à la fois productif, libre et heureux. C'est cette image globale de la modernité qui s'est brisée, après avoir été fissurée par les attaques de tous ceux qui mirent en crise l'idée même de modernité à partir de la seconde moitié du XIXᵉ siècle.

Les conditions de la croissance économique, de la liberté politique et du bonheur individuel ne nous semblent plus analogues et interdépendantes. La dissociation des straté-

gies économiques et de la construction d'un type de
société, de culture et de personnalité s'est opérée très vite,
et c'est elle que nomme et définit l'idée de *post-modernité*.
Si la modernité associa progrès et culture, opposant cultures ou sociétés traditionnelles et cultures ou sociétés
modernes, expliquant tout fait social ou culturel par sa
place sur l'axe tradition → modernité, la post-modernité
dissocie ce qui avait été associé. Si le succès économique
ne va plus à la rationalité de l'ingénieur mais au réalisme
du stratège, s'il n'est donc plus un effet de l'éthique protestante ou du service de la nation mais du talent d'un financier ou de l'audace d'un joueur — au sens où l'on parle de
théorie des jeux —, il faut renoncer à l'héritage de Weber
comme à celui de Condorcet, et, par conséquent, définir la
culture sans se référer désormais au progrès de la rationalisation, donc en sortant du domaine de l'action historique.
Gianni Vattimo considère deux transformations comme
fondamentales pour définir la post-modernité : la fin de
la domination européenne sur l'ensemble du monde et le
développement des médias qui ont donné la parole aux
cultures « locales » ou minoritaires. Ainsi disparaît l'universalisme qui accordait une importance centrale aux
mouvements sociaux dont l'Europe des XVIIIe et XIXe siècles
supposait qu'ils luttaient pour ou contre la raison et le progrès. La société n'a plus d'unité et donc aucun personnage,
aucune catégorie sociale, aucun discours n'a plus le monopole du sens. Ce qui conduit à un multiculturalisme que
défendent bien des œuvres. Dans un autre registre, l'inquiétude, déjà évoquée, devant la dissociation des conduites de production, de consommation et de vie politique,
donc devant la disparition de la société telle que la concevait la pensée occidentale, retrouve cette conscience de la
disparition des sujets historiques. Parallèlement, le sujet
individuel achève de se décomposer jusqu'à ce qu'Erving
Goffman le réduise à une succession de présentations de
soi définies par leur contexte, par des interactions, et non
plus par des orientations d'action, des projets, ce qui réduit
le Soi *(Self)* à une grande faiblesse.

En cette fin du XXe siècle, la destruction du Moi, de la
société et de la religion, commencée par Nietzsche et
Freud, semble parvenue à son terme. Elle est renforcée par
la pensée systémique de Niklas Luhman qui écarte les

idées d'acteur et de sujet telles qu'elles étaient encore présentes dans le fonctionnalisme de Talcott Parsons, en centrant l'analyse sur le système lui-même et sur la différenciation croissante des sous-systèmes pour lesquels les autres sont un simple environnement, comme la vie sociale n'est plus que l'environnement du système politique.

Il est facile de critiquer la variété des sens prêtés au post-modernisme, mais ces critiques ne vont pas à l'essentiel. Le post-modernisme, tel que je viens de le définir et dont je vais décrire les principales orientations, est beaucoup plus qu'une mode intellectuelle ; il prolonge directement la critique destructrice du modèle rationalisateur lancée par Marx, Nietzsche et Freud. Il est l'aboutissement d'un long mouvement intellectuel ; celui-ci s'est presque constamment opposé à une modernisation technique et économique qui n'a été interprétée par aucune œuvre intellectuelle majeure au cours du siècle passé, à l'exception peut-être de celle de Dewey, nourrie de darwinisme. Comment ne pas voir que, sous toutes ses formes, ce post-modernisme est incompatible avec l'essentiel de la pensée sociale que nous avons héritée des deux siècles qui ont précédé le nôtre, en particulier avec des notions comme celles d'historicité, de mouvement social et de sujet, que je défendrai pourtant contre cette pensée post-moderniste dans la troisième partie de ce livre ?

Elle unit au moins quatre courants de pensée dont chacun représente une forme de rupture avec l'idéologie moderniste :

1. Le premier définit la post-modernité comme une *hypermodernité*, de la même manière que Daniel Bell définissait la société post-industrielle comme hyper-industrielle. Le mouvement de modernité ne cesse de s'accélérer, les avant-gardes deviennent de plus en plus éphémères et toute la production culturelle, dit justement Jean-François Lyotard, devient avant-garde par une consommation de plus en plus rapide de langages et de signes. La modernité s'abolit elle-même. Alors que Baudelaire la définissait comme la présence de l'éternel dans l'instant, ce qui s'opposait à l'idéalisme des cultures attachées à dégager les idées éternelles des déformations et des souillures de la vie pratique et des sentiments, elle semble, un siècle plus tard, prisonnière de l'instant et entraînée dans l'élimination de plus en plus complète du sens. Culture kaléidoscopique qui ne renonce pas à la modernité, mais réduit celle-ci à la construction d'aménagements techniques qui ne retiennent plus l'attention que par leur nouveauté et leurs prouesses techniques, vite dépassées.

2. Bien différente — quoique facilement complémentaire — est la critique, non plus du modernisme technique, mais du modernisme social et politique qui a inventé des contre-modèles de sociétés dont la réalisation appelait l'intervention d'un pouvoir d'autant plus absolu que la rupture à effectuer était plus complète. L'idée de révolution, je l'ai dit dès le début, a toujours été étroitement associée à celle de modernité. Le succès intellectuel du post-modernisme fut, à la fin des années soixante-dix, un effet direct de la crise du gauchisme révolutionnaire. Le néo-libéralisme qui triomphe dans la vie économique et politique au cours des années quatre-vingt et le post-modernisme culturel sont les produits parallèles de la décomposition du gauchisme, forme extrême de modernisme, surtout chez les trotskistes qui, depuis les débuts de la révolution soviétique, ont cultivé l'utopie de la machine centrale, devenue plan central, transformée plus récemment en ordinateur central, censée transformer le gouvernement des hommes en administration des choses et donc libérer ceux-là des méfaits du subjectivisme politique de type stalinien ou hitlérien. En France, c'est Jean Baudrillard qui a accompli avec le plus de détermination ce passage de la critique gauchiste à la critique post-moderniste du gauchisme, voire à la négation du social.

Sommes-nous entrés dans l'ère de la dissolution du social ? Pour beaucoup, de Baudrillard à Lipovetsky, tel est le sens profond d'une décomposition dont l'idée de post-modernité ne saisit que l'aspect de rupture avec une tradition intellectuelle et culturelle. La situation *post-sociale* est le produit d'une complète séparation entre l'instrumentalité et le sens : la première est gérée par des entreprises, économiques ou politiques, en concurrence entre elles sur des marchés ; le second est devenu purement privé, subjectif. De sorte qu'il n'existe plus d'autre principe de régulation de la vie sociale que la tolérance. Lipovetsky dit dans *L'Ère du vide* (p. 46) : « Tous les goûts, les comportements peuvent cohabiter sans s'exclure, tout peut être choisi à loisir, la vie simple — écologiste — comme la vie hyper-sophistiquée dans un temps dévitalisé sans repères stables, sans coordonnées majeures. » Cette dissociation du privé et du public est partout visible en effet. La politique ne prétend plus « changer la vie » et les Parlements perdent leur rôle de représentation des demandes sociales. Ils ne sont que des lieux où se définit, de manière de plus en plus pragmatique, la base d'appui du pouvoir exécutif, qui, lui, est un gestionnaire et surtout une banque. Les acteurs cessent d'être sociaux, sont tournés vers eux-mêmes, vers la recherche narcissique de leur identité, surtout lorsqu'ils ne sont pas intégrés à la classe moyenne, laquelle se définit par la profession et la consommation plutôt que par des normes de conduite sociale. Tandis que quelques-uns, comme moi-même, pensaient trouver dans Mai 68 et dans les nouveaux mouvements sociaux qui se formaient alors l'annonce d'un nouveau monde social d'acteurs, d'enjeux et de conflits encore plus intégrés et centraux que ceux de la société industrielle, les analystes de la situation post-sociale ne voient partout que désocialisation, ce qui constitue un mouvement plus profond que la seule désidéologisation. Ajoutons enfin que, dans cette situation post-sociale, la « question sociale » est remplacée par la « question naturelle » selon l'expression de Serge Moscovici, celle de la survie de la planète, menacée par les effets destructeurs de la pollution et d'une prolifération de techniques détachées de toute insertion sociale et culturelle.

Ainsi, les trois grandes tendances de notre temps, le triomphe d'une instrumentalité devenue action stratégique, le repli sur la vie privée et la globalisation écologiste des problèmes posés par la technologie, forment ensemble un champ post-social où sont séparées les relations proprement sociales, orientées vers d'autres acteurs sociaux, les relations avec soi-même et avec la nature. Les sociologues eux-mêmes se sentent encombrés par le mot *social*, comme s'il désignait l'ensemble des formes de normalisation, les luttes contre la drogue ou les ghettos, contre la pauvreté ou le racisme. Regain de bons sentiments et de petits pouvoirs, bonne conscience d'une classe moyenne en dehors de laquelle se répandent les forces non sociales qui seules ont la capacité de modifier les comportements

et d'entraîner des mobilisations collectives. Comme paraissent dérisoires les appels à l'intégration et à la solidarité,
alors que progresse de tous côtés, à pas de géant, la décomposition de la vie sociale qui conduit au chaos et à la violence dans les régions les plus pauvres ou les plus fragiles,
mais qui est vécue au contraire comme la douceur de l'Ar-
cadie, comme un affaiblissement des contraintes et des
règles dans les sociétés les plus riches. Comme si seule la
rareté avait imposé la concentration du pouvoir et la rigidité des règles, ce qui permettrait à une société riche d'évoluer en s'autorégulant presque sans intervention centrale.

Même si je contrôle avec difficulté l'irritation que me
cause cette vision, si éloignée des situations observables, je
reconnais qu'en détruisant les idéologies modernistes cette
pensée du post-social nous a libérés de la fascination exercée par les régimes « progressistes », même les plus répressifs, sur tant d'intellectuels pourtant attachés à leurs propres libertés.

3. Ces deux démarches, hyper-moderniste et antimoderniste, peuvent sortir complètement du champ de la modernité. Mais ce peut être dans deux directions opposées. La
plus souvent affirmée est la rupture avec l'historicisme,
donc le remplacement de la succession des formes culturelles par leur simultanéité. L'œuvre chargée de significa-
tions religieuses et sociales par une société peu différen-
ciée doit être placée, dans notre imaginaire et dans nos
musées, côte à côte avec un pur aménagement de formes,
avec l'expression directe d'un sentiment, ou avec une
œuvre chargée d'un sens commercial ou politique. Non
parce que toutes nous renverraient à des idées éternelles,
mais parce que rien ne permet de choisir entre des expériences qui doivent toutes être acceptées à partir du
moment où elles ont, dit Habermas, une certaine authenticité. Ce pluralisme culturel, ce retour au polythéisme mêlé
d'athéisme, pousse à l'extrême l'idée que Weber avait tirée
de Kant : si la modernité repose sur la séparation des
essences et des phénomènes, et si l'action technique et
scientifique se situe uniquement dans le second de ces
domaines, notre espace culturel et politique est forcément
polythéiste, puisque l'unicité de l'explication rationnelle
des phénomènes est dissociée d'un monde des dieux qui
n'a désormais plus aucun principe d'unité. Le post-moder-

nisme devient ici *post-historicisme*, ce qui est son sens
principal et ce qui lui donne son importance. Il correspond
à l'expérience de nos contemporains qui traversent l'espace
et le temps par les voyages, la visite des musées, la lecture
des livres, l'art, l'écoute des disques et des cassettes qui
les rendent également sensibles à des œuvres dont ils sont
matériellement proches, ou au contraire éloignés par
des siècles ou des milliers de kilomètres. Jean Cazeneuve,
reprenant le thème d'Ernst Bloch de la simultanéité du
non-simultané, a insisté, à propos de la télévision, sur la
capacité de celle-ci de rendre proche et simultané ce qui
est éloigné dans le temps ou dans l'espace. Ainsi se brise
l'idée, si longtemps évidente, de l'unité d'une culture, et
se renforce celle du pluralisme culturel dont Claude Lévi-
Strauss a eu le courage de dire qu'il impliquait une certaine clôture défensive de chaque culture, faute de quoi
toutes seraient tôt ou tard détruites soit par une culture
dominante, soit par l'action d'appareils techniques et
bureaucratiques purement instrumentaux, donc étrangers
au monde de la culture. Le post-modernisme nourrit directement un écologisme culturel qui s'oppose à l'universalisme de l'idéologie moderniste, surtout dans sa phase
conquérante et dans les pays qui s'identifiaient le plus fortement à la modernité et à des valeurs universelles, comme
la France de la Révolution et les États-Unis de la période
récente, qui fut celle de leur hégémonie.

4. Mais si les œuvres culturelles sont séparées de l'ensemble historique où elles sont apparues, leur valeur ne
peut plus être définie que par le *marché*. De là l'importance
nouvelle du marché de l'art alors que, pendant longtemps,
les œuvres avaient été choisies soit par des princes, soit
par des amateurs représentant certaines demandes culturelles de l'aristocratie ou de la bourgeoisie. Ce qui nous
ramène à notre analyse de la société libérale où triomphent deux des fragments de la modernité éclatée, l'entreprise et la consommation, sur les deux autres, Éros et la
nation ; donc du mouvement et du changement sur l'Être.

Le mouvement post-moderniste pousse ainsi à l'extrême
la destruction de la représentation moderniste du monde.
Il rejette la différenciation fonctionnelle entre les domaines de la vie sociale — art, économie, politique — et son
complément, l'usage par chacun d'eux de la raison instru-

mentale. Il refuse par là même la séparation entre la haute culture, sociale et politique aussi bien qu'esthétique, qui se réfère à des garants métasociaux de l'ordre social — la raison, l'histoire, la modernisation ou la libération de la classe ouvrière — et la culture de masse. De là son mot d'ordre « anti-esthétique » fortement souligné par Fredric Jameson (en particulier dans le livre dirigé par Hal Foster, *The Anti-Aesthetic*). Plus profondément encore, ce qui est rejeté, c'est la construction d'images du monde, pour reprendre le mot que Heidegger considère comme le plus significatif de la modernité. La pensée post-moderne n'accepte plus de placer l'homme devant le monde, le regardant, le reproduisant en images, car elle place l'homme dans le monde, sans distance, ou plutôt remplaçant cette distance qui suppose l'existence préalable de l'objet par la construction d'un réseau de communications, d'un langage entre le peintre, l'architecte ou l'écrivain et les objets. Le peintre Jean Dubuffet en appelle à une réalité cachée par les constructions artificielles de la culture. « En somme, notre esprit ne peut appréhender que des objets individualisés, c'est-à-dire des *formes* ; après quoi il joue de ces formes comme d'un jeu de cartes, les battant et en faisant mille mariages et combinaisons, comme les musiciens sur leur petit piano avec leurs douze notes. Donc le contenu des choses, la substance des choses, dans l'absolu, c'est, naturellement, tout à fait autre chose que les formes (nos formes) ; il n'y a pas de formes dans l'absolu, les formes sont une invention de notre esprit, un pauvre recours de notre esprit qui ne peut penser que par formes et qui, de ce fait, voit toutes choses de sa fenêtre, sa fenêtre totalement falsifiante, totalement falsifiée » *(Lettres à J. B.*, pp. 228-229). Avec lui et avec d'autres, le post-modernisme retrouve un naturalisme antihumaniste, à l'exact opposé de la philosophie des Lumières et de la pensée de Locke en particulier. Attitude qui rejette avec violence les discours idéologiques et la bonne conscience des civilisations. Tel est aussi le sens de la célèbre déclaration de Jean-François Lyotard sur la fin des grands récits : c'est, au-delà du contenu des idéologies, la conception narrative de l'expérience humaine qui est rejetée, ce qui active la destruction de l'idée de Sujet. Il n'y a plus de Sujet hégélien et l'avenir du monde, pas plus que la modernité, n'est l'émergence du

Sujet rationnel se libérant des croyances traditionnelles. Ni le Moi ni la culture n'ont d'unité propre. Il faut rejeter la prétention de la culture occidentale à l'unité et à l'universalité, comme il faut rejeter le thème de la conscience ou du *Cogito* comme créateur du Moi. Jameson pousse l'analyse critique au plus loin quand il définit la culture post-moderne par le pastiche et par la schizophrénie. Le pastiche, parce que l'absence d'unité d'une culture conduit à reproduire des styles passés : ne peut-on pas dire en particulier que la fin du xxe siècle rompt avec le modernisme des xixe et xxe siècles en pastichant le xviiie, en particulier son libertinage aristocratique, sa fascination pour le langage et sa conception libérale-libertaire de la critique du pouvoir ? La schizophrénie, que d'autres ont appelée narcissisme, parce que l'enfermement dans un présent perpétuel supprime l'espace qui permet de construire l'unité de la culture.

Le post-modernisme marque la fin de la partie engagée par Nietzsche, la destruction du règne de la technique et de la rationalité instrumentale. L'expérience et le langage remplacent les projets et les valeurs, l'action collective perd toute existence, de même que le sens de l'histoire. Le post-modernisme met en lumière que l'hyper-industrialisation actuelle n'entraîne pas la formation d'une société hyper-industrielle ; elle entraîne au contraire la dissociation de l'univers culturel et de l'univers technique. Ce qui détruit l'idée sur laquelle avait reposé jusqu'ici la sociologie : l'interdépendance de l'économie, de la politique et de la culture « modernes ».

Rien n'apparaît capable de réunir ce qui a été séparé depuis un siècle. C'est pourquoi les idéologies politiques et sociales ont disparu et n'ont été remplacées que par des déclarations moralisatrices qui émeuvent un instant, mais apparaissent vite comme dérisoires, hypocrites, voire manipulatrices. Cette destruction de l'idéologie moderne est parvenue à son terme au moment où les publicitaires ont été chargés de célébrer le deuxième centenaire d'une Révolution française qui a perdu tout sens et qui est devenue un objet kitsch. Ceux qui en appelaient au retour des grandes causes et des grandes valeurs, qui voulaient redonner un sens à l'histoire, ou même identifier leur pays, la France, les États-Unis ou un autre, à ce sens et à des principes universels, sont apparus alors comme des idéologues attardés face à la réduction officielle de ce qui avait été un événement fondateur en pur spectacle, produit d'une culture de masse, dont le contenu est aussi divers et aussi rapidement renouvelé que les programmes de télévision.

La multiplicité des définitions données et la confusion de la plupart des analyses ne sont pas des arguments suffisants pour rejeter l'idée de post-modernité. Les ensembles auxquels l'histoire culturelle a reconnu le plus d'importance, du romantisme au structuralisme, n'ont pas été définis de manière plus claire ou plus stable. Mais, dans le cas du post-modernisme, il faut surmonter une difficulté plus sérieuse, car son nom même est curieusement contradictoire, puisqu'il recourt à une définition historique — *post* — pour nommer un mouvement culturel en rupture avec l'historicisme. Ce qui incite à chercher dans un état de la société l'explication d'un ensemble culturel qui cherche pourtant à se définir par lui-même, comme un texte. L'essentiel n'est-il pas le passage de la société de production, fondée sur le rationalisme, l'ascétisme et la croyance au progrès, à une société de consommation où l'individu participe au fonctionnement du système non seulement par son travail et sa pensée, mais par les désirs et les besoins qui orientent sa consommation et qui ne sont plus seulement des attributs de sa place dans le système de production ? Ce qui bouleverse le rapport de l'homme à la société : il était en position de producteur, de créateur d'une historicité ; le voici maintenant non plus devant une nature qu'il transforme avec ses machines, mais entièrement incorporé à un monde culturel, à un ensemble de signes et de langages qui n'ont plus de références historiques. Ce qui semble faire éclater définitivement l'idée de Sujet, toujours associée à celle de création et le plus souvent au travail de la raison. Tout se fragmente, de la personnalité individuelle à la vie sociale.

Cette idée détruit la pensée sociale classique, celle pour laquelle le triomphe de la raison permet et impose une correspondance entre les normes du système social et les motivations des acteurs, de sorte que l'être humain apparaît avant tout comme un citoyen et un travailleur. Désormais, le divorce est consommé entre le système et les acteurs. Ainsi s'achève la longue période de triomphe des pensées modernistes qui avaient dominé la pensée occidentale, de la philosophie des Lumières aux philosophies du progrès et au sociologisme. Mais le succès de la critique post-moderniste ne dispense pas de chercher une nouvelle définition de la modernité qui repose sur l'autonomie relative de la société et des acteurs. Car il est impossible d'accepter aisément que leur dissociation soit complète, comme le suggère la coexistence, en cette fin de siècle, du néo-libéralisme et du post-modernisme, dont l'un décrit une société réduite à n'être qu'un marché sans acteurs (c'est-à-dire où les comportements sont prévisibles à partir des lois du choix rationnel) et dont l'autre imagine des acteurs sans système, enfermés dans leur imagination et leurs souvenirs.

Une rupture aussi complète a des conséquences plus dramatiques que ne le laissent supposer les mots qui viennent d'être employés. Qu'est-ce qu'un acteur défini hors de toute référence à l'action rationnelle ? Il est obsédé par son identité et ne voit dans les autres que ce qui les différencie de lui. En même temps, dans une société qui n'est plus qu'un marché, chacun cherche à éviter les autres ou se contente avec eux de transactions marchandes ; l'autre apparaît facilement comme une menace absolue : c'est lui ou c'est moi ; il envahit ma terre, détruit ma culture, m'impose ses intérêts et ses mœurs, qui sont étrangers aux miens et les menace. Ce différentialisme absolu, ce multiculturalisme sans limites, tel qu'on le voit dans de vastes parties du monde et qui prend parfois, dans les meilleures universités américaines, la forme d'une pression idéologique proclamant et imposant ce multiculturalisme absolu, porte en lui le racisme et la guerre religieuse. La société est remplacée par un champ de bataille entre cultures entièrement étrangères les unes aux autres, où Blancs et Noirs, hommes et femmes, adeptes d'une religion ou d'une autre ou encore laïcs ne sont plus que des ennemis les uns pour les autres. Les conflits sociaux des siècles passés, qui étaient toujours limités puisque les classes sociales en présence acceptaient les mêmes valeurs et se battaient pour leur mise en œuvre sociale, sont remplacés par des guerres culturelles. Guerres d'autant plus violentes qu'à ce kaléidoscope des cultures s'oppose la force froide, impersonnelle, des appareils de domination, semblables aux vaisseaux spatiaux des films et des jeux vidéo pour les adolescents, dirigés par des systèmes de calcul et une implacable volonté de puissance. Les acteurs sont enfermés dans leur culture face à des forces de production civiles et militaires cuirassées dans leur puissance : entre eux la guerre est menaçante.

L'entre-deux

La crise de l'idée moderniste est née du refus, lancé d'abord par Nietzsche et par Freud, puis par des acteurs sociaux collectifs, de réduire la vie sociale et l'histoire des sociétés modernes au triomphe de la raison, même quand celle-ci se veut associée à l'individualisme. Ce refus a été nourri de la peur d'un pouvoir qui peut être celui d'un despote, mais aussi celui de la société de masse elle-même, pouvoir qui s'identifie à la rationalité et réprime, exploite ou exclut tous les acteurs sociaux qu'il considère comme irrationnels, et chasse de la vie individuelle, autant que de la vie collective, tout ce qui ne lui est pas utile, qui n'est pas fonctionnel pour le renforcement de son pouvoir. Ce refus a été conforté d'un autre côté par une critique plus offensive portée par les acteurs de la modernisation elle-même, qui en ont appelé à la vie ou aux besoins, à la nation ou à l'entreprise, dont aucun ne peut être réduit à une figure de la rationalisation. Plus s'accéléraient et se multipliaient les processus de modernisation, plus il apparaissait impossible de les définir comme endogènes, c'est-à-dire de les considérer comme l'œuvre de la modernité elle-même. Partout ce sont l'État, les mouvements nationaux et religieux, la volonté de profit des entreprises et le pouvoir des conquérants qui dirigent une modernisation qui n'est jamais l'œuvre des seuls techniciens.

Le monde contemporain, qui se présentait comme le triomphe du rationalisme, apparaît au contraire comme le lieu de son déclin. C'est aux origines, dans la pensée grecque et dans la pensée chrétienne nourrie d'Aristote, qu'a triomphé l'idée de raison objective. L'univers, affirmait-elle, a été créé par un dieu rationnel, ce qui permet les conquêtes de l'esprit scientifique. La société elle-même se reconstruit à partir de décisions rationnelles et libres, enseignent Hobbes et Rousseau. A partir de là, et à mesure que se construit, au-delà d'une idée de la modernité, une société moderne, ce triomphe de la raison cède la place au passage de la rationalité des fins à la rationalité des moyens, qui se dégrade à son tour en techniques, ce qui laisse un vide des valeurs où quelques-uns voient la libération de la vie quotidienne, mais que presque tous voient vite comblé soit par un pouvoir social qui pénètre toutes les parties de la vie sociale, soit par des appels charismatiques, soit par la renaissance des nations et de la religion, soit enfin par la violence et la disparition de l'ordre.

Comment ne pas être convaincu par la convergence de toutes ces critiques de la modernité ? Et comme nous semble faible aujourd'hui le langage qui défend obstinément mais sans efficacité l'image conquérante du rationalisme modernisateur ! Parce que les sociétés réelles sont bien éloignées d'être des entreprises ou des services publics rationnellement gérés, c'est sur l'école que s'est replié le rationalisme ; mais en vain, car s'accentuent vite les pressions pour une éducation qui prenne en compte toute la personnalité de l'enfant avec ses relations familiales et son origine culturelle, ses caractéristiques et son histoire de vie personnelle. Certains représentants des enseignants, peut-être parce que leur profession est en recul dans une société dont le niveau d'éducation s'élève, se défendent contre ce mouvement pour l'éducation et pour les droits des enfants, contre la pression de leurs élèves eux-mêmes et veulent rester ou redevenir des clercs, médiateurs entre les enfants et la raison, chargés d'arracher les premiers à l'influence oppressante de leur famille, de leur milieu social, de leur culture locale, pour les faire entrer dans le monde ouvert des idées mathématiques et des grandes œuvres culturelles. Démarche dont le noble langage ne peut masquer la faiblesse, car elle impose à l'école une fonction de plus en plus répressive et un rôle de renforcement des inégalités, puisqu'il s'agit ici de séparer l'universel du particulier, comme le bon grain de l'ivraie. Cette conception aboutit seulement à une dissociation croissante de l'instrumentalisme — ici, des cours et des examens — et de la personnalité de l'enfant ou du jeune qui est à la fois désir de vie, préparation à un emploi, identité culturelle, nationale ou religieuse, et culture de la jeunesse. Peut-on parler de succès de l'école quand elle est ainsi coupée en deux : d'un côté, les enseignants réduits à transmettre des connaissances acceptées pour leur utilité sociale ; de l'autre, des enfants ou des jeunes gens qui vivent dans un univers culturel complètement dissocié de celui de l'enseignement ? Heureusement, beaucoup d'enseignants tournent le dos dans leur activité personnelle à cette conception qu'ils défendent souvent collectivement. Mais l'échec de ce discours scolaire démontre le déclin d'un rationalisme qui doit être rejeté : parce qu'il sert de masque au pouvoir d'une élite de rationalisateurs ; parce qu'il est maintenant débordé par tout ce qu'il avait rejeté ou méprisé et qui remplit si complètement la scène de l'histoire collective et individuelle que l'apport libérateur de la raison, qu'il serait insensé de ne pas entendre, risque de ne plus être écouté. La conception classique de la modernité, qui identifiait celle-ci au triomphe de la raison et au rejet des particularismes, de la mémoire et des émotions, est si épuisée qu'elle n'apporte plus aucun principe d'unification à un monde où s'entrechoquent mystique religieuse et technologie moderne, sciences fondamentales et publicité, pouvoir personnel et politiques d'industrialisation accélérée.

Le XXe siècle est celui du déclin du modernisme, même s'il est celui des conquêtes de la technique. La vie intellectuelle est aujourd'hui dominée par le rejet, tardif et d'autant plus violent, du modèle communiste qui fut — s'en souvient-on encore ? — le grand espoir de ce siècle, non seulement pour des militants ouvriers ou des mouvements anticolonialistes, mais pour un grand nombre d'intellectuels, et par le rejet de toute pensée de l'histoire, de toute analyse des acteurs historiques, de leurs projets, de leurs conflits et des conditions de leur confrontation démocratique. Le monde occidental, enivré par sa victoire politique et idéologique, bascule dans le libéralisme, c'est-à-dire dans l'exclusion des acteurs et dans le recours à des principes universels de régulation qu'on nomme, selon le niveau d'éducation et l'activité professionnelle des répondants, l'intérêt, le marché ou la raison. La vie intellectuelle et même politique est divisée aujourd'hui entre ceux qui cherchent à définir les nouveaux acteurs et les nouveaux enjeux aussi bien des sociétés qu'on peut appeler post-industrielles que des pays en développement, et ceux, de

l'autre côté, qui en appellent seulement à une liberté négative, c'est-à-dire aux règles institutionnelles et aux méthodes économiques qui permettent de se protéger contre les
abus de pouvoir. Pour certains, ce refus d'une sociologie
de l'action collective revêt la forme d'un retour à l'individualisme économique ; ils s'efforcent de démontrer que les
individus cherchent avant tout leur intérêt personnel et
que l'action collective, qui apparaît souvent comme un
moyen nécessaire pour défendre cet intérêt, risque constamment de se prendre pour sa propre fin, ce qu'avait
annoncé déjà Roberto Michels il y a près d'un siècle. Pour
d'autres, il prend la forme d'un appel aux contraintes et
aux démonstrations de la raison, seul principe solide
d'unité sociale, seule lumière efficace contre les pressions
des Églises et des sectes, des minorités et de l'irrationalisme.

Cette attitude défensive est d'autant plus forte que,
malgré sa victoire sur le système communiste, l'Occident
se sent menacé par la pression démographique et politique
du tiers-monde. Tant que l'image dominante est celle des
famines ou de la violence urbaine de Bogota ou de Cal-
cutta, l'Occident ne s'émeut pas au-delà de campagnes phi-
lanthropiques rassurantes. Mais lorsque le tiers-monde est
présent dans le quartier voisin ou dans l'ensemble d'habi-
tations où vit celui qui se sent appartenir à la société occidentale, le rejet se fait vite sentir. Chez ceux qui s'estiment
le plus directement menacés, les petits Blancs, comme on
disait dans le sud des États-Unis après la guerre de Séces-
sion, ce rejet est direct et s'exprime politiquement et socialement. Chez ceux que leur niveau d'éducation et de
revenu tient à l'abri de cette pénétration, il se sublime et
prend la forme de l'affirmation que la société occidentale
est dépositaire de l'universalisme et qu'il est de son devoir,
encore plus que de son intérêt, de se défendre contre tous
les particularismes. Alors que pendant un siècle s'étaient
succédé les campagnes pour les droits de telle ou telle catégorie sociale, de tels appels suscitent aujourd'hui plus de
soupçon et de crainte que d'appui. La société occidentale
ne se sent plus une capacité d'intégration suffisante pour
garder l'ouverture qui avait permis à la Grande-Bretagne
et à la France du XIXe siècle de devenir des sociétés cosmo-
polites et des terres d'accueil ou d'asile. Elle se sent débor-

dée par le nombre, par la pauvreté, par la distance culturelle croissante entre ceux qui arrivent et ceux qui les
reçoivent, de plus en plus dérangés et inquiétés par les premiers.

Au niveau le plus abstrait se place le rejet de la sociologie, qui a toujours été une analyse inquiète et critique,
mais positive de la modernité, non seulement chez
Durkheim et chez Weber, mais déjà chez Tocqueville
comme chez Marx, et encore chez Parsons comme dans
l'École de Chicago. La sociologie a parlé d'industrialisation
et de classes sociales, d'institutions politiques et de conflits
sociaux ; elle s'est interrogée sur la manière dont se combinent l'innovation économique et la participation du plus
grand nombre aux résultats et aux instruments de la croissance. Aujourd'hui, au contraire, la question qui semble la
plus pressante n'est pas celle de la gestion de la croissance,
mais celle de la lutte contre le despotisme et la violence, du
maintien de la tolérance et de la reconnaissance de l'autre.
Parce que je fais partie de ceux qui croient aux réponses
en termes d'enjeux culturels et d'acteurs sociaux, je tiens à
reconnaître, juste avant de m'engager dans une réflexion
plus personnelle, que la réponse des libéraux aux ravages
du totalitarisme convainc plus facilement que la nôtre,
menacée aussi, de manière opposée, par la force des mouvements communautaires, surtout quand ceux-ci s'appuient sur une foi religieuse ou une conscience nationale.

Il faut supporter cette longue nuit de la pensée sociale.
De la même manière qu'il fallut attendre longtemps, après
le triomphe de la bourgeoisie financière et marchande,
pour que se forme le mouvement ouvrier, que soit
reconnue l'importance centrale de la « question sociale »
et qu'apparaissent à la fin d'un siècle de croissance et de
misère les premiers signes avant-coureurs de la démocratie industrielle. Il y a un quart de siècle, quand parurent
les premiers écrits, dont les miens, sur la société post-
industrielle, il était difficile de se garder suffisamment
contre l'image d'un passage progressif d'une société à une
autre, comme si la seconde parachevait la première en
même temps qu'elle la dépassait. Aujourd'hui, au
contraire, nous savons que d'une chaîne de montagne on
ne passe pas directement à la suivante, qu'il faut redescen-
dre par la vallée, traverser des éboulis, perdre de vue le

sommet suivant. Et le risque qui nous menace n'est plus de croire à une illusoire continuité, mais, au contraire, de ne plus croire à l'existence de montagnes devenues invisibles et de penser que nous devons arrêter là notre marche. J'accepte sans réserve le rejet de l'historicisme et la crise des sociologies du progrès ; mais je crois aussi dangereux de céder à l'obsession de l'identité individuelle ou collective que de glisser vers un fondamentalisme rationaliste.

Reconnaissons encore une fois que la conception matérialiste de la modernité garde sa vertu libératrice, surtout en un temps de montée des « intégrismes », mais qu'elle n'a plus la capacité d'organiser une culture et une société. La décomposition de l'idée de modernité, qui a été le thème central de cette deuxième partie, conduit à des contradictions de plus en plus dangereuses. Vie publique et vie privée se séparent ; le champ des relations sociales se décompose, laissant face à face les identités particulières et les flux mondiaux d'échanges. D'un côté, chacun s'enferme dans sa subjectivité, ce qui conduit dans le meilleur des cas à l'oubli de l'autre, dans le plus fréquent au rejet de l'étranger. De l'autre, les flux d'échanges renforcent constamment les pays et les groupes sociaux centraux, approfondissant la dualisation au niveau national comme au niveau international. Contradictions plus profondes que les conflits sociaux qui ont déchiré la société industrielle. Sexualité, consommation, entreprise et nation forment de plus en plus des univers séparés qui se heurtent ou s'ignorent plutôt qu'ils ne se combinent. Entre eux, l'espace public se vide ou n'est plus qu'un terrain vague où s'affrontent des bandes rivales, où se déchaîne la violence.

Comment concilier une décomposition de la vision rationaliste classique, que nous savons inévitable et même libératrice, avec des principes d'organisation de la vie sociale sans lesquels la justice et la liberté elles-mêmes deviennent impossibles ? Existe-t-il une manière d'échapper à la fois à l'universalisme dominateur et au multiculturalisme chargé de ségrégation et de racisme ? Comment échapper à la destruction du Sujet, qui conduit au règne de l'intérêt et de la force, mais aussi à la dictature de la subjectivité qui a sécrété tant de totalitarismes ?

Le monde d'aujourd'hui, que quelques esprits pressés voient s'unifier autour des valeurs « occidentales » qui ont triomphé du fascisme, du communisme et du nationalisme tiers-mondiste, est en fait déchiré entre le monde objectif et le monde subjectif, entre le système et les acteurs. On voit se dresser l'une contre l'autre la logique du marché mondial et celle des pouvoirs qui parlent au nom d'une identité culturelle. D'un côté le monde semble global ; de l'autre le multiculturalisme paraît sans limites. Comment ne pas voir dans ces déchirements complets une double menace pour la planète ? Tandis que la loi du marché écrase sociétés, cultures et mouvements sociaux, l'obsession de l'identité enferme dans un arbitraire politique si total qu'il ne peut se maintenir que par la répression et le fanatisme. Ce n'est pas seulement la réflexion sur l'histoire des idées qui nous incite à redéfinir la modernité ; c'est l'affrontement nu de deux cultures et de deux types de pouvoirs qui nous oblige à réunir ce qui a été séparé, mais sans céder à la nostalgie de l'unité perdue de l'univers. Si nous ne parvenons pas à définir une autre conception de la modernité, moins orgueilleuse que celle des Lumières mais capable de résister à la diversité absolue des cultures et des individus, nous entrerons dans des tempêtes encore plus violentes que celles qui ont accompagné la chute des Anciens Régimes et l'industrialisation.

TROISIÈME PARTIE

NAISSANCE DU SUJET

CHAPITRE PREMIER

LE SUJET

Retour à la modernité

Tout nous oblige à faire retour sur cette interrogation : la modernité peut-elle être identifiée à la rationalisation ou, plus poétiquement, au désenchantement du monde ? Il faut également tirer les leçons des critiques antimodernistes à la fin d'un siècle qui fut dominé par tant de « progressismes » répressifs ou même totalitaires, mais aussi par une société de consommation qui se consume dans un présent de plus en plus bref, indifférente aux dégâts du progrès dans la société et dans la nature. Mais ne devons-nous pas, pour le faire, revenir en arrière et nous interroger sur la nature de la modernité et sur sa naissance ?

Le triomphe de la modernité rationaliste a rejeté, oublié ou enfermé dans des institutions répressives tout ce qui semblait résister au triomphe de la raison. Et si cet orgueil de l'homme d'État et du capitaliste, au lieu d'avoir servi la modernité, l'avait amputée d'une grande partie, peut-être même de l'essentiel d'elle-même, de la même manière que les avant-gardes révolutionnaires détruisent plus sûrement les mouvements populaires de libération que leurs ennemis sociaux ou nationaux ?

Fermons sans tarder quelques-uns des chemins qui ne mènent qu'à de fausses réponses. Et d'abord celui de l'antimodernité. Le monde actuel accepte, plébiscite l'idée de modernité. Seuls quelques idéologues et quelques despotes en appellent à la communauté enfermée dans sa tradition, ses formes d'organisation sociale ou de croyance religieuse. Presque toutes les sociétés sont pénétrées par des formes nouvelles de production, de consommation et de communication. L'éloge de la pureté et de l'authenticité est de plus en plus artificiel et, même lorsque les dirigeants lancent des anathèmes contre la pénétration de l'économie marchande, les populations sont attirées vers elle comme les travailleurs pauvres des pays musulmans vers les champs de pétrole du Golfe, les sous-employés d'Amérique centrale vers la Californie et le Texas, ou ceux du Maghreb vers l'Europe occidentale. Feindre qu'une nation ou qu'une catégorie sociale ait à choisir entre une modernité universaliste et destructrice et la préservation d'une différence culturelle absolue est un mensonge trop grossier pour ne pas recouvrir des intérêts et une stratégie de domination. Nous sommes tous embarqués dans la modernité ; la question est de savoir si c'est comme galériens ou comme voyageurs partant avec des bagages, portés par un espoir en même temps que conscients des inévitables ruptures. Simmel a fait de l'étranger la figure emblématique de la modernité ; c'est celle de l'émigré qu'il faudrait choisir aujourd'hui, voyageur rempli de mémoire autant que de projets et qui se découvre et se construit lui-même dans cet effort de chaque jour pour nouer le passé à l'avenir, l'héritage culturel à l'insertion professionnelle et sociale.

Le second chemin que nous devons nous interdire est indiqué par l'image du « décollage ». Comme si l'entrée dans la modernité supposait un effort, un arrachement violent au sol de la tradition puis, après une phase de tourbillons et de dangers, atteignait une vitesse de croisière, une stabilité qui permettrait de se détendre, d'oublier même les points d'arrivée autant que de départ, et de jouir du détachement des contraintes ordinaires. Cette idée est très présente aujourd'hui, comme si chaque pays devait s'imposer un siècle de durs efforts et de conflits sociaux avant d'entrer dans la tranquillité de l'abondance, de la démocratie et du bonheur. Les premiers pays industrialisés seraient déjà sortis de la zone des tempêtes ; les nouveaux pays industriels, comme le Japon ou d'autres en Asie, seraient encore en plein effort, tandis que beaucoup attendraient avec impatience le moment d'entrer dans ce purgatoire de la modernité. Cette vision optimiste des étapes de la croissance économique ne résiste pas à un jugement plus réaliste sur le monde actuel, bouleversé et déchiré depuis un siècle et où ne fait que croître le nombre de ceux qui meurent de faim.

Un troisième chemin mène à une impasse : celui qui identifie la modernité à l'individualisme, à la rupture des systèmes que Louis Dumont appelle holistes. La différenciation fonctionnelle des sous-systèmes, en particulier la séparation de la politique et de la religion ou de l'économie et de la politique, la formation d'univers de la science, de l'art, de la vie privée, sont bien des conditions de la modernisation, car elles font éclater les contrôles sociaux et culturels qui assuraient la permanence d'un ordre et s'opposaient au changement. La modernité s'identifie à l'esprit de libre recherche et se heurte toujours à l'esprit doctrinaire et à la défense des appareils de pouvoir en place, comme l'a dit avec force Bertolt Brecht dans *La Vie de Galileo Galilei*. Mais, il faut le répéter, rien ne permet d'identifier la modernité à un mode particulier de modernisation, le modèle capitaliste, qui se définit par cette extrême autonomie de l'action économique. De la France à l'Allemagne et du Japon ou de l'Italie à la Turquie, au Brésil ou à l'Inde, l'expérience historique a montré, au contraire, le rôle presque général de l'État dans la modernisation. Séparation des sous-systèmes, oui, mais tout autant mobilisation globale. Si l'individualisme a joué un grand rôle dans l'industrialisation, la volonté d'unité ou d'indépendance nationale en a joué un aussi grand. Peut-on au demeurant considérer l'idée protestante du « serf arbitre » et de la prédestination comme un exemple d'individualisme ? C'est aux États-Unis et dans les pays nouveaux aux frontières ouvertes que triomphe l'image de l'entrepreneur solitaire, homme de risque, d'innovation et de profit. En dehors de quelques centres du système capitaliste, la modernisation s'est faite de manière plus coordonnée et même plus autoritaire.

Le débat ne porte pas seulement sur l'histoire des industrialisations réussies ; il concerne plus encore les pays qui cherchent à sortir des ruines d'un volontarisme étatique depuis longtemps transformé en pouvoir autoritaire, clientéliste ou bureaucratique. Qu'il s'agisse des pays post-communistes, de nombreux pays latino-américains, de l'Algérie et de bien d'autres, c'est seulement par l'économie de marché qu'on peut se débarrasser de l'économie administrée et des privilèges de la *nomenklatura*. Mais l'installation du marché, si elle permet tout, ne règle rien. Condition nécessaire, elle n'est pas une condition suffisante de la modernisation ; démarche négative de destruction du passé, elle n'est pas une démarche positive de construction d'une économie compétitive. Elle peut mener à la spéculation financière, à l'organisation de la rareté, au marché noir, ou encore ne conduire qu'à la formation d'enclaves étrangères modernes dans une économie nationale désorganisée. Le passage de l'économie de marché à l'action d'une bourgeoisie modernisatrice n'est ni automatique ni simple et l'État a partout un rôle essentiel à jouer. Concluons : pas de modernité sans rationalisation ; mais pas davantage sans formation d'un sujet-dans-le-monde qui se sente responsable vis-à-vis de lui-même et de la société. Ne confondons pas la modernité avec le mode purement capitaliste de modernisation.

C'est donc bien à l'idée de modernité elle-même qu'il faut revenir, idée difficile à saisir comme telle, car elle s'est cachée derrière un discours positiviste, comme si elle n'était pas une idée mais la simple observation des faits. La pensée moderne n'est-elle pas celle qui cesse de s'enfermer dans le vécu ou la participation mystique ou poétique au monde du sacré pour devenir scientifique et technique, s'interrogeant sur le comment et non plus sur le pourquoi ? L'idée de modernité s'est définie comme le contraire d'une construction culturelle, comme le dévoilement d'une réalité objective. C'est pourquoi elle se présente de manière plus polémique que substantive. La modernité est l'antitradition, le renversement des conventions, des coutumes et des croyances, la sortie des particularismes et l'entrée dans l'universalisme, ou encore la sortie de l'état de nature et l'entrée dans l'âge de raison. Libéraux et marxistes ont partagé cette même confiance dans l'exercice de la raison et ont concentré de la même manière leurs attaques contre ce qu'ils appelaient conjointement les obstacles à la modernisation, que les uns voyaient dans le profit privé et les autres dans l'arbitraire du pouvoir et les dangers du protectionnisme.

Aujourd'hui, l'image la plus visible de la modernité est celle du vide, d'une économie fluide, d'un pouvoir sans centre, société d'échange beaucoup plus que de production. En un mot, l'image de la société moderne est celle d'une société sans acteurs. Peut-on appeler acteur l'agent qui se conduit selon la raison ou le sens de l'histoire, dont la praxis est donc impersonnelle ? Lukacs n'était-il pas en plein paradoxe quand il refusait de considérer la bourgeoisie comme un acteur historique parce qu'elle est orientée vers elle-même et ses intérêts, non vers la rationalité du développement historique, comme l'est le prolétariat ? Inversement, peut-on appeler acteur l'opérateur financier ou même industriel qui sait lire la conjoncture et les indications du marché ? Pour la pensée moderne, la conscience est toujours fausse conscience et l'école publique en France, expression tardive et extrême de l'idéologie moderniste, a, de manière logique, privilégié la connaissance scientifique sur la formation de la personnalité. Dans sa phase militante, elle a rêvé d'extirper les croyances et les influences familiales de l'esprit des enfants, mais, rapidement, ne pouvant atteindre cet objectif, elle s'est contentée d'une paix armée avec le monde privé, celui des religions et des familles, pensant que les croyances finiraient par se dissoudre sous l'effet de la science et de la mobilité géographique et sociale.

Ainsi l'idée de modernité nous indique-t-elle, par ce qu'elle rejette et par la manière dont elle refuse de se définir elle-même, le lieu que nous devons fouiller : la modernité ne se définit-elle que négativement ? N'est-elle qu'une libération ? Cette représentation d'elle-même a fait sa force, mais aussi et surtout son rapide épuisement, dès lors que le monde de la production l'a clairement emporté sur celui de la reproduction. Par conséquent, ne faut-il pas chercher à la définir aujourd'hui positivement plus encore que négativement, par ce qu'elle affirme plus que par ce qu'elle rejette ? N'existe-t-il pas une pensée de la modernité qui ne soit pas seulement critique et autocritique ?

La subjectivation

Peut-on se satisfaire de l'image de la raison dissipant les nuages de l'irrationalité, de la science remplaçant la croyance et de la société de production prenant la place de la société de reproduction — vision qui conduisit à annoncer le remplacement du finalisme imposé par l'image d'un dieu créateur et tout-puissant par des systèmes et des processus impersonnels ? Oui, s'il s'agit de notre représentation du monde, de notre mode de connaissance, car rien depuis des siècles ne nous permet de remettre en cause la connaissance scientifique. Mais ce n'est là que la moitié de ce que nous appelons modernité, et plus précisément le désenchantement du monde. Si nous regardons du côté de l'action humaine et non plus de la nature, l'image se transforme complètement. Dans la société traditionnelle, l'homme est soumis à des forces impersonnelles ou à un destin sur lequel il n'a pas de prise ; surtout, son action ne peut tendre qu'à se conformer à un ordre conçu, au moins dans la pensée occidentale, comme un monde rationnel qu'il doit comprendre. Le monde du sacré est à la fois un monde créé et animé par un dieu ou un grand nombre de divinités, et un monde intelligible. Ce que notre modernité brise, ce n'est pas un monde à la merci des intentions favorables ou défavorables de forces cachées ; c'est un monde qui est à la fois créé par un sujet divin et organisé selon des lois rationnelles. De sorte que la tâche la plus haute de l'homme est de contempler la création et de découvrir ses lois, ou encore de trouver les idées derrière les apparences. La modernité désenchante le monde, disait Weber, mais il savait aussi que ce désenchantement ne peut être réduit au triomphe de la raison ; il est plutôt l'éclatement de cette correspondance entre un sujet divin et un ordre naturel, et donc la séparation de l'ordre de la connaissance objective et de l'ordre du sujet. N'est-ce pas la révélation de ce dualisme qui a fait de Descartes la figure emblématique de la modernité en même temps que l'héritier de la pensée chrétienne ? Plus nous entrons dans la modernité et plus le sujet et les objets se séparent, alors qu'ils étaient confondus dans les visions pré-modernes.

Trop longtemps, la modernité n'a été définie que par l'efficacité de la rationalité instrumentale, la maîtrise du monde rendue possible par la science et la technique. Cette vision rationaliste ne doit en aucun cas être rejetée, car elle est l'arme critique la plus puissante contre tous les holismes, tous les totalitarismes et tous les intégrismes. Mais elle ne donne pas une idée complète de la modernité ; elle en cache même la moitié : l'émergence du sujet humain comme liberté et comme création.

Il n'y a pas une figure unique de la modernité, mais deux figures tournées l'une vers l'autre et dont le dialogue constitue la modernité : la *rationalisation* et la *subjectivation*. Gianni Vattimo (p. 128) cite des vers de Hölderlin : *Voll Verdienst, doch dichterisch wohnet/der Mensch auf dieser Erde* (Chargé de réussite, c'est pourtant poétiquement que l'homme habite sur cette terre). Les succès de l'action technique ne doivent pas faire oublier la créativité de l'être humain.

Rationalisation et subjectivation apparaissent en même temps, comme la Renaissance et la Réforme, qui se contredisent mais se complètent davantage encore. Les humanistes et les érasmiens résistèrent à ce déchirement et voulurent défendre à la fois la connaissance et la foi, mais ils furent emportés par la grande rupture qui définit la modernité. Désormais, le monde n'aura plus d'unité, en dépit des tentatives répétées du scientisme ; l'homme appartient certes à la nature et est l'objet d'une connaissance objective, mais il est aussi sujet et subjectivité. Le logos divin qui traverse la vision pré-moderne est remplacé par l'impersonnalité de la loi scientifique, mais aussi et en même temps par le Je du Sujet ; la connaissance de l'homme se sépare de la connaissance de la nature, comme l'action se distingue de la structure. La conception classique, « révolutionnaire » de la modernité n'a retenu que la libération de la pensée rationnelle, la mort des dieux et la disparition du finalisme.

Qu'entendait-on par sujet ? Avant tout la création d'un monde régi par des lois rationnelles et intelligibles pour la pensée de l'homme. De sorte que la formation de l'homme comme sujet fut identifiée, comme on le voit le mieux dans les programmes d'éducation, à l'apprentissage de la pensée rationnelle et à la capacité de résister aux pressions de la coutume et du désir pour ne se soumettre qu'au gouvernement de la raison. C'est encore vrai pour la pensée histori-

ciste, pour qui le développement historique est la marche
vers la pensée positive, vers l'Esprit absolu ou vers le libre
développement des forces productives. C'est ce monde que
Horkheimer appelle celui de la raison objective et dont il
a la nostalgie. Comment lui et beaucoup d'autres n'au-
raient-ils pas porté un jugement pessimiste sur le monde
moderne, puisque la modernité s'identifie précisément au
déclin de cette raison objective et à la séparation de la subjectivation et de la rationalisation ? Le drame de notre
modernité est qu'elle s'est développée en luttant contre la
moitié d'elle-même, en faisant la chasse au sujet au nom
de la science, en rejetant tout l'apport du christianisme qui
vit encore en Descartes et au siècle suivant, en détruisant
au nom de la raison et de la nation l'héritage du dualisme
chrétien et des théories du droit naturel qui avaient fait
naître les Déclarations des droits de l'homme et du citoyen
des deux côtés de l'Atlantique. De sorte qu'on continue à
appeler modernité ce qui est la destruction d'une partie
essentielle de celle-ci. Alors qu'il n'y a de modernité que
par l'interaction croissante du sujet et de la raison, de la
conscience et de la science, on a voulu nous imposer l'idée
qu'il fallait renoncer à l'idée de sujet pour faire triompher
la science, qu'il fallait étouffer le sentiment et l'imagination pour libérer la raison, et qu'il était nécessaire d'écraser les catégories sociales identifiées aux passions, femmes, enfants, travailleurs et colonisés, sous le joug de l'élite
capitaliste identifiée à la rationalité.

La modernité n'est pas le passage d'un monde multiple,
d'un foisonnement de divinités à l'unité du monde révélée
par la science ; au contraire, elle marque le passage de la
correspondance du microcosme et du macrocosme, de
l'univers et de l'homme, à la rupture qu'apporte le *Cogito*
cartésien, après les *Essais* de Montaigne, et qui sera vite
élargie par l'invasion des sentiments et de l'individualisme
bourgeois au XVIIIᵉ siècle. La modernité triomphe avec la
science, mais aussi dès lors que les conduites humaines
sont réglées par la conscience, que celle-ci soit ou non
appelée l'âme, et non plus par la recherche de la conformité à l'ordre du monde. Les appels à servir le progrès et
la raison, ou l'État qui en est le bras armé, sont moins
modernes que l'appel à la liberté et à la gestion responsable de sa propre vie. La modernité rejette l'idéal de confor-

mité, sauf quand le modèle auquel elle appelle à se conformer est celui de l'action libre, comme c'est le cas en particulier dans la figure du Christ qui se soumet à la volonté de son père mais qui est sorti de l'Être pour entrer dans l'existence, mener une histoire de vie, enseigner que chacun doit aimer l'autre comme lui-même et non plus comme la loi ou l'ordre du monde.

Ceux qui veulent identifier la modernité à la seule rationalisation ne parlent du Sujet que pour le réduire à la raison elle-même et pour imposer la dépersonnalisation, le sacrifice de soi et l'identification à l'ordre impersonnel de la nature ou de l'histoire. Le monde moderne est au contraire de plus en plus rempli par la référence à un Sujet qui est liberté, c'est-à-dire qui pose comme principe du bien le contrôle que l'individu exerce sur ses actions et sa situation, et qui lui permet de concevoir et de sentir ses comportements comme des composantes de son histoire personnelle de vie, de se concevoir lui-même comme acteur. *Le Sujet est la volonté d'un individu d'agir et d'être reconnu comme acteur.*

L'individu, le Sujet, l'acteur

Les trois termes : *individu, Sujet, acteur,* doivent être définis les uns par rapport aux autres, ce que Freud fit le premier, surtout dans sa seconde topique, en analysant la formation du Moi comme le produit final de l'action exercée par le Surmoi sur le Ça, auquel il appartient en même temps. L'homme pré-moderne cherchait la sagesse et se sentait traversé par des forces impersonnelles, son destin, le sacré et aussi l'amour. La modernité triomphante a voulu remplacer cette soumission au monde par l'intégration sociale. Il fallait remplir son rôle de travailleur, de géniteur, de soldat ou de citoyen, participer à l'œuvre collective, et plutôt que d'être l'acteur d'une vie personnelle, devenir l'agent d'une œuvre collective. Semi-modernité, en réalité, qui essaie de donner à l'ancien rationalisme des observateurs du ciel la forme nouvelle de la construction d'un monde technique qui réprime plus fortement que jamais tout ce qui contribue à construire le sujet individuel. Pour que celui-ci apparaisse, il ne faut pas que la raison triomphe sur les sens, pour parler le langage de l'âge classique, mais, au contraire, que l'individu reconnaisse en lui la présence du Soi en même temps que la volonté d'être sujet. La modernité triomphe quand, au lieu que l'homme soit dans la nature, il reconnaît la nature en lui. Il n'y a production du sujet que dans la mesure où la vie résiste en l'individu, et, au lieu d'apparaître comme un démon qu'il faut exorciser, est acceptée comme libido ou sexualité et se transforme — encore plus qu'elle n'est transformée — en effort pour construire, au-delà de la multiplicité des espaces et des temps vécus, l'unité d'une personne. L'individu n'est que l'unité particulière où se mêlent la vie et la pensée, l'expérience et la conscience. Le Sujet est le passage du Ça au Je, le contrôle exercé sur le vécu pour qu'il ait un sens personnel, pour que l'individu se transforme en acteur qui s'insère dans des relations sociales en les transformant, mais sans jamais s'identifier complètement à aucun groupe, à aucune collectivité. Car l'acteur n'est pas celui qui agit conformément à la place qu'il occupe dans l'organisation sociale, mais celui qui modifie l'environnement matériel et surtout social dans lequel il est placé en transformant la division du travail, les modes de décision, les rapports de domination ou les orientations culturelles. Les fonctionnalismes de droite et de gauche ne parlent que de logique de la situation et de reproduction de la société. Or celle-ci se transforme constamment, et de manière accélérée, au point que ce qu'on nomme situation est plus souvent aujourd'hui une création politique que l'expression d'une logique impersonnelle, économique ou technique.

L'idée qu'une infrastructure matérielle commande des superstructures politiques et idéologiques, si largement admise dans les sciences sociales quand elles réfléchissaient sur le triomphe du capitalisme libéral, de Karl Marx à Fernand Braudel, ne correspond plus à un siècle dominé par des révolutions politiques, des régimes totalitaires, des États-providence et une immense extension de l'espace public. Il est donc naturel que les sciences sociales aient peu à peu abandonné leur ancien langage déterministe pour parler de plus en plus souvent d'acteurs sociaux. Je ne crois pas avoir été étranger à cette transformation, parlant moi-même constamment d'*acteurs sociaux* et remplaçant dans ma propre démarche l'idée de classe sociale par celle de *mouvement social*. L'idée d'acteur social n'est pas séparable de celle de sujet, car si l'acteur ne se définit plus par son utilité pour le corps social ou par son respect des commandements divins, quels principes le guident, si ce n'est de se constituer comme sujet, d'étendre et de protéger sa liberté ? Sujet et acteur sont des notions inséparables et qui résistent conjointement à un individualisme qui redonne l'avantage à la logique du système sur celle de l'acteur en réduisant ce dernier à la recherche rationnelle — donc calculable et prévisible — de son intérêt. Dans la société moderne, cette production de l'acteur par le sujet peut échouer. L'individu, le Sujet et l'acteur peuvent s'éloigner l'un de l'autre. C'est de cette maladie de civilisation que nous sommes souvent atteints. D'un côté, nous vivons un individualisme narcissique ; de l'autre, nous sommes saisis par la nostalgie de l'être ou du sujet, au sens ancien qu'on prêtait à ce terme, et nous lui donnons des expressions esthétiques ou religieuses ; d'un autre côté encore, nous « faisons notre travail », nous remplissons nos rôles et nous allons consommer, voter ou voyager comme on attend que nous le fassions. Nous menons plusieurs vies et nous éprouvons si fortement le sentiment que ce Soi est le contraire de notre identité que nous fuyons celle-ci par le moyen d'une drogue ou en subissant simplement les contraintes de la vie quotidienne.

Le Sujet n'est plus la présence en nous de l'universel, qu'on le nomme lois de la nature, sens de l'histoire ou création divine. Il est l'appel à la transformation du Soi en acteur. Il est Je, effort pour dire Je, sans jamais oublier que la vie personnelle est remplie d'un côté de Ça, de libido, et, de l'autre, de rôles sociaux. Le sujet ne triomphe jamais. S'il en a l'illusion, c'est qu'il a supprimé l'individu aussi bien que la sexualité ou les rôles sociaux, et qu'il est redevenu le Surmoi, c'est-à-dire le Sujet projeté hors de l'individu. Il s'abolit lui-même en devenant la Loi, en s'identifiant à ce qui est le plus extérieur, le plus impersonnel.

La *subjectivation* est la pénétration du Sujet dans l'individu et donc la transformation — partielle — de l'individu en Sujet. Ce qui était ordre du monde devient principe d'orientation des conduites. La subjectivation est le contraire de la soumission de l'individu à des valeurs transcendantes : l'homme se projetait en Dieu ; désormais, dans le monde moderne, c'est lui qui devient le fondement des valeurs, puisque le principe central de la moralité devient la liberté, une créativité qui est sa propre fin et s'oppose à toutes les formes de dépendance.

La subjectivation détruit le Moi qui se définit par la correspondance de conduites personnelles et de rôles sociaux et est construit par des interactions sociales et l'action d'agences de socialisation. Le Moi se brise : d'un côté le Sujet, de l'autre le Soi *(Self)*. Le Soi associe nature et société, comme le Sujet associe individu et liberté. Comme l'a enseigné Freud, le Sujet — qu'il ne concevait pas nettement en dehors du Surmoi — est lié au Soi, au Ça, alors qu'il est en rupture avec un Moi dont l'analyse doit briser les illusions. Le Sujet n'est pas l'âme opposée au corps, mais le sens donné par l'âme au corps, en opposition avec les représentations et les normes imposées par l'ordre social et culturel. Le Sujet est à la fois apollinien et dionysiaque.

Rien n'est plus opposé au Sujet que la conscience du Moi, l'introspection ou la forme la plus extrême de l'obsession de l'identité, le narcissisme. Le Sujet brise la bonne conscience comme la mauvaise. Il n'appelle ni culpabilité ni jouissance de soi ; il pousse l'individu ou le groupe à la recherche de leur liberté à travers des luttes sans fin contre l'ordre établi et les déterminismes sociaux. Car l'individu n'est Sujet que par la maîtrise de ses œuvres, qui lui résistent. Cette résistance est positive dans la mesure où elle est rationalisation, car la Raison est aussi l'instrument de la liberté ; elle est négative dans la mesure où la rationalisation est dominée et utilisée par des maîtres, des modernisateurs, technocrates ou bureaucrates, qui s'en servent pour imposer leur pouvoir à ceux qu'ils transforment en instruments de production ou de consommation.

Constamment, cette séparation du Je et du Soi a été combattue non seulement par les normes et la définition des rôles sociaux, mais aussi par la conscience de soi, qui cherche à relier le Je au Soi pour éviter le retour du Je au monde des dieux et la chute du Soi dans le Ça. Depuis le début du xvie siècle, l'humanisme s'est identifié à la recherche de ce compromis entre les dieux et la nature, la foi et l'Église, le sujet et la science ; Montaigne lui a donné sa plus haute expression. Mais cette leçon de prudence et de sagesse ne peut prévaloir contre les nécessaires ruptures ni contre la quête de soi comme Sujet dans laquelle est engagé l'individu moderne et qui l'a conduit à bouleverser en permanence l'ordre établi. Le jour où le Sujet se dégrade en introspection et le Soi en rôles sociaux complètement imposés, notre vie sociale et personnelle perd toute force de création et n'est plus qu'un musée post-moderne où nous remplaçons par des souvenirs multiples notre impuissance à produire une œuvre.

J'ai rappelé que Michel Foucault avait vu dans la subjectivation la sujétion. Il fallait construire l'homme intérieur, « psychologique » disent-ils, pour que pénètre plus avant le contrôle social, pour qu'il s'empare du cœur, de l'esprit et du sexe, et pas seulement des muscles. Mais cette perversion de la subjectivation ne peut en aucune manière se substituer à la naissance du sujet ou en constituer le sens principal. D'abord, là où le totalitarisme s'est installé, la force principale de résistance qui s'est mobilisée contre lui est bien l'appel au sujet, l'éthique de la conviction, qu'elle revête une forme religieuse ou non, qu'elle se nomme Soljenitsyne ou Sakharov. Il y a un siècle, Weber appelait au triomphe de l'éthique de la responsabilité sur l'éthique de la conviction. Notre admiration va aujourd'hui au contraire à ceux qui refusent d'être de bons travailleurs, de bons citoyens, d'efficaces esclaves et qui se sont soulevés au nom d'une conviction religieuse ou au nom des droits de l'homme. Cette résistance à la modernisation répressive ne peut pas être seulement moderniste ; il n'est pas suffisant de dire, comme les socialistes de la première industrialisation, que le mouvement ouvrier ferait triompher la modernité contre l'irrationalité du profit capitaliste. Pour résister à l'oppression totale, il faut mobiliser le sujet total, l'héritage religieux et les souvenirs d'enfance, les idées et le courage. Max Horkheimer a formulé une des idées les plus profondes de ce siècle quand il a écrit : « La raison ne suffit pas pour défendre la raison » en se référant à l'impuissance des intellectuels et des militants politiques allemands devant la « résistible ascension d'Arturo Ui ». Cette phrase, que le cardinal Lustiger a reprise à son compte dans ses Mémoires, rompt avec le rationalisme trop sûr de lui de l'idéologie des Lumières. C'est un rappel au sujet, le refus de donner une importance centrale à l'opposition du traditionnel et du moderne. Ce que Nietzsche et Freud avaient les premiers redécouvert en trouvant en l'homme les mythes et les croyances les plus anciens et en ne séparant pas leur œuvre rationaliste d'une attaque contre les conceptions pseudo-modernes — ou, au moins, protomodernes — de l'homme et de la société comme êtres conscients et organisés. Parce que nous venons de vivre les catastrophes produites par la modernisation autoritaire imposée par des États totalitaires, nous savons que la production du sujet, figure centrale de la modernité, n'est possible que si la conscience ne sépare ni le corps individuel des rôles sociaux, ni les figures anciennes du sujet, projeté dans l'univers sous forme de Dieu, de la volonté présente de se construire soi-même comme personne.

L'idée de sujet comme principe moral s'oppose aussi bien à l'idée du contrôle des passions par la raison, présente depuis Platon jusqu'aux idéologues du *rational choice*, qu'à la conception du bien comme accomplissement de devoirs sociaux. On pourrait même définir ces trois conceptions opposées comme des étapes successives de l'histoire des idées morales. D'abord viendrait l'idée qu'il existe un ordre du monde et sa variante principale selon laquelle cet ordre est rationnel. La conduite la plus élevée est alors celle qui met l'individu en accord avec l'ordre du monde. La sécularisation affaiblit cette conception, puisqu'elle réduit la raison objective à n'être plus que la raison subjective. C'est alors l'utilité sociale des conduites qui mesure leur valeur, la contribution de chacun au bien commun. Et c'est seulement quand ce moralisme social a été dénoncé par les penseurs critiques, surtout à partir de Marx et de Nietzsche, que l'affirmation de l'individu comme sujet peut occuper une place centrale, mais celle-ci a plus de chances d'être accordée à l'individualisme selon lequel il n'y a pas de principe de moralité en dehors du droit de chacun à vivre librement ses désirs individuels, position naturaliste qui conduit à supprimer toute norme et donc toute sanction et qui, si elle était appliquée — si les assassinats et les viols n'étaient plus condamnés —, produirait des réactions violentes, montrant combien il est artificiel d'en appeler ici à la nature.

Mais cette vision évolutionniste est insuffisante et même

dangereuse. Ce qu'elle omet, c'est que l'appel moderne au sujet reprend, sous une forme sécularisée, l'idée ancienne, à la source du droit naturel, selon laquelle tous les hommes sont égaux et ont les mêmes droits, car ils sont les créatures de Dieu. Et inversement, que l'idée d'accord avec l'ordre du monde prend aussi des formes modernes tout en restant constamment un principe de hiérarchisation sociale ; son contenu se transforme seulement selon qu'on place en haut de la hiérarchie les prêtres, les guerriers, les savants ou les businessmen. Il est donc préférable d'opposer de manière permanente une moralité de l'ordre, associée à une vision hiérarchique de la société comme de l'univers, et une moralité des droits de l'homme qui peut faire appel à l'idée de grâce divine comme à celle de sujet humain.

L'essentiel est d'opposer ces conceptions morales. Ce que ne me semble pas faire Charles Taylor, qui définit la moralité moderne à la fois par le respect des droits de l'homme, par la notion de vie complète et autonome et par le sens de la dignité de chacun dans la vie publique. Trois principes que je trouve plus divergents que convergents, car si le premier conduit à l'idée de sujet, le dernier conduit à la morale sociale à laquelle celle-ci s'est constamment opposée, tandis que la deuxième mène soit vers un individualisme extrême, soit vers l'idée d'une vie raisonnable et du contrôle nécessaire des passions. Divergence accentuée par une transformation importante, sur laquelle Charles Taylor insiste justement : la moralité ne définit plus pour les modernes la vie d'une catégorie supérieure, mais la vie ordinaire de tous. Idée qui reprend le thème chrétien du prochain et qui nous fait admirer, plus que les héros ou les sages, les individus ordinaires qui ont respecté, compris et aimé les autres et qui ont sacrifié à ces exigences la réussite sociale ou les prouesses de l'esprit. L'idée de sujet affirme la supériorité des vertus privées sur les rôles sociaux et de la conscience morale sur le jugement public.

Elle ne peut pas constituer une « valeur » centrale inspirant les institutions. Ce recours aux valeurs, si fortement affirmé dans les sociétés qui se donnent des fondements religieux, qu'il s'agisse des États-Unis ou des sociétés islamiques, est en contradiction ouverte avec l'idée de sujet, idée *dissidente*, qui a toujours animé le droit à la révolte contre le pouvoir injuste, exigence morale qui ne peut jamais se transformer en principe de moralité publique, car le sujet personnel et l'organisation sociale ne peuvent jamais se correspondre.

L'origine religieuse du Sujet

L'esprit moderne s'est défini avant tout par sa lutte contre la religion. Ce fut vrai surtout dans les pays qui avaient été marqués par la Contre-Réforme. Il ne suffit pas de laisser mourir un tel discours qui a perdu toute force mobilisatrice, ni même de rappeler que les « calotins », au Chili ou en Corée par exemple, ont combattu les dictatures avec plus de conviction et de courage que bien des libres-penseurs ; il faut refuser ouvertement l'idée de la rupture entre les ténèbres de la religion et les lumières de la modernité, car le sujet de la modernité n'est autre que le descendant sécularisé du sujet de la religion.

Le déchirement du sacré brise l'ordre religieux comme toutes les formes d'ordre social et libère le sujet incarné dans la religion comme il libère la connaissance scientifique enfermée dans une cosmogonie. Rien n'est plus absurde et destructeur que de refuser la sécularisation, qu'on peut appeler aussi laïcité ; mais rien n'autorise à jeter le sujet avec la religion comme l'enfant avec l'eau du bain. Face à l'emprise croissante des appareils techniques, des marchés et des États, créations de l'esprit moderne, nous avons le besoin le plus urgent de rechercher dans les religions d'origine ancienne comme dans les débats éthiques nouveaux ce qui, en elles comme en eux, ne se réduit pas à la conscience collective de la communauté ni au lien entre le monde humain et l'univers, mais en appelle, au contraire, à un principe non social de régulation des conduites humaines.

Telle est la raison pour laquelle j'ai adopté avec tant de chaleur l'idée de droit naturel, inspiratrice de la Déclaration des droits de 1789 : il s'agit d'imposer des limites au pouvoir social et politique, de reconnaître que le droit d'être sujet est supérieur à l'ordre de la loi, que la conviction n'est pas une rationalisation de la responsabilité, que l'organisation de la vie sociale doit combiner deux principes qui ne peuvent jamais se réduire l'un à l'autre : l'organisation rationnelle de la production et l'émancipation du Sujet. Celui-ci n'est pas seulement conscience et volonté mais effort pour associer sexualité et programmation, vie individuelle et participation à la division du travail. Ce qui suppose que chaque individu ait l'espace d'autonomie et le recul le plus grands possible, et que des limites soient apportées à l'emprise de la loi et de l'État sur les corps et les esprits. Le retour des religions n'est pas seulement la mobilisation défensive de communautés bouleversées par une mobilisation importée ; il porte aussi en lui, surtout dans les sociétés industrialisées, le rejet de la conception qui réduit la modernité à la rationalisation et prive ainsi l'individu de toute défense face à un pouvoir central dont les moyens d'action n'ont plus de limite. Ce retour au religieux n'entraîne aucun regain d'influence des Églises ; celles-ci continuent à décliner aussi rapidement que les partis idéologiques qui brandissaient le drapeau de la rationalité modernisatrice et antireligieuse. Il n'annonce pas nécessairement le retour au sacré et aux croyances proprement religieuses ; c'est au contraire parce que la sécularisation est solidement installée qu'il devient possible de reconnaître dans la tradition religieuse une référence au sujet qui peut être mobilisée contre le pouvoir des appareils économiques, politiques ou médiatiques. L'exigence morale s'est transférée de la religion à ce qu'on appelle l'*éthique*, mais celle-ci doit trouver dans des traditions religieuses des références au sujet que ne doit pas rejeter notre culture sécularisée. L'importance centrale donnée aujourd'hui aux droits de l'homme et aux choix moraux découle du déclin des philosophies politiques de l'histoire de type socialiste ou tiers-mondiste, mais est aussi en partie l'héritage des Églises et des religions établies. Expression qui peut probablement être appliquée à l'aire chrétienne, mais aussi à l'aire islamique et au judaïsme, malgré la présence, dans les trois cas, de courants soit néo-traditionalistes, soit quiétistes, soit mystiques.

On doit craindre que ne s'étendent les pouvoirs et les mouvements politiques qui rejettent la sécularisation et veulent imposer une loi religieuse à la société civile, mais le grand mouvement de retour au sujet, porté par le rejet de ces « intégrismes », l'est tout autant par l'échec dramatique des politiques modernisatrices héritières des despotismes éclairés, qui, au nom de la raison, ont fait pénétrer partout, jusque dans les esprits, le pouvoir idéologique et policier. La modernité ne se définit pas par un principe unique ; elle ne se réduit pas plus à la subjectivation qu'à la rationalisation ; elle se définit par leur séparation croissante. C'est pourquoi, après quelques siècles dominés par des modèles politiques confiants en eux-mêmes comme agents du progrès, et après de plus longues périodes encadrées dans de grandes civilisations aux fondements religieux, nous vivons aujourd'hui dans un monde fragile, car il n'existe aucune force supérieure ni même aucune instance d'arbitrage capable de protéger efficacement l'interdépendance indispensable des deux faces de la modernité.

L'idée de sujet, telle qu'elle est définie et défendue ici, semble aller à contresens de la pensée moderne. Beaucoup pensent aussi qu'elle est dangereuse, car ce sont les maîtres du pouvoir qui en appellent à l'Homme pour étendre leur domination sur les esprits. Tout ce qui est écrit dans cette troisième partie constitue une réponse à ces critiques, mais celles-ci sont assez fondamentales pour appeler une réponse plus directe.

La modernité marquerait le passage de la subjectivité à l'objectivité. La science ne s'est-elle pas développée en étant matérialiste, en découvrant des explications physiques et chimiques derrière les sensations, les opinions et les croyances ? Même dans l'ordre moral, l'éthique de la responsabilité ne remplace-t-elle pas l'éthique de la conviction et la morale du devoir la morale de l'intention caractéristique des religions les plus éloignées de l'idée de modernité ? Cette représentation générale de la modernité est en accord avec l'idée générale de sécularisation et de désenchantement. Les faits naturels ne renvoient plus à l'intention d'un Créateur, mais à des lois qui définissent des relations entre des phénomènes, en laissant de côté toute hypothèse sur l'Être et la Nature. Nul ne peut contester le déclin du sacré, même si on peut s'inquiéter du maintien ou de la résurgence de croyances irrationnelles et de conduites magiques. Mais rien n'autorise à réduire la modernité au triomphe de la connaissance et de l'action rationnelles. Dire que le sacré se brise et que le domaine des lois et celui des valeurs se séparent est tout autre chose qu'affirmer le triomphe de l'ère positive. L'idée de sujet, séparée de celle de nature, a deux destinées possibles : ou elle s'identifie à la Société et plus directement au Pouvoir ou, au contraire, elle se transforme en principe de liberté et de responsabilité personnelles. Le choix entre une vision religieuse et une vision positiviste du monde est artificiel ; chacun de nous se trouve devoir choisir au contraire entre être le sujet de la société, après avoir été celui d'un roi, et être un sujet personnel défendant son droit individuel ou collectif à devenir l'acteur de sa propre vie, de ses idées et de ses conduites. Ceux qui se disent positivistes se jettent souvent, comme Auguste Comte, dans le culte de la société, et nombreuses sont les formes sécularisées de l'eschatologie qui ont fait naître les cultes de la nation, du prolétariat ou de la moralité.

L'homme moderne est constamment menacé par le pouvoir absolu de la société, et c'est parce que notre siècle a été noirci par le totalitarisme qu'il est porté plus directement que les précédents à reconnaître l'idée de sujet comme principe central de résistance au pouvoir autoritaire.

La société moderne naît avec la rupture de l'ordre sacré du monde ; à la place de celui-ci apparaît la séparation, mais aussi l'interdépendance de l'action rationnelle instrumentale et du sujet personnel. Si la première veut ignorer le second, elle y substitue le culte de la société et de la fonctionnalité des conduites ; inversement, si le second écarte la première, il dégénère en culte de l'identité individuelle ou communautaire.

Il existe aussi une autre manière, plus acceptable, de rejeter ce dualisme par lequel j'ai défini la modernité. C'est la pensée *libérale*, qui est proprement centriste et s'efforce de rapprocher et même de confondre le monde de la nature et celui de l'action humaine en s'appuyant sur la vision moins rigide des déterminismes naturels élaborée par les théoriciens modernes des systèmes, issus de la physique, de la chimie et de la biologie. Cet effort antidualiste a de grandes vertus et permet surtout d'écarter une conception dépassée du déterminisme qui a toujours appelé, par réaction, des réponses trop spiritualistes. Mais Henri Atlan a bien souligné les malentendus que peut faire naître une démarche trop synthétique, et la nécessité de maintenir un dualisme dont les formes extrêmes dans la pensée sont la construction de modèles et l'interprétation herméneutique. Edgar Morin lui-même, qui a tant fait pour établir la continuité entre sciences naturelles et connaissance de l'Homme, ne montre-t-il pas par son œuvre la nécessité d'un retour au sujet dans l'analyse de la société de masse ?

L'essentiel, aujourd'hui, est de s'opposer à toute absorption d'un des deux éléments de la modernité par l'autre. Ce qui ne peut être fait qu'en rappelant que le triomphe exclusif de la pensée instrumentale conduit à l'oppression, comme celui du subjectivisme mène à la fausse conscience. La pensée n'est moderne que quand elle renonce à l'idée d'un ordre général, à la fois naturel et culturel, du monde, quand elle combine déterminisme et liberté, inné et acquis, nature et sujet. Ce qui doit conduire à reconnaître la différence essentielle entre sciences de la nature et connaissance sociale, à condition toutefois de ne pas oublier qu'il existe des sciences naturelles de l'Homme, l'être humain étant à la fois nature et sujet.

La modernité divisée

Certains diront qu'il n'y a pas de raison d'appeler moderne une conception qu'on appellerait plus justement post-moderne. Cette réaction peut sembler acceptable, puisque j'ai placé moi-même la pensée du dernier siècle, depuis ses principaux inspirateurs, Nietzsche et Freud, sous le signe de la crise et de la décomposition de la modernité. Elle ne l'est pas, en réalité, car la critique du *modernisme*, c'est-à-dire de la réduction de la modernité à la rationalisation, ne doit pas conduire à une position anti- ou post-moderne. Il s'agit, au contraire, de redécouvrir un aspect de la modernité qui a été oublié ou combattu par la rationalisation triomphante. C'est au nom de Descartes et de l'idée de droit naturel, autant qu'au nom du souci contemporain du sujet, qu'il convient d'ouvrir les deux ailes de la modernité, de la déployer autant dans l'espace de la subjectivation que dans celui de la rationalisation. Au-delà des querelles de mots, il faut affirmer la modernité du thème du sujet, réaffirmer qu'il est lié à la création accélérée d'un monde artificiel, produit de la pensée et de l'action humaines. Mais il faut prendre une image moins douce de la situation actuelle de la modernité : si j'ai si longuement parlé de l'éclatement et de la décomposition du modernisme, c'est parce que l'expérience humaine contemporaine est en effet brisée en morceaux. Ce qui est la contrepartie de la globalisation des problèmes, sur laquelle tant de sociologues insistent avec raison, et confère à celle-ci son vrai sens. Dire que les nouvelles techniques de communication nous ont rapprochés les uns des autres et que nous avons conscience d'appartenir tous au même monde risque de paraître superficiel et banal si l'on n'ajoute pas aussitôt que ce monde où tous les déplacements se sont accélérés et multipliés ressemble de plus en plus à un kaléidoscope. Nous appartenons tous au même monde, mais c'est un monde brisé, fragmenté. Pour qu'on puisse parler encore à nouveau de modernité, il faut trouver un principe d'intégration de ce monde contradictoire, en recoller les morceaux.

Aujourd'hui, une partie du monde se replie sur la défense et la recherche de son identité nationale, collective ou personnelle, tandis qu'une autre partie, à l'inverse, ne croit qu'au changement permanent, voyant le monde comme un hypermarché où apparaissent sans cesse des produits nouveaux. Pour d'autres, le monde est une entreprise, une société de production, tandis que d'autres enfin sont attirés par le non-social, qu'on l'appelle l'Être ou le sexe. Au milieu de ces fragments de vie sociale chargés de valeurs opposées s'affaire la foule des fourmis enchaînées à la rationalité technique, opérateurs, employés, techniciens, haut ou bas placés, que tout détourne de se préoccuper des fins de leur action. Car on ne peut pas passer le film à l'envers et retrouver l'unité irrémédiablement brisée du monde des Lumières et du Progrès ; il faut donc s'interroger sur la manière de rétablir l'unité entre la vie et la consommation, la nation et l'entreprise, et entre chacune d'elles et le monde de la rationalité instrumentale. Si cette reconstruction est impossible, mieux vaut alors ne plus parler de modernité.

L'idée de sujet et plus concrètement le mouvement de subjectivation permettent-ils de réunir ce qui a été séparé ;

peuvent-ils être un principe d'unité d'une nouvelle modernité ? Cette interrogation appelle une réponse négative : on
ne peut pas concevoir une société dont la subjectivation
serait le principe central. Avant tout parce que la figure du
Sujet est toujours coupée en deux. Si l'idée de sujet émerge
avec tant de force parmi nous, c'est par réaction contre
l'orgueil démoniaque des États totalitaires ou simplement
bureaucratiques qui ont avalé leur société et parlent en son
nom, États ventriloques qui font semblant de donner la
parole à la société alors qu'ils l'ont dévorée. Mais cette
résistance au pouvoir social, dont Nietzsche, les philosophes de Francfort et Michel Foucault nous ont enseigné
la nécessité, doit s'appuyer à la fois sur ce qu'il y a de
moins social dans l'individu humain et sur les forces
suprasociales qui résistent aux ordres du pouvoir politique. Elle s'appuie sur le sexe et sur l'histoire, sur l'individu
et sur la nation. Que la distance soit immense entre la jeunesse occidentale, qui rejette le contrôle social de la sexualité, est fascinée par l'affirmation de l'identité et de la
liberté de chacun, et la mobilisation collective des cultures
et des religions menacées par une modernisation exogène,
chacun le perçoit clairement. Mais la reconnaissance de
cette distance ne doit pas être séparée de la découverte
que le sujet est attiré à la fois par la sexualité et par la
communauté, et que c'est lui, parce qu'il relie l'une à l'autre, le Ça au nous, qui permet de résister à l'État et aux
entreprises. L'une et l'autre sont des forces de résistance et
de révolte qui interdisent au pouvoir social, avec la même
force que le droit naturel avant l'historicisme, de s'emparer
de la personnalité et de la culture. Alors que les fonctionnalistes, Talcott Parsons en tête, formaient le grand projet
d'unifier l'étude de la société, de la culture et de la personnalité, nous savons, depuis Nietzsche et Freud, qu'il faut
les opposer et, allant plus loin encore, nous devons
aujourd'hui affirmer que l'appel à l'individu et à son désir,
autant que le rappel à la nation et à sa culture, sont les
deux messages complémentaires émis par le sujet, qui lui
donnent sa double force de résistance au pouvoir de la
« société active ». D'où il résulte que l'idée de sujet ne peut
réunifier le champ éclaté de la modernité. Seul peut parvenir à cette tâche *le couple du sujet et de la raison*. D'un côté,
notre société de production et de consommation de masse,

d'entreprises et de marchés, est animée par la raison instrumentale ; elle est un flux de changements et un ensemble de stratégies d'adaptation et d'initiative dans un environnement mouvant et faiblement contrôlé. De l'autre côté, notre société est occupée par le désir individuel et par la mémoire collective, par les pulsions de vie et de mort et par la défense de l'identité collective. Auguste Comte, prophète de la modernité et de la religion de l'humanité, affirmait que la société est faite de plus de morts que de vivants et on peut, en poursuivant son idée, affirmer que la modernité d'une société se mesure à sa capacité de se réapproprier les expériences humaines éloignées de la sienne dans le temps ou dans l'espace. On peut schématiser ainsi la reconstruction qui vient d'être entreprise :

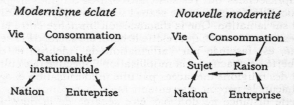

Modernisme éclaté

Vie   Consommation

Rationalité instrumentale

Nation   Entreprise

Nouvelle modernité

Vie   Consommation

Sujet   Raison

Nation   Entreprise

La modernité nouvelle — car il s'agit bien d'une modernité — unit la raison et le Sujet qui intègrent chacun deux des éléments culturels de la modernité éclatée. La modernité, qui avait refoulé et réprimé la moitié d'elle-même en s'identifiant à un mode de modernisation conquérant et révolutionnaire, celui de la table rase, peut enfin retrouver les deux moitiés d'elle-même. Elle ne peut se définir que comme le lien et la tension entre la rationalisation et la subjectivation. C'est même cette absence d'intégration des deux principes qui est essentielle pour définir la modernité et qui écarte l'idée de société, la détruit, la remplace par celle de changement social. Les sociétés pré-modernes pensent qu'il existe un ordre social qui, sous la pression de causes externes aux acteurs, doit se transformer en un nouvel ordre. On s'est demandé, dans cet esprit, comment s'était effectué le passage de l'Antiquité au Moyen Âge, de la cité à l'État, ou du commerce à l'industrie. Aujourd'hui, l'historicité n'est plus un attribut secondaire d'une société.

Les philosophies de l'histoire ont été les premières à le dire, mais elles replaçaient encore les sociétés réelles dans une histoire qui était celle de l'Esprit, de la Raison ou de la Liberté, donc d'un principe non historique. Si j'ai constamment organisé ma réflexion autour de l'idée d'*historicité*, au risque de créer quelques malentendus, c'est pour indiquer que la vie sociale ne peut plus être décrite comme un système social dont les valeurs, les normes et les formes d'organisation sont établies et défendues par l'État et d'autres agences de contrôle social, mais qu'elle doit au contraire être comprise comme action et donc comme mouvement, de sorte qu'elle est l'ensemble des rapports entre les acteurs sociaux du changement. C'est pourquoi la manière dont est reconstruite ici l'unité du champ social écarte absolument l'idée de *société*, idée dont il est urgent que les sciences sociales se débarrassent, car la vie sociale, en tant qu'elle est moderne, est marquée d'un côté par les innovations d'un système de production et de consommation, de l'autre par l'ouverture aux désirs du Ça, par l'attachement du sujet à la défense d'une tradition culturelle, en même temps que par l'affirmation de sa liberté et de sa responsabilité.

Le sujet ne doit pas être conçu comme un moyen de réunifier les éléments éclatés de la modernité : la vie, la nation, la consommation et l'entreprise ; mais c'est lui qui les relie entre eux, tissant de l'un à l'autre un réseau serré de relations de complémentarité et d'opposition. L'idée de sujet reconstruit le champ culturel éclaté et qui ne pourra jamais, après les critiques de Marx, de Nietzsche et de Freud, retrouver la clarté et la transparence qu'il avait eues au moment de la philosophie des Lumières. Le sujet n'est d'aucune manière un individu fermé sur lui-même et Alain Renaut a montré avec force ce qui oppose la tradition qu'il appelle monadologique, introduite par Leibniz et qui se prolonge selon lui jusqu'à Hegel et Nietzsche, à ce qu'il nomme lui aussi le sujet. Ce qui oblige à considérer le sujet non comme un moi supérieur, comme l'image du père ou comme la conscience collective, mais comme un effort pour unir les désirs et les besoins personnels à la conscience d'appartenance à l'entreprise et à la nation, ou la face défensive à la face offensive de l'acteur humain.

Nous avons une certaine difficulté à nous défaire de la

représentation de la société ou du moi comme d'un système unifié par une autorité centrale, comme d'un corps social commandé par un cerveau ou par un cœur. Constamment la modernité est attaquée par des forces qui, si opposées qu'elles soient les unes aux autres, ont en commun de se référer à un principe unique. C'est souvent la religion ou la nation ; dans d'autres cas, c'est la rationalité technique ou même le marché ; c'était naguère un projet historique global, porté par un parti unique ou par un gouvernement investi d'un pouvoir sans limite. La modernité, au contraire, se définit avant tout par le passage d'une conception centralisée de la vie sociale à une conception bipolaire, donc à la gestion des rapports à la fois de complémentarité et d'opposition entre la subjectivation et la rationalisation.

C'est pourquoi l'idée de sujet résiste à son identification à chacun des fragments éclatés de la modernité. Pas de sujet qui se confonde avec la communauté, la nation ou l'ethnie ; pas d'entreprise-sujet, pas de réduction du sujet à la sexualité, et surtout pas de confusion du sujet avec la liberté du consommateur sur le marché de l'abondance. Mais, dans ce dernier cas, il ne s'agit pas seulement d'éviter une telle réduction. Car ce qu'on nomme la société de consommation n'est pas un système technique ou économique ; c'est la construction de la réalité sociale selon un modèle opposé à celui du sujet, qui détruit donc celui-ci en remplaçant le sens par le signe, la profondeur de la vie psychologique par la surface de l'objet, ou le sérieux de l'amour par les jeux de la séduction. Paysage banalisé où s'agitent des personnages stéréotypés. Qui peut croire que le monde sécularisé, coupé de tout au-delà, se réduit aux apparences et à des décisions d'achat ? Dans l'Occident riche et marchand, c'est d'abord contre la société de masse, contre la consommation à la fois standardisée et hiérarchisée, que se constitue le sujet, comme, ailleurs dans le monde, c'est contre le nationalisme culturel. Seul l'appel au sujet fait retrouver la distance au marché qu'implique tout jugement moral, et permet de reconstruire ce que la société de consommation décompose. Ascétisme dans le monde, disait Weber pour définir le capitalisme et la modernité. Ce qui ne conduit pas à rejeter de manière hypocrite les biens de consommation que tous désirent, mais à prendre assez de distance par rapport à eux pour redonner à l'individu l'épaisseur et la durée d'un sujet, au lieu qu'il se dissolve dans l'instantané de la consommation.

Quand la rationalité se réduit à la technique, à l'instrumentalité, les fragments éclatés de la modernité classique ne sont plus reliés les uns aux autres que par la recherche de l'efficacité et du rendement. Chacun construit autour de lui un univers étranger aux autres ; on parle de culture d'entreprise comme de société de consommation ou d'intégrisme national et religieux. Le sujet se repère et même se définit par son effort pour réunir ce qui a été séparé. Il est le contraire d'un appel à un principe hors du monde, à un garant métasocial de l'ordre social ; il constitue son champ d'action et de liberté en rapprochant les contraires, en étendant son expérience et en refusant toutes les illusions du Moi, toutes les formes de narcissisme. Le sujet associe le plaisir de vivre à la volonté d'entreprendre, la diversité des expériences vécues au sérieux de la mémoire et de l'engagement. Il a besoin que le Ça rompe les défenses du Surmoi autant que d'être fidèle à un visage ou à une langue ; parce que la force du désir comme celle de la tradition, l'appel de la consommation et du voyage autant que celui de la recherche et de la production libèrent des rôles et des normes qu'imposent les systèmes et qui objectivent le sujet pour mieux le contrôler. Ce qui fait revivre, dans l'idée de sujet, l'utopie créatrice de cet humanisme qui annonçait la modernité mais ne put entrer dans la Terre promise, car il ne pouvait y avoir de modernité réelle que par le déchirement entre la Renaissance et la Réforme. Ce déchirement ne cessera jamais et jamais ne renaîtra le monde antique de l'Un. Mais le sujet porte aujourd'hui en lui les héritages contradictoires d'Érasme, de Rabelais et de Luther, il reconnaît au moins qu'ils sont en partie complémentaires et que sa propre raison d'être est de les faire vivre ensemble en associant la connaissance du monde et de Soi à la liberté personnelle et collective. C'est ce travail sans fin mais heureux de construction d'une vie, comme une œuvre d'art faite de matériaux disparates, qui définit le mieux le sujet.

Femmes sujets

Au centre de la société se trouvent donc ce que j'ai
appelé des *mouvements culturels*. Les plus importants
d'entre eux sont ceux qui visent à renforcer un des deux
pôles d'orientation de la société par rapport à l'autre. Dans
notre société, le mouvement culturel le plus visible, et de
loin le plus puissant, est celui qui cherche à donner l'hégémonie à la production et à la consommation. Ce mouvement s'identifie — comme tout mouvement, culturel,
social ou historique — à la modernité et appelle à renverser les obstacles au changement, à la modernisation permanente. Porté par des industriels et des commerçants,
des organisateurs et des publicitaires, il lève le drapeau du
libéralisme et même de l'individualisme. Ses représentants
ne voient en face d'eux que des groupes d'intérêts hostiles
aux changements qui menacent leurs intérêts acquis. Mais
le mouvement culturel opposé, qui défend la subjectivation, s'affirme tout aussi moderne que son adversaire.

Quels acteurs concrets sont porteurs de ce mouvement
culturel ? Le plus important est le mouvement des femmes
qui, au nom de la modernité, a revendiqué la reconnaissance du désir des femmes et aussi de leur identité bio-
culturelle, double défi lancé à une société d'innovations
technico-économiques. Il existe assurément de forts courants féministes qui rejettent ce mouvement culturel et
réclament seulement l'égalité des chances pour des femmes qui ne seraient plus définies par leur sexe (genre) dans
la vie économique ou administrative, mais par leurs capacités professionnelles. Simone de Beauvoir et Élisabeth
Badinter ont illustré en France ce mouvement qui s'est fait
d'autant plus facilement entendre des pouvoirs publics
qu'une grande partie de ce qu'on appelle les conquêtes des
femmes n'est que la conséquence de leur entrée massive
sur le marché du travail. La société de consommation
pousse au transfert massif des femmes des services personnels non marchands vers les secteurs personnels
marchands, l'éducation et la santé en particulier. Mais ne
confondons pas ce féminisme, qui s'inscrit à l'intérieur du
mouvement culturel dominant, qui identifie la modernité
à la rationalisation, avec le *mouvement des femmes* qui se
bat pour la subjectivation contre la rationalisation. Mouve-

ment faible et divisé, car autant il est facile d'établir un front commun entre producteurs et consommateurs de masse, entre industriels et commerçants, autant il est difficile d'associer libération sexuelle et identité culturelle de la femme, puisque la première combat les rôles où la société a confiné les femmes, tandis que la seconde, dans l'esprit de Freud, définit au contraire la femme, mais aussi l'homme et l'enfant, par leurs relations. Mais ce mouvement culturel, qui s'est épuisé apparemment dans ses disputes internes, n'a cessé d'étendre son influence et a fait progresser dans l'ensemble de la population féminine les références à la sexualité des femmes et à leur rôle culturel. Avec un succès tel qu'il se trouve désormais plus d'hommes pour se sentir solidaires qu'adversaires de ce mouvement.

L'autre

L'appel au sujet n'a-t-il d'autre juge que le sujet lui-même ? La réponse est impossible, puisqu'elle confondrait le Je et le Moi, que l'idée de sujet impose de séparer. Pour sortir de la conscience et de ses pièges, il faut que le sujet s'affirme en reconnaissant l'autre comme sujet. La démarche est traditionnelle et le christianisme en particulier, depuis le *Sermon sur la montagne*, lui a reconnu une importance centrale : il faut aimer le prochain comme créature de Dieu, aimer Dieu dans le prochain. Mais la conception moderne du sujet ne peut plus considérer que la noblesse de l'être humain vient de ce qu'il est la créature faite par Dieu à son image. La théorie du droit naturel et le dualisme cartésien auxquels je me suis si souvent référé sont des formes historiquement importantes de la pensée du sujet, mais qui ne peuvent plus être acceptées par une pensée moderne, car elles reposent sur une vision religieuse que la sécularisation a écartée. Nous n'acceptons plus de voir dans l'autre et dans notre rapport à l'autre la présence de l'Être, de l'Infini, de même que nous ne concevons plus l'amour comme une divinité ou comme une foudre qui s'abat sur l'être humain. Reconnaître l'autre comme sujet n'est pas reconnaître Dieu en lui, mais sa capacité de combiner le Ça et le Je. Ce que nous appelons amour est la combinaison du désir, qui est impersonnel, et de la reconnaissance de l'autre comme sujet. L'individu s'affirme comme sujet s'il combine le désir avec l'empathie, sans jamais céder à la tentation de les identifier l'un à l'autre, ce qui réduirait le Je à son presque contraire, le Moi. C'est donc dans la relation interpersonnelle, la relation amoureuse ou amicale, que s'affirme le sujet, plutôt que dans l'expérience de la solitude chère aux romantiques, car celle-ci est chargée de naturalisme, ou dans l'expérience sociale à laquelle reviennent toujours la pensée fonctionnaliste et son conformisme essentiel.

La culture populaire actuelle et surtout la chanson, souvent présentée en clips, répandent partout cette idée, qui peut paraître éloignée du vécu. Ne montre-t-elle pas, dans ses meilleures réussites, la rencontre de l'érotisme et de la tendresse, des personnages à la fois libres et attirés par l'autre sans jamais perdre leur individualité ? Et ces relations de désir et d'amour ne sont-elles pas maintenues avec la plus grande force en dehors de toute intégration sociale, de tout lieu, temps, milieu social réels, parce qu'elles appartiennent au monde du sujet et non à celui de la vie sociale et de ses modèles rationalisateurs ? Si notre culture sépare si fortement le monde privé du monde public, ce n'est pas seulement parce qu'elle est narcissique ou parce que les idéologies politiques sont mortes ; c'est parce qu'elle distingue ce qui avait été confondu pendant de longs siècles, la rationalisation et la référence au sujet, en supprimant progressivement tout ce qui reliait un ordre à l'autre, en particulier ce qui donnait un contenu social aux relations interpersonnelles.

L'action des femmes, qui a abouti à reconnaître officiellement la séparation de la reproduction et du plaisir sexuel, a joué un rôle décisif dans cette découverte du sujet, à condition d'ajouter que celui-ci ne se constitue que s'il réunit le désir et la relation intersubjective. L'histoire des mouvements féministes est en grande partie celle de la redécouverte de la relation à l'enfant après la rupture initiale des rôles féminins traditionnels, puis, de manière plus hésitante, de la relation à l'homme. Autant l'idéologie moderniste a jugé les relations interpersonnelles inférieures à la participation à des œuvres collectives, donc au travail, autant le retour du sujet se marque avant tout par l'importance centrale accordée aux relations amoureuses et à l'érotisme. La vie privée n'est plus enfermée dans le royaume caché — géré par les femmes — de la reproduction sociale et de la transmission des héritages ; elle devient publique dans la mesure où notre culture donne autant d'importance à l'affirmation et à la liberté du sujet qu'au progrès technique et économique et à la capacité de gérer collectivement les changements sociaux.

Dans le même esprit, les études sur l'enfant, en particulier celles de Winnicott et celles d'Erikson, ont donné une place centrale à la communication de l'enfant avec la personne, le plus souvent la mère, qui lui donne sécurité et confiance en lui-même en lui assurant un espace d'initiative reconnu et protégé.

Ce thème de l'être-pour-l'autre joue un rôle capital dans l'éthique d'aujourd'hui, parce qu'il rompt avec l'obsession de la totalité, qui reçut du marxisme ses formes les plus exigeantes, en particulier dans l'œuvre de Lukacs. Rupture qui conduit Emmanuel Levinas vers la reconnaissance de l'autre non pas comme objet de relation, mais au contraire comme distance infinie. Le respect de l'autre est la condition première de la justice et donc de la libération. Levinas définit l'autre comme le visage, mais, à travers lui, il saisit l'infini au moment où il en prend la responsabilité, dit-il. Levinas parle ici comme Aliocha, le frère Karamazov. Il présente la femme comme l'Autre et il la définit par le secret, la pudeur, car, pour lui, le prochain, afin de résister à toute relation et d'être vraiment l'Autre, doit être lointain. Vision qui se méfie de la relation, si souvent entachée de pouvoir, et qui entend préserver l'autre dans son authenticité, c'est-à-dire dans son appartenance à l'infini, à l'Être. De Husserl, Levinas a appris que la conscience est toujours conscience de quelque chose, et il ajoute : de quelqu'un, ce qui libère de l'individualisme autant que du collectivisme et place l'éthique, les comportements à l'égard de l'autre, à la base de la philosophie. Cette vision apporte une protection contre les manipulations du pouvoir en montrant comment le sujet se constitue lui-même par la reconnaissance de l'autre. Ce sujet est contemplation de l'être, de Dieu à travers l'autre, plutôt que communication avec l'autre. La pensée de Levinas insiste moins sur la relation éthique avec autrui que sur une visée de l'infini qui se libère des limites, des entraves de la réalité.

Levinas est plus un philosophe de la libération que de la relation. Chez lui, la reconnaissance de l'autre est le moyen de délivrer Dieu des représentations consolatrices, presque utilitaires, où l'enferment les religions, et de faire de Lui le principe d'une politique reposant sur « le droit de l'autre homme ». Paul Ricœur donne un sens plus positif à la relation à l'autre quand il parle (par exemple dans le chapitre qu'il a écrit dans *Sur l'individu*, Seuil, 1987) de la promesse à l'égard de l'autre, ce qui introduit la notion de solidarité et l'image d'une société qui ne soit pas seulement capable de résister au mal, mais puisse transformer un principe éthique en règles institutionnelles. Mais la pensée de Levinas a la force du refus religieux face au pouvoir envahissant qui impose un modèle d'identité, de participation, d'homogénéité ; elle oppose à cette standardisation, à cette réduction de la société à la foule, le caractère non social du rapport à l'autre — du respect de l'étranger, devrait-on dire.

Toute pensée du sujet doit en permanence se garder contre sa propre transformation en principe d'intégration sociale et de moralisation. Nous avons été assourdis par les appels aux camarades, aux citoyens et même à la fraternité, au nom desquels les pouvoirs totalitaires se sont infiltrés dans les consciences et les institutions. Rien ne résiste plus fortement à ce collectivisme que la reconnaissance de l'autre, conscience négative de l'autre, conscience prophétique qui voit dans l'autre la présence cachée du dieu absent dont elle attend toujours la venue. La pensée de la modernité ne peut se construire autour de l'idée de sujet qu'à condition de détruire en même temps toutes les idoles que les pouvoirs établis font adorer, alors que cette idée même est inséparable de la résistance au pouvoir, du droit à la différence, voire à la solitude dans une société de masse.

Mais la distance, la non-relation psychologique que créent et préservent aussi bien la pensée religieuse que l'érotisme ne doivent pas être complètement séparées de la communication à travers laquelle deux êtres se reconnaissent mutuellement comme sujets et s'efforcent de transformer leur relation en fondement d'un fragment de vie sociale, par exemple la famille, si constamment considérée comme agence de transmission de l'héritage économique et culturel, comme lieu d'imposition de normes, mais que, depuis Freud, nous apprenons lentement et difficilement à considérer comme lieu de formation du sujet et, plus récemment, comme lieu de résistance aux pressions autoritaires. Ce qui oblige à réviser l'opposition trop classique entre la famille conservatrice et l'école progressiste, car la famille est le lieu de la subjectivation, comme l'école celui de la rationalisation ; l'essentiel est de ne pas les séparer et, *a fortiori*, de ne pas considérer le sujet comme l'illusion conservatrice, comme l'équivalent de la société close que la force de la raison se doit d'ouvrir, à force de travail, aux lumières de la raison et de l'ordre social.

Mais c'est la relation amoureuse qui porte le plus directement le thème du sujet. A mesure que se dissout l'image ancienne du dieu Amour dont la flèche perce les cœurs et enflamme les désirs, l'amour cesse d'être un état de fait qu'on constate et qu'on déclare comme un revenu ou une maladie. Ce qui nous touche dans *L'Amant* de Marguerite Duras, c'est l'absence de l'amour, de ses mots et de ses sentiments chez la femme dont le lecteur sent, malgré cela ou à cause de cela, qu'elle aura vécu un grand amour. Celui-ci se reconnaît à la dissociation et à l'appel mutuel du désir et de la rencontre de l'autre. C'est dans l'absence, dans la perte des contrôles exercés par le Moi et les normes sociales sur les comportements, que se reconnaît un sujet qui se sent engagé, au-delà de ce qui est permis ou interdit, envers quelqu'un ou quelque chose dont la privation détruit le sens de la vie et produit le sentiment de se perdre soi-même. Cette double expérience de la perte du Moi et de l'accession au sens prend des formes différentes d'une société à l'autre ; mais elle révèle toujours la présence du sujet, que celui-ci soit divin, naturel ou humain.

S'il faut associer si fortement l'émergence du sujet dans l'individu à sa relation à l'autre, c'est parce que la conscience de soi ne peut faire apparaître le sujet ; au contraire, elle le cache. Car l'individu n'est que le lieu de rencontre du désir et de la loi, du principe de plaisir et du principe de réalité, ce qui produit des refoulements et réduit ainsi le sujet au contraire de lui-même, au langage impersonnel de l'inconscient que déchiffrent les psychanalystes. C'est bien l'anti-sujet que découvre la conscience de soi. La recherche du plus individuel, du plus intime ne peut faire découvrir que le plus impersonnel. C'est seulement quand l'individu sort de lui-même et parle à l'autre, non dans ses rôles, ses positions sociales, mais comme sujet, qu'il est projeté hors de son propre soi, de ses déterminations sociales, et devient liberté.

C'est le rapport amoureux qui écarte les déterminismes sociaux, qui donne à l'individu le désir d'être acteur, d'inventer une situation au lieu de s'y conformer, et surtout qui l'amène à un engagement assez absolu pour ne pas être d'ordre seulement social, pour s'éloigner des conduites de consommation et d'adaptation, si fortes dans les relations interpersonnelles qui ne sont pas transformées par l'amour ou l'amitié.

L'engagement militant est de même nature que l'engagement amoureux s'il n'est pas dévié en attachement à une organisation ou à un parti, s'il sert la libération d'autres, définis socialement, nationalement ou culturellement. C'est par le rapport à l'autre comme sujet que l'individu cesse d'être un élément de fonctionnement du système social et devient créateur de lui-même et producteur de la société.

Le retour du sujet

Ce livre est une histoire de la disparition et de la réapparition du sujet. La philosophie des Lumières a éliminé le dualisme chrétien et le monde de l'âme au nom de la rationalisation et de la sécularisation. Les philosophes de l'histoire ont voulu surmonter cette opposition du spiritualisme et du matérialisme en construisant l'image d'une histoire s'élevant vers l'Esprit, vers la satisfaction des besoins ou vers le triomphe de la raison. Vision moniste qui a accompagné de formidables transformations économiques et le triomphe de l'historicisme, l'espoir que le progrès de la production entraînerait celui de la liberté et la réalisation du bonheur pour tous. Jusqu'à ce que nous découvrions que ce pouvoir de la société sur elle-même pouvait être aussi répressif que libérateur, et que la croyance dans le progrès ne laissait plus aucune protection contre les « dégâts du progrès » pour reprendre le titre d'un livre publié par la CFDT C'est cette identification de la vie sociale au progrès et à la rationalisation et, en sens inverse, aux résistances que ceux-ci rencontrent qui est remise en cause par l'expérience historique et qui doit l'être plus directement encore par la pensée sociale.

Certains se contentent d'une vision limitée de ces mutations. Ils pensent qu'après une longue et pénible période de décollage pendant laquelle a été construite l'infrastructure de la société industrielle, les pays industrialisés sont enfin entrés dans la société de consommation. La construction des chemins de fer, la production des armes et l'ensemble de l'industrie lourde avaient dominé la phase de construction de la société industrielle, la proto-industrialisation. Nous serions entrés maintenant dans une société industrielle mûre où la consommation personnelle joue un rôle central et où une part croissante du budget des ménages est consacrée à des achats de biens et de services moins utilitaires que symboliques ou chargés de signification culturelle : loisirs, information, éducation, santé, mode, etc. Ce triomphe de la consommation ne va-t-il pas aujourd'hui jusqu'à menacer les équipements collectifs et les systèmes de sécurité sociale ?

Ce raisonnement n'est pas faux, mais il déforme et sous-estime le sens et l'importance des transformations en cours. Il les réduit au triomphe de l'individualisme et de la société de consommation. Or, la consommation se définit mieux par l'acquisition des signes d'un niveau social réel ou souhaité que par l'affirmation de soi comme individu libre ou comme sujet, expressions qui prennent ici un sens très confus et propice à toutes les rationalisations idéologiques. Il ne faut pas confondre le changement de conjoncture qui a fait basculer en quelques années l'Europe occidentale d'un modèle social-démocrate vers un modèle libéral avec le retour du sujet.

Peut-on au moins penser qu'une civilisation de la consommation individuelle est plus favorable au retour du sujet qu'une société mobilisée par des projets politiques et sociaux collectifs ? Cette idée n'est pas davantage acceptable. Le retour du sujet est aussi difficile dans une société purement libérale qui s'en remet à des mécanismes impersonnels, puisque ce sont ceux du calcul rationnel de l'intérêt, que dans une société étatisée et dirigiste qui impose une intégration complète et détruit l'individualisme et toute référence à un sujet personnel défini par son opposition à cette intégration. Cela ne doit pas conduire à chercher une troisième voie entre l'individualisme et le collectivisme. Nous savons trop qu'une telle expression introduit avec elle les plus dangereuses confusions en même temps que les plus grands espoirs, et que les années 1930 ont offert de nombreux exemples de contamination de l'appel à la liberté personnelle par des idéologies autoritaires et nationalistes.

Au moment où tombent les barrières entre l'est et l'ouest de l'Europe, nous ne pouvons pas nous contenter de croire que des êtres humains détruits par les régimes communistes vont enfin accéder à la liberté et au bonheur que leur offre l'Occident. Nous savons que les habitants de l'Est veulent acquérir les biens de consommation dont ils ont été privés ; mais nous savons aussi que ce monde a produit des dissidents isolés ou des mouvements collectifs comme *Solidarnosc* qui ont porté l'idée de sujet libre bien au-dessus de l'hédonisme exalté par la publicité occidentale.

Assurément, un régime totalitaire réprime plus activement que tout autre le retour du sujet. Mais celui-ci ne se réduit pas à l'abondance et à la consommation, complétées par la marginalisation de plus en plus complète de ceux qui n'y participent pas. Car le retour du sujet marque le déclin de tous les principes unificateurs de la vie sociale, que ce soit l'État ou le marché. L'espace public (*Öffentlichkeit*) peut être détruit par la mercantilisation de tous les aspects de la vie autant que par la propagande d'un parti unique. L'idée de sujet se détruit elle-même si elle se confond avec l'individualisme. Elle n'est pas isolable du couple qu'elle forme avec celle de rationalisation ; elle impose le retour à une vision dualiste de l'homme et de la société, mettant fin à l'orgueil d'une raison qui croyait nécessaire de détruire sentiments et croyances, appartenances collectives et histoire individuelle.

Ce retour du privé et, au cœur de celui-ci, du sujet risque de désarticuler la vie sociale. Nous avons souvent l'impression que notre vie se sépare de plus en plus en deux moitiés, celle du travail et celle du temps libre, celle de l'organisation collective et celle des choix particuliers, ce qui conduit la personnalité individuelle au bord de l'éclate-

ment, surtout quand l'accomplissement des rôles sociaux
et familiaux se combine avec la libération de la violence et
des désirs refoulés. Mais il vaut mieux aujourd'hui accepter ce risque que de céder aux rêves dangereux de
reconstruire une culture unifiée par un principe central.

La modernité comme production du sujet

Ne réduisons jamais la modernité à la naissance du
sujet. Ce serait la plus sûre manière de le détruire, de le
transformer en son contraire, le Soi, c'est-à-dire l'acteur tel
qu'il n'est plus défini que par les attentes des autres et
contrôlé par des règles institutionnelles. Le Soi est ce que
Robert K. Merton appelle l'ensemble des rôles *(role set)*,
ensemble qui n'a d'autre unité que la logique du système
social, que les uns appellent la rationalité et les autres le
pouvoir. La sociologie s'est trop souvent installée dans ces
notions de statut et de rôle sans voir qu'il s'agit là de formes actives de destruction du sujet. De la même manière
que les idéologies individualistes, qui semblent souvent si
proches d'un rappel au sujet, ne visent au contraire qu'à le
détruire, à le dissoudre dans la rationalité des choix économiques. Le sujet ne se définit que par sa relation, à la fois
de complémentarité et d'opposition, avec la rationalisation. C'est même le triomphe de l'action instrumentale,
parce qu'il désenchante le monde, qui rend possible l'apparition du sujet. Celui-ci ne peut exister tant que le monde
est animé, magique. C'est lorsque le monde perd son sens
que peut commencer le réenchantement du sujet.

Pour décrire la modernité, il faut ajouter, au thème de
la production et de la consommation de masse, celui de la
naissance du sujet. Celui-ci s'est formé depuis la pensée
religieuse monothéiste jusqu'à l'image contemporaine du
sujet, souvent portée par les nouveaux mouvements
sociaux, en passant par toutes les formes intermédiaires,
bourgeoises ou ouvrières, d'affirmation d'un sujet qui
inventa la société civile face à l'État. Revenons à Weber,
qui a reconnu que l'esprit du capitalisme reposait non sur
le passage de l'ascétisme à la volonté d'acquisition et de
consommation, mais, au contraire, sur le passage d'un
ascétisme hors du monde à un ascétisme dans le monde,

donc à l'intériorisation du mouvement par lequel l'individu se transforme en sujet. Le déclin des garants métasociaux de l'action sociale ne conduit pas au triomphe de l'utilitarisme et de la pensée fonctionnaliste, mais, au contraire, à l'apparition d'un être humain créateur, ne s'adaptant plus à une nature créée par Dieu, se cherchant et se trouvant lui-même à travers sa capacité d'invention, de construction, et aussi à travers sa volonté de résistance à la logique des objets techniques, des instruments de pouvoir et de l'intégration sociale. La modernité est la création permanente du monde par un être humain qui jouit de sa puissance et de son aptitude à créer des informations et des langages, en même temps qu'il se défend contre ses créations dès lors qu'elles se retournent contre lui. C'est pourquoi la modernité, qui détruit les religions, libère et se réapproprie l'image du sujet, jusqu'alors prisonnière des objectivations religieuses, de la confusion du sujet et de la nature, et transfère le sujet de Dieu à l'homme. La sécularisation n'est pas la destruction du sujet, mais son humanisation. Elle n'est pas seulement désenchantement du monde, elle est aussi réenchantement de l'homme et met une distance croissante entre les diverses faces de lui-même, son individualité, sa capacité d'être sujet, son Moi et le Soi que construisent du dehors les rôles sociaux. Le passage à la modernité n'est pas celui de la subjectivité à l'objectivité, de l'action centrée sur soi à l'action impersonnelle, technique ou bureaucratique ; il conduit au contraire de l'adaptation au monde à la construction de mondes nouveaux, de la raison qui découvre les idées éternelles à l'action qui, en rationalisant le monde, libère le sujet et le recompose.

Le respect du sujet est aujourd'hui la définition du bien : qu'aucun individu ou groupe ne soit considéré comme un instrument au service de la puissance ou du plaisir. Le mal n'est pas l'impersonnalité supposée de la tradition, car celle-ci confond plutôt l'individuel et l'universel ; il est le pouvoir qui réduit le sujet à n'être qu'une ressource humaine entrant dans la production de la richesse, de la puissance ou de l'information. La morale moderne ne valorise pas la raison comme instrument d'accord de l'être humain avec l'ordre du monde, mais la liberté comme moyen de faire de l'être humain une fin et non un moyen.

Le mal est donc produit par l'homme, à la différence du
malheur qui résulte de l'impuissance de l'être humain face
à la mort, la maladie, la séparation, la misère.

Nous ne comprenons plus la difficulté qu'ont eue les
pensées religieuses à rendre compte du mal dans la Création faite par un Dieu infiniment bon. Il n'y a plus de
volonté suprême ou de finalisme de la Création ; seulement
des actes humains qui construisent l'homme, et d'autres
qui le détruisent et qui sont bien des actes, même quand
ils apparaissent ou se donnent à voir comme la logique
interne de systèmes économiques ou politiques. Le mal est
la domination de l'homme sur l'homme et sa transformation en un objet ou en son équivalent monétaire. Entre la
logique du bien et celle du mal, il existe des conduites neutres, techniques, routinières, mais le bien ou le mal apparaissent dès qu'une conduite est sociale, c'est-à-dire dès
qu'elle vise à modifier le comportement d'un autre acteur
et donc à augmenter ou diminuer sa capacité d'action
autonome.

Une dissociation contrôlée

La crise de la modernité marque la séparation de ce qui
avait été si longtemps uni, l'homme et l'univers, les mots
et les choses, le désir et la technique. Il ne sert à rien de
revenir en arrière, à la recherche d'un principe d'unité
absolue. Les uns voudraient que le monde soit à nouveau
l'œuvre d'un dieu géomètre ; les autres, que le désir libéré
replace l'homme dans la nature. Mais rien ne peut
empêcher la dérive des continents de se poursuivre et le
monde de la production et du pouvoir de s'éloigner de
celui de l'individu, de ses besoins et de son imaginaire. Et
il n'est pas suffisant de vouloir tout concilier par une tolérance pure qui abaisse toujours davantage le niveau des
règles et des interdits pour accueillir plus de complexité,
car cette solution par trop séduisante réduit la vie sociale
à un ensemble de marchés surveillés avec bienveillance par
l'État veilleur de nuit du vieux libéralisme. Entre la
recherche de l'Un et l'acceptation de l'éclatement complet,
entre le retour aux Lumières et le post-modernisme autodestructeur, n'existe-t-il pas des territoires intermédiaires

où la pensée, l'action collective et l'éthique pourraient s'installer ? S'il fallait mesurer la modernité, c'est par le degré de subjectivation acceptée dans une société qu'il faudrait le faire, car cette subjectivation n'est pas séparable d'un équilibre instable entre deux orientations opposées et complémentaires : d'un côté, la rationalisation par laquelle l'homme est maître et dominateur de la nature et de lui-même ; de l'autre, les identités personnelles et collectives qui résistent aux pouvoirs par lesquels la rationalisation est mise en œuvre. La technique créatrice de changement libère le sujet de la loi de la tribu ; la mémoire le protège contre l'enrégimentement. Chaque fois que ces trois forces se séparent l'une de l'autre et surtout que l'une d'elles prétend à l'hégémonie, le monde entre en crise, en maladie mortelle. Mortel est l'intégrisme culturel ; mortel aussi l'orgueil technocratique et militaire ; mortel tout autant le narcissisme d'un sujet privé d'outil comme de mémoire.

Un des grands récits de la modernité montre la sécularisation conduisant du monde enchanté des dieux à celui, désenchanté mais connaissable, des choses. C'est un récit presque opposé que je raconte ici : la rupture du monde sacré, qui éloigne de plus en plus la nature et ses lois du sujet et de l'affirmation de sa liberté. Séparation qui, si on la laisse aller jusqu'à la rupture complète, aboutit à la rupture de l'intérieur et de l'extérieur, d'une société identifiée à un marché et d'acteurs sociaux réduits à des pulsions ou à des traditions. Ce qui supprime tout principe d'intervention sociale contre la violence, l'inégalité, l'injustice et la ségrégation. Il faut reconstruire une représentation générale de la vie sociale et de l'être humain pour fonder une politique et rendre possible la résistance au désordre extrême au pouvoir absolu. Cette représentation ne peut être fondée que sur l'idée que naît et se développe le sujet sur les ruines d'un Moi objectivé par les détenteurs du pouvoir et transformé ainsi en Soi ; sujet qui est volonté de l'individu d'être producteur et pas seulement consommateur de son expérience individuelle et de son environnement social. Ce qui définit le mieux la modernité, ce n'est ni le progrès des techniques ni l'individualisme croissant des consommateurs, mais l'exigence de liberté et sa défense contre tout ce qui transforme l'être humain en instrument, en objet ou en étranger absolu.

CHAPITRE II

LE SUJET COMME MOUVEMENT SOCIAL

La contestation

Le sujet n'est pas réflexion sur le Soi et sur l'expérience vécue ; il s'oppose au contraire à ce qu'on est tenté d'appeler d'abord des rôles sociaux, et qui est en réalité la construction de la vie sociale et personnelle par les centres de pouvoir qui créent des consommateurs, des électeurs, un public au moins autant qu'ils offrent des réponses à des demandes sociales et culturelles. L'individu, s'il ne se constitue pas en sujet, est constitué comme Soi par ces centres de pouvoir qui définissent et sanctionnent ses rôles. Ceux-ci ne sont pas neutres, techniques, ils ne sont pas constitués par la division technique du travail et la différenciation fonctionnelle des diverses institutions. Ceux qui consomment la société au lieu de la produire et de la transformer sont soumis à ceux qui dirigent l'économie, la politique et l'information. Le langage des propagandes et des publicités tend constamment à cacher ce conflit central, à imposer l'idée que l'organisation de la société répond à des « besoins » alors que c'est cette organisation qui construit des besoins qui ne sont certes pas artificiels, mais qui sont conformes aux intérêts du pouvoir.

L'individu ne devient sujet, en s'arrachant au Soi, que s'il s'oppose à la logique de domination sociale au nom d'une logique de la liberté, de la libre production de soi. C'est le refus d'une image artificielle de la vie sociale comme machine ou organisme, critique menée non pas au nom de principes transcendants — Dieu, la raison ou l'histoire —, mais au nom de la libre production de soi qui conduit à affirmer le sujet et ses droits dans un monde où l'être humain est transformé en objet.

Cette position n'est pas seulement éloignée du rationalisme qui arrache l'individu à sa situation particulière pour l'identifier à l'universel ; elle l'est tout autant du libéralisme d'Isaiah Berlin et de Richard Rorty, qui repose sur le pluralisme accepté des valeurs. On ne peut refuser d'arbitrer entre la liberté et l'égalité, la créativité personnelle et la justice sociale que si on définit entièrement l'individu par sa particularité. Or cette définition ne convient qu'aux génies et ne peut satisfaire le sociologue. Celui-ci connaît trop bien le caractère illusoire de cet individualisme dans une société de masse où une part croissante des comportements est commandée par des centres de décision capables de prévoir les goûts, les demandes, les achats de la population. Au point que cet individualisme ne peut avoir d'autre sens que de protéger une élite qui dispose de ressources si abondantes qu'elle a en effet de grandes possibilités de choix.

Quand je parle du Sujet, au contraire, c'est-à-dire de la construction de l'individu comme acteur, il est impossible de séparer l'individu de sa situation sociale. On doit au contraire opposer à l'individu consommateur de normes et d'institutions sociales l'individu producteur de cette vie sociale et de ses changements. Au niveau de la consommation de la société, il est possible, dans les sociétés ou les situations les plus douces, de ne pas arbitrer entre la liberté et l'égalité, mais, dans la plupart des cas, cet arbitrage s'impose : ou un gouvernement diminue les impôts, ou il développe les services sociaux publics. Certes, le plus souvent, rien n'oblige à des choix extrêmes, mais il doit y avoir choix, c'est-à-dire recherche de l'équité, de la justice, dans les termes qui ont été le mieux définis par John Rawls. Au niveau de la production de la société, de même, la défense du Sujet et la rationalisation doivent être combinées et ne peuvent l'être, comme c'était déjà le cas dans la société industrielle, qu'en créant entre elles une alliance contre la reproduction des privilèges et contre la part d'irrationalité présente dans toute conduite de pouvoir. C'est en termes d'acteur et de conflit sociaux qu'il faut définir le Sujet : il n'est ni un principe qui plane au-dessus de la société ni l'individu dans sa particularité ; il est un mode de construction de l'expérience sociale, comme l'est la rationalité instrumentale.

Je l'ai déjà indiqué en analysant la subjectivation comme un mouvement culturel au même titre que la rationalisation. Les sociétés modernes sont animées par deux mouvements opposés, comme le furent la Renaissance et la Réforme : d'un côté la création d'une vision naturaliste, matérialiste, illuministe de l'être humain et du monde ; de l'autre, l'invention de la subjectivité qui renforce l'éthique de la conviction, opposée à l'éthique traditionnelle et religieuse de la contemplation et de l'imitation. Il faut maintenant se demander si ce mouvement culturel, si ce choix en faveur d'un des pôles de la culture moderne est aussi un mouvement social, c'est-à-dire est accompli par des acteurs socialement définis et combattant non pas seulement une orientation culturelle, mais une catégorie sociale particulière.

Le Sujet et les classes sociales

Telle est bien l'idée vers laquelle se dirige notre réflexion. Le sujet n'existe que comme *mouvement social*, que comme contestation de la logique de l'ordre, que celle-ci prenne une forme utilitariste ou soit simplement la recherche de l'intégration sociale.

La rationalisation conduit au renforcement de la logique d'intégration sociale, donc à une emprise de plus en plus complète du pouvoir éclairé sur les membres de la société qui sont en ce sens les sujets de nouveaux princes ou de nouvelles forces dirigeantes, comme le pense Michel Foucault. C'est alors que la subjectivation se sépare de la rationalisation, au risque de rompre une relation sans laquelle il n'y a pas de modernité. L'histoire centrale de celle-ci est celle du passage des luttes du sujet contre l'ordre sacré, lutte dans laquelle il s'était fait l'allié du rationalisme, à une autre, celle du sujet contre les modèles rationalisateurs, dans laquelle il fait parfois appel aux anciennes images de lui-même qu'avaient élaborées les religions monothéistes pour mieux se protéger contre l'orgueil totalitaire du pouvoir modernisateur saisi par la prétention de transformer de fond en comble la société et l'être humain.

La subjectivation fut d'abord et pendant longtemps dans les mains des conducteurs de la société. Pour commencer, dans celles des clercs, au moins dans les sociétés marquées par le christianisme, puisque c'est la personne du Christ qui fit descendre le sujet du ciel sur la terre et qui introduisit la séparation du spirituel et du temporel dans la vie sociale, pierre sur laquelle s'est construite notre modernité. Ce qui n'empêcha pas l'Église et même les Églises, au cours des siècles, de mener un effort contraire de subordination de l'action humaine à la loi divine interprétée par les clercs, ce qui en fit les ennemis principaux du rationalisme modernisateur et les condamna au déclin à partir du moment où triompha la sécularisation. Ensuite dans celles de la bourgeoisie, nom qui sert à désigner les acteurs de l'autonomie de la société civile par rapport à l'État, plus précisément encore de la différenciation fonctionnelle de l'économie par rapport à la politique, à la religion et à la famille, acte fondamental par lequel se définit la « grande transformation » qui libéra la modernité. Si le *bourgeois* a été la figure centrale de la modernisation occidentale, c'est parce qu'il fut à la fois l'agent de la rationalisation et celui de la subjectivation. Bien différent en cela du *capitaliste* décrit par Weber, dont la force fut d'éliminer toute référence au sujet au nom de sa soumission à la prédestination, qui fit table rase de toutes les appartenances et de tous les sentiments et laissa la place libre au travail, à la production et au profit.

Le capitaliste a joué un rôle si central qu'on pourrait faire du bourgeois une figure opposée à la sienne, en ce que celui-ci est l'homme de la vie privée, de la conscience et du regard, de la famille et de la piété. Edmund Leites a donné du puritain des colonies américaines de Nouvelle-Angleterre et de Pennsylvanie une image beaucoup plus riche que celle que nous avait transmise Weber. Ces puritains ne rejettent pas la vie privée, en particulier la sexualité ; au contraire, leurs pasteurs ont été les premiers sexologues, ils ont combiné la recherche du plaisir et du bonheur avec le respect de la loi divine en exaltant la constance, donc la fidélité conjugale ou le bonheur familial, mais en restant éloignés de la brutalité du commandement paulinien d'user des biens du monde comme n'en usant pas. Les bourgeois de la seconde moitié du XVIII⁰ siècle, comme l'ont notamment montré Philippe Ariès et Élisabeth Badinter, donnent aux sentiments, en particulier au rapport à l'enfant, une importance nouvelle, en même temps que les femmes conquièrent dans la famille et la société une place qu'elles ne perdront que du jour où triomphera le capitalisme rationalisateur avec la révolution industrielle. C'est la bourgeoisie, non le capitalisme, qui a défendu la propriété et les droits de l'homme en faisant de la première le plus important de ces droits. L'aspect négatif de l'esprit bourgeois, l'importance de l'héritage et l'abaissement corrélatif du travail, a été si justement et si fortement dénoncé qu'on a oublié son aspect positif : la limite qu'il imposait à la domination politique et sociale. La bourgeoisie, en combattant la monarchie absolue, fonda l'individualisme moderne, qu'elle associa à une lutte sociale contre l'ordre établi et ses fondements religieux. La continuité est grande entre la défense de la propriété par Locke, les constituants français et le mouvement ouvrier qui sera, un siècle plus tard, le défenseur du métier et de l'emploi — lesquels sont, comme la propriété, des principes de résistance au pouvoir établi. Le retour du sujet est en partie un retour à l'esprit bourgeois, en même temps qu'à celui du mouvement ouvrier contre l'esprit de totalité qui, de la Révolution française à la révolution soviétique, a dominé deux siècles d'histoire. Il est plus important aujourd'hui de rassembler les ennemis des pensées de la totalité que de reproduire les discours qui ont défendu le monde ouvrier contre la bourgeoisie en faisant du premier et de sa praxis l'incarnation de la totalité historique. Ce qui oblige à écarter les notions ambiguës comme celle de *praxis*, qu'on a vue associée étroitement par Lukacs à celle de totalité, tandis que Sartre, dans la *Critique de la raison dialectique* (p. 30, n. 1), lui donne un sens plus proche des idées défendues ici quand il écrit : « La conscience de classe n'est pas la simple contradiction vécue qui caractérise objectivement la classe considérée ; elle est, cette contradiction, déjà dépassée par la praxis, et par là même conservée et niée tout ensemble. » Cette praxis est une action de libération, non d'identification à l'histoire, alors que depuis la Révolution française, comme l'a souligné Eric Weil, « la pratique morale devient pratique historique et son sujet n'est plus le seul individu, mais l'humanité ». De la bourgeoisie au mouvement ouvrier en tant que mouvement social, c'est au contraire l'individu, mais placé dans des rapports sociaux concrets, et non l'humanité, figure pseudo-sociale de la totalité, qui est défendu, au besoin contre ce qu'on nomme la société. Car celle-ci impose les plus grandes contraintes aux contestataires et aux dominés, en général au nom de l'utilité sociale et de la lutte contre ses ennemis extérieurs et intérieurs.

C'est quand s'achève cette proto-modernité, quand triomphent les modèles rationalisateurs dans la politique, avec la Révolution française, et dans l'économie, avec l'industrialisation britannique, que l'unité de la rationalisation et de la subjectivation se brise, et que la culture, en même temps que la société, deviennent bipolaires. Cependant que la bourgeoisie se fait capitaliste, avant de devenir le vaste monde des cadres, la référence au sujet se retire de ce monde dominant qui ne croit plus qu'au profit et à l'ordre social, qui devient classe à la fois dirigeante et dominante, et se déplace vers le monde des dominés de la société moderne, bientôt renommé classe ouvrière. Le texte de Denis Poulot, *Le Sublime* (1869, nouvelle édition Maspero, 1980, avec une longue introduction d'Alain Cottereau), en signale la présence dans les ateliers. Pour ce petit entrepreneur, les Sublimes, dont il établit une typologie qui va du sublime simple et du vrai sublime aux fils de Dieu et au Sublime des sublimes, sont des ouvriers très qualifiés, à la fois contestataires et alcooliques, violents, révolutionnaires et dévoyés, ce qui correspond — au jugement de valeur près — à l'analyse donnée ici. Le sujet s'oppose aux rôles sociaux à la fois par l'appel à la vie et à la sexualité et par l'appel à une communauté.

Ce qu'il convient d'ajouter maintenant, c'est que la jonction des deux faces du sujet s'opère dans et par la lutte contre l'adversaire social qui s'identifie au progrès et à la rationalisation. J'ai montré, dans *La Conscience ouvrière*, puis à nouveau dans *Le Mouvement ouvrier* (avec Michel Wieviorka et François Dubet), que le mouvement ouvrier, c'est-à-dire la présence d'un mouvement social dans l'action ouvrière, se définissait par la défense de l'autonomie

ouvrière contre l'organisation du travail, qu'on appellera
vite rationalisation. Le mouvement ouvrier ne se contente
pas de revendiquer de meilleures conditions de travail et
d'emploi, ni même de demander le droit de négocier et de
signer des conventions collectives ; il en appelle à la
défense du sujet ouvrier contre une rationalisation qu'il ne
rejette pas, mais qu'il refuse de voir identifiée à l'intérêt
patronal, et, dès la fin du XIXᵉ siècle, si on parle de justice
sociale, c'est pour indiquer la nécessité de combiner les
deux principes de la modernité, la rationalisation et la
« dignité » du travailleur. Il est vrai que le mouvement
ouvrier ainsi défini est presque constamment subordonné
à l'action politique, aux partis socialistes, sociaux-démocrates, travaillistes ou communistes, mais ce triomphe de
l'action politique n'est qu'une ruse de l'esprit de rationalisation pour imposer sa logique au mouvement ouvrier, le
réduire à une « action de masse » dirigée par un parti qui
se transformera facilement en pouvoir dictatorial et jettera
en prison les animateurs de l'action ouvrière.

C'est seulement pendant de brèves périodes que le mouvement ouvrier parviendra à faire reconnaître son indépendance vis-à-vis des partis politiques : pendant la
période du syndicalisme d'action directe, au tournant
du siècle, d'abord ; plus récemment, à la veille de son
grand déclin, au moment de l'automne chaud italien et de
la grève Lip en France, qui suivirent de peu le mouvement
de Mai 1968. Ce type de mouvement ouvrier, qui fut attaqué par les dirigeants politiques de la gauche autant que
par le monde capitaliste, doit être reconnu comme la première grande action collective qui transforma la subjectivation d'une orientation culturelle en un mouvement
social. Le mouvement ouvrier rompit alors avec la lutte
de la modernité contre la tradition, de la raison contre la
religion ; il plaça sa lutte à l'intérieur de la modernité et
fit apparaître les conflits qui opposent la recherche de la
productivité au respect des droits des travailleurs traités le
plus souvent comme des objets, comme simple force de
travail.

Si la pensée de Serge Mallet a exercé une telle influence
au cours des années soixante, c'est parce que l'idée de
« nouvelle classe ouvrière » portait en elle l'espoir central
du mouvement ouvrier de devenir indépendant des partis

politiques, d'être seul maître et responsable du sens de son action, contrairement à la conception léniniste. Il est difficile aujourd'hui de comprendre ce que fut le mouvement ouvrier, puisque le syndicalisme ne garde de force et d'influence que là où il a réussi à se transformer en force proprement politique, comme c'est le cas en Suède ou en Allemagne. Le mouvement ouvrier fut l'opposé d'un partenaire social, non pas parce qu'il était révolutionnaire — ce qui n'était pas vrai partout, et ce qui accentuait au contraire, là où c'était le cas, sa dépendance à l'égard des partis politiques —, mais parce qu'il cherchait à dégager les travailleurs de l'organisation du travail, à les défendre contre la logique de la productivité, à interpréter leurs efforts spontanés pour résister aux règles d'une organisation qui se disait scientifique du travail, en construisant une organisation informelle de la production et en constituant, dans l'atelier et l'entreprise, un pouvoir compensateur.

Faut-il aller jusqu'au bout de cette analyse et identifier la rationalisation au capitalisme et la subjectivation au mouvement ouvrier ? Non, car un mouvement social est l'effort d'un acteur collectif pour s'emparer des « valeurs », des orientations culturelles d'une société en s'opposant à l'action d'un adversaire auquel le lient des relations de pouvoir. Le couple de la rationalisation et de la subjectivation, parce qu'il définit les orientations culturelles de la société moderne, ses deux thèmes majeurs, constitue l'enjeu de la lutte entre ce qu'on appelle, dans la société industrielle, les classes sociales, définies par leur position dans les rapports sociaux de production, de sorte qu'industriels et salariés, mouvement capitaliste et mouvement ouvrier se réfèrent en fait aux mêmes valeurs culturelles, à la rationalisation et à la subjectivation, tout en se combattant l'un l'autre. Le mouvement ouvrier, et surtout la pensée socialiste, sont aussi ouvertement historicistes et naturalistes que les industriels et les financiers, adeptes du darwinisme social et qui croient que le monde, grâce à la technique et à l'investissement, va vers l'abondance et le bonheur. Inversement, des deux côtés se retrouve la même croyance dans le travail, l'effort, la capacité d'épargner et de faire des projets, que les sociologues appellent le modèle de la récompense différée *(differed gratification pattern)* au nom duquel ouvriers et patrons s'imposent à eux-mêmes et à leurs enfants une éducation puritaine et une moralité exigeante, les uns parce que le contrôle de soi est indispensable pour ne pas sombrer dans l'alcoolisme et la misère, les autres parce qu'il est nécessaire à l'épargne et à l'investissement.

Des classes aux mouvements

Cette conception des mouvements sociaux, appliquée ici à la société industrielle, est en rupture avec l'idée marxiste de lutte des classes, même si l'une et l'autre analysent les mêmes phénomènes historiques. Car la conception marxiste identifie l'action ouvrière à la nature et au développement historique, et le capitalisme à la construction du monde artificiel, irrationnel, du profit, caché par les catégories pseudo-positives de l'économie politique et par les brumes de la pensée religieuse. Le triomphe nécessaire du mouvement ouvrier sera celui de la réalisation non de l'Esprit, comme le pensait Hegel de la modernité, mais de la nature humaine. C'est pourquoi la conscience de classe, la classe pour soi, n'est nullement, pour les marxistes, une classe ouvrière consciente d'elle-même, mais la situation ouvrière interprétée par les intellectuels révolutionnaires comme le signe des contradictions du capitalisme et de leur dépassement nécessaire et possible.

Lorsque je parle, à propos du mouvement ouvrier, de mouvement social plutôt que de conscience de classe, c'est précisément pour éviter toute confusion avec la pensée marxiste. Je me réfère à un acteur collectif dont une orientation majeure est la défense du sujet, la lutte pour les droits et la dignité des travailleurs. C'est pourquoi la pensée révolutionnaire a tant parlé du prolétariat, autrement dit a défini les travailleurs par ce qu'ils n'ont pas : la propriété, tandis que les historiens et les sociologues de l'action ouvrière, comme moi-même, ont montré que le mouvement ouvrier était porté par des ouvriers qualifiés, défenseurs du travail et de l'autonomie ouvrière, et que leur action avait été plus positive que négative, inventant une autre société et ne se contentant pas de critiquer le capitalisme et l'organisation du travail. Un *mouvement social* est à la fois un conflit social et un projet culturel.

Cela est vrai de celui des dirigeants comme de celui des dirigés. Il vise toujours à la réalisation de valeurs culturelles en même temps qu'à la victoire sur un adversaire social. Une lutte revendicative n'est pas en elle-même un mouvement social ; elle peut être défense corporative, utilisation de la conjoncture sur le marché du travail, pression politique même. Pour qu'elle devienne mouvement social, il faut qu'elle parle au nom des valeurs de la société industrielle et s'en fasse le défenseur contre ses propres adversaires. Pas de mouvement social dans la société industrielle tant que les ouvriers s'opposent à l'industrialisation, cassent les machines ou résistent à des techniques nouvelles, même quand c'est pour des raisons importantes et légitimes, dès lors que ces techniques menacent leur emploi ; pas de mouvement social non plus si l'action syndicale n'est pas positivement dirigée vers le renforcement de l'autonomie ouvrière et ne combat pas, en particulier, la brutale affirmation des patrons tayloristes : on ne vous paie pas pour penser.

Il ne s'agit pas d'ajouter un contenu moral à une action collective dont la raison d'être serait essentiellement d'ordre économique. L'idée de mouvement social s'oppose avec la même force à une conception historiciste et à une conception utilitariste de l'action collective. L'idée centrale qui commande ici l'analyse est qu'une société — définie comme une collectivité mettant en œuvre un certain niveau d'historicité, donc de modernité — n'est ni un corps de valeurs qui pénètre dans tous les aspects de la vie sociale ni, inversement, une guerre civile larvée pour l'appropriation des moyens d'action de la société sur elle-même, que ceux-ci concernent la production, la connaissance ou la morale. Une société moderne fonctionne autour de la lutte des dirigeants et des dirigés pour la mise en œuvre sociale de la rationalisation et de la subjectivation. Rien ne doit séparer valeurs culturelles et conflit social, et l'analyse doit résister aux idéologies opposées, celle des maîtres de la société qui cachent leur pouvoir en s'identifiant à la modernité et en présentant leurs adversaires comme de simples obstacles au progrès, et celle des travailleurs dépendants qui, faute de pouvoir s'identifier à une production à laquelle ils sont soumis, se proclament porteurs du principe vivant de la modernité, le travail, au nom d'une conception énergétique qui oppose la création du travail directement productif au gâchis que représente un système capitaliste générateur de crises, de chômage et de misère.

Tous les mouvements sociaux sont intérieurement déchirés, car aucun ne peut servir conjointement et de la même manière la rationalisation et la subjectivation. Si *L'Espoir* d'André Malraux est une des œuvres majeures du XXᵉ siècle, c'est parce que ce livre est construit sur les contradictions de l'action collective, déchirée entre l'esprit de parti, efficace mais chargé d'un totalitarisme aussi dangereux que celui qu'il combat, et la révolte anarchiste, chargée de protestation morale mais qui se décompose dans ses luttes internes et son impuissance à s'organiser. On peut dire que l'idée de totalité a toujours accompagné les classes montantes, tandis que l'idée de sujet réchauffe les hivers de l'action historique. Au moment de la drôle de guerre, en 1940, Georges Friedmann, qui avait été l'auteur, compagnon de route du parti communiste, de *La Crise du progrès*, écrit dans son *Journal de guerre* qu'il ne suffit pas d'une cause sociale juste pour susciter les résistances, il y faut aussi des qualités morales — idée qu'exprimait presque au même moment Horkheimer, exilé d'Allemagne. C'est dans la solitude et l'abandon, face à ce qui semble inéluctable et qui se peint souvent aux couleurs de l'avenir, que la conscience de certains individus se sent responsable de la liberté des autres. Ce qui est au plus loin du moralisme et conduit à une lutte personnelle contre un ordre injuste. Les modèles politiques construits par notre siècle nous inspirent plus d'horreur que d'espoir ; nous avons donc davantage besoin d'une théorie de la liberté, du *dégagement*, que d'une théorie de l'engagement, souvent pervertie en militarisation de l'action collective à une époque où le drapeau rouge du mouvement ouvrier a plus souvent flotté sur les troupes qui réprimaient les mouvements populaires qu'à la tête des cortèges de grévistes. Plus la conjoncture est sombre, plus le repli sur la défense du sujet est accentué ; quand les luttes de libération ont plus de chances de triompher, l'identification à l'histoire ou à la raison réapparaît, mais l'analyse se doit de ne pas séparer — et encore moins opposer — l'engagement et le dégagement, l'espoir collectif et la défense de soi, la modernisation et la contestation.

La défense du sujet, la subjectivation, est chargée de
mouvement social, puisque les orientations culturelles
d'une société ne sont pas au-dessus d'elle, comme le soleil
dans le ciel, mais sont inséparables de la forme sociale que
leur donne l'état des conflits sociaux, forme qui va de
l'identification complète aux intérêts de la classe dirigeante
à une autonomie extrême. La subjectivation s'oppose à
l'identification de la rationalisation avec les intérêts de
la classe dirigeante. Si le sujet est un mouvement social,
c'est au nom des critiques du modernisme lancées par
Nietzsche et Freud pour souligner que plus une société est
moderne, plus elle tend aussi à être réduite à un modèle
rationalisateur, à un système de techniques et d'objets, à
une technostructure, ce qui rend indispensable de faire
appel à l'idée de sujet pour briser l'enfermement dans ce
que Max Weber appelait la « cage de fer » de la société
moderne.

Cette analyse est si forte et attaque si efficacement les
illusions technicistes et dirigistes qu'il faut avant tout la
défendre, mais elle ne doit pas conduire à l'idée apparemment proche, mais inacceptable, que la société moderne
n'est que l'expression rationalisée, idéologique, des intérêts
du système lui-même ou de ses dirigeants. L'appel au sujet
est contestataire, mais il n'est pas que cela ; il ne se
confond pas, pour cette raison, avec la création de contre-
cultures ou de micro-sociétés que les Allemands appellent
« alternatives ». De telles réponses à la modernité n'ont
d'importance réelle que dans une situation de type totalitaire où règne l'intolérance à l'égard de tout ce qui n'est
pas conforme à la logique centrale du système et aux intérêts de ses dirigeants.

La défense du sujet n'est pas plus subordonnée à la rationalisation qu'elle n'est incompatible avec elle. Elle ne rêve
pas plus de revenir à un ordre naturel qu'elle n'est le
moteur de toutes les institutions. Il faut rejeter la pensée
moraliste avec la même force qu'une pensée qui ne serait
que purement critique. L'une et l'autre sont incapables de
reconnaître la dualité des principes constitutifs de la
modernité. Ce qui ne doit pas empêcher de reconnaître

que la défense du sujet se heurte avant tout au positivisme et au technicisme de la société moderne, de ses appareils de gestion et de contrôle, de sorte que le contenu contestataire de l'idée de sujet doit être rappelé avec plus de force que le contenu modernisateur de l'idée de rationalisation.

L'idée de sujet est constamment chargée de contestation, car la société moderne tend à nier sa propre créativité et ses conflits internes et à se représenter comme un système autorégulé, échappant donc aux acteurs sociaux et à leurs conflits. De même que, dans les sociétés chrétiennes, la tendance théocratique ou simplement cléricale avait toujours pesé plus lourd que l'appel à la foi et donc à la séparation du spirituel et du temporel, de même, dans la société moderne, les conceptions technocratiques aussi bien que libérales ont été plus étroitement associées au pouvoir établi que le rappel à la liberté du sujet. C'est pourquoi l'idée de sujet est avant tout contestataire, ce qui permet de défendre la formulation extrême placée en tête de ce chapitre : *le sujet comme mouvement social*. L'idée de sujet ne peut certes occuper une position extrême, car son importance est trop centrale, mais elle ne peut davantage être simplement au centre de l'analyse, puisque ce n'est pas elle seule, mais le couple qu'elle forme avec l'idée de rationalisation, qui définit les orientations culturelles de la société moderne. L'idée de rationalisation tend le plus souvent à combiner centralité culturelle et association à la gestion de l'ordre établi ; l'idée de sujet tend à occuper un lieu culturellement aussi central, mais elle est associée à un contenu social contestataire. La rationalisation est plus fortement liée à l'action des forces dirigeantes, tandis que la subjectivation a souvent constitué le thème central du mouvement social des catégories dominées.

La notion de *classe sociale* a bien correspondu à une pensée historiciste. Elle faisait reposer l'opposition des dominants et des dominés sur celle de la société et de la nature ou sur celle du passé et de l'avenir. Aujourd'hui, au contraire, aux notions qui ont défini les acteurs par une situation non sociale, nous devons substituer d'autres notions qui analysent les situations en termes d'acteurs et de rapports sociaux. C'est pourquoi la notion de *mouvement social* doit remplacer celle de classe sociale, comme l'analyse de l'action doit prendre la place de l'analyse des situations. Cela ne revient pas à remplacer le fait par l'opinion, l'objectif par le subjectif, mais à reconnaître que le sens de l'action, s'il ne se réduit jamais à la conscience qu'en ont les acteurs, en est encore moins indépendant. Un mouvement social n'est pas un courant d'opinion, puisqu'il met en cause une relation de pouvoir qui s'inscrit très concrètement dans les institutions et les organisations, mais il est la visée d'orientations culturelles à travers des relations de pouvoir et des rapports d'inégalité. C'est un rôle important des sciences sociales, surtout depuis Marx, que de retrouver les rapports sociaux derrière les catégories impersonnelles de l'analyse économique, administrative ou même théorique. Plus important encore aujourd'hui qu'à l'époque où naissait la société industrielle.

La société programmée

On ne peut défendre l'idée de modernité sans lier fortement une réflexion générale à l'analyse d'une situation historique particulière, définie elle-même comme une étape de la modernité. Mais comment peut-on à la fois refuser l'historicisme et parler concrètement de société postindustrielle ? Il suffit de reconnaître que l'historicisme est la manière de se penser d'une certaine forme et d'une certaine étape de la modernisation et que l'étape ultérieure, dans laquelle nous sommes déjà entrés, ne se pense plus en termes de développement historique, pas plus que ne le faisait l'étape antérieure, celle où s'est formée la philosophie politique classique, du XVIᵉ au XVIIIᵉ siècle. On parlait au XVIIIᵉ siècle du bonheur et non pas du progrès, comme au XIXᵉ ; pourquoi le propre d'une société postindustrielle ne serait-il pas de parler du sujet ?

Notre modernité s'est d'abord identifiée à la sortie de la société traditionnelle, tout en restant liée au dualisme chrétien, ce qui enlève, on l'a vu, toute unité réelle à ce qu'on a appelé l'Esprit des Lumières. Ensuite est venue la grande tentative d'intégration des deux phases de la modernité dans les philosophies de l'histoire, idéalistes ou matérialistes. L'historicisme fut avant tout volonté d'unifier rationalisation et subjectivation. Aujourd'hui, une conception plus vive encore de notre historicité est associée à la conscience critique des dangers du productivisme et du modernisme et au retour à un dualisme qui insiste sur l'opposition de la rationalisation et de la subjectivation autant que sur leur complémentarité.

Définir la société post-industrielle, c'est expliquer les raisons de ce nouveau dualisme. Inversement, celui-ci ne peut être compris en dehors de la situation historique dans laquelle il se développe, qui est commandée par la croissance rapide des industries culturelles. J'appelle en effet *société programmée*— expression plus précise que celle de société post-industrielle, qui n'est définie que par ce à quoi elle succède — celle où la production et la diffusion massive des biens culturels occupent la place centrale qui avait été celle des biens matériels dans la société industrielle. Ce que furent la métallurgie, le textile, la chimie et aussi les industries électriques et électroniques dans la société industrielle, la production et la diffusion des connaissances, des soins médicaux et des informations, donc l'éducation, la santé et les médias, le sont dans la société programmée.

Pourquoi ce nom ? Parce que le pouvoir de gestion consiste, dans cette société, à prévoir et à modifier des opinions, des attitudes, des comportements, à modeler la personnalité et la culture, à entrer donc directement dans le monde des « valeurs » au lieu de se limiter au domaine de l'utilité. L'importance nouvelle des industries culturelles remplace les formes traditionnelles de contrôle social par de nouveaux mécanismes de gouvernement des hommes. En renversant la formule ancienne, on peut dire que le passage de la société industrielle à la société programmée est celui de l'administration des choses au gouvernement des hommes, ce qu'exprime bien l'expression, lancée par les philosophes de Francfort, d'« industries culturelles ».

Dans la société programmée, la résistance au pouvoir de gestion ne peut plus s'appuyer sur une philosophie naturaliste de l'histoire ; elle ne s'appuie que sur la défense du sujet. Quels thèmes éveillent plus de passion dans les sociétés les plus industrialisées que l'éducation, la formation et surtout la santé ? Or, dans ces domaines, ne s'agit-il pas de défendre une certaine conception de la liberté, de la capacité de donner sens à sa vie, contre des appareils conduits par une volonté néo-libérale d'adaptation au changement, par un désir de contrôle social ou par des arguments techno-bureaucratiques ?

L'hôpital, en particulier, doit-il être une organisation régie par un mélange de logiques professionnelles, financières, administratives, corporatives, ou doit-il être centré sur le malade, de manière que celui-ci ne soit pas seulement un objet de soins, mais aussi un sujet informé, capable de projets et de mémoire, participant aux choix et à l'application de ces soins ? Ce débat n'a pas provoqué la formation d'acteurs organisés, de syndicats de malades. Mais il est présent dans tous les esprits et s'exprime souvent à la télévision où les émissions médicales qui obtiennent le plus de retentissement sont celles qui abordent le plus directement le thème de la responsabilité et des droits des malades, qu'il s'agisse d'euthanasie et de soins palliatifs, de fécondation assistée ou de traitement des grandes maladies. L'opinion française a été bouleversée en apprenant la contamination de malades par la transfusion d'un sang que les responsables savaient infecté par le virus du sida.

Plus diffus encore dans l'opinion publique et chez les intéressés eux-mêmes est le débat sur les finalités de l'école. Mais les lycéens et les étudiants universitaires vivent fortement la tension entre un enseignement qui prépare à l'emploi ou qui transmet des normes proprement scolaires et une éducation qui se préoccupe de la personnalité de chaque élève ou étudiant et de la réalité de la classe. Les lycéens qui, en 1990, ont déclenché en France un mouvement de protestation important se souciaient de leur avenir professionnel, souvent menacé par le chômage, mais ils voulaient aussi que la culture scolaire ne soit pas étrangère à leur culture de jeunes ou de certains segments de la jeunesse. De même les étudiants interrogés par Didier Lapeyronnie opposent la défense de leur personnalité à un monde universitaire qu'ils jugent désorganisé et agressif. Ils ne recherchent pas leur intérêt ou leur plaisir, mais une certaine authenticité de vie dans la situation où ils se trouvent. Cette réaction ne conduit pas à une action collective, car la méfiance est grande à l'égard des partis et des syndicats, mais à la vive conscience d'un conflit général d'orientations entre l'appareil d'enseignement où ils sont placés et leurs projets personnels.

Enfin, c'est autour de la télévision, le principal des médias, que le débat public est le moins organisé, mais il est remplacé par une extrême ambivalence des attitudes à son égard. Une chaîne de télévision transforme tout en spectacle et ne cherche souvent qu'à augmenter sa part de marché ; mais elle apporte aussi dans chaque maison des visages, des mots, des gestes qui transforment des êtres humains lointains en nos prochains. La communication de masse, quel que soit son contenu, politique ou événementiel, donne par nature le primat à la communication, donc à l'impact, sur le message, idée que McLuhan exprima le premier et que saisissent clairement les professionnels de la télévision, qu'ils approuvent ou non cette transformation du média en sa propre fin. Mais rien n'autorise à croire que le public n'est attiré que par la violence, l'argent et la bêtise. L'attrait des programmes les plus faciles, qui réduisent les spectateurs à un rôle de consommateurs, n'est heureusement pas assez fort pour éliminer son contraire, l'effet d'expression, de révélation de ce qui est lointain ou proche mais qui s'impose brusquement à nous, avec son poids d'interrogations et de participation.

Tandis que les anciens mouvements sociaux, surtout le syndicalisme ouvrier, se dégradent soit en groupes de pression politique, soit en agences de défense corporative de secteurs de la nouvelle classe moyenne salariée plutôt que des catégories les plus défavorisées, ces nouveaux mouvements sociaux, même quand il leur manque une organisation et une capacité d'action permanente, font déjà apparaître une nouvelle génération de problèmes et de conflits à la fois sociaux et culturels. Il ne s'agit plus de s'affronter pour la direction de moyens de production, mais sur les finalités de ces productions culturelles que sont l'éducation, les soins médicaux et l'information de masse.

Plus complexes mais plus visibles sont les mouvements de révolte contre un pouvoir totalitaire ou autoritaire qui régente les esprits et les mœurs autant qu'il organise la

production, qui concentre dans ses mains toutes les formes de pouvoir politique, économique et culturel. La
figure la plus forte de ces dernières décennies est celle du
dissident. L'image dominante de la résistance au nazisme
était celle d'une résistance politique et surtout, dans le cas
français, celle de militants communistes ou gaullistes.
Face au totalitarisme post-stalinien, c'est au contraire
l'homme seul, le *zek* et la conscience libre et courageuse
d'un Sakharov, d'un Soljenitsyne, d'un Boukovski ou d'un
Chtcharanski, entre beaucoup d'autres, qui sont devenus
les symboles d'une liberté qui n'appelle plus à l'engagement mais au dégagement, au courage non de s'emparer
de bastilles, mais de dire non à un pouvoir qui n'hésite
devant aucune forme de répression.

Dans une perspective encore différente, ne faut-il pas
voir en Gandhi une des figures les plus centrales de
ce siècle et son appel à la *non-violence* n'a-t-il pas mobilisé
les convictions culturelles et nationales en même temps
que les intérêts sociaux ? Les contestations les plus vives
ont aujourd'hui un fondement moral, non parce que l'action collective est impuissante, mais parce que la domination s'exerce sur les corps et les âmes encore plus que sur
le travail et la condition juridique, parce que les propagandes et la répression totalitaires sont les maladies les plus
graves du monde qui se dit moderne.

Nous voyons en effet disparaître sous nos yeux le
« répertoire », selon l'expression de Charles Tilly, des mouvements sociaux de l'époque industrielle : les défilés de
masse, les slogans violents, l'idée de prise du pouvoir. J'ai
été témoin, en mai 1968 à Paris, de la rencontre de cet
ancien répertoire, celui de la grève générale, utilisé surtout
par la CGT, et du nouveau répertoire créé par les étudiants
et interprété avec une grande intelligence politique par
Daniel Cohn-Bendit, mobilisation tournée vers soi-même
plutôt que contre l'ennemi, *sit-in* pacifiques venus des
États-Unis. Une transformation importante est le rôle nouveau des femmes dans ces nouveaux mouvements sociaux
dont elles constituent la majorité des participants actifs,
où elles apportent des thèmes culturels autant que sociaux,
un appel à la défense du sujet qui avait trouvé dans les
actions collectives pour la contraception et la liberté

d'avorter leur expression la plus consciente et la plus organisée.

L'espace public est rempli aujourd'hui par ces nouveaux
mouvements sociaux, même si beaucoup ne voient que
leur faiblesse politique. Malgré l'emprise exercée sur eux
par le fondamentalisme révolutionnaire des sectes
gauchistes ou, au contraire, leur enfermement dans des
thèmes non politiques et dans un mélange d'affirmations
très globales et d'objectifs très particuliers, il faut
reconnaître que les contestations nouvelles ne visent pas à
créer un nouveau type de société, encore moins à libérer
les forces de progrès et d'avenir, mais à « changer la vie »,
à défendre les droits de l'homme, aussi bien le droit à la
vie pour ceux que menace la famine ou l'extermination que
le droit à la libre expression ou au libre choix d'un style et
d'une histoire de vie personnels. C'est bien dans les sociétés industrialisées que se forment ces nouveaux mouvements sociaux, mais ils se manifestent aussi dans les
actions de défense des populations les plus pauvres et les
plus dominées. De là l'internationalisme de ces mouvements, qui dépasse de loin celui du mouvement ouvrier du
début du siècle, avant 1914. Presque aucun thème ne soulève autant d'émotion dans la jeunesse que celui de la solidarité avec les peuples les plus pauvres et avec les victimes
de la ségrégation et de l'intolérance. Car la conscience
morale, qui est au cœur des nouveaux mouvements
sociaux, est plus intimement liée à la défense de l'identité
et de la dignité par ceux qui luttent contre une oppression
extrême ou contre la misère qu'aux stratégies politico-
sociales de syndicats ou de groupes de pression qui font
aujourd'hui partie du système de décision des pays les
plus riches.

Ce grand retournement de l'action collective, de thèmes
économiques vers des thèmes personnels et moraux, ne
s'observe pas seulement dans les formes les plus organisées de mobilisation. C'est au contraire dans les préférences ou les peurs, les opinions et les attitudes exprimées
dans la vie quotidienne, qu'il est le plus visible, au point
d'entraîner une forte désaffection des institutions politiques et des idées sociales. Au début de la société
industrielle, en Europe occidentale, rien ne semblait s'in-
terposer entre la formation d'un capitalisme brutal et des

utopies à la fois sociales et morales ; c'est très lentement
que se sont constituées entre ces deux pôles opposés des
médiations politiques. De la même manière, aujourd'hui,
nous assistons à la décomposition des forces et des institutions politiques venues de la société industrielle, qui n'expriment plus de demandes sociales fortes et se transforment en agences de communication politique, alors que
les nouveaux mouvements sociaux mobilisent des principes et des sentiments. Mais ce déclin des passions politiques ne s'explique pas seulement par l'entrée dans une
nouvelle période utopique. Ce qui est en crise et en voie de
disparition, c'est le rôle des *partis* politiques comme représentants de la nécessité historique, au-dessus des acteurs
sociaux et souvent contre eux. Les grands partis populaires
de masse ont été à l'origine des régimes totalitaires au
XXᵉ siècle ; les nouveaux mouvements sociaux veulent
s'éloigner aussi loin que possible du modèle donné par les
partis fascistes et communistes. De là l'affaiblissement des
forces proprement politiques, contrepartie de l'ouverture
et de l'activité croissantes de l'espace public et du rôle de
plus en plus important de l'opinion publique, beaucoup
plus proche, par sa flexibilité et sa fragilité mêmes, des
demandes sociales que les grandes machines politiques
sûres d'elles-mêmes et de leur droit historique à représenter un peuple vite réduit à l'état inférieur de « masse ». Les
nouveaux mouvements sociaux parlent plus d'autogestion
que de sens de l'histoire et plus de démocratie interne que
de prise du pouvoir.

N'en concluons pas que toutes les formes d'individualisme et de jugement moral qui se répandent si vite dans
les sociétés les plus industrialisées soient des expressions
du sujet et, en particulier, de nouveaux mouvements
sociaux. Elles ne le sont pas plus que toutes les manifestations de l'action syndicale ne portaient en elles le mouvement ouvrier. Chaque société fonctionne au niveau le plus
bas comme au plus élevé. D'autre part, un pays apparte-
nant au moins de manière dominante à un type sociétal, à
un système d'action historique donné, est aussi marqué
par son mode de modernisation, plus ou moins libéral ou
étatiste selon que le changement est dirigé par des capitalistes ou par l'État. Mais, au-delà de ce double principe

de différenciation interne, existe ce qui définit le système d'action historique : un certain ensemble d'orientations culturelles — l'historicité — et de conflits sociaux pour l'appropriation de ces modèles d'action de la société sur elle-même. La société industrielle a eu pour modèle de connaissance dominant l'évolutionnisme, et pour modèle moral l'énergie, le travail et le contrôle de soi ; la référence au sujet y a été noyée dans la philosophie de l'histoire. Les crises de mutation qui font passer de la société industrielle à la société programmée risquent de faire disparaître la conscience d'historicité, et donc l'idée même de modernité, mais c'est aussi à travers ces crises que l'idée de sujet se dégage de l'historicisme.

Le monde ne vit pas seulement aujourd'hui la ruine des modes de développement volontariste, la fin du socialisme, en un mot, et le triomphe de l'économie de marché ; il passe aussi et avant tout de la société industrielle à la société programmée, donc de la fusion de la rationalisation et de la subjectivation dans des philosophies de l'histoire à leur séparation et à leur complémentarité. Et cette mutation concerne le monde entier, tant est grand l'effet de domination des sociétés déjà entrées dans la post-industrialisation qui diffusent sur l'ensemble de la planète leurs idées et leurs manières de vivre. Il est très improbable que l'entrée dans la société programmée s'opère partout par les méthodes libérales qui sont celles de l'Occident contemporain. Ces méthodes triomphent aujourd'hui en Europe post-communiste comme dans l'Amérique latine post-populiste ; mais on peut croire qu'elles seront souvent jugées insupportables ou seront modifiées dans nombre de pays et que se formeront des modes d'intervention populaire et étatique qui reproduiront sous une autre forme l'effort qui fut celui de la social-démocratie européenne dans la première moitié du XXe siècle ; tous les chemins ne conduisent pas au libéralisme.

En revanche, tous conduisent vers la société programmée, même si tous n'y parviennent pas. Nous sommes tellement impressionnés par l'écroulement des régimes communistes et la désintégration des idées socialistes que nous sommes tentés de ne voir dans les changements historiques actuels que la revanche du capitalisme, voire le triom-

phe complet de la seule bonne voie, celle du libéralisme.
C'est confondre dangereusement un mode de développement avec un type de société. L'essentiel est de reconnaître
la formation d'une culture et de rapports sociaux nouveaux, liés au remplacement des industries matérielles par
les industries culturelles. Ni les formes d'organisation
sociale et politique, ni les conduites personnelles ou collectives ne sont les mêmes selon que l'entrée dans cette
société programmée se fait par la voie libérale ou par une
voie différente, plus interventionniste ou plus orientée par
des mouvements sociaux populaires ; mais, au-delà de ces
différences proprement historiques, demeure l'unité propre d'un modèle sociétal, du système d'action historique
nouveau qu'est la société programmée. Et ce qui la définit
le mieux n'est pas l'apparition de nouvelles techniques,
mais le retour de l'idée de sujet. Que ce retour du sujet
produise parfois des effets antimodernistes, on le comprend, mais ce serait prendre le détail pour l'ensemble du
tableau que de se représenter le dépassement de l'historicisme comme une rupture avec la modernité.

Cette évocation d'un nouveau système d'action historique, celui de la société programmée, avec ses acteurs, ses
mouvements sociaux, les enjeux culturels de leurs conflits
et de leurs négociations, est très éloignée des images
aujourd'hui dominantes de notre société, celles qui sont
associées à l'idée de post-modernisme. Ce qui me conduit
à définir ce qui oppose cette idée à celle de société post-
industrielle ou programmée. Le post-modernisme affirme
la dissociation complète du système et de l'acteur : le
système est autoréférentiel, *autopoiétique*, dit Luhman,
tandis que les acteurs ne se définissent plus par des rapports sociaux, mais par une différence culturelle. Je ne nie
pas que ces affirmations correspondent à une partie de la
réalité, mais elles sont aussi déformantes que les descrip-
tions, au début du XIXe siècle, de la société industrielle
comme le règne de l'argent et de la marchandise. Ce qui
n'était pas encore la classe ouvrière était représenté
comme le monde différent ou sublime des faubourgs, des
ateliers et des assommoirs ; dans la société capitaliste, le
monde de l'argent et celui du travail semblaient étrangers
l'un à l'autre. Il fallut attendre les syndicats et les idées

socialistes pour découvrir, derrière ces différences extrêmes, des rapports de production. Aujourd'hui, l'emprise de la société sur elle-même, son historicité, est si grande qu'existe en effet la possibilité d'une rupture culturelle qui ne laisse plus d'espace au conflit social. Mais l'évolution inverse est plus probable. On nous parle de notre société comme d'une société de l'information, tout comme on parlait de la société industrielle, voire du machinisme. Combien de temps faudra-t-il encore pour qu'on retrouve des êtres humains et des rapports sociaux derrière les techniques et qu'on comprenne que partout se confrontent des manières socialement opposées d'utiliser l'information et d'organiser la communication, soit « abstraitement » pour renforcer les flux d'information qui sont aussi des flux d'argent et de pouvoir, soit « concrètement », pour renforcer le dialogue entre des locuteurs situés inégalement dans des relations de pouvoir ou d'autorité ?

Je vois avant tout dans les idées post-modernes une interprétation sociologiquement superficielle de transformations qui appellent des analyses plus proches de celles qui ont été utilisées dans la société industrielle qu'en rupture avec elles. Dans les phénomènes sur lesquels insiste la pensée post-moderne, je vois plus de situations de crise que d'innovations durables. L'extrême différenciation du système politique et du système social, dont parle Luhman, ne définit-elle pas la crise de représentation politique que chacun reconnaît et qui ne sera surmontée que du jour où de nouvelles demandes sociales se seront organisées et où nos démocraties seront redevenues représentatives ? De même, l'appel à la différence absolue n'est qu'une conduite de crise quand elle se sépare de la reconnaissance des conflits sociaux et de leurs enjeux culturels.

Nous vivons le passage d'une société à une autre. Le XIXᵉ siècle fut presque tout entier occupé par le passage d'une société marchande à une société industrielle et de l'esprit républicain au mouvement ouvrier. Luhman rappelle très justement qu'une société ne peut être définie par une seule de ses dimensions : industrielle, capitaliste ou démocratique. C'est vrai aujourd'hui, mais ce l'était aussi hier.

L'intérêt principal de ce débat est de rappeler que l'idée

de sujet est inséparable de celle de rapports sociaux. Dans la société programmée, l'individu, réduit à n'être qu'un consommateur, une ressource humaine ou une cible, s'oppose à la logique dominante du système en s'affirmant comme sujet, contre le monde des choses et contre l'objectivation de ses besoins en demandes marchandes. C'est pourquoi l'idée de sujet n'est pas séparable d'une analyse de la société présente, non comme post-moderne mais comme postindustrielle ou programmée. Les théories post-modernes nous montrent la décomposition du sujet, mais aussi les demandes croissantes des minorités en même temps que le développement des systèmes cybernétiques. Mais, au lieu de ne saisir que l'étrangeté réciproque de ces deux mondes, pourquoi ne pas voir leur conflit, car aucun des deux ne se définit en lui-même, technologiquement ou culturellement ; l'un et l'autre doivent être définis socialement, plus précisément par leur opposition à l'autre. C'est ce qui oppose surtout l'idée de sujet à celle d'identité ou de conscience : le sujet est la contestation d'un ordre, de même que l'image de la société comme un marché a pour raison d'être de réduire la résistance des défenses culturelles. Nous vivons souvent encore dans la conscience de la déchirure, mais déjà se font entendre dans l'opinion publique — pas encore dans la vie politique organisée — de nouveaux conflits et l'appel à la transformation profonde d'une société dont les orientations culturelles sont acceptées par des mouvements sociaux qui s'opposent sur leur mise en œuvre sociale et politique.

L'un ou l'autre

Ce qu'on nomme le post-modernisme, dont j'ai déjà souligné le sens comme forme extrême de décomposition du modèle rationalisateur de la modernité, définit bien ce à quoi s'oppose le sujet. Le langage impersonnel des pulsions et surtout de ce que la loi et le Surmoi refoulent dans l'inconscient ne sont plus enfermés dans l'individu ; ils sont partout visibles dans la société dite de consommation qui remplace aussi la revendication sociale par le retrait agressif sur une culture utilisée comme langage d'un nouveau pouvoir.

Cette culture post-moderne refuse avant tout la profondeur, c'est-à-dire la distance entre les signes et le sens. C'est pourquoi elle pousse à l'extrême la suppression du sujet et la substitution de l'objet — de la boîte de soupe Campbell ou de la bouteille de Coca-Cola chez Andy Warhol — au sujet, qui peut lui-même, comme la Marilyn du même auteur, devenir objet publicitaire. Cette culture de la consommation constitue le champ dans lequel se place la revendication du sujet, de la même manière que la société industrielle constituait le champ où se forma le mouvement ouvrier. Ce qui donne une nouvelle actualité à la critique par Marx des catégories de la vie et de l'analyse économique, derrière lesquelles il voulait retrouver des rapports sociaux de production. Exemple à suivre en l'adaptant à une situation profondément nouvelle. Contre le monde de l'image, il ne s'agit plus d'en appeler à une valeur d'usage, comme on en appelait à la libération nécessaire des forces productives contre l'irrationalité des rapports sociaux de production. Ce qui s'oppose à cet univers de signes, c'est la recherche d'un sens qui ne doit plus renvoyer à la nature mais au sujet. Le sujet et le monde des objets de consommation sont dans le même rapport d'opposition que le capital et le travail dans un type antérieur de société. Ce qui souligne que l'affirmation du sujet est liée, autant que sa négation, au remplacement de la société de production par la société de consommation et que notre image du sujet est étrangère à celle du sujet rationalisateur et ascétique, tel que le concevait encore Max Weber. Définir un conflit social est impossible si on ne dessine pas en même temps le champ culturel dans lequel il se place et qui constitue l'enjeu des rapports entre des mises en forme sociales opposées. Société de consommation et défense du sujet sont les acteurs opposés dont le conflit définit la forme sociale que prend une société post-industrielle qui n'est donc nullement post-moderne mais, au contraire, hyper-moderne.

L'importance croissante donnée à l'idée de sujet s'oppose aux visions qui éliminent complètement le sujet, soit en réduisant celui-ci à ses demandes marchandes, soit en retrouvant en lui des structures qui échappent à l'acteur et à sa conscience, soit encore en poursuivant le travail de la

théorie critique et de la sociologie d'inspiration althussé-
rienne qui cherche, derrière la fausse conscience, la logique d'un système de domination. Les intellectuels, en cette
période de transition où les pratiques sociales de l'action
collective sont trop faibles ou désorientées pour mener
leur propre analyse, ont accordé une importance extrême
à ces conduites et à ces explications qui rejettent toute
référence au sujet. Ce dont ils sont la principale victime,
puisque aucune société n'est vide d'acteurs et qu'à vouloir
être seulement critiques ou à vouloir remplacer la sociologie liée à l'histoire par une anthropologie a-historique, ils
se mettent hors d'état d'expliquer les pratiques nouvelles
et finissent par créer eux-mêmes un État dans l'État, une
corporation dans la société, dont la langue indigène est le
refus du sujet.

Pour retrouver un juste sens des changements observables, il suffit que les intellectuels, et en premier lieu les
sociologues, renouent avec la grande tradition de leur profession : découvrir ce qui est caché, sortir de soi-même et
de son milieu pour rétablir la distance à l'objet étudié qui
permet à l'historien ou à l'ethnologue de construire leurs
analyses. N'est-il pas déjà trop tard pour penser que nous
serions entrés dans une période « post-sociale » et « post-
historique », dans une société de pur simulacre et de dissolution permanente des acteurs dans un kaléidoscope
d'images ? Ne voit-on pas plutôt se reconstruire ou tenter
de se transformer les sociétés qui furent soumises au
système communiste, et, dans le même temps, des conduites personnelles et collectives jusque-là inconnues se
répandre rapidement dans les sociétés occidentales, tandis
qu'une partie du tiers-monde s'enfonce dans la misère, les
luttes ethniques et la corruption ? Il n'est plus temps d'annoncer le déclin de la société industrielle et de rêver d'un
nouvel équilibre après une période de grandes transformations et de croissance accélérée. La nuit s'achève. Depuis
1968, nous avons parcouru toutes les étapes d'un changement de société, depuis la décomposition de la société
industrielle et les illusions post-historiques jusqu'au projet
purement libéral de reconstruction d'une économie nouvelle ; il est grand temps d'apprendre à décrire et à analyser les modèles culturels, les rapports et les mouvements
sociaux qui leur donnent forme, les élites politiques et les

formes de changement social qui font bouger ce qui a pu apparaître un bref instant comme un monde au-delà de l'historicité. Retrouver l'idée de modernité, c'est d'abord reconnaître l'existence d'une société nouvelle et de nouveaux acteurs historiques.

CHAPITRE III

JE N'EST PAS MOI

Les disciplines de la raison

L'esprit des Lumières s'est voulu libérateur et l'a été ; il a souvent été défini comme individualiste mais il ne l'a pas été. Le lecteur se souvient de l'opposition, montrée au début de ce livre, entre l'hymne à la raison et à l'empirisme, qui caractérise l'esprit des Lumières, et le dualisme chrétien et cartésien qui se retrouve dans la Déclaration des droits de l'homme. La soumission aux exigences de la pensée rationnelle libéra l'humanité des superstitions et de l'ignorance, mais elle ne libéra pas l'individu ; elle substitua le règne de la raison à celui de la coutume, l'autorité rationnelle légale, disait Weber, à l'autorité traditionnelle. Le rationalisme moderne se méfie de l'individu ; il lui préfère les lois impersonnelles de la science qui s'appliquent aussi à la vie et à la pensée humaines. La pensée dite moderne se veut scientifique, elle est matérialiste et naturaliste ; elle dissout l'individualité des phénomènes observés dans des lois générales. Dans l'ordre social, puisque le critère du bien est devenu l'utilité sociale, l'éducation doit consister à élever les adultes et plus encore les enfants de l'égoïsme à l'altruisme, de façon à en faire des hommes et des femmes de devoir remplissant leur rôle conformément aux règles qui semblent les plus favorables à la création d'une société raisonnable et bien tempérée.

Cette conception de l'éducation comme socialisation et

comme montée vers la raison n'a pas disparu et s'affiche encore dans les écoles de bien des pays. L'enfant doit être discipliné en même temps que stimulé par des récompenses ou réprimé par des punitions afin qu'il se domine lui-même et apprenne les règles de la vie en société et les démarches de la pensée rationnelle. Le but de cette éducation chargée de contraintes est de donner à chaque individu la capacité de résister aux difficultés matérielles mais surtout intellectuelles et morales qu'il rencontrera dans sa vie. Il devra être capable de rester maître de lui, de faire preuve de courage et de sacrifice. L'éducation est apprentissage du devoir, et ce n'est pas un hasard si le mot *devoir* désigne aussi la tâche assignée par le maître à l'élève, et celui de *discipline* à la fois une contrainte, un instrument de punition et un domaine de connaissance. On peut retenir de cette conception une image lumineuse ou sombre, mais il est difficile de la définir comme individualiste. L'éducation introduit entre les demandes de l'individu et leur satisfaction acceptée des médiations, des mécanismes de sublimation qui échappent au contrôle de l'individu et sont aussi universalistes que possible.

La société industrielle à ses débuts fut considérée comme une mobilisation générale, la classe ouvrière comme l'armée du travail, et l'encadrement dans les usines fut souvent assuré par des militaires. Que cette image soit trop brutale et qu'elle soit partielle, on en conviendra facilement, mais elle contient assez de vérité pour montrer que la société moderne n'a pas accepté l'individualisme pour la majorité de la population. Et pas davantage pour les élites dirigeantes soumises à des contraintes particulièrement fortes qui devaient en faire les serviteurs du profit ou de l'industrie, les membres d'une classe ou d'une profession, en cachant leur personnalité individuelle derrière des uniformes et des conventions. D'où le goût de cette société pour les allégories qui représentent des rôles sociaux hors de tout trait particulier de celui ou celle qui les exerce. La perte de l'individualité est encore plus complète pour les femmes, réduites à leur rôle d'épouse, de mère ou de maîtresse. Cette lutte contre l'individualisme se développe encore et devient l'objet de campagnes d'opinion et d'interdits légaux quand la modernisation est associée à la renaissance ou à la création de la nation. C'est à l'héroïsme de tous qu'on en appelle alors, pour que l'intérêt et le bonheur individuels se sacrifient à la conquête de l'indépendance ou à l'agrandissement de la nation. En termes plus mesurés, le même vocabulaire est employé par les entreprises.

Où est l'individualisme dans cette société moderne ? Comment ne pas comprendre les bouddhistes ou les confucianistes qui opposent leur morale de l'intention à la morale du devoir qui, disent-ils, caractérise le monde occidental moderne, en particulier depuis Kant ? La morale dite traditionnelle était centrée sur l'individu, même quand elle cherchait à le délivrer de ses passions ; la morale dite moderne n'est-elle pas avant tout un ensemble de règles qui doivent être suivies dans l'intérêt de la société, laquelle ne peut prospérer que si les individus se sacrifient à elle ?

Enfin, comment ne pas rappeler que la société moderne peut aussi être définie comme société de masse, dans la production d'abord, dans la consommation et les communications ensuite, et qu'il est donc impossible de l'appeler individualiste ? Les sociétés modernes proclament elles-mêmes que leur force vient de ce qu'elles remplacent les particularismes par l'universalisme, et la sociologie est remplie de couples d'opposition qui soulignent cette nature de la modernisation : de la communauté à la société, de la reproduction à la production, du statut au contrat, du groupe à l'individu, de l'émotion au calcul.

Cet appel partout présent à la rationalisation et au rôle moteur de la science et de la technologie a exercé un attrait puissant à l'Est comme à l'Ouest. Pourquoi provoque-t-il aujourd'hui plus de crainte que d'enthousiasme ? D'abord parce que cet universalisme de la raison est une formidable machine à détruire les vies individuelles, faites de métier, de mémoire et de protections autant que de science, de projets et de stimulants. L'accélération du progrès a fait que, de la génération qui devait lui être sacrifiée, on est passé au sacrifice permanent d'une grande partie de l'humanité. L'Europe de la fin du xxᵉ siècle peut-elle encore croire, comme au temps où Eisenstein tournait *La Ligne générale*, que le triomphe de la technique associé au pouvoir populaire libérerait l'homme de l'ignorance, de l'irrationalité et de la pauvreté ? Mais, surtout, nous avons vu la raison, entièrement respectable quand elle se réduit à la science fondamentale, s'identifier de plus en plus à des pouvoirs, à des appareils, à des individus. Les pouvoirs totalitaires ont parlé avec enthousiasme du progrès, de l'Homme et de la modernité. Et, même dans les sociétés adoucies par des décennies de *Welfare State*, nous nous sentons prisonniers d'appareils publics ou semi-publics qui, au nom de la raison et de l'intérêt général qu'ils représentent, ignorent la réalité qu'ils réduisent naïvement aux effets des décisions qu'ils prennent. Le discours des États et parfois aussi des appareils privés, surtout quand ceux-ci détiennent un monopole, est rempli d'un volontarisme, lui-même débordant d'esprit scientifique et de souci du bien commun, qui entre en contradiction de plus en plus visible avec une réalité qui se permet si souvent de contredire le discours des puissants.

La pensée critique a détruit, dans l'ordre social, le Moi naïvement orgueilleux des États, comme la pensée freudienne avait, dans l'ordre individuel, mis à mal les illusions de la conscience. De tous côtés on parle avec raison de la destruction du Moi et de la conscience. Mais l'erreur de ces critiques est qu'ils se trompent sur ce qu'ils détruisent en l'appelant Sujet. Ils ont raison de renverser tous les principes d'identification de l'action humaine à l'ordre du monde, que ces principes fassent appel à la religion ou la raison, à la méditation ou à la science. Mais, en détruisant un Moi individuel ou collectif fondant son pouvoir sur les lois de la nature, ils libèrent à la fois, comme le faisait déjà Descartes, l'esprit scientifique toujours menacé par le finalisme et l'idée de sujet qui naît comme résistance au pouvoir des appareils.

Ne nous attardons cependant pas trop longtemps sur ces conceptions qui ont accompagné la montée du modèle rationalisateur, car ce n'est pas la pensée critique qui les a affaiblies, c'est une transformation sociale presque inattendue, en tout cas longtemps retardée dans l'Europe en voie d'industrialisation au XIXᵉ siècle : la naissance et l'extension rapide de la *société de consommation*. C'est celle-ci, puis la société d'information, qui ont fait naître un individualisme qui s'oppose plus efficacement aujourd'hui à l'idée de sujet que l'ancien pouvoir absolu de la raison et qui mérite donc, pour cette raison, notre attention critique.

L'individualisme

Nous ne pouvons plus aujourd'hui reprendre simplement à notre compte des représentations élaborées au moment où triomphait, en Allemagne et aux États-Unis avec plus de force encore qu'en Grande-Bretagne et en France, la grande industrialisation de la fin du XIXᵉ siècle. Comment ne pas regarder d'abord l'image toute différente qui s'est imposée dans nos sociétés de consommation et qui semble se répandre à partir des États-Unis sur la terre entière ? Aujourd'hui, l'idée de modernité est associée, plutôt qu'au règne de la raison, à la libération des désirs et à la satisfaction des demandes. Ce rejet des contraintes collectives, des interdits religieux, politiques ou familiaux, la liberté de mouvement, d'opinion et d'expression, sont des demandes fondamentales qui rejettent comme « dépassées » ou même réactionnaires toutes les formes d'organisation sociale et culturelle qui entravent la liberté de choix et de comportement. Un modèle libéral a remplacé un modèle technicien et mobilisateur. En particulier, les images de la jeunesse sont pour la plupart des images de libération des désirs et des sentiments. Ce libéralisme définit le sujet — comme la démocratie — de manière négative, par le rejet de ce qui fait obstacle à la liberté individuelle et collective. Ce qui conduit à remplacer les couples d'opposition que je viens d'évoquer par celui auquel Louis Dumont a donné une formulation d'emblée classique, celui du holisme et de l'individualisme.

Les sociétés non modernes, même si leur apparition est récente, sont celles qui définissent l'individu par la place qu'il occupe dans un ensemble qui constitue soit un acteur collectif, soit, au contraire, un ensemble de règles impersonnelles créées par une pensée mythique qui se réfère à une création divine, à un événement primitif ou à l'héritage des ancêtres. L'individualisme n'a pas de contenu propre, car une norme ne pourrait émaner que d'une institution et avoir des effets de régulation collective. La liberté de chacun ne connaît d'autre limite que la liberté des autres, ce qui impose l'acceptation de règles de la vie en société qui sont de pures contraintes, mais nécessaires à l'exercice de la liberté, laquelle serait détruite par le chaos et la violence. Ce n'est pas l'individu qui doit être orienté ou dirigé, c'est la société qui doit être civilisée. Les règles de la vie en société sont faites pour élargir l'espace ouvert à la liberté individuelle. Idée tout à fait opposée à l'éducation classique qui imposait de fortes disciplines à l'enfant pour qu'en lui la raison et l'ordre l'emportent sur les passions et la violence. Ce modèle libéral ne peut être défini que par un appel très général à la libre initiative, alors que les modèles d'éducation et d'organisation plus directifs étaient d'une complexité infinie et donnèrent naissance à une casuistique dont les manuels de confesseurs de notre Moyen Âge donnent un exemple, bien étudié en particulier par Jacques Le Goff. L'observation des mœurs actuelles montre, dans la jeunesse surtout — ou du moins dans sa fraction majoritaire qui se sent appartenir à cette société libérale et moderne —, une forte association d'individualisme et de tolérance et le refus de l'exclusion d'une catégorie sociale ou nationale. De là le succès des campagnes négatives menées par le mouvement féministe pour le droit à la contraception et à l'avortement, qui contraste avec la faiblesse et l'échec du mouvement positif de « libération des femmes » ; de là aussi le rejet des discriminations raciales et de l'apartheid, aussi fort que celui des régimes autoritaires et totalitaires.

La modernité n'est-elle pas la disparition de tous les modèles et de toutes les transcendances et donc des forces religieuses, politiques ou sociales qui créent des civilisations définies par des normes impérieuses de moralité ? Notre conception de la modernisation, c'est-à-dire de l'histoire moderne, a été dominée par l'idée que l'inertie des systèmes sociaux et des agences de contrôle social et culturel — famille, école, Église, droit — n'a pu être dépassée et la société mise en mouvement que par la conjonction de deux facteurs : l'ouverture des frontières du système et la formation d'un pouvoir central qui brise les mécanismes de reproduction sociale.

Le premier thème est celui du rôle créateur du commerce et donc de la supériorité des États maritimes comme Athènes, Venise ou l'Angleterre moderne sur les États continentaux comme la Turquie ou la Russie. L'Europe contemporaine confère à ce thème une importance centrale : ses étapes se sont appelées l'Union européenne des paiements, la Communauté du charbon et de l'acier ou la Communauté économique. La construction de l'Europe est rarement définie en termes positifs, presque toujours en termes de suppression des frontières, et l'acte le plus symbolique de la chute des régimes communistes en Europe ne fut pas la première élection libre tenue dans un pays communiste, la Hongrie, mais la chute du Mur de Berlin. La libre circulation des hommes, des idées, des marchandises et des capitaux apparaît comme la définition la plus concrète de la modernité, qui fait du douanier une figure de l'ancien monde.

Le second thème est celui du rôle modernisateur de l'État. Une société ne *se* modernise pas ; le même ne devient pas l'autre. Tout résiste au changement, et surtout les valeurs et les motivations qui naissent de leur intériorisation par les individus. L'État n'appartient pas à la société et, pour cette raison, peut la transformer soit en l'ouvrant au commerce et en la lançant dans des conquêtes lointaines, soit en brisant les formes traditionnelles d'organisation sociale et les pouvoirs locaux, comme le firent les rois en France, en particulier au début de l'ère appelée pour cette raison *moderne*.

Le coût social de ces mécanismes économiques et politiques de développement est très élevé : ils détruisent pour créer ; ils provoquent aussi des mobilisations économiques ou guerrières qui divisent, opposent, conquièrent avant d'intégrer et de convaincre. Les grandes modernisations, aussi bien en Europe que dans les Amériques, ont fait appel au feu plus souvent qu'à la raison, ont imposé l'esclavage, le travail forcé, les déportations, la prolétarisation. Mais c'est ainsi que s'est créée la société moderne qui produit sa propre modernisation non plus par la force contraignante de la raison et des institutions qui la mettent en œuvre, mais par la prolifération des demandes et des offres, par la libre initiative et l'extension du marché. L'État moderne a préparé le triomphe de la société civile et sa propre limitation. De même que dans l'ordre moral les sociétés libérales remplacent les règles positives par des règles négatives et les normes par des garanties, de même, dans l'ordre politique, l'État démocratique a fait reculer son propre pouvoir en encourageant la libre association des producteurs, des consommateurs ou des habitants.

La combinaison de ces deux transformations conduit au

pouvoir des juges qui se substitue à la fois à celui de l'État et à celui des Églises ou des familles. Vie privée et vie politique, l'un et l'autre lieux de principes, de pouvoirs et de secrets, se dissolvent dans une vie publique qui est une combinaison de codes et de calculs. La force de cette conception tient à ce qu'elle élimine toute référence au sujet sans recourir à la contrainte. Notre société tend à ne pas faire d'hypothèse sur le sujet et elle affirme souvent, de la manière la plus forte, que la pensée, les mœurs et les lois ne sont modernes que si elles éliminent toute référence au sujet considéré comme le masque de la substance divine. La modernité serait par définition matérialiste.

Tel est le sens d'une pensée qu'on peut appeler libérale mais qui déborde, et de loin, les limites d'une doctrine économique ou politique. Elle limite les interventions de l'État à la création des conditions et des règles favorables à la libre circulation des personnes, des biens et des idées. Elle ne porte aucun jugement moral sur les conduites, hormis sur les dangers qu'elles peuvent faire courir à la vie publique. Elle recourt à la raison comme à un principe d'individualisme et donc de résistance aux pressions de tous les particularismes, notamment religieux, nationaux ou ethniques ; elle sépare l'État et la société civile et, plus encore, les Églises et l'État, et pousse aussi loin que possible la tolérance à l'égard des minorités. N'est-il pas vrai que cette conception de la vie collective et personnelle apparaît « normale » aujourd'hui à ceux qui vivent dans des sociétés riches et démocratiques où on ne trouve presque plus de mouvements collectifs réclamant un autre type de société ou une révolution ? Les critiques que ce libéralisme suscite sont de deux ordres. Les unes dénoncent la mauvaise ou insuffisante application de bons principes. Elles réclament plus de liberté et de tolérance, plus de mobilité et moins de barrières ou d'interdits. Les autres reconnaissent, en général de manière embarrassée, que ces principes ne peuvent s'appliquer à tous les habitants du monde, soit que beaucoup ne soient pas encore assez modernisés, soit que les pays riches empêchent les pays pauvres de se développer, deux raisonnements qui, pour avoir des connotations opposées, n'en sont pas moins proches l'un de l'autre, puisqu'ils acceptent avec la même conviction la référence au même modèle central.

Le thème de la vie sociale comme changement permanent et réseau de stratégies accorde une importance centrale au *marché* qui assure la liaison de l'entreprise et du consommateur : c'est par le marketing que l'entreprise adapte sa production à la demande des consommateurs, telle qu'elle s'exprime sur le marché. Ce passage d'une société d'ordre à une société de mouvement, de changement, éclaire un aspect important de la modernité : la décomposition de tous les « personnages » de la scène humaine, qu'il s'agisse du Moi, de la Loi ou de la volonté du Prince, individuelle ou collective. Il fait comprendre aussi la force des mouvements contraires qui tentent de réintroduire l'esprit de communauté dans une société réduite à ses changements. Ces mouvements ont pris une force croissante à partir du moment où les nations, après avoir revendiqué le droit de porter la modernité, se sont senties menacées par elle et se sont de plus en plus définies par une tradition culturelle détruite par l'universalisme abstrait de la modernité, toujours ressenti comme « étranger ». Ils ont dominé le XXe siècle parce qu'ils ont été à la base des régimes totalitaires qui ont traversé ce siècle, du national-racisme nazi au national-communisme stalinien et aux impérialismes culturels et militaires du tiers-monde, en particulier du monde islamique. L'évocation de ces régimes antilibéraux oblige à rejeter les attitudes trop commodes de double refus qui condamnent la société de consommation occidentale avec autant de force que les régimes totalitaires. Cette balance trop bien équilibrée ne pèse que des mots ; il faut au contraire reconnaître, avec presque tous ceux qui sont en mesure de faire un choix, que c'est vers l'Occident que regardent les Européens de l'Est, tandis que bien peu d'Occidentaux voient aujourd'hui une lumière se lever à l'Est. Notre siècle a connu trop de persécutions, d'exterminations et d'actes arbitraires pour qu'on ne préfère pas les faiblesses et le stress d'une société trop mobile à la violence institutionnalisée des sociétés qui en appellent à la communauté, à l'histoire, à la race ou à la religion. Mais ce choix, qui doit être fait en toute clarté, signifie seulement que dans un monde en développement, en modernisation accélérée et rarement endogène, les pires dangers viennent de la destruction de la société traditionnelle ou moderne par l'État

modernisateur autoritaire. Le marché est la seule protection efficace contre l'arbitraire de l'État ; cela ne signifie
pas qu'il doive être le principe d'organisation de la vie
sociale, car celle-ci comporte toujours des relations de
pouvoir qui appellent d'autres réponses que libérales ou
autoritaires, mais qui soient conçues en termes de rapports entre groupes sociaux et forces politiques.

De là l'importance de la psychologie des foules et des
masses qui, de Le Bon à Freud et à l'École de Francfort, a
occupé une place si importante dans la pensée sociale du
XXe siècle et que Serge Moscovici a récemment redécouverte. Si on définit la société moderne seulement par la
dissolution des hiérarchies et des normes, si on n'y voit
que consommation et concurrence, on suscite la formation
d'une image complémentaire et inverse qui oppose l'irrationalité de la vie collective et surtout politique au triomphe apparent de la science, de la technique et de l'administration. De Bergson et de Poincaré à Mussolini et à
Hitler, tous ceux qui, de la philosophie à la politique et de
la gauche socialiste à la droite fasciste, ont réfléchi sur la
société de masse, ont été passionnés par cette découverte
d'une vie collective dont les lois semblaient en contradiction avec celles de la nature. Chaque fois que l'image de la
société moderne se réduit à celle d'un marché, en ignorant
les rapports sociaux autant que les projets individuels et
collectifs, on voit réapparaître l'image effrayante de la
société de masse. Aujourd'hui, ce ne sont plus les meneurs
politiques qui inquiètent mais plutôt les médias ; pour
autant, l'opposition entre l'action stratégique et la manipulation politique ou culturelle n'a pas changé. Chaque fois
qu'on détruit l'idée de Sujet, on retombe dans l'opposition
doublement artificielle de la rationalité pure instrumentale
et des foules irrationnelles. La seule manière d'écarter
cette interprétation très superficielle des régimes autoritaires modernes est de renoncer à une image réductrice de
la société moderne. Celle-ci n'est aucunement une société
individualiste ; l'ordre hiérarchique, dont Louis Dumont
dit justement qu'il caractérise les sociétés traditionnelles,
est remplacé par la solidarité organique et surtout par des
rapports de production et de gestion des ressources sociales. Surtout, de même que l'intégration à l'ordre communautaire était complétée par l'ouverture du monde mysti-

que et l'effort de l'individu pour se trouver lui-même dans une relation directe avec le sacré, de même, aujourd'hui, l'engagement dans les rapports sociaux de production est complété par le rapport à soi, par l'affirmation d'un sujet qui se définit par sa revendication d'être acteur et donc de résister à la domination des choses, des techniques et des langages diffusés massivement.

La société proto-moderne confondait le mode de fonctionnement social avec un mode de développement historique, donc la société civile avec l'État ; le propre de la société moderne ou hyper-moderne est de les séparer. Ce qui interdit de réduire la société moderne au marché ou à la planification étatique, qui sont des modes de développement. L'individualisme, si on en fait un principe général de définition de la société moderne, réduit celle-ci au mode libéral, marchand, de modernisation. Ce qui revient à oublier toutes les réalités du travail, de la production, du pouvoir et de la politique. On peut souligner la supériorité du marché sur l'économie administrée, ce qui est aujourd'hui l'objet d'un quasi-consensus, et refuser la réduction de la société au marché. La société moderne n'est ni holiste ni individualiste ; elle est un réseau de rapports de production et de pouvoir. Elle est aussi le lieu où le sujet apparaît, non pas pour fuir les contraintes de la technique et de l'organisation, mais pour revendiquer son droit d'être acteur. Mais, ici, l'opposition entre le moderne et le traditionnel cède la place à une certaine continuité. De même que le sujet, dans une société de production, est à la fois engagé dans la rationalisation et cherche à se dégager de la domination des marchandises et des techniques, de même, dans une société d'ordre, le sujet ne se perd pas entièrement dans les rôles et les rangs, car l'individu cherche à se libérer du monde social par un contact aussi direct que possible avec le monde de l'Être. L'opposition que Louis Dumont a présentée avec tant de force traduit surtout les inquiétudes de beaucoup de modernes qui ont peur d'être entraînés dans une société purement fluide, où se développent partout l'anomie et les conduites de désorganisation sociale. C'est pourquoi je défends ici à la fois une conception « libérale » du développement et une conception du sujet très opposée à un individualisme qui se représente l'homme comme un être non social, en associant étroitement, au contraire, l'idée de sujet à celle de mouvement social, donc au rapport conflictuel dont est faite la vie sociale.

L'individualisme fondé sur la rationalité économique est surtout associé à un optimisme dont nous sommes très éloignés aujourd'hui. Ulrich Beck, parlant de société à risque pour désigner celle où l'énergie nucléaire, avec ses accidents à probabilité faible mais aux conséquences énormes, occupe une place symboliquement centrale, a renversé la vision traditionnelle qui faisait de l'individu le lieu de l'imprévisible, tandis que le système économique semblait conduit par la raison et le progrès. N'est-ce pas à présent le contraire ? interroge Anthony Giddens, qui définit notre société par la recherche de la confiance (_trust_) dans une société de risque, donc par un sujet s'appuyant sur lui-même et sur ses relations interpersonnelles, sur sa « réflexivité » et sur le sentiment amoureux pour se prémunir contre les incertitudes de la _fortuna_ dans un monde mieux représenté par un vaisseau spatial aux intentions imprévisibles que par la machine assurant un rendement régulier des premiers penseurs de l'industrialisation ! L'individu n'est plus celui qui recherche rationnellement son intérêt sur le marché ou le joueur d'échecs, personnages qui paraissent très impersonnels et qu'un jour les systèmes experts remplaceront, mais l'être affectif, centré sur lui-même, soucieux de se réaliser lui-même (_self-fulfillment_, dit Giddens).

Modernity and Self-Identity (1991) développe les idées introduites dans _Consequences of Modernity_ (1989) et ses thèmes semblent souvent proches de ceux que je présente ici. D'abord parce que Giddens insiste sur la complémentarité de la globalisation des faits sociaux et de la montée de l'individualisme qui fait émerger la « _self-identity_ ». La rupture des communautés restreintes et de leurs codes stables et explicites donne à l'individu la liberté de choisir son style de vie, mais aussi le pousse à la « _reflexivity_ », c'est-à-dire à diriger son comportement à partir de la conscience qu'il en prend, dans laquelle la psychologie, la sociologie, le _consulting_ et toutes les formes de thérapie occupent une place croissante. Mais, pour Giddens, cet individu se constitue d'abord de manière défensive ; il s'appuie au début de la vie sur la confiance que l'enfant place dans ceux qui prennent soin de lui, puis se définit par l'intégration des expériences de vie « dans le récit de l'autodéveloppement » (p. 80). Ce souci de soi, pour reprendre l'expression de Michel Foucault, n'a pas de principe d'unité, ce que reconnaît Anthony Giddens en parlant de secteurs de style de vie. Il s'agit bien d'une conscience de soi, c'est-à-dire des conduites attendues par les autres et que l'individu essaie d'unifier, tâche sans fin, toujours chargée de narcissisme. Cette image est celle du *cocooning*, du mirage d'un Moi qui se reprend en main en se retirant des rapports sociaux où il est engagé et qui le menacent. N'est-elle pas à l'opposé de ce que je nomme Sujet, qui n'est pas souci de soi, mais défense de la capacité d'être acteur, c'est-à-dire de modifier son environnement social contre l'emprise des appareils et des formes d'organisation sociale à travers lesquelles se construit le Soi ? La *self-identity* qu'explore Anthony Giddens est une réalité psychologique, une démarche de l'individu dirigée vers lui-même, tandis que le Sujet, tel que je le définis, est un dissident, un résistant, et se forme au plus loin du souci de soi, là où la liberté se défend contre le pouvoir.

Une génération après David Riesman, Robert Bellah a donné une image des mœurs américaines, qu'il place dans la tradition de Tocqueville et qui montre les limites de l'individualisme extrême et de sa « culture de la séparation ». Les Américains de classe moyenne sont aujourd'hui autant attirés par une « culture de la cohérence » dans le travail, la vie locale ou les relations interpersonnelles, ainsi qu'en témoigne la montée de l'écologie sociale. C'est dire que la découverte de soi-même prend des formes aussi variables que les styles de vie dont parlent Giddens et Bellah. L'individualisme rompt les anciennes relations hiérarchiques et communautaires, mais il ne constitue pas un type dominant de vie personnelle et sociale. Ce qui devrait empêcher de confondre le sujet, principe fort de défense de la personne dans ses conflits avec des appareils de pouvoir, avec les images diverses et changeantes de l'individualisme qui, comme le dit bien Robert Bellah, sont des manières variées de s'adapter à un environnement changeant. Le rude individualisme des Américains de la légende est très éloigné de l'esprit de clocher des conservateurs des petites villes et du *cocooning* des années quatre-vingt. Il est vain de chercher à ramener ces types de conduites à un modèle général. Il ne faut pas confondre l'idée de sujet avec le tableau des mœurs qui varient d'un pays à l'autre et d'une génération à la suivante.

Ce qui fait défaut à toutes ces images de l'individu, c'est de tirer les conséquences de la destruction du Moi, telle qu'elle a été parachevée par Freud. L'individu, même quand il se croit mû par ses désirs, est de plus en plus un effet du système et de ses objectifs propres. Ce qui oblige à séparer de plus en plus nettement le Je, principe aigu de résistance à cette logique du système, du Soi, projection dans l'individu des exigences et des normes du système.

L'idée de sujet ne s'oppose pas à celle d'individu, mais elle en est une interprétation très particulière. Louis Dumont insiste à plusieurs reprises sur la nécessité de distinguer l'individu comme singularité empirique de l'individu comme notion morale. Mais le premier sens est purement descriptif, tandis qu'il y a plusieurs manières de construire l'individu en tant que notion morale. Pour les uns, c'est la recherche de l'utilité ou du plaisir individuel qui doit être le principe d'organisation de la vie sociale ; pour d'autres, au contraire, qui voient la société moins comme un marché que comme un ensemble d'appareils de décision et d'influence, le sujet est d'abord une revendication de liberté personnelle et collective. D'autres enfin, entre ces deux conceptions opposées, définissent l'individu par ses rôles sociaux, en particulier par son rôle dans la production, et le considèrent donc, avec Marx, comme un être « social ». Les libéraux ont réduit le plus possible l'individu à la poursuite rationnelle de son intérêt ; l'importance que je donne aux mouvements sociaux et, en particulier, à ceux que j'ai nommés après 1968 les « nouveaux mouvements sociaux » m'a porté vers le second sens donné à l'individu, tandis que le marxisme — et bien d'autres écoles sociologiques — ont privilégié le troisième. Si je résiste à l'emploi du premier comme du troisième, c'est parce que rien n'est moins individuel, rien n'est plus prévisible statistiquement que les choix rationnels, tandis que la théorie critique a justement montré combien l'individu était agi par le système et par ses catégories de fonctionnement qui sont imposées par les détenteurs du pouvoir ou dirigées de manière plus diffuse vers un renforcement de l'emprise du tout sur ses parties. Mais si on remplace la notion d'individu, chargée de trop de sens divers, par celle de sujet, mieux définie, il n'est plus possible d'identifier entièrement la modernité à la naissance du sujet. Ce qui m'a amené à la définir par la séparation et la tension croissantes entre la rationalisation et la subjectivation.

La dissolution du Moi

La pensée rationaliste est la plus ouvertement anti-individualiste, car on ne peut en même temps faire appel à un principe universel, celui de la vérité démontrée par la pensée rationnelle, et défendre l'individualisme — sauf, encore une fois, pour défendre la liberté de chacun de rechercher et d'exposer la vérité, ce qui a conféré à la pensée rationaliste une grande force de résistance à l'oppression intellectuelle et politique. Le thème de l'individualisme, dont j'essaie de montrer la confusion et même l'inexistence, occulte la grandeur des pensées rationalistes qui appellent les êtres humains à se soumettre à un principe, la vérité, qui les élève au-dessus de la dispersion des divertissements et de la poussée des passions.

On ne peut davantage appeler individualisme la découverte, après Nietzsche et Freud, du Ça et, plus concrètement, l'importance donnée à la sexualité par la culture contemporaine et les pensées nées des philosophies de la vie. Ici aussi s'opère le contraire de la libération individualiste, la dissolution du Moi, réduit à être un lieu d'équilibre instable et conflictuel entre le Ça et le Surmoi. Ajoutons enfin que la culture de la consommation apparaît elle aussi, contrairement à l'image qu'elle aime donner d'elle-même, comme une des armes de la destruction du Moi, qui peut ainsi être considérée comme une des grandes tâches de la modernité.

Le Moi, qui fut la présence de l'âme, c'est-à-dire de Dieu, dans l'individu, est devenu un ensemble de rôles sociaux. Il n'a donc triomphé que dans les débuts de la modernité, quand il apparaissait comme un principe d'ordre, associé au triomphe de la raison sur les passions et à l'utilité sociale. A la première modernité a correspondu le succès du portrait, surtout au cœur de la civilisation moderne,

dans les Flandres et en Hollande, mais aussi dans les cités
italiennes. Le portrait, déjà apparu à Rome, marque la correspondance d'un individu et d'un rôle social : c'est l'empereur, le marchand ou le donateur, mais individualisé, et le
plaisir du spectateur est de deviner la violence, l'avarice ou
la sensualité derrière les uniformes de la bourgeoisie, de
l'aristocratie ou du clergé. Mais ce qui l'emporte c'est le
rôle social, d'abord parce que c'est lui qui explique la présence du portrait, commandé par un dignitaire, ensuite et
surtout parce que la réussite du portrait prouve que ce rôle
n'est pas seulement assimilable à un rang ou une fonction,
comme dans la société pré-moderne, mais à une activité
qui appelle la force et l'imagination, qui mobilise l'ambition ou la foi. C'est à ce moment-là, au début de la modernité, que triomphe l'individualisme avec l'esprit bourgeois.
Mais notre culture, après un long siècle de critique de la
modernité rationaliste, a fait éclater le portrait, a fait apparaître le désir impersonnel, le langage de l'inconscient, les
effets de l'organisation sur la personnalité individuelle, de
sorte que la référence au Moi se vide de son sens.

Si le sujet ne naît que quand disparaît la correspondance
du Moi et du monde, il ne peut être personnage romanesque ni « sujet » pour un peintre. C'est avec la décomposition du roman que se développe l'écriture du sujet, à partir
de Proust et de Joyce, et c'est avec la fin de la peinture
représentative qu'éclate la séparation d'un langage pictural
construisant des objets et d'un expressionnisme qui
cherche à faire sens pour celui qui regarde la toile. « La
peinture, dit Soulages, n'est pas un moyen de communication. Je veux dire qu'elle ne transmet pas un sens, mais
qu'elle fait sens elle-même. Elle fait sens pour le regardeur,
selon ce qu'il est » (*Le Monde*, 8-9 septembre 1991).
L'homme créateur ne s'identifie plus à ses œuvres ; celles-
ci ont pris tant d'autonomie que le créateur a besoin lui
aussi de prendre de la distance. Dieu était dans le monde
qu'il avait créé, et l'homme des débuts de la modernité a
voulu l'imiter et prendre sa place. Il s'est fait piéger par cet
orgueil et s'est laissé emprisonner au nom de la liberté. Ce
qui l'oblige à revenir à la séparation de l'objectivité et de
la subjectivité, et surtout à ne saisir sa liberté que dans
l'oscillation de l'engagement et du dégagement.

Cet éclatement du Moi éloigne de plus en plus le Soi

(*Self*) du Je. Le Soi est l'image que l'individu acquiert de lui-même à travers ses échanges de langage avec d'autres à l'intérieur d'une collectivité. Ce qui commande ici, c'est la relation aux autres, socialement déterminée, ce qui est la définition même du rôle et de l'attente de rôle qui l'accompagne. « On n'est un Soi qu'au milieu d'autres Soi. Un Soi ne peut jamais être décrit sans référence à ceux qui l'entourent », dit Charles Taylor (p. 33) en reprenant le principe de Wittgenstein que tout langage suppose une communauté de langage. Le Soi se situe donc dans l'univers de la communication, tandis que le sujet, le Je, est au centre de l'univers de l'action, c'est-à-dire de la modification de l'environnement matériel et social.

George Herbert Mead a donné, de l'intérieur des sciences sociales du XXe siècle, l'expression la plus élaborée de cette conception de la personnalité comme intériorisation des modèles de rapports sociaux. De là la difficulté pour lui de distinguer le Soi du Moi. Le second est « l'ensemble organisé des attitudes des autres que l'on assume soi-même » (p. 147), tandis que le Soi se constitue par la reconnaissance complémentaire de l'Autre, comme celui auquel le Je va réagir. L'ensemble du Moi et du Soi forme la personnalité, et la thèse centrale de Mead est que « le contenu de l'esprit n'est que le développement et le produit d'une interaction sociale » (p. 163). Le Je se distingue du Moi par sa liberté de réagir positivement ou négativement aux normes sociales intériorisées par le Moi. Mais les raisons de la résistance aux injonctions d'un « Autrui généralisé » ne sont pas claires ; il semble que la simple existence de l'individualité explique les décalages fréquents entre l'acteur particulier et les normes générales. Mead parle du rôle créateur, transformateur, des hommes de génie, mais il est au plus loin de l'idée de Sujet, telle que je la présente ici. L'homme n'a de personnalité que « parce qu'il appartient à une communauté, parce qu'il assume les institutions de cette communauté dans sa propre conduite » (p. 138) ; plus précisément, « l'individu est capable de se réaliser en tant que Soi dans la mesure où il prend l'attitude de l'autre » (p. 165). Mead n'est donc pas éloigné de la conception classique du personnage défini par ses rôles sociaux et dont l'individualité est d'autant plus forte qu'il intériorise davantage des normes sociales.

L'idée que le Soi et le sujet se séparent de plus en plus, que l'identité, associée au Soi, et le Je s'opposent, ce qui détruit l'unité de ce qu'on a appelé, d'un terme vague, la personnalité, n'impose pas une interprétation radicale, mais elle réagit nettement contre toutes les tentatives faites pour placer l'individu et la société, le sujet et les rôles sociaux en réciprocité de perspective. C'est au contraire le décalage entre la question et les réponses qui assure la transformation permanente de la société, mais c'est aussi la capacité de gérer ce décalage qui définit l'efficacité d'un système institutionnel.

Je ne puis ici que parcourir à nouveau le chemin ouvert dans la deuxième partie de ce livre. L'éclatement de l'image rationaliste de la modernité, de la raison objective, fait apparaître les quatre forces opposées dont la combinaison définit la société contemporaine : la sexualité, les besoins marchands, l'entreprise et la nation. Le Moi éclaté est projeté aux quatre coins de ce tableau : traversé par la sexualité, modelé par le marché et la hiérarchie sociale, intégré à l'entreprise, identifié à la nation, il ne semble retrouver son unité que quand une de ces forces s'impose aux autres. Le masque lui colle alors à la peau et l'individu ne se sent lui-même que sous les armes, au travail, dans son désir sexuel ou comme consommateur libre de ses achats et de ses préférences. Dans les sociétés les plus riches, c'est cette dernière figure qui l'emporte sur les autres et qui est renforcée par un discours idéologique insistant, mais dont la pauvreté et l'artifice sont égaux à ceux qui sont émis par les entreprises, les nations ou la littérature érotique. La seule réalité à ce niveau est l'individu, car il est le lieu où se rencontrent et se mêlent des forces impersonnelles étrangères les unes aux autres.

Aujourd'hui, l'Occident, ivre de sa victoire sur les empires de l'Est et les dictatures nationalistes du Sud, se jette à corps perdu dans un libéralisme sans limite. Il ne s'agit plus de définir le Bien ni la route escarpée qui permet de s'en approcher ; il semble suffisant d'écarter les pouvoirs absolus et leurs idéologies, de laisser le champ libre à l'intérêt, à l'« épanouissement » de l'individu, à l'expression des désirs. Libéralisme libertaire qui traverse l'horizon politique et rapproche l'extrême droite libertarienne de l'extrême gauche soixante-huitarde. Il semble trop dangereux de définir le Bien. Il se réduit à l'authenticité et n'est plus conçu en termes de luttes libératrices. L'individualisme triomphe et le Mal seul est nettement dessiné : la subordination des individus, de leurs intérêts et de leurs idées à la toute-puissance d'un État qui en appelle à la communauté, dénonce l'étranger, se méfie de tous les corps intermédiaires. Les régimes communistes sont devenus les figures presque parfaites du mal et on se sent assuré d'être dans le bon chemin quand on exalte ce qu'ils avaient condamné. La culture contemporaine refuse le symbolisme, car celui-ci renvoie à un monde au-dessus de l'homme ; elle le remplace par les signes de l'expérience immédiatement vécue, l'effort, le désir, la solitude, la peur et se passe ainsi de l'idée de sujet, tant l'essentiel paraît être de vivre, de s'exprimer, de communiquer aussi, sans qu'il soit utile de réfléchir sur soi et de se considérer soi-même comme autre chose qu'un objet dont on cherche à tirer le meilleur parti possible.

Cette joie d'une consommation sans frein n'est pas méprisable ; elle marque une réaction après le triomphe étouffant des idéologies collectivistes qui ne parlaient que de mobilisation, de conquête et de construction. Mais comment ne pas sentir ses limites ? Car l'individu est le contraire de ce qu'il croit être. A peine libéré des contraintes autoritaires, il se décompose. D'un côté, il est commandé par la place qu'il occupe dans la stratification et la mobilité sociales : tel qui croit exprimer un goût personnel fait des choix caractéristiques d'une catégorie sociale ; sa liberté apparaît factice, puisque ses comportements sont hautement prévisibles. De l'autre côté, c'est le Ça inconscient qui l'entraîne, qui permet à l'analyste de dénoncer une fois de plus et avec raison les illusions du Moi. Ceux qui ne parlent que de l'individu sont en réalité ceux qui croient à la logique des systèmes et font la chasse le plus activement à l'idée de sujet. Si l'être humain est conduit par son intérêt individuel, on peut comprendre ses conduites sans faire référence à sa personnalité, à sa culture et à ses positions politiques. L'idée de sujet ne se réintroduit que par la conscience des nouvelles formes de crise de la personnalité. La société libérale répond à la recherche de l'intérêt mais est parsemée de trous, de déchirures au fond desquels s'entend non pas la voix du sujet, mais le cri ou même le silence de celui qui n'est plus sujet, le suicidaire, le drogué, le déprimé, le narcissique. Comme si la société était un champ de course automobile derrière lequel se cache l'hôpital où on envoie les accidentés.

L'idée de sujet est au plus loin de l'idée de la soumission à la Loi ou au Surmoi. Le sujet n'est pas davantage un Moi ; c'est pourquoi je me méfie de l'idée de *personne*, parce qu'elle suppose une coïncidence du Moi et du Je que je crois irréelle. Le sujet est une volonté consciente de construction de l'expérience individuelle, mais il est aussi attachement à une tradition communautaire ; il est jouissance de soi mais aussi soumission à la raison. Il ne substitue pas au monde éclaté de l'après-modernisme un principe tout-puissant d'unité ; c'est une notion « faible » qui existe moins comme affirmation centrale que comme réseau de relations entre engagement et dégagement, entre individu et collectivité.

La décomposition du Moi est parallèle à la dissolution de l'idée de *société*. Celle-ci était tellement définie comme un Moi collectif qu'elle a été identifiée par beaucoup, bien avant Freud, à l'image du père et au Surmoi. La sociologie contemporaine a bien montré le caractère illusoire de cette représentation. La société n'est plus un avatar de l'Église, de la communauté et du sacré ; elle n'est pas davantage la mise en forme, l'organisation de la rationalité. Qu'il s'agisse d'une société nationale, d'une entreprise, d'un hôpital ou d'une armée, une société ou une organisation n'est jamais que l'espace changeant, peu intégré et faiblement contrôlé, sur lequel se projettent plusieurs logiques différentes et donc plusieurs ensembles de rapports, de négociations et de conflits sociaux. Les sociologues des organisations, comme Michel Crozier, ont démontré qu'il fallait remplacer ici la référence aux normes d'un système social par l'analyse des stratégies de gestion de changements en grande partie non contrôlés. Il y a beaucoup de naïveté dans la prétention des entreprises à défendre leur moi, leur personnalité, leur esprit, et beaucoup de danger pour elles à se complaire dans le narcissisme, car l'efficacité exige l'ouverture, l'aptitude à s'adapter et à changer, le pragmatisme et le calcul, alors qu'au niveau des entreprises comme des gouvernements tout autant que des individus, l'obsession de l'identité conduit à la paralysie et à des conduites de plus en plus défensives.

Rien ne peut donc combler la distance qui sépare le Sujet d'un Moi qui est, selon l'expression de Cornélius Castoriadis, *Pour-Soi*. La société, l'individu, l'organisme, en tant qu'ils sont Pour-Soi, sont capables de finalité, de calcul, de préservation de soi et de création d'un monde propre. Mais cet enfermement dans le Pour-Soi est le contraire de la subjectivité, qui est capable de se modifier et de communiquer avec d'autres. Le Sujet se définit par la réflexivité et la volonté, par la transformation réfléchie de soi-même et de son environnement. Ce qui donne un rôle central, dit Castoriadis, à l'imagination comme capacité de création symbolique.

Le mirage de la modernité absolue

La société de consommation nous a conduits à grande vitesse au lieu qu'apercevait un groupe restreint d'intellectuels du XVIIIe siècle. La distance entre l'être et le devoir-être, entre le désir et la loi, semble abolie tout autant que la frontière entre l'homme intérieur et ses comportements sociaux, comme l'a dit David Riesman dans un livre justement célèbre, *La Foule solitaire*. Le monde semble redevenu plat, comme un décor ou une page d'écriture. Il n'est plus qu'un texte, un montage de signes aussi faible, aussi peu directif que possible. Le grand rêve de cette société est la correspondance spontanée d'une offre et d'une demande, de l'imaginaire du consommateur et du profit ou de la puissance des entreprises de consommation et de communication. Les interprétations de cette société de consommation sont moins post-modernistes que *low modernists*, selon l'expression de Marshall Berman reprise par Scott Lash et Jonathan Friedman. Ce qui signifie en réalité un modernisme extrême, généralisé, partout présent, selon un processus analogue à la transformation du pouvoir décrite par Foucault, concentré d'abord au sommet et se diffusant ensuite dans tout le corps social et dans la vie quotidienne. Dans les centres commerciaux, est-on dans l'espace intérieur où se mélangent des désirs refoulés ou dans une entreprise de services ?

On comprend que cette situation où le sujet et l'objectivité de la raison disparaissent ensemble dans un monde d'images ait attiré presque tous les commentateurs, du plus proche de l'intervention publicitaire au plus abstrait, et que tous aient été fascinés par l'apparente unité d'un monde issu à la fois, selon le mot de Jean-Luc Godard dans *La Chinoise*, de Marx et de Coca-Cola. Mais ne s'agit-il pas d'un mirage aussi chargé d'idéologie que le mirage ancien de la libération de l'homme par le travail et l'abondance ? Cette fusion de l'individu et de l'organisation sociale dans les flux de la consommation et de la communication n'est-elle pas plus présente dans les discours des commentateurs que dans les comportements réels ? En fait, l'observation sociologique conduit dans une direction opposée à celle des discours de la nouvelle philosophie sociale. Elle montre une extrême séparation du monde subjectif et du monde des objets, des groupes primaires et de la société de consommation, en même temps que les effets négatifs de la dilution du sujet dans un environnement construit par les marchands d'imaginaire. Michel Maffesoli a vu juste quand il a aperçu des tribus là où on prétendait voir des individus. Dans les banlieues périphériques des grandes villes occidentales, ce sont bien des bandes, des groupes ethniques, des communautés, des ensembles de voisinage qui utilisent ou qui dévastent les centres commerciaux. Partout on voit des conflits sauvages, des relations d'étrangeté et de l'agressivité plutôt que la fusion de l'acteur et du système dans une société de consommation.

Il est vrai que la société de consommation et de communication est hyper-moderne et achève la destruction des essences et des statuts transmis (*ascribed*) commencée dans la période classique de la modernité ; mais plus vrai encore que cette société n'est que l'achèvement d'un long mouvement de sécularisation, de désenchantement du monde. L'image qu'elle produit d'elle-même et qu'amplifient les philosophies sociales masque les déchirements qui révèlent sa vraie nature, la rupture croissante entre un sens qui devient privé et des signes qui envahissent la vie publique, entre des projets et un marché, et aussi entre la construction de décisions démocratiques et la liberté de la consommation. La défense du sujet contre la société de consommation réside d'abord dans la dénonciation de l'idéologie dominante, la découverte, dans un monde qu'on dit plat et homogène, de rapports de pouvoir et de dépendance, de ruptures et de rejets, de conduites d'agressivité et de manque. La société hyper-moderne n'est pas au-delà du sujet et des mouvements sociaux ; elle renforce les mécanismes qui les détruisent, mais elle étend aussi le champ de leur action.

La pensée libérale, même si elle parle à tort d'individualisme, a compris le mouvement général d'élimination des essences. Elle a même encouragé, autant que la pensée critique la plus radicale, la destruction des illusions de la conscience et de l'intimité. Destruction menée depuis si longtemps et avec tant de force qu'on est presque tenté aujourd'hui d'identifier la modernité à ses résultats : ne faut-il pas appeler modernes la culture et la société qui ont poussé jusqu'au bout la sécularisation et l'empirisme, qui ont éliminé radicalement l'appel à tous les principes centraux d'explication, à tous les sujets, qu'on les appelle Dieu, l'Ame, le Moi, la Société ou la Nation ? J'accepte ces conclusions, à condition d'ajouter que non seulement la naissance du sujet n'a rien à voir avec la défense du Moi, de la conscience et de l'intimité, mais encore que *seule la destruction du Moi permet l'émergence du Je*. Ce qui va de pair avec la destruction de la nature humanisée, anthropomorphique.

C'est avec Cézanne que la nature redevient nature et cesse d'être impression, sentiment, intervention de l'homme. Ce qui fait disparaître l'unité de l'art : tandis qu'une école de peinture, où figurent les surréalistes autant que les cubistes, élimine le sujet et révèle une structure, une autre école, partant de l'expressionnisme et allant jusqu'à l'abstraction lyrique, s'enferme dans le sujet ou le redécouvre. La première a accumulé les plus grandes réussites, car elle faisait des artistes des créateurs de langage et certains d'entre eux ont montré une capacité quasi illimitée de créer une succession de langages. Les œuvres qui relèvent de la seconde école touchent davantage, même quand elles suscitent moins d'admiration, surtout quand elles associent explicitement destruction du Moi et découverte du sujet. Ce qui est le cas de Giacometti, dont les personnages filiformes, qui tiennent parfois dans une boîte d'allumettes, semblent pur mouvement et absence de regard, alors qu'une observation plus attentive convainc vite que Giacometti est avant tout un auteur de portraits, ceux de son frère Diego, d'Isaku Yonaihara et d'Elie Cantor en particulier. Ne dit-il pas lui-même de son travail : « Même dans la tête la plus insignifiante, la moins violente, dans la tête du personnage le plus flou, le plus mou, en état déficient, si je commence à vouloir dessiner cette tête, à la peindre, ou plutôt à la sculpter, tout cela se transforme en une forme tendue, et toujours, me semble-t-il, d'une violence extrêmement contenue, comme si la forme même du personnage dépassait toujours ce que le personnage est. Mais il est cela aussi : il est surtout une espèce de noyau de violence » *(Écrits*, p. 245 ; ce texte est cité en partie par Herbert Matter, dans *Alberto Giacometti)* ? Mais il faut moins opposer ces deux écoles que souligner leur complémentarité : ce qui les rapproche est leur rupture avec la représentation des rôles et des types sociaux, l'élimination complète de l'allégorie.

Le Je contre le Soi

Le Je n'existe que quand il est invisible à son propre regard. Il est désir du Moi, jamais miroir du Moi. Ce principe s'applique évidemment encore plus aux relations entre le Je et le Soi qui est un ensemble de rôles sociaux. Le Je ne se forme que par rupture ou distanciation par rapport à ces rôles sociaux. Le visage, le regard sont cachés par les masques, mais il est fréquent que nous ne reconnaissions que nos masques et que nous ne nous identifiions qu'à eux, tandis que notre visage nous apparaît informe et notre regard vide, comme le chômeur se sent privé d'existence sociale et pas seulement professionnelle. La société libérale contemporaine peut favoriser la naissance du Je parce qu'elle multiplie et différencie les rôles sociaux et nous impose dans chacun de nos rôles des codes et des conduites de plus en plus élaborés. A force de jouer le jeu, on se rend compte qu'il faut s'y prêter plutôt que s'y donner, ce qui peut conduire au narcissisme qui refuse tout engagement et saute d'un rôle et d'une situation à d'autres, à la recherche d'un Je dégagé de tous les rôles.

Mais ce qui peut aussi conduire à la volonté d'être un sujet, quand, au lieu de se dégager des rôles ou de casser les machines, on découvre dans la situation un pouvoir, une logique d'appareil contre lesquels se construit la défense du sujet. On ne peut se contenter de l'opposition qu'établit Ron Harré entre la personne et le Soi *(Self)*. Pour lui, la première serait « l'être concret défini socialement, visible publiquement, doté de toutes sortes de pouvoirs et de capacités de mener des actions publiques et porteuses de sens » ; le *Self* serait « l'unité personnelle que je sens être moi-même, mon être singulier intérieur » (p. 26). Cette distinction suppose en effet une correspondance, sur laquelle insiste Ron Harré (en particulier dans son chapitre 4), entre l'être social et l'être intérieur qui prend conscience de son existence comme individu. Cette correspondance du *I* et du *Me*, pour reprendre l'analyse classique de George Herbert Mead, est insuffisante, et c'est précisément à partir de la non-correspondance des rôles sociaux, des images de moi que me donne ou m'impose la société, et de mon affirmation de moi comme sujet créateur de sa propre existence, que repose le problème central de la sociologie, celui de l'opposition entre déterminisme et liberté. Erik Erikson est plus sensible à l'opposition des *Selves* changeants et de l'*Ego*. Il oppose la formation de l'identité aux identifications qui conduisent à une « confusion de l'identité ». Ce que je nomme Sujet est une réflexion de l'individu sur sa propre identité.

Le retrait par rapport aux rôles sociaux, les limites de la socialisation, la dissociation des fonctions sociales et des projets personnels sont des faits majeurs qui nous éloignent de l'idée ancienne d'intégration sociale et du modèle grec de l'homme-citoyen que nos sociétés modernes s'efforcent de défendre ou de renouveler — en parlant de travailleurs plutôt que de citoyens —, alors que les pratiques s'en éloignent de plus en plus massivement et que l'affirmation du Sujet est de plus en plus directement liée au rejet des systèmes et de leur logique d'organisation et de pouvoir, comme André Gorz et Ulrich Beck l'ont exposé avec beaucoup de force.

Rien ne doit nous écarter de notre affirmation centrale : *le sujet est un mouvement social.* Il ne se constitue pas dans la conscience de soi, mais dans la *lutte contre l'antisujet,*

contre les logiques d'appareil, surtout quand celles-ci
deviennent des industries culturelles et, *a fortiori*, quand
elles ont des objectifs totalitaires. C'est pourquoi la
conscience du sujet a constamment été associée à une critique de la société. C'est déjà vrai chez Baudelaire ; ce l'est
plus dramatiquement dans *Une saison en enfer*, moment
fondateur de la conscience du sujet dans la culture
contemporaine. Le Je ne se révèle à lui-même que par le
détachement de tous les liens personnels et sociaux, par le
dérèglement des sens, par une expérience mystique : si le
grain ne meurt. Et cette découverte du Je ne survit pas au
retour de l'enfer ; le sujet se brûle aux flammes qui l'ont
éclairé et Rimbaud ne sera plus qu'un exilé de lui-même.
Nous entendons l'exigence du sujet à travers le témoignage
des victimes, des déportés, des dissidents, non à travers les
discours moralisateurs de ceux qui ne parlent que d'intégration sociale. C'est le geste du refus, de la *résistance*, qui
crée le sujet. C'est la capacité plus limitée de se décaler par
rapport à ses propres rôles sociaux, la non-appartenance
et le besoin de contester qui font vivre chacun de nous
comme sujet. Et la subjectivation est toujours l'opposé de
la socialisation, de l'adaptation à des statuts et à des rôles
sociaux, mais à condition de ne pas s'enfermer dans une
contre-culture de la subjectivité et de s'engager, au
contraire, dans la lutte contre les forces qui détruisent activement le sujet.

L'idée de *personne*, au contraire, reste fidèle à la tradition
principale de la pensée occidentale pour laquelle l'être
humain dépasse l'individualité qui lui vient de son corps
et de ses sens pour s'élever vers la raison, non pas parce
que celle-ci est universaliste, mais parce qu'elle n'obéit
qu'à ses lois propres qui sont dans l'esprit de l'homme.
Kant parlait de personnalité, mais en employant ce mot
dans le sens où beaucoup, après lui, ont parlé de la personne. Même Emmanuel Mounier, chez qui apparaissent
des thèmes bien différents, définit la personnalisation
comme l'engagement au service de valeurs générales, de
telle sorte que la personne s'élève au-dessus du monde
matériel. Si je parle de sujet et non de personne, c'est pour
m'éloigner de cette tradition. L'appel à la raison libère des
passions, mais ne constitue pas le sujet, sauf au premier
moment, celui où la pensée moderne est encore l'héritière

de l'idée chrétienne, d'un dieu rationnel, créateur du monde. Encore Descartes place-t-il l'existence au-dessus des essences et peut-il concevoir que Dieu ait créé un monde qui ne serait pas soumis aux lois de la raison. Surtout, le triomphe de la raison est celui du pouvoir industriel et étatique, qu'on peut appeler en termes idéologiques la société, de sorte que, dans un monde modernisé, l'appel à l'engagement et au service de la raison a pu devenir, dans le meilleur des cas, l'enfermement dans la cage de fer des techniques ; dans le pire, la participation à des œuvres de mort menées au nom de la recherche rationnelle de la victoire.

Le renversement nécessaire consiste à lier la liberté du sujet non à l'homme-noumène, mais à l'homme-phénomène, pour reprendre les termes de Kant dans les *Fondements de la métaphysique des mœurs*, et à l'homme-corps. Non pour réduire le sujet à l'individu, mais pour définir le premier comme la revendication d'être un individu, de mener une vie personnelle, le plus souvent contre les appareils et les techniques du pouvoir, mais aussi en utilisant la force de la raison pour résister au pouvoir arbitraire ou à l'emprise de la communauté. Le sujet ne se forme pas en s'éloignant du corps et du Ça, du monde du désir, et la modernité ne consiste pas à écraser l'affectivité et les liens interpersonnels au nom de la raison. Tout au contraire, le sujet est toujours un *mauvais sujet*, rebelle à la règle et à l'intégration, cherchant à s'affirmer, à jouir de lui-même, et c'est par la résistance au pouvoir qu'il transforme cette affirmation de soi en volonté d'être un sujet. C'est par la liberté et donc l'effort de libération plutôt que par la raison et les techniques de rationalisation que se définit le sujet. Ce qui ne doit pas conduire à opposer la raison et le sujet, dont on verra qu'ils sont interdépendants, mais à les séparer au départ en rompant avec l'idée que l'individuation et la socialisation sont une seule et même chose, que la liberté personnelle n'est atteinte que par la soumission aux lois de la raison. Mais cette conscience dramatique du sujet, associée à l'effort de détachement des rôles sociaux et à la résistance aux pressions des groupes, de l'opinion et des appareils, ne peut pas se réduire à être une conscience du sacrifice et du service, puisqu'elle ne se soumet à aucune loi, à aucune nécessité supérieure à l'existence humaine.

Mais comment une marche vers soi-même peut-elle ne pas être immobile ? Comment peut-elle transformer le dépassement des normes du Soi et des illusions du Moi en création d'un Je et faire que celui-ci ne soit pas une nouvelle figure d'un dieu caché dont l'idée imposerait un nouveau jansénisme, une morale de la rigueur et du renoncement ? Ceux qui ont critiqué la modernité rationaliste ont cherché une réponse dans le retour à l'Être à travers la Vie, l'érotisme ou la contemplation des idées. L'art s'est constitué en Allemagne, à la fin du XVIIIᵉ siècle, comme le substitut du sacré et du religieux. Et c'est toujours vers l'art que Nietzsche, Adorno ou Barthes cherchent l'absolu sans transcendance, l'au-delà de la règle et de l'utilité. Si on ne se satisfait pas de cette nostalgie de l'Être, dont Michel Foucault a connu la déception quand il l'a cherchée dans la Grèce ancienne, et si on a clairement conscience que le sujet ne s'éprouve que dans la résistance aux appareils, voire à la société comme appareil total, c'est seulement dans la relation à l'autre comme sujet que le sujet personnel peut lui-même se saisir. C'est seulement quand l'autre-sujet s'adresse à moi afin que je sois sujet pour lui que je suis en effet sujet. Autant l'être pour autrui, c'est-à-dire le Soi, détruit le sujet en le soumettant aux normes des rôles sociaux, autant l'être pour l'autre est la seule manière qu'a l'individu de se vivre comme sujet.

Aucune expérience n'est plus centrale que ce rapport à l'autre par lequel l'un et l'autre se constituent comme sujets. Mais il serait artificiel d'opposer cette relation privée à la vie publique. Tous les individus sont pris dans un réseau de rôles, existent pour autrui, et la rencontre de l'autre ne s'opère jamais en terrain découvert, comme dans une image de film où deux personnages surgissent, l'un face à l'autre, dans un décor vide. Il faut toujours écarter les obstacles extérieurs et intérieurs ; il faut surtout que la reconnaissance de l'autre comme sujet pousse à participer aux efforts de l'autre pour se libérer des contraintes qui l'empêchent de se vivre comme sujet. Et cette prise en charge ne peut être purement individuelle, puisque, si le sujet est toujours personnel, les obstacles à son existence sont presque toujours sociaux, qu'ils se situent dans la famille ou dans la vie économique et administrative, politique ou religieuse. Pas de production du Je sans amour de l'autre ; pas d'amour de l'autre sans solidarité. Faut-il ajouter : pas de solidarité sans conscience des rapports réels entre la situation où je vis et celle où vit l'autre ? Car il est trop facile, par exemple, aux pays riches d'envoyer un milliard de dollars aux pays pauvres quand, au même moment, ce sont vingt ou trente milliards qui sortent des continents pauvres pour venir s'entasser dans les banques des pays riches ! Si l'éthique l'emporte aujourd'hui sur la politique, au moins dans certaines circonstances et dans certaines parties du monde, c'est parce que nous ne croyons plus que la société et l'individu les plus modernes soient ceux qui se soumettent le plus complètement aux lois de la raison. Nous trouvons dans l'affirmation de la liberté du sujet le principe central — non social, en même temps que chargé d'effets sociaux — de résistance aux pressions du pouvoir social, que celui-ci soit concret, dans les mains d'un despote, ou diffusé dans toute la trame des échanges sociaux.

Dans les pays industriels les plus anciens, ceux qui sont au centre de la société programmée, s'est développée l'image de la société de communication qui transforme les conceptions antérieures des rôles sociaux. Au lieu que la fonction de chacun repose sur l'exercice d'une capacité préexistante, d'un métier, d'une habileté ou même d'une vocation, l'activité est redéfinie en termes de communication et la qualification consiste à encoder, transmettre et décoder les messages les plus complexes le plus efficacement possible. A partir de là s'est formée une idéologie qui exalte l'échange et donc la compréhension mutuelle sans laquelle il n'y aurait pas de communication possible. Idéologie des groupes dominants qui impose l'idée que chaque individu s'exprime le mieux en entrant plus complètement dans les processus de transmission des informations. Chaque jour, nous entendons chanter les louanges de la société de l'information dans laquelle presque tous reçoivent davantage d'informations et plus vite que les grands de ce monde il y a un siècle à peine. Idéologie contre laquelle il faut réagir en rappelant que la communication est la combinaison de la circulation de l'information et de l'investissement d'individus dans leur rôle de communication, deux dimensions qui s'opposent plus facilement qu'elles ne se complètent. De la même manière, les messages publicitaires sont d'autant plus efficaces que les attitudes à modifier sont moins importantes pour les récepteurs ; on change plus facilement de lessive que de religion, ce qui explique que les plus coûteuses campagnes publicitaires soient consacrées aux aspects les moins importants de la vie. Un bon système de communication est celui qui permet de transmettre des messages plus personnels, c'est-à-dire où l'information pertinente est moins séparée de l'ensemble de la personnalité, notamment d'un projet de conduite, et où une plus grande quantité de bruit est nécessaire pour permettre la saisie d'un message complexe. Nous réintroduisons dans l'activité technique des aspects de plus en plus divers de la personnalité individuelle. La séparation de la vie publique et de la vie privée, si longtemps identifiée à la modernité, devient le signe d'une forme primitive, dépassée, de la modernité.

C'est pourquoi nous retrouvons, après une parenthèse de deux siècles, l'esprit de la Déclaration des droits de l'homme, même si la figure bourgeoise du sujet ne correspond plus à la société où nous vivons. Au lieu de comprendre la vie sociale du haut vers le bas et du centre vers la périphérie, comme si les pratiques n'étaient que les applications particulières de valeurs, de normes et de formes d'organisation générale, nous partons de la production du Je par l'individu, avec toutes les formes de destruction du Moi et du Soi que cette production exige, et nous cherchons ensuite à la rendre compatible avec le travail de la raison d'où naissent des pouvoirs d'oppression, mais qui est aussi et surtout une force permanente de libération.

La biologie a fortement contribué à faciliter sinon une pensée du sujet qui ne la concerne pas directement, du moins la destruction d'une représentation qui écartait cette pensée. Les modèles physiques ont longtemps conduit à dissoudre le particulier dans le général et l'homme dans les lois de la nature. Démarche qui est trop centrale dans toutes les sciences pour être écartée, mais qui est complétée aujourd'hui à la fois par une vision plus historique de la nature, celle des astrophysiciens ou des géologues, qui s'efforcent de reconstituer l'histoire non pas de l'univers, mais de cet univers-ci, et par le souci de l'individualité dont François Jacob a souligné avec force qu'il était au centre de la génétique, qui étudie, dit-il, les mécanismes implacables qui créent de la différence, qui font qu'il n'y a pas au monde, en dehors des jumeaux vrais, deux êtres humains biologiquement identiques. Découverte associée à celle de la plasticité de l'organisme humain, dont les dizaines de milliards de neurones et les centaines de milliards de relations synaptiques produisent des capacités évolutives et adaptatives si grandes que l'opposition de l'inné et de l'acquis doit être remplacée par la reconnaissance de la capacité innée à acquérir. C'est parce que l'individu ne se résorbe plus dans des catégories générales qu'on peut examiner la construction de la personne, du Moi et du Sujet, du Je, non comme socialisation, mais comme travail de l'individu sur lui-même pour affirmer son individualité.

Lucien Sève, rédacteur du rapport *Recherche médicale et respect de la personne humaine* du Comité national d'éthique (Documentation française, 1987), a utilisé des notions très proches de celles qui sont présentées ici en insistant sur le fait que c'est le sujet qui est une valeur, non la personne ; en effet, le sujet se définit par son affirmation que la personne est une valeur, et par un travail qui s'opère à travers les rapports sociaux, en particulier le langage, mais qui tend d'abord à constituer un corps subjectif, un Moi, avant d'affirmer le droit de la personne. Ainsi s'établit une liaison directe entre l'individu biologique, absolument singulier, et le sujet qui revendique le droit d'être une personne, le droit de l'individu objectif à se transformer en individu subjectif au lieu de s'identifier à une catégorie générale, voire universelle, qui l'élèverait au-dessus de son individualité. La pensée dominée par la physique conduisait à une théorie des systèmes ; la pensée orientée par la biologie est plus favorable à une théorie de l'acteur et à une politique de la personne. Expression concrète du principe selon lequel seule la reconnaissance de l'autre comme sujet permet à l'acteur de se constituer comme sujet et non pas seulement comme Soi *(Self)*. Ce principe nous éloigne du modernisme pour lequel le sujet humain n'apparaît que dans l'action instrumentale de domination de la nature. Je partage entièrement l'opinion de Jürgen Habermas quand il écrit dans *Le Discours philosophique de la modernité*

(p. 347) : « Aussi longtemps que nous ne tablerons que sur
des sujets dont les aptitudes consistent à se figurer et à
manipuler les objets, à s'investir dans ces objets ou à se
rapporter à ceux-ci comme à des objets, il ne sera pas possible de concevoir la socialisation comme une individuation, ni d'écrire une histoire de la sexualité moderne qui
parte *aussi* du fait que c'est l'intériorisation de la nature
subjective qui permet l'individuation. » La rupture avec les
fondements transcendantaux du sujet ne conduit pas seulement à l'empirisme de la science ; elle conduit aussi,
comme disait Novalis, à dominer son moi transcendantal
et à être « le moi de son propre moi ».

La pensée sociale résiste toujours à de telles idées qui
enlèvent au social le rôle de fondateur de la moralité que
lui avait donné la pensée moderne, héritière en cela de la
pensée grecque. Mais si la sociologie ne prend pas le parti
du sujet contre la société, elle se condamne à devenir un
instrument idéologique au service de l'intégration sociale
et de la moralisation, sous des formes parfois douces, parfois brutales, mais qui provoquent toujours la recherche
dramatique du sujet interdit.

Le Sujet absent

L'idée de sujet fut longtemps si arrogante que la pensée
scientifique et critique dut l'attaquer de front pour découvrir la logique impersonnelle des classifications, des systèmes d'échange et des mythes, comme celle du langage ou
celle de l'inconscient. Mais le temps est venu de parcourir
un chemin inverse, sans toutefois revenir au point de
départ, celui où l'axe du Moi était aussi l'axe du monde,
la raison, qui devait guider les conduites humaines parce
qu'elle rendait la nature intelligible, donc contrôlable et
utilisable.

Dans les sociétés modernes, qui exercent une forte
action transformatrice sur elles-mêmes, qui ont un degré
élevé d'historicité, la destruction du sujet n'a pas le même
sens que dans les sociétés à faible historicité. Cette
destruction est l'affrontement direct du Ça et du Surmoi,
du désir et de la loi, qui refoule dans l'inconscient une partie du désir et interdit ainsi à l'individu de se créer comme

sujet personnel. Ce qui conduit un psychanalyste comme Lacan à chercher avec raison le sujet du signifiant, qui ne peut pas être le sujet « populaire et métaphysique » naïvement triomphant, mais qui ne peut pas davantage être réduit à des « forces ». Le sujet est faible, non seulement dominé par les appareils de pouvoir, mais privé d'une grande partie de lui-même, transformée en inconscient. De sorte qu'il ne peut se manifester et agir qu'en luttant pour sa libération, et aussi en élargissant un espace intérieur où le désir et la loi ne soient pas contradictoires. C'est par la démocratie et par les droits de l'homme, par la liberté et par la tolérance, par le recul de la loi et la transformation des pulsions en désir de l'autre que le sujet se constitue. Jamais en se transformant en Moi content de lui, abandonné au plaisir narcissique de l'introspection ; en échappant au contraire à l'ordre de la loi et à la logique du langage impersonnel de l'action.

L'apport essentiel de la psychanalyse, de Freud à Lacan, est d'avoir séparé le sujet de l'énoncé, le Moi, du sujet de l'énonciation, auquel je réserve le nom de sujet. La société moderne est celle où la décomposition de l'ordre et de ses langages rend possibles aussi bien la domination extrême des logiques de pouvoir et le refoulement ou la marginalisation qu'elle entraîne que la formation d'un sujet personnel à la fois contestataire et cherchant à transformer ses désirs en bonheur. Ce sujet n'est jamais triomphant ; il n'a pas d'espace protégé, même quand il croit le trouver dans un club de vacances, une vie privée retirée du monde ou une secte. Et ce serait céder de manière indécente aux privilèges des pays riches que de réduire la liberté du sujet à la bonne vie qu'offrent si facilement ces pays. Le sujet ne s'affirme que par la négation des logiques impersonnelles, intérieures comme extérieures. Et les sciences sociales ne doivent jamais séparer l'expérience vécue de la liberté des menaces qui pèsent sur elle.

Le sociologue et l'historien doivent se méfier des idéologies et du volontarisme et rejeter toute identification du sujet à l'ordre social. Plus simplement encore : il faut qu'ils reconnaissent l'existence de l'enfer et du péché, même quand ceux-ci apparaissent dans la vie quotidienne. La force des grandes œuvres de la pensée sociale, qu'elles prennent la forme de la sociologie, de l'histoire, du roman, du cinéma, du théâtre ou de la peinture, est de rendre visible l'intervention de ce qui est absent, invisible, de ce qui manque. Il faut révéler les effets observables de l'absence du sujet. Il serait faux de voir la référence au sujet comme l'étage supérieur de conduites qui sont solidement installées sur une base utilitariste au-dessus de laquelle se place l'effort collectif pour conquérir une plus grande influence politique avant de parvenir à la mise en cause des orientations générales d'une société, ce qui définit un mouvement social. Car cette vision suppose que lorsque cet étage supérieur n'existe pas, les étages inférieurs restent solides, obligés seulement de se protéger avec une bâche idéologique qui les abrite des intempéries. En réalité, l'absence de référence au sujet, à la rationalisation et aux mouvements sociaux ne laisse pas intacts les niveaux inférieurs de conduite ; elle les dévore. Ce qu'une psychologie romanesque ancienne présentait comme des vices ou des passions peut être réinterprété comme l'expression d'un manque, et la psychologie sociale nous montre, dans la dépendance à l'égard de drogues, le manque de sujet qui détruit dans l'individu la capacité d'être un Moi ou un Soi, un être social. François Dubet, observant la jeunesse marginale dans *La Galère*, a donné une importance centrale à la *rage* de ces jeunes, parce qu'elle ne peut pas se réduire aux effets de la marginalité ou même de l'exclusion sociale, parce qu'elle est destruction des objets des autres et de soi-même, ce qui manifeste l'absence, par elle-même destructrice, du Je. De la même manière, Michel Wieviorka s'est placé à la frontière imprécise entre un mouvement social inversé en non-mouvement social et le pur terrorisme qui n'a plus de référent social réel. Castoriadis, Lefort et Morin ont interprété comme une brèche le mouvement de Mai 68. Cette analyse eut le mérite de reconnaître la portée d'une contestation en effet globale ; je maintiens cependant qu'elle est insuffisante et qu'il faut lui ajouter l'idée, présente dans mon *Communisme utopique*, que le mouvement de Mai portait en lui de nouveaux mouvements sociaux et culturels, mais entravés par une idéologie politique archaïque et associés à des formes autoritaires d'action. En 1990, en France, au contraire, le mouvement lycéen, dépourvu de capacités politiques et donc manipulé par des groupes extérieurs, s'est vite écroulé, ce qui s'est accompagné d'actes marginaux de violence. La recherche de l'identité, si obsédante aujourd'hui, ne manifeste pas la volonté d'être un sujet ; elle est au contraire l'autodestruction de l'individu, incapable, pour des raisons intérieures ou extérieures, de devenir un sujet. Le narcissisme est une des formes extrêmes de cette recherche autodestructrice de l'identité. Le vide appelle le plein, alors que le sujet est rapport indirect et toujours décalé de l'individu à lui-même à travers l'autre et à travers la résistance à l'oppression. A défaut de ce type d'analyse, on retombe dans la sociologie à laquelle ce livre s'oppose directement, celle pour qui l'utilité sociale, la fonctionnalité est la mesure de la moralité et qui nomme marginales et déviantes les conduites qui troublent l'ordre des choses.

La présence du Je se manifeste à la fois dans le modèle culturel d'une société, depuis ses formes religieuses jusqu'à l'éthique sécularisée d'aujourd'hui, et dans les mouvements de solidarité et de contestation des différentes formes de domination. L'analyse du sujet et des mouvements sociaux, comme celle de la rationalisation, ne constituent pas le sommet mais la base, le point de départ de l'analyse sociale, et la sociologie qui se croirait plus positive ou plus empirique parce qu'elle ne voudrait connaître que le Moi et le Soi, tout en niant le Je, se placerait activement dans le camp des forces de contrôle socio-culturel et idéologique qui maintiennent l'emprise du système sur les acteurs, remplacent le sujet par l'individu consommateur de biens et de normes, et l'historicité par la reproduction des valeurs, des normes et des formes d'organisation établies.

La référence au sujet n'est pas l'appel à un supplément d'âme ou à une moralité abstraite chargée de contenir les intérêts et la violence. Elle est un principe central d'analyse de toutes les manifestations de la vie individuelle et collective. Le Je n'est pas le Moi, mais il le commande, par son absence autant que par sa présence.

Engagements, dégagement

Le sujet ne devient présent à l'individu qu'en se dégageant des rôles sociaux, mais aussi des fragments éclatés de la modernité qui, chacun à sa manière, le détruisent.

L'érotisme détruit le sujet, comme l'ont bien vu les surréalistes, puisqu'il libère le désir inconscient ; d'une autre manière, le détruit aussi la consommation, qui est recherche d'un niveau social en même temps que séduction, dissolution du sujet dans le monde des signes. Et, de manière très différente, le détruit aussi l'identification à l'entreprise et, plus largement, aux travaux collectifs qui placent la loyauté, l'esprit de corps et la mobilisation guerrière au-dessus du rapport à soi. Enfin la nation appelle aux plus grands sacrifices parce qu'elle est constituée de plus de morts et d'êtres qui ne sont pas encore nés que de vivants. Après deux siècles d'engagements, exaltants autant que barbares, il ne nous est plus possible d'affirmer sans réserves que l'être humain se dépasse lui-même dans ses engagements en devenant serviteur d'une cause, qu'elle soit politique ou religieuse. La présence du sujet se marque par la distance que l'acteur prend par rapport à sa situation. Il n'est plus engagé entièrement dans son acte, il s'en détache, non pas pour l'observer du dehors, mais pour rentrer en lui-même, s'éprouver dans son existence, dans le sens que l'acte a pour cette existence plutôt que pour la société ou pour la tâche qui lui a été confiée. Ce que fait le cuirassier de Géricault (musée du Louvre) en plein combat, le sabre à la main, le buste retourné vers l'arrière, et dont le regard flotte, pensant à sa vie et à sa mort, immobile au centre du tourbillon des combattants. Le romantisme, en effet, s'il a été, en Allemagne surtout, nostalgie de l'Être et du Beau et fusion avec la nature, fut aussi retour à soi et à la solitude après les bouleversements collectifs de la Révolution et de l'Empire, et le détachement qu'il a introduit, tout en changeant de tonalité, n'a cessé de se renforcer pendant tout le XIXᵉ siècle. Nul n'a poussé plus loin cet éclatement de la personnalité que Fernando Pessoa, qui s'inventait des hétéronymes, l'épicurien Ricardo Reis, le violent Alvaro de Campos et le vieil Alberto Caeiro, habité par l'angoisse. Borges a imaginé Shakespeare disant à Dieu : « Moi qui ai été tellement d'hommes en vain, je désire en être un seul qui soit moi. » Mais Dieu lui répond : « Moi non plus, je ne suis pas. J'ai rêvé mon monde, comme tu as rêvé ton œuvre, William Shakespeare, et entre les apparences de mon rêve, il y a toi qui, comme moi, es multiple et, comme moi, personne. » Cette dispersion des personnages, à laquelle Pirandello a donné la plus forte expression théâtrale, explique l'attraction de la littérature surtout au moment où, après la Première Guerre mondiale, se brisa, comme dit Valéry, l'illusion de l'immortalité de notre civilisation.

La décomposition du Moi comme conscience et personne est si visible que c'est contre la conception inverse qu'il faut aujourd'hui se garder. Un extrême dégagement risque de conduire à la confusion du Sujet et de l'individu, à un égoïsme de plus en plus méfiant, et finalement à l'incapacité de se lever pour défendre la liberté du Sujet quand elle est menacée. Dans le meilleur des cas, cela conduit à une morale à la Camus. Rieux, le médecin dans la ville frappée par la peste, se dévoue, comme Tarrou et Grand, au risque de sa vie, au service des malades, sans recourir à aucune foi, ni en Dieu ni en l'homme, ne s'engageant pour aucune cause, mais ne se dérobant à aucune demande, par solidarité humaine et pour ne pas être seulement victime, pour faire face. Pessimisme actif, d'autant plus profond que la ville, avant la peste, était médiocre et intéressée seulement par l'argent. Mais que vaut une morale qui ne convient qu'aux cas désespérés ?

L'appel au Sujet, rappelons-le, ne se substitue pas dans la modernité à la raison objective comme principe d'unité, en s'associant à la rationalisation. Le Sujet n'est pas pur retour sur soi ni pure distance au Moi et au Soi. Il est aussi sens donné aux engagements du Moi, rappel au Je à travers ses engagements et non pas hors d'eux. Ce qui nous oblige à lire la plupart des conduites comme répondant à deux logiques, plus opposées que complémentaires, et à nous opposer aux sociologies qui font de l'individu et de la société ou de ses institutions deux termes en réciprocité de perspective. C'est au contraire le décalage des deux logiques qui explique la plupart des conduites, leurs conflits internes et leur richesse.

Cette idée a été le plus clairement exprimée à propos des relations amoureuses. Le désir et la reconnaissance de l'autre ne vont pas naturellement ensemble, ce qui donne au thème de l'amour plus de force encore : il est l'engagement du Sujet dans son désir, la combinaison de l'érotisme et de la tendresse ; il fait de l'autre à la fois un objet désiré et un Sujet ; il crée à la fois la fusion et la distance. Nous avons longtemps conçu l'amour comme un dieu décochant une flèche qui traversait les cœurs. Quand cette image s'est évanouie avec toutes les formes d'une représentation magique du monde, nous avons identifié l'amour au désir. Il ne nous tombait plus dessus, il venait de la partie la plus obscure de nous-mêmes, pulsion plus que sentiment, émotion plutôt qu'idée. Ce qui correspondait au triomphe de l'individualisme et à la disparition de toute référence au sacré. Mais tout n'est pas désir et la souffrance de l'éloignement ou de la perte ne se réduit pas à la privation de plaisir. L'amour n'est pas seulement présent au début de la relation, ce qui l'inaugure, mais tout autant ce qui est créé par elle, le sens qu'elle prend — vite ou lentement — et qui permet d'unir le désir qui appelle la fusion et la reconnaissance de l'autre comme Sujet. Union créée ou détruite par la réponse commune aux séparations, aux conflits, aux épreuves infligées par la vie. On n'est pas amoureux, on le devient, de la même manière qu'un individu n'est pas un Sujet mais peut le devenir s'il se retrouve lui-même à travers ce qu'il a subi. Pas d'amour sans désir et sans reconnaissance de l'autre, mais pas d'amour non plus sans histoire de vie, sans résistance à l'adversité et à la perte. C'est pourquoi, dans la tradition occidentale en particulier, l'amour a été associé à la mort, parce qu'il est en effet le contraire de la vie, parce qu'il est au-delà du désir et transforme celui-ci en Sujet désirant, au risque de rendre son désir impossible.

L'amour est un des lieux ou apparaît le Sujet, parce qu'il ne se réduit ni à la conscience ni au désir, ni à la « psychologie » ni à la passion. Il est abandon des rôles sociaux et oubli de soi autant qu'expérience du sujet se découvrant en reconnaissant l'autre à la fois comme désir et comme sujet. Dans la relation interpersonnelle, comme dans les rapports collectifs, le sujet n'est jamais en repos, en équilibre ; il est toujours en mouvement, de la distance à la fusion ou du conflit à la justice. Le sujet n'a pas de nature, de principes, de conscience ; il est action dirigée vers la création de lui-même à travers des résistances qui ne peuvent jamais être complètement surmontées. Le sujet est désir de soi.

Cette tension entre le Sujet et l'engagement, personnel ou collectif, se trouve dans toutes les conduites sociales.

L'engagement du Sujet dans l'entreprise est un thème qui s'impose avec une force croissante. Contre un modèle dit japonais, qui repose sur l'absence de référence, dans la langue même, au sujet, et qui définit le Moi comme le Soi, par ses appartenances et ses loyautés, on voit se construire l'idée que l'efficacité professionnelle est la plus grande dès lors que sont combinés un projet professionnel personnel et la rationalité de l'organisation. Ce qui s'observe le mieux dans les organisations de production les plus modernes, centres de recherche ou hôpitaux notamment, où chercheurs, enseignants et cliniciens doivent à la fois s'intégrer à un système complexe de production et être mus par des objectifs personnels, surtout par un engagement non pas à l'égard de l'organisation mais à l'égard d'un « service public », la lutte contre la maladie, l'ignorance ou l'injustice. Contre les discours publicitaires sur l'esprit ou la morale de l'entreprise, cette idée de double engagement, à l'égard de l'entreprise et à l'égard de soi-même, donne une expression concrète au thème général de l'association nécessaire entre le dégagement des rôles sociaux et l'engagement dans des rapports sociaux et des activités collectives.

C'est l'engagement national qui semble le plus difficile à combiner avec le rappel au Sujet, car le déséquilibre apparaît trop grand entre l'individu et un être collectif ou les lois ou les autorités qui règlent ses activités. Mais les pays occidentaux, qui ont été ou sont colonisateurs, obligent leurs nationaux à sentir la dissociation des deux expériences. Ils ont une expérience intérieure de leur nationalité dans laquelle la langue, le paysage, les souvenirs d'enfance occupent une grande place ; mais ils reçoivent aussi une image d'eux-mêmes que leur imposent ceux qui sont ou ont été colonisés. Pour prendre un vocabulaire plus contemporain : gens du Nord, ils sont aussi l'image d'eux-mêmes que leur renvoient les gens du Sud. C'est pourquoi les colonisateurs eux-mêmes n'ont pas toujours montré une loyauté entière à l'égard de l'administration, de l'armée ou de l'Église qu'ils servaient ; c'est parmi eux qu'on a trouvé les premiers défenseurs des colonisés.

Il n'existe pas d'équilibre stable entre ces deux tendances opposées à l'engagement et au dégagement, mais c'est dans ce déséquilibre que se réalise le mieux l'existence réelle du

Sujet, qui est un état instable. Le Sujet n'est pas ce qu'il y a de plus fort, la statue du Surmoi au-dessus de l'individu et dans sa conscience ; il est ce qu'il y a de plus fragile, en même temps que l'exigence la plus grande.

L'éthique

Il semble difficile de combiner ce qui est opposé : le retour sur soi et le dégagement des rôles sociaux avec l'action transformatrice et l'intégration dans une organisation collective de travail. Pourtant, il ne faut à aucun prix séparer ces deux faces du sujet. Ce qui doit être abandonné et même rejeté, c'est la recherche du sujet dans son identification au sens de l'histoire ou à la renaissance de la nation. Nous savons trop combien ce sacrifice pour les grandes causes est chargé de dangers ; il prépare la formation de pouvoirs autoritaires et transforme l'autre en étranger, en ennemi. Cette conception est d'autant plus nécessaire que plus se développe l'activité technique et administrative, plus s'opposent les idéologies au service des grandes organisations économiques et politiques et les protestations des belles âmes. Le souci de *l'éthique*, qui s'impose avec une grande force aujourd'hui, combat ces deux tendances opposées, car l'éthique est l'application d'un principe moral, non social, à des situations créées par l'activité sociale. Le domaine de l'éthique ne cesse de s'étendre à mesure que recule celui de la morale d'inspiration religieuse et qu'il est plus visible dans le même temps que la technique laissée à elle-même se soumet en fait à un pouvoir techniciste qui abuse des droits de la raison en confondant son autorité avec la force propre de la vérité scientifique. Ses défenseurs combattent sur deux fronts : d'un côté, contre la réduction de la société à une entreprise économique ne pensant qu'à l'équilibre du commerce extérieur, à l'inflation et au *cash-flow* ; de l'autre, contre le retour au communautarisme religieux. Ce qui appelle un double effort d'analyse critique : d'un côté, pour ne pas réduire le travail à un appareil de production ; de l'autre, pour ne pas réduire l'image du Sujet présent dans la pensée religieuse à la recherche réactionnaire d'une morale communautaire.

L'association étroite de la construction du sujet personnel et du mouvement social est au cœur de ce livre. Ce qui contredit à la fois l'idée de praxis et le moralisme de la belle conscience. Le sujet se construit à la fois par la lutte contre les appareils et par le respect de l'autre comme sujet ; le mouvement social est l'action collective de défense du sujet contre le pouvoir de la marchandise, de l'entreprise et de l'État. Sans ce passage au mouvement social, le sujet risque de se dissoudre dans l'individualité ; sans ce recours à un principe non social d'action dans la vie sociale, l'idée de mouvement social tombe dans la tentation aliénante de se conformer au sens de l'histoire. Pas de sujet sans engagement social ; pas de mouvement social sans appel direct à la liberté et à la responsabilité du sujet.

Ce remplacement d'une vision centrée sur la société par une vision organisée autour du Sujet personnel se manifeste le mieux dans les idées sur l'éducation. Aujourd'hui, nous sommes choqués si l'on définit le but de l'éducation comme la formation de citoyens loyaux, de travailleurs actifs et de pères ou de mères conscients de leurs devoirs à l'égard de leurs enfants. C'est au contraire l'estime et le contrôle de soi qui sont considérés comme ressorts de l'éducation, et les psychologues observent que l'enfant à qui l'on dit : « Tu as réussi parce que tu as eu de la chance » n'atteint que de faibles performances. Encore faut-il que cette estime de soi ne vise pas seulement la performance, mais aussi la résistance aux pressions de la majorité, aux règles injustes et aux discriminations. Mais l'engagement dans un mouvement social n'a à son tour de sens positif que s'il est fondé sur l'estime de soi, sur la vertu.

Le Sujet n'est pas un principe impersonnel, comme Dieu, la raison ou l'histoire, même si l'expérience religieuse, quand elle prend la forme d'une religion de l'incarnation et de la grâce, comme dans le christianisme, en est plus proche que la soumission de l'individu aux lois de la raison ou de l'histoire. Ce qui explique que le progrès de la subjectivation soit associé à une réinterprétation de plus en plus sécularisée de rôles et de traditions qui se transforment en passant du langage religieux au langage éthique.

Plus la modernité est présente et plus s'effacent les représentations qui l'identifiaient à la disparition du Sujet, comme le soleil remplaçant la lune dans le ciel. L'idée de sujet ne peut pas être séparée de celle d'acteur social. L'acteur, individuel ou collectif, agit pour faire pénétrer la rationalisation et la subjectivation dans un réseau de rôles sociaux qui tend à s'organiser selon la logique de l'intégration du système et du renforcement du contrôle qu'il exerce sur les acteurs. L'acteur est l'inverse du Soi, celui qui, au lieu de remplir des rôles qui correspondent à des statuts ou de s'enfermer dans la conscience de soi, reconstruit le champ social à partir d'exigences dont celle de subjectivation introduit dans la société un principe non social. Pas d'acteur sans Sujet, mais pas davantage de Sujet sans acteur qui l'engage dans la vie sociale réelle, bataille pour lui contre les équilibres et les idéologies établies. Lorsque Talcott Parsons élaborait une vaste théorie générale de l'action, il appelait « action » le fonctionnement d'un système social régi par la rationalité dans les sociétés modernes. Rien n'est plus éloigné de cette vision, qui marque la plus ambitieuse tentative intellectuelle de la sociologie classique, que l'approche présentée ici et annoncée, sous des formes moins radicales, dans mes livres antérieurs, *Sociologie de l'action* (1965) et *Production de la société* (1973),car il n'y a d'action que contre la logique interne du système. L'action suppose une certaine capacité de transformer, de produire une société qui tend aussi, en sens inverse, à se reproduire. La sociologie « institutionnaliste » de Talcott Parsons et de ses disciples se veut moderniste, puisqu'elle identifie l'action aux conduites fonctionnelles ou dysfonctionnelles pour le système ; je pars au contraire de la critique et de la décomposition de ce modernisme pour redécouvrir des idées mises de côté depuis deux siècles et les réinterpréter afin de les incorporer à une nouvelle vision de la modernité. Ma vision est plus dramatique que la vision classique ; elle donne une vision non intégrée et toujours bipolarisée de la vie sociale ; en revanche, elle se méfie de l'opposition entre la tradition et la modernité à laquelle Parsons reste aussi attaché que Weber ou Durkheim, et reconnaît dans la pensée chrétienne et dans l'idée de droit naturel des formes de référence au sujet dont il faut trouver l'équivalent aujourd'hui.

Il est difficile de rompre avec les représentations

transcendantales du sujet. En un siècle où le pouvoir politique est devenu omniprésent et omnipuissant, n'est-il pas
tentant de penser que seule la conviction religieuse, la foi
en un dieu peut lui résister ? Ce qui mène dans le meilleur
des cas à une vision « juive » de l'histoire, qu'exprime en
particulier Paul Ricœur quand il définit celle-ci comme
une promesse divine et comme l'attente humaine de sa
réalisation. Mais c'est Paul Ricœur lui-même qui appelle à
se méfier de la tentation de placer l'éthique au-dessus de
la politique, comme le moment immobile de l'être au-dessus de l'agitation des phénomènes sociaux et individuels.
Dans un monde sécularisé, l'appel à l'au-delà se fait difficilement entendre. La présence du Sujet n'est pas semblable
à celle du Soleil éclairant et réchauffant la Terre ; elle ne
se sent qu'à travers les protestations des individus et des
groupes contre les pouvoirs établis, contre les appareils de
gestion et les justifications technocratiques de l'ordre
social. Loin d'être l'Un au-dessus du monde changeant et
divers, le Sujet ne se donne à voir qu'à travers des éclats
de voix, des visages un instant visibles, des appels et des
protestations. Et son existence ne devient intelligible qu'à
travers la recherche herméneutique de l'unité et de la
diversité inséparables de toutes les déchirures de l'ordre
établi, de tous ses appels à la liberté et à la responsabilité.

Peut-on ordonner les apparitions du sujet en une histoire ? En partie oui, parce que le progrès de la sécularisation et de la rationalisation oblige de plus en plus à
chercher le sujet ici-bas, et rend de plus en plus irréelle la
nostalgie de l'Être qui a attiré tant de philosophes. Mais,
pour l'essentiel, non, en ce sens que le Sujet ne se découvre
que partiellement et que, selon les circonstances, c'est une
partie ou une autre de son appel qui s'entend, lequel n'est
perceptible qu'à compter du moment où on a fait d'abord
la part des réalités proprement historiques. Il faut entendre par exemple l'appel du Sujet dans le mouvement
ouvrier de la société industrielle, mais ce mouvement
appartient aussi à l'univers historiciste et croit au développement naturel de l'humanité et au progrès des forces productives. En termes plus concrets, il est constamment
mêlé à l'idée socialiste dont je me suis efforcé depuis longtemps de montrer qu'elle était d'une autre nature. Plus on
s'attache à une analyse historique, plus on donne d'impor-

tance à l'action socialiste ; c'est quand on écarte ce type d'approche qu'on découvre un mouvement social voisin d'autres mouvements, plus anciens ou plus récents, qui émergent eux aussi de forces historiques aussi caractéristiques de leur époque que le socialisme le fut de la société industrielle.

Ainsi se trouve poussée à l'extrême la représentation du Sujet comme le contraire d'un principe organisateur d'une culture et d'une société, comme le contraire d'une religion, d'une philosophie ou d'une idéologie. Le Sujet ne peut être saisi qu'en situation sociale, en position de résistance et d'appel contre un ordre ou un pouvoir. Le Sujet ne se définit pas par des institutions ou des idéologies, mais à la fois dans les rapports sociaux et dans la conscience de soi, dans l'affirmation du Je qui s'oppose à tous les rôles dont est fait le Soi. L'action, c'est-à-dire la modification de la situation, se conçoit difficilement sans cette distance prise à l'égard de l'ordre établi, sans ce levier qui permet de le déplacer. Si l'appel au Sujet personnel se confond avec une mobilisation collective, un nouveau pouvoir se met en place, plus contraignant que le précédent. Inversement, si l'appel au Sujet n'est qu'une protestation, il ne donne naissance qu'à une contre-culture, vite étouffée sous le poids des normes communautaires ou vite déchirée par des luttes de pouvoir. L'appel au Sujet unit engagement et dégagement, liberté personnelle et mobilisation collective. Tels sont toujours les mouvements sociaux, qui ne sont pas des mobilisations de masse, mais des appels au non-social pour transformer le social.

Le Sujet est-il historique ?

Dans de nombreux écrits, j'ai employé l'expression : *le sujet historique*. Je reconnais qu'elle était chargée d'historicisme et qu'on pouvait y lire l'identification du sujet et de l'histoire, comme si le prolétariat, après l'État prussien ou la Révolution française, était la réalisation de l'Esprit, l'agent de la totalité. En réalité, la lecture de ces écrits, en particulier de ceux que j'ai consacrés au mouvement ouvrier, montre que n'aurait pas dû s'introduire un tel malentendu, car j'ai toujours conçu les mouvements sociaux comme des acteurs, et même comme des sujets définis par leur lutte pour devenir des acteurs. Le mouvement ouvrier repose sur la « conscience fière » des ouvriers de métier et non sur la « conscience prolétarienne », ai-je démontré dans *La Conscience ouvrière*. C'est pourquoi je ne veux pas, aujourd'hui encore, abandonner l'expression « le sujet historique » pour désigner non pas l'histoire comme sujet mais les mouvements sociaux à travers lesquels les orientations culturelles d'une société reçoivent leur forme sociale, toujours changeante au gré des conflits et des négociations entre adversaires. Car il ne faut pas choisir entre sujet historique et sujet personnel ; le sujet est à la fois historique et personnel ; c'est en situation sociale comme en situation interpersonnelle ou dans le rapport de l'individu à lui-même que se manifeste le sujet qui cherche à se trouver en se libérant à la fois des formes éclatées de la modernité et des pouvoirs qui réduisent tout aux conditions de leur propre reproduction et de leur renforcement. Il faut toujours retrouver le sujet *personnel*, l'individu comme sujet, au cœur des *situations historiques*, comme il faut reconnaître aujourd'hui que ce sont les problèmes de la vie privée, de la culture et de la personnalité qui sont au cœur de la vie publique.

C'est sur l'unité profonde de toutes les formes d'appel au Sujet qu'il faut conclure. La foi religieuse est moins éloignée de la révolte de Rimbaud qu'elles ne le sont l'une et l'autre aussi bien du pouvoir clérical que de l'utilitarisme marchand. Et dans l'Occident d'aujourd'hui où semblent triompher le libéralisme à tout va et la confiance la plus naïve dans les vertus du marché, il serait absurde de ne pas reconnaître et défendre toutes les manifestations du Sujet, de quelque côté qu'elles viennent, qu'elles soient proférées par celui qui croyait au Ciel ou par celui qui n'y croyait pas.

L'avancée vers plus de modernité, au lieu d'éloigner du passé, le réinterprète et s'en sert comme défense contre le pouvoir des systèmes et des appareils. Les intellectuels ont plus souvent cherché refuge contre la société technicienne dans la nostalgie de l'Être ou dans la jouissance esthétique, mais c'est cette rupture volontaire avec le monde moderne qui, poussant à l'extrême la critique de la conception rationaliste de la modernité et ne la remplaçant par rien, a pro-

voqué la séparation croissante des intellectuels et des
acteurs de la société. Séparation qui a donné un temps l'illusion de l'influence exercée par les intellectuels, avant que
les contradictions de leurs positions n'apparaissent. L'importance centrale de Jean-Paul Sartre tient à ce que sa pensée et sa vie ont traversé toutes les étapes de cette grandeur
et de ce déclin des intellectuels. Créateur d'un individualisme engagé qui unissait la critique du Moi et la critique
sociale, il fut, comme défenseur du mouvement anticolo-
nialiste, capable de donner un contenu historique positif à
la critique de la société et de sa propre personnalité. Philosophe de la liberté, il affirme que « l'homme n'est rien d'autre que son projet ; il n'existe que dans la mesure où il se
réalise ; il n'est donc rien d'autre que l'ensemble de ses
actes, rien d'autre que sa vie » (*L'Existentialisme est un
humanisme*, p. 55). Mais cette liberté, lui fait observer
Pierre Naville, semble bien indifférente aux déterminismes
sociaux. C'est en effet ce subjectivisme, cette absence de
conception du Sujet comme mouvement social, c'est-à-dire
réagissant à une domination sociale, qui conduit Sartre,
de bonne heure, à reconnaître le poids écrasant des déterminismes sociaux et des dominations et à réduire sa vision
à une analyse purement critique de l'ordre bourgeois ; c'est
ce qui le conduit à s'enchaîner, dès 1953, au moment où
était présenté le rapport Khrouchtchev, à un marxisme
jugé « indépassable », lequel limita peu à peu, sans jamais
le détruire complètement, son individualisme anti-Moi,
pour le remplacer par un gauchisme purement critique qui
devait l'amener tout près des terrorismes et l'éloigner de la
réalité sociale. Histoire d'une vie qui ne doit pas être jugée
comme un échec ou une déviation, car Sartre garda constamment présent le souci du Sujet, ainsi qu'en témoigne
sa conception de l'action collective, fondée sur le serment
volontaire et la rupture du pratico-inerte. Les intellectuels
de la génération postérieure s'enfermèrent beaucoup plus
complètement que lui dans un antimodernisme qui tourna
le dos à sa démarche critique et provoqua entre les intellectuels et la société une rupture dans laquelle Sartre lui-
même ne se laissa jamais entraîner, ce qui lui valut une
influence exceptionnelle, qui survivra à la critique de ses
erreurs de jugement politique.

La grande affaire aujourd'hui, alors que cette intelligentsia, soit purement critique, soit collaboratrice des pouvoirs despotiques post-révolutionnaires, a perdu son influence, est de créer une conception de la modernité qui soit riche à la fois de sa vigueur critique et de sa confiance en un Sujet rendu plus présent que jamais par la nature des nouvelles formes de domination.

Cette insistance, au total plus grande sur le dégagement du Sujet que sur ses engagements, correspond trop bien à une période de chute des régimes post-révolutionnaires et de montée de l'individualisme pour ne pas appeler aussitôt une sérieuse mise en garde. Qu'il soit clair, d'abord, que le Sujet ne se confond pas plus avec l'individu-contre-les-pouvoirs qu'avec le peuple-en-marche. Dans ces deux figures, le Sujet peut être présent ; dans les deux aussi, il est menacé ou détruit. D'un côté, par les avant-gardes qui parlent au nom du peuple et construisent un pouvoir d'État qui dévore celui-ci ; de l'autre, par la société de consommation qui donne l'illusion de la liberté au moment où le rang social détermine le plus directement les choix des consommateurs.

Au-delà de ce rappel élémentaire mais indispensable, il faut affirmer que les demandes les plus personnelles ne sont pas séparables de l'action collective. Il n'y a pas de choix entre l'individuel et le collectif, mais entre la production de la société et sa consommation, entre la liberté et les déterminismes sociaux qui, l'une comme les autres, se manifestent aussi bien au niveau des conduites individuelles qu'à celui de l'action collective.

Le Sujet n'est pas la conscience du Moi, encore moins la reconnaissance d'un Soi social *(Self)*. Il est au contraire dégagement de l'image de l'individu créé par les rôles, les normes, les valeurs de l'ordre social. Ce dégagement ne s'opère que par une lutte dont l'objectif est la liberté du Sujet et dont le moyen est le conflit avec l'ordre établi, les comportements attendus et les logiques de pouvoir. Il ne s'opère que par la reconnaissance de l'autre comme Sujet, aussi bien positivement, par la relation d'amour ou d'amitié, que négativement, par le refus de ce qui empêche l'autre d'être Sujet, que ce soit la misère, la dépendance, l'aliénation ou la répression. Celui qui se dit Sujet et ne voit pas à côté de lui celui qui est réduit au silence ou à la mort ne peut tromper ni les autres ni lui-même et ses comportements doivent être expliqués non du dedans, mais du dehors, comme expression de ses intérêts et de l'idéologie qui les défend. Inversement, un mouvement social ne se réduit jamais ni à la défense d'intérêts ni à la conquête du pouvoir par un groupe social. Il est toujours au service de la liberté personnelle et peut revendiquer pour lui la devise de la Révolution française : Liberté, Égalité, Fraternité. Cette union étroite et constante de la liberté du Sujet et des luttes collectives de libération est plus facile à percevoir aujourd'hui que jamais, car le monde ne semble occupé que par le face-à-face des despotismes et du marché, du pouvoir absolu et de la grande bouffe. De sorte que ceux qui demandent la liberté et la responsabilité du Sujet et ceux qui cherchent à faire renaître les mouvements sociaux marchent naturellement à la rencontre les uns des autres.

L'espoir

La présence du Sujet dans l'individu doit être perçue à la fois comme distanciation de l'individu par rapport à l'ordre social et comme expérience vécue immédiate. Les textes religieux sont remplis de témoignages sur cette présence absente, et la littérature essaie souvent de reconstruire cette expérience, dans l'œuvre de Bernanos par exemple, et surtout dans celle qui domine, avec celle de Malraux, la réflexion en français sur notre siècle, *Le Soulier de satin*, de Claudel, où l'impossible amour, plus attiré par le dépassement que par la possession, n'est jamais renoncement au monde mais vit, dans le monde, dans ses aventures comme dans sa trivialité, sous la lumière de Dieu.

Ce langage n'est guère éloigné d'autres qui ne font pas référence à Dieu. La distance est beaucoup plus grande entre ceux qui croient au Sujet et ceux qui croient seulement à l'intérêt et aux normes sociales qu'entre deux images du Sujet, même si l'une croit au Ciel et l'autre pas. La présence du Sujet sous toutes ses formes témoigne de la satisfaction qui naît de l'équilibre entre les attentes de chacun et ce que lui offre la situation dans laquelle il est placé. L'idée de satisfaction est inséparable de la soumission de l'individu à la société, même quand certains l'identifient au bonheur. Ce qu'exprime clairement Diderot, auteur probable de l'article « Société » de l'*Encyclopédie* : « Toute l'économie de la société humaine est appuyée sur ce principe général et simple : je veux être heureux. » Ce que la société contemporaine, où s'est étendu le domaine des consommations marchandes, exprime mieux par le mot plaisir, parlant même de *fun morality*. Ce goût du plaisir est libérateur — car rien n'est plus ambigu qu'un puritanisme juché sur de grands principes et qui impose en même temps une intégration autoritaire au nom d'une collectivité étouffante —, mais il est trop bien accordé avec les intérêts des marchands, prompts à mesurer l'individualisme à l'échelle de leur chiffre d'affaires.

L'expérience du Sujet ne place pas davantage l'individu hors du monde. Elle ne se traduit pas par la fusion dans un sens venu de l'au-delà ou dans le social lui-même. Elle est associée à l'espoir qui est distanciation, éloignement, mais qui est aussi attente de possession. Mouvement concret de la joie vers un bonheur difficile plutôt qu'impossible, *l'espoir* combine joie et bonheur, ou plutôt tend ses forces entre un mouvement et une jouissance.

La modernité n'est pas séparable de l'espoir. Espoir mis dans la raison et dans ses conquêtes, espoir investi dans les combats libérateurs, espoir placé dans la capacité de chaque individu libre de vivre de plus en plus comme Sujet. Les sociétés traditionnelles, y compris dans leur dimension rationaliste, appellent des morales de la soumission à l'ordre, voire d'effacement du désir et de l'individualité. Les religions du salut sont aussi dominées par l'idée de la chute et le Sujet ne s'y découvre qu'à travers la culpabilité, la conscience du péché d'où naît l'appel à la grâce et à la rédemption, et c'est seulement à travers l'identification au Sauveur que le pécheur découvre qu'il participe au Dieu créateur, par la raison comme par la foi. La conscience moderne, au-delà de la diversité et de l'opposition même de ses formes, est une affirmation de l'espoir qu'elle place en l'être humain et en la lutte pour éliminer la culpabilité. Entreprise dangereuse au cœur de laquelle plus d'une fois l'espoir de libération se transforme en simple appétit de consommation, vite manipulé par le pouvoir de l'argent ou de la force. Mais rien ne peut limiter cet effort vital pour remplacer la culpabilité par l'espoir, et donc le renoncement par la libération. Dominants et dominés, chacun à leur manière, donnent une forme sociale à cet espoir : les premiers en appellent à l'individu, comme énergie et désir, comme besoin ; les seconds ne le saisissent qu'à travers les contraintes et les entraves dont ils veulent le libérer. Mais les uns comme les autres croient que l'action, si elle a force de libération, est aussi création de soi. Parfois, cette vision générale est chargée d'optimisme et s'incarne dans des œuvres et dans une confiance très forte dans la puissance de la raison ; parfois, au contraire, elle cherche dans le retrait une protection contre des formes de domination dont elle ne parvient pas à dominer les effets. Mais face de lumière et face d'ombre de l'espoir moderne ne peuvent jamais être séparées, car sans lumière perçue ou espérée l'action n'a plus de sens, et sans ombre midi est immobile et rien ne peut déranger l'ordre parfait. Dans les sociétés traditionnelles, ce qui limite l'action est l'isolement, l'ignorance, la dépendance ; dans les sociétés modernes, c'est l'agitation, la prolifération des bruits, la consumation de tous les biens de consommation. Des deux côtés, l'espace de la non-action, du non-espoir, est immense. Mais ce qui oppose l'action fondée sur la culpabilité et la grâce à l'action qui repose sur la liberté et l'espoir n'est pas plus important que ce qui oppose le temps vide de la pénurie à celui, accéléré, de l'abondance.

Pendant une période intermédiaire entre le monde de la tradition et le monde de la modernité, les hommes ont joué aux créateurs, ruse qui leur permettait de s'affirmer hors de l'influence de Dieu et d'imiter celui-ci en utilisant leur raison, dont ils continuaient à penser qu'elle était l'attribut du Dieu qui avait créé un monde intelligible. L'homme fut si occupé à devenir un dieu qu'il devint fasciné par son propre pouvoir et qu'il s'identifia à ses œuvres, jusqu'à ce que l'héroïsme des débuts ait fait place à une demande de consommation dont l'apparente médiocrité était compensée par le fait qu'elle mettait en mouvement et enrichissait un nombre rapidement croissant d'individus et de catégories sociales. Il faut donc maintenant, pour ne pas disparaître dans les sables mouvants de la société de masse, que l'homme moderne revienne à lui-même, inventeur non pas seulement du mouvement, mais de la distance à soi-même, non pas seulement du progrès, mais aussi de la liberté. C'est sur ces interrogations et sur le retour à soi que se termine un siècle où les hommes se sont engagés aussi complètement dans le totalitarisme, la guerre et la société de masse qu'ils s'étaient longtemps perdus de vue dans une nuit où les seules lumières venaient des étoiles, signes de l'ordre du monde et des intentions de Dieu.

Retour au Sujet. Sujet qui n'est pas seulement refus de l'ordre, qui est aussi désir de soi-même, désir de l'individu d'être responsable de sa propre vie, ce qui implique à la fois une rupture avec les rôles et un effort constant de reconstruction d'un monde qui soit organisé autour d'un vide central où puisse s'exercer la liberté de tous. L'idée de Sujet reste à égale distance de l'individualisme et de la recherche utopique d'une nouvelle communauté, d'une société fondée sur des valeurs intégratrices. Elle en appelle à l'homme qui est dans le monde plutôt que du monde, qui transforme sa situation sociale en vie privée comme il transforme la reproduction de l'espèce en relations amou- reuses et en famille, comme il trouve dans son apparte- nance à une société particulière une voie d'accès à des sociétés et à des cultures différentes. Nous avons été si longtemps appelés à nous intégrer, à nous identifier, à nous sacrifier et à réprimer ce qu'il y a de plus personnel en nous, que nous sommes d'abord attirés par un indivi- dualisme de la consommation par lequel nous sommes si facilement floués. Mais l'exigence d'être Sujet est aussi constamment présente. Et elle est plus forte, parce qu'elle est seule capable de se défendre contre toutes les stratégies de domination de l'ordre social.

Cette exigence semble au premier abord être à la recherche d'un sens de la vie personnelle, d'une histoire individuelle. La vie réussie n'est-elle pas celle qui a un sens, qui a progressé de la conception à la réalisation d'un grand projet, que celui-ci se situe dans la vie privée ou dans la vie publique, celle qui peut être reproduite dans une narration ? Pourtant, cette image, qui correspond mieux à l'idée de personne est plus dangereuse qu'utile, car elle réintroduit le rêve d'une correspondance entre l'ac- teur et le système, entre l'individu et l'histoire, dont il est indispensable de se débarrasser. Ce qui fait émerger le Sujet n'est pas l'unité d'une vie, la construction du Soi, mais le dépassement des contraintes, l'appel à la liberté, le mouvement pour relier entre eux, à travers une vie individuelle, les fragments éclatés de la modernité. La décomposition du Moi interdit au Sujet de céder aux charmes discrets du Soi.

CHAPITRE IV

L'OMBRE ET LA LUMIÈRE

Les deux faces du Sujet

Le Sujet n'est-il que volonté de dégagement, distance à l'égard des rôles imposés, liberté de choisir et d'entreprendre ? S'il en était ainsi, il ne serait qu'un autre nom de la raison, principe de transformation du monde. Il serait le prince de la société moderne. Mais la défense du Sujet ne se réduit pas à l'affirmation active de sa liberté ; elle s'appuie aussi sur ce qui résiste au pouvoir des appareils de production et d'administration. Autant qu'une âme, le Sujet est un corps ; autant qu'un projet, une mémoire, des origines. Ce qui apparaît clairement dans tous les mouvements sociaux. Le mouvement ouvrier est volonté de libération sociale, mais il est d'abord défense de l'autonomie ouvrière, d'un métier, d'une ville ou d'une région. Les mouvements nationaux luttent pour l'autodétermination et l'indépendance, mais aussi pour la défense d'un territoire, d'une histoire, d'une langue et d'une culture. Un des premiers soucis de *Solidarność* en Pologne en 1981 fut de dresser des monuments rappelant de grands moments ou des personnages de l'histoire nationale qui avaient été interdits ou occultés par le régime communiste. En Union soviétique, les premières ruptures sont souvent venues d'hommes qui puisaient dans leurs convictions religieuses la force de se lancer dans un affrontement direct avec le régime, ce qui n'enlève rien de son importance à la pensée critique de Sakharov, mais rappelle que les grandes luttes pour la liberté ont toujours ces deux faces complémentaires : appel à la raison critique et résistance de convictions morales et d'appartenances culturelles ou sociales à un pouvoir absolu. Le Sujet sort des rôles que lui donne le système social par son appel à une communauté d'origine et de croyance en même temps que par le « souci de soi » et la recherche de la liberté personnelle.

Quand l'esprit moderne se soucie surtout d'ébranler l'ordre traditionnel, la raison et la volonté de liberté individuelle semblent associées l'une à l'autre, mais plus l'ordre hérité est remplacé par l'organisation de la production et par des appareils de gestion, plus cette association se défait, tandis que se renforce celle des deux faces du Sujet, la face défensive et la face libératrice, la référence à la communauté et l'appel à la liberté personnelle. Quand la modernisation n'est plus endogène, quand elle n'est plus produite par le travail propre de la raison appliquée à la science et aux techniques, mais par une mobilisation sociale et culturelle contre les « ennemis de la liberté », contre les obstacles à la transformation de la société et de la culture, c'est avec le passé qu'on construit l'avenir et tout progrès vers l'avant est vécu aussi comme retour à des origines plus ou moins mythiques. Comment des pays colonisés ou dominés ne se méfieraient-ils pas d'un rationalisme identifié par eux à la puissance dont ils subissent le poids ? Comment n'opposeraient-ils pas leur histoire et leur culture à un pouvoir hégémonique qui s'identifie à la modernité et à la raison et qui considère comme universelles les formes d'organisation et de pensée qui correspondent aussi à ses intérêts particuliers ?

Mais autant il est impossible de se satisfaire d'un universalisme abstrait, autant sont évidents les dangers des appels à la différence, à la communauté définie de telle manière qu'elle n'entretient plus avec d'autres sociétés ou cultures que des rapports d'éloignement, de rejet ou d'agression. Qu'il s'agisse d'individus ou de nations, une première conclusion s'impose : seules certaines formes de combinaison entre l'appel universaliste à la raison et la défense d'une identité particulière contre les forces générales que sont l'argent et le pouvoir permettent l'existence du Sujet. Celui-ci est détruit par leur rupture, aussi bien par la logique économiste ou technicienne qui en appelle à la raison que par les appels politiques ou religieux à la communauté et aux valeurs dont elle est le dépositaire privilégié. Avant même de rechercher les formes que peut prendre la combinaison de ces forces opposées, il faut écarter avec la même rigueur ces deux positions opposées qui se heurtent sans conciliation possible, dans le monde politique comme dans les idées, et dont le conflit risque de rendre impossible la formation du Sujet.

La philosophie des Lumières avait cru à la nature de l'homme et Voltaire, en particulier, cherchait à comprendre non pas la transformation de cette nature grâce au progrès, mais sa révélation, tandis que Montesquieu s'employait à dégager l'esprit des lois. L'historicisme introduisit une rupture avec cet universalisme qui ne cessa de s'approfondir. Nous sommes de plus en plus sensibles à la multiplicité des voies du changement comme à celle des systèmes politiques ou des représentations de la société. Ce qui n'entraîne nullement à abandonner toute définition générale de la modernité, mais à ne jamais séparer les enjeux généraux des moyens particuliers et des histoires différentes par lesquels individus et nations cherchent à les atteindre et à les mettre en forme. C'est pourquoi la raison et la nation ne s'opposent plus depuis que Herder, philosophe des Lumières et disciple de Leibniz, a associé la connaissance du progrès à celle de l'esprit des peuples *(Volksgeist)*.

La nation peut être une figure collective du Sujet. Elle l'est quand elle se définit à la fois par la volonté de vivre ensemble dans le cadre d'institutions libres et par une mémoire collective. Il est devenu habituel d'opposer une conception française de la nation, fondée sur un libre choix et sur l'affirmation révolutionnaire de la souveraineté nationale contre le roi, et une conception allemande de la nation comme communauté de destin *(Schicksalsgemeinschaft)*. Rien n'est plus artificiel et même dangereux. Dangereux, car cette volonté collective peut aisément être réduite au pouvoir absolu de quelques-uns qui imposent à tous leur volonté au nom de la nation, surtout quand celle-ci est en guerre. Artificielle, surtout, car ceux qui ont exprimé avec le plus de force la conscience nationale française, Michelet, Renan, Péguy, le général de Gaulle, ont fortement ressenti la personnalité physique et historique de leur pays, son corps et son âme autant que ses institutions, le pays autant que la République. Ils avaient raison, car un Sujet est toujours à la fois liberté et histoire, projet et mémoire. S'il n'est que projet, individuel ou collectif, il se confond avec ses œuvres et disparaît en elles ; s'il n'est que mémoire, il devient communauté et doit se soumettre aux dépositaires de la tradition.

De là la difficulté et l'importance de l'intégration des nouveaux venus dans la nation. Car il ne suffit pas qu'ils acquièrent par intégration sociale, assimilation culturelle et naturalisation les normes, les genres de vie et les droits des citoyens ; il faut aussi qu'ils participent à une mémoire que leur présence doit à son tour transformer. Il est aussi faux d'exiger d'eux qu'ils acquièrent une mémoire dans laquelle ils n'ont pas de place que de se satisfaire d'un multiculturalisme dénué de contenu réel. Il faut que la mémoire collective soit vivante, qu'elle se transforme constamment pour jouer son rôle d'intégration au lieu d'imposer aux nouveaux venus une leçon d'histoire intangible et devenue mythologie nationaliste.

La tradition moderniste issue des Lumières s'est souvent voulue étrangère à l'esprit national, au nom de la libre circulation des idées autant que des hommes et des biens. Ce qui a contribué à créer des conflits de plus en plus violents entre cet universalisme trop évidemment lié aux nations dominantes et un nationalisme défensif qui a parfois pris la forme extrême du racisme. Pierre-André Taguieff a très justement critiqué les dangers d'un antiracisme à l'universalisme aussi agressif que le racisme auquel il répond. Si la conscience nationale prend tant d'importance dans le monde entier, c'est parce qu'il n'y a pas de Sujet personnel en dehors d'un Sujet collectif, c'est-à-dire de l'union d'une libre volonté collective et d'une mémoire historique. Et c'est dans les nations qui ont le mieux associé ces deux éléments que se forme le plus fortement l'affirmation du Sujet personnel, y compris contre les pressions de l'identité nationale comme de toutes les appartenances sociales. Il n'y a pas de démocratie là où la collectivité nationale n'existe pas, parce qu'elle est segmentée en régions ou en ethnies ou parce qu'elle est brisée par une guerre civile. Il faut que la nation existe pour que la société civile puisse se libérer de l'État et pour que les individus soient à même de conquérir leur liberté personnelle au sein de cette société. Le Sujet, collectif autant qu'individuel, est indissolublement âme et corps, et seule une conception trop étroite de la modernité a pu identifier celle-ci à l'esprit contre le corps, à l'avenir contre le passé. C'est dans leur intégration que la modernité s'accomplit.

Le retour de la mémoire

Plus l'emprise des sociétés modernes sur leur existence est forte, aussi bien comme conséquence d'un développement économique et de changements sociaux accélérés que comme effet de politiques de plus en plus mobilisatrices, plus se renverse le rapport entre dominants et dominés. Dans les sociétés qui entraient dans la modernité, le tiers état se définissait par son activité et les ordres supérieurs par des privilèges hérités ou attachés à des fonctions non économiques, religieuses ou militaires. Dans les sociétés les plus modernisées, au contraire, les dirigeants sont des chefs d'entreprise ou des gestionnaires privés ou publics, tandis que les dirigés se définissent de moins en moins comme travailleurs et de plus en plus par des caractères naturels, particuliers ou collectifs, par leur personnalité individuelle d'un côté, par leur appartenance à une communauté culturelle, à un groupe ethnique ou à un sexe *(gender)* de l'autre. Le champ des interventions organisées de la société dans la vie des individus s'élargissant sans cesse, ce qui est le plus privé se trouve à son tour incorporé dans la vie publique. Les rapports et les conflits sociaux qui étaient limités d'abord à des redevances dues au seigneur ou au roi, ensuite à l'activité professionnelle, s'étendent à la consommation, donc à l'ensemble de la culture et de la personnalité. Conclusion qui s'oppose directement à l'idée très répandue d'une réduction croissante des rapports et des conflits sociaux à des champs limités. Les deux idées, néanmoins, ne sont pas contradictoires. La modernité se définit bien, comme l'a dit Weber, par une différenciation croissante des diverses fonctions sociales, mais elle entraîne aussi un élargissement de l'emprise des centres de décision sur l'expérience vécue des individus et des groupes. Nous sommes entraînés de plus en plus complètement dans la modernité et soumis par conséquent aux initiatives et au pouvoir de ceux qui dirigent une modernisation qui transforme tous les aspects de l'organisation sociale.

De là cette situation apparemment paradoxale : jamais, dans une société qui se définit par ce qu'elle fait (*achievement*), les statuts transmis (*ascribed*) n'ont eu autant d'importance. L'idée heurte ceux qui restent attachés à l'image classique de la modernité comme rationalisation. Elle est rejetée, en particulier, par les féministes libérales, qu'elles soient radicales ou modérées, dont l'objectif principal est l'émancipation des femmes, c'est-à-dire le rejet de toute nature féminine, condition nécessaire de l'égalité des chances. Mais les succès de ce courant ne peuvent cacher la présence croissante de femmes attachées à leur différence, soit dans le mouvement de libération des femmes lui-même, soit dans la vie publique, ce que montrent en particulier les recherches sur la condition et l'action des femmes dans la culture comme dans la société. De la même manière, les catégories d'âge jouent dans la vie publique, politique ou culturelle, un rôle croissant qui n'implique naturellement pas que les jeunes ou les vieux ne soient pas aussi situés dans diverses catégories de revenu ou d'éducation. Enfin, comment ne pas reconnaître que l'entrée du tiers-monde sur la scène politique mondiale s'accompagne de références de plus en plus constantes à des identités ethniques, nationales ou religieuses : on parle des Arabes ou des nations qui étaient soumises à l'Union soviétique ou de l'Islam, et aussi des Basques et des Irlandais, alors qu'on parlait davantage naguère du capitalisme, de la classe ouvrière et du socialisme. Cette constatation n'apporte pas de réponse à la question brûlante des dangers que comporte ce retour aux communautés, aux catégories d'âge et de sexe, ou à l'ethnicité ; mais elle empêche de la considérer comme un reliquat du passé destiné à disparaître. Telle fut l'illusion du rationalisme : les Lumières devaient chasser les ombres, voire les ténèbres, maintenues par la famille, la nation, la religion. La modernité que nous vivons est bien différente : nous y entrons corps et âme, raison et mémoire unies. Au point que le champ public des sociétés modernes semble avoir incorporé des préoccupations qui débordent tellement les réalités sociales et politiques que celles-ci apparaissent parfois comme moins décisives qu'autrefois. Les plus importantes de ces préoccupations concernent d'un côté la sexualité, de l'autre l'environnement.

Le thème de la sexualité ne se confond pas avec celui de la condition féminine ou masculine, ce qui justifie la séparation que fait la langue anglaise entre *gender* et *sex*, qui ne s'est pas imposée en français. La pensée freudienne, on l'a dit, proche ici de celle de Nietzsche, a rompu définitivement avec l'image classique du Moi comme volonté éclairée par la raison, comme gouvernement de l'individu par lui-même, et le souci moderne de la sexualité a introduit le sacré, l'au-delà ou plutôt l'en-deçà du social dans le champ de la parole, alors que la religion maintenait le sacré à distance, surtout dans les religions révélées.

Le souci de l'environnement, l'importance croissante des partis écologistes marquent de manière encore plus spectaculaire le renversement des idées et des sensibilités. Souvent, les écologistes apparaissent même comme hostiles à la modernité, comme si les pays les plus modernes, après avoir réussi leur décollage, devaient pour le moins remplacer la croissance destructrice de l'environnement par la stabilité et l'équilibre, tandis que les tard venus à la modernité devaient se garder d'imiter un mode de modernisation aussi prédateur que celui qui avait été suivi par les pays aujourd'hui les plus riches et les plus puissants. Mais cette formulation reste superficielle, même si elle correspond souvent aux raisons qui conduisent un grand nombre de personnes à adhérer à des campagnes environnementalistes ou écologistes. Car elle oppose ce que l'écologie et, plus largement, la biologie tendent plutôt à rapprocher : la nature et l'action humaine. La première modernité les a opposées et elle a exalté la domination humaine de la nature. Aujourd'hui, la tendance est au contraire à affirmer, avec les écologistes de formation scientifique, que l'action transformatrice de l'homme doit prendre en compte les effets de plus en plus divers et éloignés qu'elle exerce sur toutes les parties du système où elle se place. Plus les hommes affirment leurs capacités créatrices, mieux ils en connaissent les conditions et les limites, et plus ils définissent aussi la culture comme interprétation et transformation de la nature et non plus comme répression ou destruction de celle-ci. Ce qui vaut pour l'expérience individuelle vaut, de la même manière, pour l'activité collective, en particulier dans l'ordre économique.

La définition de la modernité comme triomphe de l'universel sur le particulier devrait appartenir au passé. Les
pays qui ont joué un rôle éminent dans la création de la
modernité ont eu tendance à s'identifier à une forme ou à
une autre d'universalisme. C'est vrai autant de la Grande-
Bretagne que de la France, et plus récemment des États-
Unis, ce qui a contribué à renforcer la vocation coloniale
de ces pays. La France a donné une forme politique très
forte à cette conviction, en s'identifiant aux principes proclamés par la Révolution française, moment privilégié de
communication directe entre une nation et des principes
de portée universelle. Aujourd'hui, même s'il faut comprendre les raisons et la force de cette croyance, qui n'en
voit l'artifice et le caractère idéologique ? L'impact de l'essai de Weber sur les relations du protestantisme et du capitalisme s'explique en grande partie par le démenti qu'il
apporte à la conception classique qui voyait s'élever les
Lumières sur les ruines des croyances religieuses, et la
pensée allemande depuis Herder s'est souvent souciée d'associer la recherche de la modernité à la défense d'une
culture et d'un peuple que l'histoire semblait avoir
condamnés à un rôle marginal. Ne doivent triompher ni
les prétentions au monopole de l'universalité, ni les revendications d'une spécificité absolue, d'une insurmontable
différence avec tous les autres. La rationalisation est liée à
l'émergence d'un sujet qui est fait à la fois de liberté revendiquée, et d'histoire personnelle et collective affirmée. De
là vient, en particulier, l'influence des Juifs. Si certains se
fondent dans la population et si d'autres s'enferment dans
une orthodoxie extrême, un grand nombre combinent de
manière remarquable l'universalisme de la pensée, de la
science et de l'art, avec une conscience d'identité et une
mémoire historique très vives.

Les pièges de l'identité

Cette défense d'une tradition culturelle est au plus loin
de l'affirmation d'une identité qui ne se définirait que par
l'opposition à une menace étrangère et la fidélité à un

ordre social. Une telle affirmation se rencontre plus souvent parmi les dominés que parmi les dominants, portés
au contraire à s'identifier à l'universel. Ceux qui se sentent
menacés, qui ont échoué dans leur effort d'ascension individuelle ou collective, qui se sentent envahis par une
culture ou des intérêts économiques venus du dehors, se
figent dans la défense d'une identité transmise dont ils sont
les dépositaires plutôt que les créateurs. Mais cette affirmation d'identité est artificielle. Les dominés sont attirés
par le monde dominant, comme les travailleurs des pays
pauvres émigrent vers les pays riches qui peuvent leur pro-
curer des emplois et des revenus supérieurs, même s'ils
doivent accepter de devenir, dans la société où ils entrent,
des déracinés, pauvres, exploités et souvent rejetés. La
revendication d'identité vient plutôt des dirigeants politiques et des idéologues des pays dominés que de la masse
de leur population. Elle justifie des politiques nationalistes
qui méprisent les intérêts des catégories les plus nombreuses au lieu de les défendre ; celles-ci recouvrent la toute-
puissance d'un État souvent militarisé, lequel se substitue
à une société qui perd sa capacité d'action autonome et se
transforme en foule ou en masse. L'antidéveloppement
peut prendre soit cette forme étatisée et militarisée soit la
forme très différente d'un populisme à dominance politique ou religieuse. Le populisme n'est pas la conscience
nationale, encore moins la volonté nationale de développement ; il subordonne les objectifs de modernisation à l'intégration sociale et culturelle, ce qui n'implique pas le rejet
de la modernité mais la rend difficile ou limitée, puisque
tout processus de modernisation entraîne des ruptures
avec le passé, des emprunts. Le populisme est toujours
animé par l'idée de la renaissance ou du retour aux origines ; il repose sur un mythe fondateur ; il ne croit pas au
progrès ni à la dépendance de la culture par rapport à
l'économie.

Gilles Kepel, dans *La Revanche de Dieu*, a montré de
manière plus précise l'opposition et la complémentarité de
l'islamisation par en haut, qui a triomphé en Iran avec le
pouvoir de Khomeyni mais a échoué dans les pays de tradition sunnite, malgré les tentatives des disciples de Sayyid
Quatab, et de l'islamisation par en bas dont le *tabligh*, venu
d'Inde, est l'instrument le plus puissant, et le Front islami-

que du salut, en Algérie, l'expression politique la plus forte. Cette islamisation s'est appuyée sur une modernisation économique accélérée, surtout dans les pays pétroliers, associée à une intégration sociale très insuffisante, en grande partie à cause de la concentration des ressources dans les mains d'un appareil politique antidémocratique. Elle ne se réduit pas à un néo-traditionalisme, au contraire débordé à la fois par les excès de la modernisation et par les mouvements populaires. En Iran, a montré Fahrad Khosrowkhavar, le renversement du shah en 1979 fut bien la victoire d'un mouvement révolutionnaire dans lequel se mêlèrent les masses pauvres et déracinées du sud de Téhéran et la jeunesse modernisatrice. Mouvement de libération qui ne trouva pas d'appui dans un pays où la bourgeoisie du Bazar avait été éliminée du pouvoir avec la chute de Mossadegh, et qui passa assez rapidement sous la direction non du clergé, mais de Khomeyni, presque le seul dirigeant religieux à s'être engagé dans la lutte politique contre le shah. Le néo-communautarisme religieux n'est donc pas séparable d'un mouvement social dont il constitue la phase défensive avant de servir d'appui à la formation d'une dictature théocratique. L'alliance de masses déracinées et prolétarisées et d'étudiants sans perspectives professionnelles provoque une réaction antimoderne de piétisme, de renforcement communautaire ou même de mobilisation politique islamiste. Ici comme en d'autres cas le retour du religieux résulte de l'échec de l'intégration sociale, associé à la diffusion des produits de la croissance et l'impuissance des forces politiques « progressistes » écrasées par l'État nationaliste. Ces mouvements culturels ou politiques conduisent à la lutte contre toutes les formes d'individualisme. Mais autant il serait dangereux de masquer le caractère de fermeture et de contrôle culturel autoritaire que représentent ces mouvements et les régimes qui s'appuient sur eux, autant il est impossible de se borner à leur opposer un modèle social et culturel purement rationaliste, car celui-ci est fortement associé aux rapports de domination qui contribuent à la désintégration de sociétés frappées par une modernisation venue de l'extérieur.

Le monde, à la fin du xxe siècle, apparaît déchiré entre ces forces contraires : d'un côté la raison subjective, instrumentale, emprisonne les plus riches dans une logique qui est celle du désir autant que celle de la puissance ; de l'autre, l'appel défensif à l'identité paralyse les nations dominées ou pauvres. Comment se satisfaire de cette rupture, dont les conséquences sont destructrices des deux côtés et qui suscite des antagonismes inexpiables entre les pauvres, humiliés, et les riches, méprisants ou paternalistes ? Au moment où disparaît l'affrontement entre le capitalisme et le socialisme par la victoire de l'économie de marché et l'écroulement des économies administrées, et où cette victoire est saluée par ceux qui croient qu'ainsi s'achève l'ère des grands conflits et des grands choix historiques, on voit éclater un conflit plus profond encore, culturel en même temps que social et politique, entre la technique et la religion, entre ce que Tönnies appelait à la fin du siècle dernier la société et la communauté, la première associée à la rationalisation, la seconde à la défense de valeurs qui s'identifient à des formes d'organisation sociale.

Mais il ne faut pas opposer de manière trop simple rationalisation et communauté, car la défense religieuse de la communauté n'est que la forme extrême de la défense culturelle d'un Sujet collectif dont on ne peut jamais dissocier complètement l'affirmation personnelle de liberté. De la même manière, cette défense ne peut être opposée entièrement à une volonté de modernisation que dans des cas extrêmes. L'affrontement direct entre la technique et la religion ne doit pas masquer ce qui est plus important encore : l'interdépendance de la rationalisation et des deux faces du Sujet : liberté personnelle et communauté. De sorte que si l'affrontement est toujours présent, comme il l'est aussi entre la liberté et la communauté, entre le système social et le Sujet personnel ou collectif, il est dangereux de souhaiter la victoire d'un des thèmes sur l'autre. Une société seulement rationalisée détruit le Sujet, dégrade sa liberté en choix offerts aux consommateurs sur le marché ; une société communautaire s'étouffe elle-même, se transforme en despotisme théocratique ou nationaliste ; une société tout entière vouée à la subjectivation n'aurait plus de cohésion, ni économique ni morale. Ce que l'image de l'affrontement entre la technique et la religion apporte de plus utile, c'est l'idée que la médiation entre ces deux modes d'organisation tout à fait opposés l'un à l'autre ne peut venir que du Sujet comme liberté, qui

n'est séparable ni de la rationalisation qui le protège
contre une socialisation étouffante, ni de racines culturelles qui le garantissent contre sa réduction à l'état de
consommateur manipulé. Les deux faces du Sujet doivent
être toujours unies pour résister aux deux modes, opposés
mais également dangereux, de sa destruction au profit de
l'ordre social, ordre produit ou transmis, ordre de la
technique ou ordre de la religion.

L'ambiguïté des appels à l'identité, qui passent si aisément de la renaissance de ce qui avait été brutalement éliminé par la modernisation capitaliste à l'enfermement
dans le particularisme culturel et à l'autoritarisme du pouvoir politique qui s'en proclame le défenseur, se retrouve
dans les mouvements de défense de *l'environnement*. Ici
aussi, la tentation est grande d'éliminer le Sujet en ne
voyant plus l'homme que du dehors, comme partie d'un
système qui fonctionne selon des lois étrangères aux intentions des acteurs. Mais la juste critique de ce nouveau
naturalisme ne doit pas cacher le caractère positif de mouvements qui refusent d'identifier l'homme à ses œuvres et
qui, en reconnaissant les contraintes et les limites de la
croissance, remettent en cause les philosophies de l'histoire « progressistes » dont nous avons hérité et préparent
la nouvelle découverte d'un Sujet qui n'est ni au-dessus ni
au centre du monde, mais menacé par ses œuvres, en
même temps que libéré et renforcé par elles. L'écologie
politique, quand elle évite les pièges d'une hostilité générale à la croissance, apporte une contribution importante
au dépassement d'un historicisme auquel sont liés le mouvement ouvrier et surtout la pensée socialiste. Ses idées
sont très logiquement défendues par une fraction croissante de l'opinion dont le niveau de connaissances scientifiques est supérieur à la moyenne. Car si l'appel à la raison
permet de résister au danger d'un communautarisme et
d'un environnementalisme extrêmes, il permet plus encore
la liaison du Sujet-liberté et du Sujet-communauté, qui est
aussi un Sujet conscient de son appartenance à un milieu
naturel.

Il faut voir en effet dans la rationalisation l'alliée indispensable de l'esprit de liberté contre les contraintes de la
communauté. La raison et la liberté ne sont pas entièrement interdépendantes, car le Sujet ne se réduit pas à

l'œuvre critique et instrumentale de la raison, mais il est vrai que la raison critique protège la liberté personnelle contre le gel communautaire. Ceux qu'on appelle les Occidentaux ont raison d'opposer aux nouveaux despotismes, souvent totalitaires, qui ont succédé aux mouvements de libération sociale et nationale dans le monde communiste et le tiers-monde, l'ouverture de leur société dont l'efficacité technique s'appuie sur l'économie de marché, qui constitue elle-même la meilleure protection contre l'arbitraire, le clientélisme, la corruption et le sectarisme. Cette conception défensive de la liberté est trop limitée, mais elle est aussi trop précieuse pour être abandonnée ou brutalement critiquée.

Religion et modernité

Les rapports entre le christianisme et la modernité ont été enfermés, surtout en France et dans les pays de tradition catholique, dans une présentation idéologique brutale. La religion était le passé, l'obscurantisme ; la modernité était définie par le triomphe des lumières de la raison sur l'irrationalité des croyances. La société rurale n'était-elle pas souvent un univers étroit, plus soucieux de continuité que de changement et où l'Église — appuyée surtout sur les femmes — se souciait de maintenir son contrôle culturel sur des esprits troublés par les séductions de la ville et du progrès ? Cette vision caricaturale fut renforcée par l'affrontement des cléricaux et des laïcs qui était en effet largement celui d'une France traditionnelle avec des classes moyennes et une classe ouvrière montantes. Un tel tableau s'appuie sur des réalités indiscutables, mais il les interprète mal : il est plus vrai de dire que la résistance des sociétés rurales — et aussi urbaines — aux transformations économiques et culturelles s'est appuyée sur des croyances, comme sur des formes de propriété ou d'organisation sociale que d'affirmer que la religion joue, par nature, un rôle de conservation et qu'à l'inverse l'esprit des Lumières est toujours favorable à l'élargissement de la participation sociale. Il faut rompre avec cet évolutionnisme simplificateur qui définit la modernisation comme le passage du sacré au rationnel. Dois-je souligner une fois encore que la modernité doit être définie comme la rupture des correspondances entre le sujet et la nature ? L'image d'un monde sacré, pénétrant l'expérience quotidienne, est antimoderne, mais celle d'un ordre rationnel du monde, créé par le Logos ou par un Grand Architecte rationnel, est moins différente des représentations religieuses de l'univers que de la pensée post-cartésienne qui repose sur le dualisme du monde du sujet, de l'homme intérieur, disait Augustin, et du monde des objets. En entrant dans la modernité, la religion éclate, mais ses composantes ne disparaissent pas. *Le sujet, en cessant d'être divin ou d'être défini comme la Raison, devient humain, personnel*, devient un certain rapport de l'individu ou du groupe à eux-mêmes.

Je ne reviens pas ici sur ce qui constitue le thème central de ce livre ; en revanche, il faut préciser d'autres formes, positives ou négatives, de maintien de l'héritage religieux dans la société moderne. J'appelle ici positives les croyances et les conduites qui maintiennent une séparation entre le temporel et le spirituel. C'est là un aspect essentiel du christianisme, que des historiens et des théologiens voient aussi dans le judaïsme, dans l'islam ou dans le bouddhisme et même le confucianisme, qui ont développé une morale de l'intention éloignée de la morale du devoir. J'appelle négatives, au contraire, les croyances et institutions qui sacralisent le social.

Dans le monde occidental reste puissante l'idée que la vie sociale doit reposer sur des valeurs communes, en particulier sur des références religieuses. Cette idée revêt une force particulière aux États-Unis où la Bible est reconnue comme le fondement religieux de la Constitution et où un sociologue comme Robert Bellah souligne le fondement religieux des normes sociales dans ce pays. Ce qui rappelle que la culture politique des États-Unis est restée beaucoup plus proche du XVIIIe siècle et de son déisme que celle des pays d'Europe occidentale, plus influencés par le nationalisme du XIXe siècle.

A ce moralisme modernisateur, qui associe raison et religion et oppose donc normalité et déviance en les fondant sur des représentations à la fois sociales et religieuses, fait face une position exactement contraire, celle qui défend une communauté menacée par une modernisation vécue comme invasion. Des peuples chrétiens se sont défendus contre l'invasion turque, la nation polonaise s'est identifiée à l'Église catholique pour maintenir son identité contre la domination prussienne ou russe, et surtout une partie du monde musulman, qui a basculé depuis le début des « temps modernes » dans la dépendance et le sous-développement relatifs, fait appel à une tradition à la fois sociale, intellectuelle et religieuse contre une incorporation de type colonial dans un modèle de marché mondial des biens et des idées dominé par les puissances « centrales ». Ce qui conduit à une identification extrême du temporel et du spirituel et à la transformation de la religion en une force surtout politique, réduisant la modernité à des techniques mises au service d'une volonté de défense ou d'attaque. « Intégrisme » qui n'a pas été critiqué seulement par les laïcs, mais aussi par ceux qui pensent que le rappel à la foi islamique est la meilleure manière de lutter contre l'islamisme.

Enfin, à côté de la formation du sujet personnel, du moralisme modernisateur et du néo-communautarisme, existe une forme limitée de dissociation entre religion et modernité, celle qui conduit au développement d'une religion privée opposée à une vie publique moderne. C'est ainsi que peut s'interpréter le développement des sectes dans le monde de tradition chrétienne, aussi bien catholique que protestante. Des techniciens, des professionnels ou des employés vivent, à côté de leur vie de bureau ou d'atelier, une expérience religieuse collective, en dehors des institutions ecclésiales ou à leur marge. Ils prient ensemble ou attendent la venue de l'Esprit saint. Conduite à la fois moderne, puisqu'elle fait éclater l'unité du monde humain et du monde divin que maintenaient les Églises fortement institutionnalisées et souvent liées au pouvoir politique, et antimoderne, puisqu'elle cherche à retrouver, mais à un niveau limité, la globalité de l'expérience communautaire et la présence directe du sacré.

Ainsi s'établit un ensemble de formes culturelles issues de la religion, qui vont du néo-communautarisme ouvertement religieux à l'affirmation non religieuse mais post-religieuse du sujet personnel, en passant par le moralisme modernisateur et par la privatisation de la vie religieuse.

Conclusion bien éloignée d'une opposition brutale entre religion et modernité.

Il convient d'écarter ici toute représentation évolutionniste, comme l'impose le fait que le moralisme occupe une place importante dans un pays aussi modernisé que les États-Unis. Le propre d'une société moderne n'est-il pas de s'éloigner de son identification à un système de croyances et de valeurs, de sorte qu'elle produit à la fois des croyances favorables à la modernisation et à la sécularisation et d'autres qui lui résistent ? La société la plus moderne n'est pas la plus indifférente à la religion, la plus délivrée du sacré, mais celle qui a prolongé la rupture du monde religieux par le développement conjoint d'affirmations du sujet personnel et de résistances à la destruction des identités personnelles et collectives.

Le danger totalitaire

C'est seulement dans les pays les plus centraux que la modernisation est conçue comme la pratique de la raison. C'est ce qu'ont pensé sous des formes diverses les Anglais et les Américains et, avec plus de force encore, les Français, qui identifièrent le progrès de la raison à une volonté centrale modernisatrice. Ce qui explique que leurs philosophes conseillèrent au XVIIIe siècle les despotes éclairés de Prusse et de Russie et qu'à partir de la Révolution l'État français se soit identifié à la raison et ait réussi à convaincre une grande partie de la population — en premier lieu les fonctionnaires — de sa mission universaliste.

Mais ailleurs, à la périphérie, cette identité du fonctionnement de la modernité et des forces de modernisation ne pouvait être convaincante, et ce sont des forces non rationnelles, politiques et culturelles, comme l'indépendance nationale, la défense ou la résurrection de la langue nationale, qui ont joué le rôle central dans la modernisation, même si celle-ci s'est toujours définie aussi en termes économiques. L'Allemagne fut le premier et le plus important foyer de cette modernisation nationale, qui a triomphé non seulement au Japon et en Italie, mais aussi en Turquie, au Mexique, en Inde et en Israël, pour ne mentionner que quelques cas contemporains importants. Cette mobili-

sation nationale et culturelle n'est pas en elle-même dangereuse ; elle est en fait indispensable partout où la modernisation ne peut être entièrement endogène. Mais elle peut
basculer dans un régime où, au lieu de créer les conditions
de cette modernisation endogène, la modernisation se
transforme en simple instrument de mobilisation politique. Bismarck ou l'empereur Meiji créèrent, par l'État et
la mobilisation de la conscience nationale, des économies
et des sociétés modernes, mais c'est aussi dans ce type de
pays qu'apparut la militarisation de la société, associée à
un populisme fasciste dans le cas de l'Allemagne et de l'Italie. Il est dangereux de n'opposer au fascisme que la démocratie des pays centraux, car si on ne reconnaît de légitimité qu'à la modernisation endogène et aux libres rapports
entre ses acteurs, on ne laisse d'autres voies que le léninisme, le fascisme ou diverses formes de régime autoritaire aux pays de la périphérie où la modernisation se
heurte à de grands obstacles internes et externes.

On ne peut réduire tous les modes de développement
nationalistes au totalitarisme. Il faut examiner de près les
causes qui font basculer un mode de développement dans
l'antidéveloppement. Dans le cas des modernisations nationalistes, le danger le plus grand apparaît quand s'accroît
la distance entre l'État et la société. Ce qui conduit à distinguer deux types de rupture : ou bien la société se soulève
contre la crise et la corruption et se lance dans un populisme qui trouve vite des leaders autoritaires pour dénoncer les institutions ; ou bien, au contraire, le pouvoir central dispose de ressources économiques, politiques ou
militaires très concentrées et impose sa volonté à une
société encore peu mobilisée, fragmentée, prise dans des
réseaux locaux, familiaux ou tribaux d'appartenance. Dans
le premier cas, plus encore que dans le second, une volonté
politique unique se substitue à la pluralité des intérêts et
des opinions, et donc à leur négociation ou à leur conflit
limité. Plus la mobilisation, c'est-à-dire la modernisation
elle-même, est forte, et plus l'État, au lieu d'être seulement
despotique, devient *totalitaire*. Le XXe siècle fut avant tout
celui de la mise en mouvement de toute la planète, de la
mondialisation des processus de modernisation et
d'ébranlement des sociétés traditionnelles ; il fut donc
aussi celui du totalitarisme.

Celui-ci n'apparaît que dans les nations entraînées par un fort mouvement de modernisation, mises en mouvement par l'industrialisation, l'urbanisation et les communications de masse. Il ne laisse pas plus de place à la liberté personnelle qu'aux traditions culturelles, même aux traditions religieuses, si celles-ci ne s'identifient pas à un pouvoir d'État. Car le totalitarisme n'est pas plus religieux que techniciste ; il substitue le pouvoir absolu de l'État à l'action autonome des acteurs sociaux et de la culture, il dévore la société civile. La technique et la science sont mises au service de l'État et de sa puissance, comme l'individu est arraché à son milieu familial, local ou religieux pour être mobilisé au service de l'État, que celui-ci soit laïque ou religieux. Ce n'est pas seulement la liberté personnelle qui est détruite ; les appartenances culturelles le sont tout autant. Le totalitarisme détruit la société, la réduit à l'état de foule, de masse docile à la parole et aux ordres d'un chef. Ce triomphe du chef associe la défense de la communauté et de son identité menacée à la volonté de modernisation. Le totalitarisme détruit la société comme réseau de rapports sociaux organisés autour d'une capacité accrue de production, et la remplace par la mobilisation d'une identité au service d'une puissance collective. L'histoire se substitue à la société. La fusion du passé et de l'avenir écrase le présent et supprime l'espace public où se débattent les choix collectifs.

L'appel à la seule communauté produit un despotisme néo-conservateur ; la modernisation volontariste conduit à l'autoritarisme ; l'union de la défense communautaire et de la modernisation autoritaire produit le totalitarisme. Chacun des grands mouvements historiques nationaux, encore plus que sociaux, qui ont accompagné l'entrée de nouvelles régions dans l'économie et la société modernes a porté en lui un régime totalitaire et y a souvent basculé. Le mouvement des nationalités qui avait accompagné l'entrée de l'Europe centrale dans l'économie moderne et la décomposition des anciens empires a basculé en nationalismes autoritaires et en fascismes. La révolution russe, qui fut moins le résultat de l'action du mouvement ouvrier que d'une crise de l'ancien régime, conduisit au totalitarisme communiste qui, de Lénine à Staline et à Mao, se révéla la plus grande force politique du XXᵉ siècle. Plus récemment, les mouvements de libération nationale du tiers-monde ont donné naissance, en même temps qu'à des despotismes plus traditionnels ou à des régimes corrompus dépendant des grandes puissances, à des totalitarismes communautaires qui en appellent à une force d'unification nationale et religieuse contre une modernisation identifiée à la perte de l'identité collective et à la pénétration de produits et de mœurs venus de l'étranger. Même dans ce dernier cas, où le rejet d'une modernisation à imposer est le plus fort, il ne s'agit pas d'un despotisme conservateur, comme celui qui se maintient en Arabie Saoudite et qui repose sur la préservation des formes traditionnelles d'organisation sociale, mais, au contraire, d'une association étroite de modernisation et de nationalisme, hostile à la tradition autant qu'à la liberté personnelle.

Le *communisme* fut la forme la plus ambitieuse et la plus destructrice de l'État modernisateur révolutionnaire. C'est au nom de la science et des lois de l'histoire qu'il entreprit la destruction des anciens régimes. La Terreur jacobine avait été trop étroitement liée à la situation de guerre, étrangère et intérieure, pour se stabiliser et résister à son autodestruction. Parce qu'elle n'avait pas d'objectif historique de développement, mais seulement un objectif politique d'ordre et de transparence, rien ne put limiter son obsession de la pureté et sa lutte contre les factions et les déviations. Les régimes communistes firent souvent face aux mêmes difficultés et aux mêmes crises internes, mais réussirent à se maintenir longtemps au pouvoir en s'associant étroitement à l'idée de modernisation. Pendant des décennies, le régime soviétique s'est défini par la ligne générale de l'industrialisation et son influence fut liée dans toutes les parties du monde à ses succès dans l'ordre de l'éducation, de la santé publique, de la production et même, dans le cas de l'Union soviétique, à des prouesses scientifiques et militaires comme l'exploration de l'espace. C'est cette référence constante à la connaissance scientifique et à l'esprit des Lumières qui explique l'attrait que le communisme exerça sur les intellectuels, en particulier sur les scientifiques occidentaux. Si les régimes communistes ne succombèrent pas aux querelles entre factions dirigeantes, c'est parce qu'ils surent se transformer en une technobureaucratie autocratique et répressive. Mais cet État modernisateur devait connaître les mêmes formes de crise et de décomposition que l'idée moderniste elle-même. Appel de la consommation et donc fascination par l'Occident, esprit d'entreprise cherchant à se libérer de l'emprise de l'État, résistance de la vie privée et en particulier de l'esprit religieux, autant de forces qui ont attaqué depuis des décennies le modèle communiste jusqu'à ce qu'apparaisse enfin, en Pologne, en 1980, un mouvement social total qui constituait non pas une brèche dans le système soviétique, mais un modèle entièrement opposé au modèle soviétique, *Solidarność*. Moins de dix ans plus tard, étouffé par sa paralysie interne, son expansionnisme militaire et politique épuisant, et son impuissance à suivre les progrès technologiques et économiques de l'Occident, le système soviétique s'écroulait et son symbole, le Mur de Berlin, était détruit.

Mais ce n'est pas sur la crise d'économies et de sociétés mal modernisées qu'il faut insister ici ; c'est sur l'épuisement du modèle *révolutionnaire*, de plus en plus remplacé dans le tiers-monde par des modèles nationalistes. L'idée révolutionnaire, c'est-à-dire l'alliance entre la modernisation économique et des transformations sociales, cède la place à la défense d'une identité, parfois traditionnelle, plus souvent construite ou reconstruite, contre la modernité. Les intellectuels islamistes en particulier sont des antitraditionalistes, ce sont les réformés de l'islam, mais ils se montrent en même temps hostiles à la modernisation, même s'ils en utilisent les techniques. On voit renaître partout l'esprit de communauté contre la domination étrangère et contre les ruptures sociales provoquées par une modernisation non maîtrisée. Un *totalitarisme culturel* succède à un *totalitarisme social*, comme celui-ci, le communisme, s'était opposé au *totalitarisme national* que représentait le nazisme. A l'idée de modernisation se substitue celle de tradition, de retour à la loi révélée, et surtout de refus de la sécularisation, dont le principe central est le rejet de l'émancipation moderniste des femmes.

L'appel à la communauté n'est pas entendu seulement dans le monde islamique où les formes d'organisation politique sont souvent archaïques, c'est-à-dire incapables d'assurer une participation nationale, ou proches du despotisme éclairé inauguré par Nasser et repris par les frères ennemis du Baas en Syrie et en Irak. En Amérique latine, il prend aussi bien des expressions révolutionnaires, appuyées sur les théologiens catholiques de la libération, que la forme d'un soutien massif au pape Jean-Paul II, qui associe défense de la communauté et modernisation contrôlée. Dans l'Europe centrale et orientale entrée dans l'après-communisme, il peut prendre aussi bien la forme d'un rêve social-démocrate que d'un national-populisme semblable à celui que l'Amérique latine a connu avant la crise des années quatre-vingt.

Une tâche importante des intellectuels de ce siècle, dans toutes les parties du monde, a été de reconnaître la frontière entre la nécessaire mobilisation nationale pour le développement et le danger totalitaire. Ils y ont souvent failli, même si certains se sont engagés avec lucidité et courage dans la lutte antitotalitaire. Nombreux sont ceux qui ont été fascinés par le vitalisme du régime hitlérien, plus nombreux encore ceux qui n'ont vu en Staline et dans ses successeurs que les héritiers d'une révolution populaire ou les héros de la guerre anti-hitlérienne. Très nombreux aussi ceux qui, surtout dans les régions directement concernées, n'ont voulu voir dans le régime khomeiniste qu'un mouvement de libération nationale, et dans le militarisme de Saddam Hussein que l'expression de la revanche du monde arabe. Erreurs dramatiques, qui rappellent à quel point l'idée démocratique, loin d'être naturelle, impose un effort de pensée et d'action pour lutter contre les tentations d'un nationalisme et d'un populisme qui peuvent, quand les menaces se font grandes ou qu'existent des chances de conquête, se transformer en totalitarisme.

Le totalitarisme est la plus grave maladie sociale de notre siècle ; c'est pourquoi l'appel au Sujet se fait entendre aujourd'hui avec tant de force. Un régime totalitaire soumet si brutalement les individus à son ordre que beaucoup, ne pouvant plus se donner des objectifs « sociaux » comme la croissance ou l'égalité sociale, en appellent directement et dramatiquement au respect de la personne humaine, aux droits de l'homme. Certains trouvent cet objectif vague et moralisateur ; mais c'est parce qu'ils ont été protégés pendant toute leur vie des malheurs les plus grands : la persécution, la soumission à l'occupation étrangère, la perte de la liberté. C'est l'expérience du totalitarisme qui a mis fin à deux siècles de progressisme et d'historicisme et nous oblige aujourd'hui à défendre souvent l'homme contre le citoyen.

Mais nous ne pouvons pas non plus laisser la rationalité instrumentale et l'esprit de communauté dériver de plus en plus loin l'une de l'autre. Si nous avons poursuivi l'analyse jusqu'aux formes les plus extrêmes de leur dissociation, qui sont aussi celles de la crise de la modernité, c'est pour mieux sentir l'urgente nécessité d'une nouvelle analyse de la modernité qui limite la séparation du pensé et du vécu, des instruments et des valeurs.

Le moralisme

La menace totalitaire peut faire tomber dans le piège moraliste. Celui-ci consiste à ne défendre le Sujet qu'en le désocialisant complètement. Déviation contraire de celle qui a fait tant de ravages à l'époque moderne. Après avoir accepté des contraintes et des esclavages pires que ceux du passé, au nom de la nécessaire lutte pour la liberté, après avoir imposé un pouvoir absolu pour se débarrasser des privilèges, la société moderne se jette dans une défense si abstraite des droits de l'homme qu'elle ne sait plus désigner d'adversaires concrets, remplace les luttes réelles par des campagnes d'opinion, et surtout substitue à la participation active des intéressés eux-mêmes la pression, qui se croit irrésistible, de l'argent et des médias des pays les plus riches.

Action le plus souvent dérisoire, parfois néfaste, qui ne modifie pas la vie d'une classe moyenne enfoncée dans la consommation et qui achète ainsi à bon compte un supplément d'âme, avec l'espoir que les dollars et les chansons qu'elle distribue la protégeront des explosions qui pourraient ébranler son confort. Le procès de ce *charity business* a été bien fait par les organisations humanitaires elles-mêmes Le plus grave est qu'il prend son parti d'une coupure du monde en deux, jugée inévitable. Ceux qui évoquent si facilement la distance croissante qui sépare le Nord et le Sud croient souvent à l'étrangeté mutuelle de ces deux mondes, aussi différents que le jour et la nuit, et renoncent par conséquent à tout esprit de critique vis-à-vis de leur propre monde, sauf à dire qu'il est égoïste en pensant *in petto* que les hommes sont malheureusement ainsi faits, qu'ils ont de la peine à s'intéresser à ceux qui sont profondément différents d'eux. Propos qui ne sont pas plus superficiels que ceux, apparemment plus radicaux, qui expliquent les malheurs du Sud par la méchanceté, l'indifférence ou la cupidité du Nord, comme si le propre des pauvres était de n'avoir ni conscience, ni volonté, ni capacité d'action.

Le moralisme n'est dépassé que lorsque l'appel à la liberté, si fort dans les pays à développement endogène, se sent lié à la défense de l'identité, seul recours des dominés. Le moralisme est dangereux, parce qu'il flatte la bonne conscience de celui qui l'exprime, soit qu'il se sente trop sûr de sa propre société, soit qu'il la dénonce au contraire en des termes qui font de lui un juste parlant au nom d'un au-delà de la société politique, sociale ou religieuse. La défense du Sujet ne peut être celle d'un principe hors de l'histoire et de la société ; elle doit, en se dégageant des erreurs tragiques de l'historicisme, retrouver l'inspiration des révolutions fondatrices du monde moderne, celles de la Grande-Bretagne, des colonies anglaises d'Amérique, de France, et non pas l'inspiration de l'ascétisme hors du monde. Ce qui n'est possible qu'en donnant à la société la plus grande force possible contre l'État, force qui s'appuie à la fois sur la volonté de liberté personnelle, sur la défense des libertés privées qui sont des conquêtes sociales et sur le respect de la mémoire et de la culture des communautés et des groupes de croyance. L'appel au Sujet n'est pas un ultime recours, la dernière défense contre les pressions politiques ou communautaires. Car le Sujet n'est pas un principe commandant d'en haut et du dehors les condui-tes ; il n'est pas seulement une image sécularisée de Dieu et de l'âme. Il est à la fois engagé et dégagé, puisque la production de soi suppose à la fois le dégagement des rôles sociaux et l'engagement dans une action où s'exercent l'in-telligence, le désir ou le rapport aux autres. C'est pourquoi le Sujet est à la fois liberté et mémoire, et surtout ne se substitue pas, comme principe de la modernité, à la ratio-nalisation. Car celle-ci est indispensable pour que l'équili-bre instable du Sujet ne soit pas détruit au profit d'un com-munautarisme lui-même au service d'un pouvoir absolu.

Liberté, communauté, rationalisation, ces termes sont inséparables : c'est leur ensemble, chargé de tensions mais surtout de complémentarités, qui définit la modernité. Les héritiers de la philosophie des Lumières croient que la liberté est entièrement associée à la rationalisation. Ils ont tort d'oublier en l'homme aussi bien le désir que la mémoire ou l'appartenance à une culture, et tombent presque toujours dans l'« élitisme républicain » qui remet le pouvoir à ceux qui possèdent les capacités nécessaires pour l'exercer sagement et qui sont, comme le voulait Guizot, à la fois instruits et propriétaires. L'histoire occidentale a été dominée par le rejet élitiste des êtres non rationnels, femmes, enfants, travailleurs, colonisés, dont la légitime révolte est au point de départ de notre réflexion, qui ne peut accepter le mépris dont ils ont été victimes. Il est vrai que le XXᵉ siècle a été bouleversé par une série de réactions antirationalistes, populistes et nationalistes qui ont enfermé le Sujet dans l'héritage supposé d'une race, d'une nation ou d'une religion ; mais pourquoi faudrait-il choisir entre deux conceptions nées l'une et l'autre de la séparation de ce qui doit être uni, de la liberté et de la tradition ?

S'il fallait cependant choisir, si la guerre opposait les deux camps et ne laissait plus aucune place aux efforts si nombreux et divers de reconstruction du Sujet, c'est assurément la société libérale qu'il faudrait préférer, car elle porte en elle ses limites et son autocritique, alors que l'appel exclusif à la nation et à une culture remplace la critique par la répression, l'hypocrisie et la fuite. Mais une réflexion sur la modernité ne peut accepter une rupture aussi destructrice, des choix aussi artificiels. *Le Sujet a deux faces* qu'il ne faut pas séparer. Si on ne voit en lui que liberté, on risque de le réduire à être un producteur et un consommateur rationnel ; contre ce danger, la meilleure garantie est l'ouverture démocratique, car seuls les privilégiés de l'argent peuvent se comporter selon le modèle de l'*Homo œconomicus*. Si, à l'inverse, on ne voit en lui qu'appartenance et tradition culturelles, on le livre sans défense aux pouvoirs qui parlent au nom des communautés. C'est ici que la meilleure défense est la rationalisation et sa critique impitoyable de tout ce qui prétend parler au nom d'une totalité.

Liberté et libération

Le Sujet s'affirme contre la domination des appareils politiques et sociaux ; sa liberté est liée à l'appartenance à une culture. Comme tous les mouvements sociaux portés par des catégories dominées, sa défense prend à la fois la forme de revendications positives, héritières de la défense des droits des travailleurs et qui fait parler aujourd'hui des droits du malade, des lycéens ou des téléspectateurs, et la forme plus défensive de l'attachement à la culture qui est menacée par la pénétration d'un pouvoir économique, politique ou culturel venu du dehors. En termes classiques, ces deux versants correspondent à ce qu'ont été les luttes capitalistes et les luttes anti-impérialistes, mais elles se retrouvent à l'intérieur d'une société nationale autant qu'au niveau international. Le premier type de revendications risque d'être absorbé par le système politique, de conduire au néo-corporatisme propre à beaucoup de pays industriels ou de se réduire à un ensemble de groupes de pression formés par des consommateurs ; le second risque, à l'inverse, de s'enfermer dans un refus global de la modernisation, dans l'aventurisme militaire ou dans un populisme plus ou moins ouvertement à la dévotion d'un chef. Mais ces risques de rupture et de dégradation n'empêchent pas l'affirmation du Sujet d'être étroitement associée à la défense d'une culture comme à l'affirmation d'une liberté personnelle.

La modernisation exige la rupture, mais aussi la continuité. Si la discontinuité est totale, c'est que la modernisation vient entièrement du dehors, par la conquête, et il vaut mieux parler alors de colonisation ou de dépendance que de modernité. Si, au contraire, la continuité est complète, le même ne devient pas autre, reste immobile et devient de plus en plus mal adapté à un environnement changeant. L'Europe occidentale comme les États-Unis ont donné de solides exemples d'association du changement et de la continuité, et pendant longtemps des pays sociaux-démocrates, comme la Suède, ont su combiner ouverture économique et maintien d'un contrôle national sur l'organisation sociale et culturelle. Cette interdépendance du Sujet personnel et de la défense communautaire définit une pensée qui s'oppose directement à celle qui a dominé la vie intellectuelle et à laquelle a été consacrée la deuxième partie de ce livre.

Les intellectuels ont constamment cherché à remplacer la religion par une autre version de l'absolu : la beauté, la raison, l'histoire, le Ça ou l'énergie. Ils ont opposé — Marx et Nietzsche en tête, dont les influences se sont croisées au XXe siècle — le monde social, qu'ils condamnaient, à un monde supérieur, et par conséquent la subjectivité étiquetée « petite-bourgeoise » à l'objectivité de l'être ou du devenir, au mouvement de l'esprit ou à la poussée du désir et de la volonté de puissance. Pour cette pensée, si le social est dangereux, le culturel, au sens ethnologique, est haïssable, car il est particulier et fermé sur lui-même, alors que la libération de l'homme exige qu'il s'élève au-dessus des sociétés et des cultures particulières pour entrer dans le domaine de l'universel, de l'absolu.

Cette pensée, je l'ai dit, donne à la crise de la philosophie des Lumières une réponse tournée vers le passé et qui prend la forme de plus en plus dangereuse de la nostalgie de l'Être et du rejet de la modernité. Au contraire, il faut concevoir celle-ci comme la combinaison de la rationalisation et de la subjectivation ; c'est pourquoi est défini le sujet à la fois par sa volonté d'organiser sa vie et son action et par sa défense d'une identité culturelle menacée par les appareils dominants ou colonisateurs. Le Sujet n'est pas un absolu, son contenu n'est pas le même que celui de la raison. Il n'est pas pour autant réduit à des particularismes sociaux, culturels ou individuels. Il n'est pas non plus un Moi individuel ou collectif. Le Sujet ne se constitue, le Je ne s'affirme que par le lien entre l'affirmation de soi et la lutte défensive contre les appareils de production et de gestion.

Modernité et modernisation

La modernité s'est longtemps définie par ce qu'elle détruisait, comme remise en cause constante des idées et des formes d'organisation sociale, comme travail d'avant-garde dans les arts. Mais plus le mouvement de modernisation s'est amplifié, plus la modernité a déferlé sur des cultures et des sociétés incapables de s'y adapter, qui la

subissaient plus qu'elles ne l'utilisaient. Ce qui avait été
vécu comme libération est devenu aliénation et régression,
jusqu'à ce que triomphe, en bien des parties du monde,
d'abord le nationalisme le plus exclusif, ensuite l'enfermement des sociétés dans leur discours et leur appareil de
contrôle politique, enfin des régimes identifiés à une
nation, une culture, une religion. L'Occident avait cru que
la modernisation n'était que la modernité en acte, qu'elle
était entièrement endogène, produit de la raison scientifique et technique. Le XXe siècle, au contraire, a été dominé
par une succession de modernisations de plus en plus exo-
gènes, de plus en plus imposées par un pouvoir soit national, soit étranger, de plus en plus volontaristes et de moins
en moins rationalistes, au point que ce siècle, qui s'était
ouvert sous le signe du scientisme, semble s'achever avec
le retour des religions et, en réponse, l'affirmation naïvement orgueilleuse de l'Occident, dominé par les États-
Unis, que l'histoire est « finie », que le modèle rationaliste
a remporté une victoire totale dans l'ordre économique
comme dans l'ordre politique.

Cette réaction se comprend aisément. Pendant tout
le siècle, le modèle capitaliste et libéral a été l'objet d'attaques constantes et ses principaux adversaires ont été les
régimes totalitaires dans les premier, deuxième et tiers
mondes. Au moment où se dessine nettement sa victoire,
comment l'Occident n'opposerait-il pas au volontarisme
politique les aménagements progressifs et fragiles du
marché, à l'endoctrinement la liberté de pensée et d'expression, à l'idéologie le pragmatisme ? L'Occident riche
ne croit plus guère au progrès ni au triomphe de la raison ;
il a pris une attitude plus défensive, celle de Churchill
définissant la démocratie comme un mauvais système politique, certes, mais moins mauvais que tous les autres. Il
défend la raison comme critique et le capitalisme comme
économie de marché, comme protection contre l'invasion
de l'action économique par l'idéologie, les luttes de classes
et le clientélisme. Tel est le sens du nouveau *libéralisme* qui
s'est répandu en peu d'années dans les sciences sociales
comme dans la politique, et qui donne de l'homme et de
la société une vision rationaliste où l'intérêt joue le rôle
central. Sous sa forme la plus ambitieuse, ce nouveau
rationalisme défend l'Occident pour son attachement à des

valeurs universelles qui portent en elles une force permanente de libération des préjugés et des attachements communautaires, et l'oppose aux sociétés qui s'enferment volontairement et follement dans la recherche de leurs différences, dans leurs particularismes, ce qui les condamne à l'aveuglement et à la paralysie. Certains vont plus loin encore et identifient leur propre pays à des forces universelles. Le patriotisme républicain peut acquérir une grande importance quand il accompagne une mobilisation politique réelle.

Si ce nouveau libéralisme ne peut être accepté, c'est qu'il est incapable de rendre compte de deux ordres de faits. En premier lieu, il ne rend pas compte de l'ampleur croissante des secteurs qui n'appartiennent pas à la société ouverte : pauvres isolés, marginaux, minorités sociales ou culturelles, communautés ethniques. Le propre des sociétés libérales, quand elles fonctionnent au mieux, c'est-à-dire avec une forte capacité d'intégration sociale, n'est-il pas de produire des minorités exclues ou marginalisées et qui se détachent de plus en plus complètement d'une vaste classe moyenne dans laquelle l'entrée est facile, la mobilité et les changements de plus en plus rapides, mais où les individus sont exposés à des risques d'échec ou d'accident croissants ? En second lieu, à cette extériorité des groupes minoritaires correspond celle des catégories qui sont, elles, majoritaires sur une planète où l'inégalité des chances augmente à mesure que la modernisation dépend de plus en plus de conditions culturelles et politiques autant que techniques et économiques.

C'est parce que les régimes totalitaires sont en déroute qu'il est urgent à la fois pour les pays périphériques de sortir des fausses solutions populistes ou militaristes et, pour les pays centraux, de critiquer une vision purement libérale qui prend trop aisément son parti des exclusions qu'elle produit et qui identifie naïvement l'histoire et la culture d'un pays ou d'une région à des valeurs universelles. Ces derniers pays n'ont aucune raison de renoncer à leur rationalisme, mais ils doivent tout autant valoriser une subjectivation qui est niée ou rejetée par de fortes tendances de la pensée libérale. Ils ne doivent pas détruire des traditions culturelles qui sont plus vivantes que beaucoup ne l'ont cru, surtout dans un monde en mouvement où le passé se mêle au présent, la différence à la continuité, les communautés à la société. Pendant la plus grande partie de ce siècle, notre monde s'est déchiré de plus en plus et les pays enrichis de l'Occident ont semblé à plus d'une reprise menacés. Ils triomphent aujourd'hui, mais les distances et les inégalités ne cessent d'augmenter et la tâche la plus urgente, au centre plus encore qu'à la périphérie, est de refuser une rupture entre riches et pauvres que légitiment simultanément les mouvements communautaires et le libéralisme extrême.

L'écroulement du système soviétique n'unifie pas plus le monde que ne l'avait fait, un demi-siècle plus tôt, la chute du régime hitlérien. Les pays d'Europe occidentale, après une longue période d'extrême intégration sociale, conquise grâce à des politiques sociales-démocrates et keynésiennes, connaissent à leur tour une distance croissante entre groupes ethniques et catégories sociales. L'image qui s'impose n'est pas celle de la fin de l'histoire ni du triomphe du modèle occidental ; c'est au contraire celle d'un monde de plus en plus déchiré, où les forces qui se mobilisent pour la modernisation et l'indépendance sont de plus en plus éloignées du rationalisme instrumental qui triomphe dans les pays capitalistes. Les ruines du communisme et de son modèle d'économie administrée et planifiée laissent face à face l'économie et les cultures, le marché et les traditions, l'argent et la parole, sans qu'aucune conception politique ou sociale ne semble plus capable de les rapprocher et de les combiner. Comme si le monde de la lumière et celui de l'ombre s'étaient dissociés : le premier brûle les yeux, éblouis par les lumières de la ville ; le second rend aveugles ceux qui ont été longtemps privés de lumière. Et ces deux mondes semblent si étrangers l'un à l'autre, séparés par des distances qui excèdent tellement celles qui opposaient jadis les classes sociales des premiers pays industriels, que les conflits semblent impossibles et sont remplacés par une *guerre* entre des camps qui ne se reconnaissent plus d'enjeux culturels communs, qui sont moins adversaires qu'étrangers et concurrents. Ceux qui se sentent envahis en appellent à la guerre sainte, ceux qui s'identifient à la modernité veulent imposer à tous leurs valeurs, qu'ils considèrent comme universelles et qu'ils ne s'étonnent

même plus de voir coïncider si bien avec leurs propres
intérêts.

Comment aller au-delà de cet affrontement de plus en
plus violent ? Certains pensent que le choc s'atténuera,
comme il a été réduit entre les classes sociales des premiers pays industriels, et surtout que les nouveaux totalitarismes, défenseurs d'une culture, d'une nation ou d'une
religion, s'épuiseront d'eux-mêmes, puisqu'ils n'ont d'autre
logique que la guerre qui les conduit inéluctablement à
l'épuisement ou au suicide, comme le nazisme avant eux.
Mais qui peut s'en remettre entièrement à de si froids calculs, et surtout qui est assuré que l'épuisement des régimes
totalitaires puisse résoudre les problèmes intérieurs d'autres sociétés, aussi bien des plus riches que des plus pauvres, alors que la séparation de l'instrumentalité et de l'appartenance, de la participation à une société en
mouvement et du retrait dans l'exclusion et la marginalité,
progresse partout ? Il faut que les sociétés modernes révi-
sent leur image d'elles-mêmes, deviennent capables d'intégrer une grande partie de ce qu'elles ont exclu, ignoré ou
méprisé. Ce qui appelle une nouvelle *définition du Sujet,
force de résistance aux appareils de pouvoir, appuyée sur des
traditions en même temps que définie par une affirmation de
liberté*. A ce mouvement de pensée critique correspondra
la réflexion de ceux qui, dans les secteurs ou les régions
les plus éloignés de la modernité, cherchent à empêcher
que la mobilisation de leurs ressources culturelles, nécessaire pour leur modernisation, ne se retourne contre la
modernité au nom d'une obsession de leur identité dispa-
rue ou menacée. Ainsi, de divers côtés, on s'attachera à
détruire les murs qui s'élèvent au moment même où tombe
celui qui séparait l'Est de l'Ouest.

Il n'y aura pas d'intégration réelle des immigrés dans les
pays centraux si ceux-ci n'acceptent d'autre solution
qu'une assimilation enlevant aux nouveaux venus toute
capacité de modifier le milieu dans lequel ils entrent. En
fait, l'importance des mélanges et des métissages culturels
est déjà grande, comme en témoignent des œuvres comme
celles de Salman Rushdie ou de Kateb Yacine attaquées
par ceux qui défendent une séparation de l'Est et de
l'Ouest, de l'Islam et de l'Occident, qui se manifeste davantage dans les discours idéologiques que dans les pratiques

culturelles. Que cette intégration et cette transformation forment un ensemble de changements culturels fragiles et chargés de ruptures possibles, nul ne peut le nier ; mais cette complémentarité du Sujet-liberté et du Sujet-communauté à l'intérieur d'une culture de la rationalisation est la seule solution qui réponde à une situation où il serait présomptueux, de la part des pays riches, de croire qu'ils pourront toujours contenir par un nouveau *limes* les « barbares » qui menacent d'envahir l'empire.

Dans l'ensemble du monde, le principal clivage politique n'est plus celui qui oppose une classe sociale à une autre, les salariés aux propriétaires, mais celui qui sépare la défense de l'identité du désir de communication. Dans les pays riches comme dans les régions pauvres se fait entendre avec une force croissante l'obsession de la différence et de la spécificité. Les plus pauvres se définissent par une religion, les plus riches par leur appel à une raison qu'ils considèrent comme leur bien propre.

En Europe et dans les deux Amériques l'opinion se déplace facilement entre des positions extrêmes. D'un côté, l'appel libéral à une société ouverte se transforme aisément en impérialisme culturel, tandis que, de l'autre, l'appel à l'identité fait naître de dangereuses majorités morales et des fronts nationaux plus dangereux encore, mais aussi suscite un nouveau gauchisme différentialiste qui ne reconnaît plus aucune vérité générale et réclame une histoire des Indiens, des femmes ou des homosexuels, distincte de celle qu'il dénonce comme celle des hommes blancs. Les meilleures universités américaines ont vu se développer de manière importante ce mouvement, qui se nomme paradoxalement *politically correct*, alors qu'il s'aligne sur les tendances intégristes les plus éloignées de la démocratie. En France, c'est le danger inverse qui l'emporte dans une société où la gauche est profondément affaiblie par la chute du communisme : l'intolérance à l'égard des minorités et des nouveaux venus, l'attachement proprement réactionnaire à un universalisme qui aboutit vite à un particularisme étroit, sourd et aveugle à des demandes sociales et culturelles différentes ou nouvelles.

Il ne faut plus appeler moderne la société qui fait table rase du passé et des croyances, mais celle qui *transforme l'ancien en moderne* sans le détruire, celle qui sait même faire en sorte que la religion devienne de moins en moins un lien communautaire, de plus en plus un appel à la conscience, qui fait éclater les pouvoirs sociaux et enrichit le mouvement de subjectivation. Déjà la période des révolutions politiques et industrielles au XIXe siècle s'était accompagnée d'une montée de la conscience historique ; plus fortement encore, nos sociétés fortement modernisées redécouvrent, au-delà d'une juste revendication pour l'égalité des chances, la spécificité de l'expérience féminine, comme celle de l'enfance, et, malgré tant de tendances contraires, reconnaît mieux qu'avant la diversité des cultures, en même temps que l'unité de la condition humaine. Si l'écroulement des régimes totalitaires n'aboutissait qu'à rendre l'orgueil des sociétés triomphantes aveugle aux limites et aux dangers de cette victoire, le soulagement qui l'a accompagné durerait aussi peu que celui qui a suivi la libération et la chute du nazisme. Il faut au contraire que la nécessaire élimination des régimes totalitaires soit accompagnée d'une redéfinition de la modernité par les sociétés démocratiques. Pas plus qu'il n'y a de démocratie sans diminution des distances et des barrières sociales, sans élargissement du monde de la décision, il ne peut exister de démocratie sans rapprochement de l'éthique de la responsabilité et de l'éthique de la conviction, sans dépassement des frontières tracées entre la raison instrumentale, la liberté personnelle et les héritages culturels, sans réconciliation du passé et de l'avenir. Pas de démocratie non plus sans mise en cause de la domination exercée sur les femmes, les jeunes ou les vieux, les pauvres et les nations menacés par la décomposition et la prolétarisation, mais en n'oubliant pas que les adversaires en présence ont des orientations communes autant que des intérêts en conflit.

Autrement

Le monde d'aujourd'hui est traversé par des conflits *plus radicaux* que ceux de l'époque industrielle. Il s'agissait alors d'affrontements entre des classes sociales qui s'opposaient, mais au nom de valeurs communes. Les entrepreneurs capitalistes accusaient les ouvriers de paresse et de routine et s'affirmaient eux-mêmes les agents du progrès ; le mouvement ouvrier et les penseurs socialistes dénonçaient à l'inverse le gâchis du capitalisme, créateur de crises et de misère, et en appelaient aux travailleurs comme aux porteurs des forces productives qui devaient être libérées de rapports de production irrationnels. Aujourd'hui, le conflit n'oppose plus des acteurs seulement sociaux, mais des cultures, le monde de l'action instrumentale à celui de la culture et du *Lebenswelt*. Entre eux, il n'y a plus de médiation possible, plus de communauté de croyances et de pratiques. C'est pourquoi les conflits sociaux sont remplacés par l'affirmation de différences absolues et par le rejet total de l'autre. Ceux qui croient, avec Francis Fukuyama, au consensus enfin atteint, à la fin de l'histoire et des grands débats idéologiques et politiques, maintenant que les communismes ont été éliminés et discrédités autant que les fascismes, commettent la plus grande des erreurs : jamais les conflits n'ont été aussi globaux, au point que le monde d'aujourd'hui est rempli de croisades et de luttes à mort plus que de conflits politiquement négociables. On voit d'un côté s'affirmer l'hégémonie d'un Occident qui se juge universaliste et qui détruit des cultures et des nations autant que des espèces animales ou végétales au nom de ses techniques et de leurs succès ; de l'autre se développe un anti-européocentrisme qui verse vite dans un différentialisme agressif, chargé de racisme et de haine. L'écrasante supériorité militaire et industrielle de l'Occident ne doit pas conduire à l'identifier à la raison et à réduire ses adversaires à la déraison ou à la tradition. En fait, l'Occident est depuis longtemps habité lui aussi par le nationalisme qui, parfois, est le défenseur d'une culture, d'une voie d'accès à la modernité, mais de plus en plus souvent n'est que rejet de l'Autre et mépris des valeurs universalistes. Il serait tout aussi faux de réduire les mouvements qui soulèvent le tiers-monde à des néo-traditionalismes alors que — sous des formes souvent dangereuses — se cherchent de nouvelles alliances entre modernisation et traditions culturelles. Le siècle qui s'ouvre sera dominé par la *question nationale*, comme le XIXᵉ siècle l'a été par la question sociale. Bien des pays d'Europe occidentale et d'Amérique du Nord connaissent aujourd'hui des réactions nationalistes, sociales ou politiques qui s'opposent à l'ouverture de la société, à l'arrivée des immigrés comme à l'insertion dans un ensemble européen ou mondial. Inversement, la culture et les entreprises qui se disent globales ou mondiales sont trop souvent américaines pour ne pas constituer des éléments d'une politique de pouvoir ou même d'hégémonie. Dans toutes les parties du monde, le déchirement est visible entre un universalisme arrogant et des particularismes agressifs. Le principal problème politique est et sera de limiter ce conflit total, de rétablir des valeurs communes entre des intérêts opposés.

Une telle recomposition de la société apparaît à beaucoup comme une simple construction de l'esprit ; elle ne peut en tout cas pas se réduire à l'invention de solutions idéologiques qui peuvent aisément conduire au populisme ou au fascisme. Mais ces reproches sont plus fragiles que la réflexion qu'ils critiquent, car il ne s'agit pas ici de constructions idéologiques ni de formes d'État. La société libérale dissout le Sujet dans ses besoins et dans ses réseaux de relations ; les sociétés néo-communautaires l'emprisonnent dans un bloc de croyances et de pouvoirs à la fois. De sorte que des deux côtés il est difficile de percevoir, derrière les formes visibles et organisées de la vie sociale, l'appel au Sujet. Il se fait au contraire entendre, seulement mêlé à d'autres bruits, dans les failles du système, dans les vides que le contrôle social ne parvient pas à faire disparaître. Dans la société libérale, le Sujet se manifeste ici ou là, dans le tourbillon de la consommation, en particulier dans la culture musicale de la jeunesse, c'est-à-dire au plus loin des centres de production et de pouvoir où le Sujet est sacrifié à la logique du système. C'est là où le désir de vivre se rapproche de la contestation de l'ordre que la figure du Sujet se dessine le plus clairement dans la société occidentale. Dans les sociétés néo-communautaires, de manière analogue, le Sujet se fait d'abord entendre dans le refus de l'ordre politique au nom d'une communauté, mais il ne peut prendre figure que si ce grand refus s'unit à l'affirmation de la liberté personnelle appuyée sur la raison. Il n'est pas facile de rapprocher ces deux modes de dissidence — Soljenitsyne et Sakharov, par exemple — mais la libération serait impossible si la critique libérale et la critique nationaliste ou religieuse ne s'alliaient dans une lutte commune. De la même manière, dans la société libérale, la jeunesse pauvre, principale victime de la société, est divisée entre ceux qui veulent avoir accès à la société de consommation et ceux qui se replient sur une identité collective, catégorie d'âge, bande, groupe ethnique, mais les moments fondateurs du nouveau champ politique sont ceux, comme Mai 68, où ces deux types de conduites se rapprochent.

La pensée du Sujet est toujours en opposition avec la croyance en un modèle de société. Nous ne pouvons plus avoir foi aujourd'hui dans un régime social ou politique. Non seulement bien peu souhaitent le passage du capitalisme au socialisme, mais ceux, beaucoup plus nombreux, qui souhaitent le passage du socialisme au capitalisme veulent se débarrasser des contraintes des régimes autoritaires plutôt qu'adhérer à un modèle opposé d'ordre social et leur critique les porte vers la recherche d'eux-mêmes ou vers la plongée dans la concurrence économique plutôt que vers un nouveau militantisme idéologique. C'est pourquoi il ne s'agit nullement ici de chercher une troisième voie entre l'Est et l'Ouest ou entre le Nord et le Sud. Il s'agit au contraire de faire apparaître dans toutes les parties du monde la demande de subjectivation.

Objectif qui montre la distance prise avec l'historicisme. L'idée de construire la société de l'avenir, société à la fois plus juste et plus avancée, plus moderne et plus libre, a disparu, emportée avec les vagues successives du totalitarisme. La tentation présente n'est pas de rêver de lendemains qui chantent, mais de rêver de vivre *autrement*, de s'enfermer dans une contre-société ou une culture « alternative ». L'esprit de secte a plus de force aujourd'hui que la mobilisation politique. Mais ils sont plus proches l'un de l'autre qu'il ne semble, car des deux côtés se dessine l'image d'un modèle parfait, utopique et inchangé dans le temps et dans l'espace, donc si plein et si homogène que la liberté du Sujet n'y trouve plus de place. Les forces de contestation ressemblent toujours à celles dont elles combattent la domination, comme l'industrialisation socialiste voulut être une version perfectionnée de l'industrialisation capitaliste, encore plus rationalisée qu'elle. De même les cultures alternatives, comme les régimes néo-communautaires, exercent un contrôle culturel plus fort que les industries culturelles de la société libérale : la propagande y va plus loin dans la construction des besoins que la publicité. C'est de tous les modèles de perfection qu'il faut se méfier.

CHAPITRE V

QU'EST-CE QUE LA DÉMOCRATIE ?

La représentation de la démocratie s'est renversée depuis le XVIIIe siècle. Nous l'avions d'abord définie par la souveraineté populaire et par la destruction d'un Ancien Régime fondé sur l'hérédité, le droit divin et les privilèges. Elle s'est alors confondue avec l'idée de nation, en particulier aux États-Unis et en France. Mais la crainte d'une dictature nationale révolutionnaire, à l'instar de la Terreur en France, et surtout la prédominance croissante des problèmes économiques sur les enjeux politiques remplacèrent au XIXe siècle l'idée de souveraineté populaire par celle d'un pouvoir au service des intérêts de la classe la plus nombreuse, et l'idée de nation par celle de peuple, avant que celui-ci ne se transforme à son tour en classe ouvrière. Plus généralement, la démocratie devint représentative, et, de Benjamin Constant à Norberto Bobbio, ses principaux penseurs en ont fait une définition centrale de la liberté des modernes. Ce qui introduisait, à côté des principes universalistes de liberté et d'égalité, le respect des droits des travailleurs écrasés par la domination capitaliste. La politique démocratique associa longtemps dans le thème central du progrès l'idée de modernité, et même de rationalisation, avec cette défense d'intérêts de classe, jusqu'à ce que Lénine lui-même en appelle à l'alliance des soviets et de l'électrification.

Cet équilibre entre l'universel et le particulier, la raison et le peuple, s'est à son tour rompu et notre image de la démocratie se révèle plus défensive. Nous parlons des droits de l'homme, de la défense des minorités, des limites à apporter au pouvoir de l'État et à celui des centres de pouvoir économique. Ainsi l'idée de démocratie, d'abord identifiée à celle de société, s'est-elle rapprochée progressivement de celle de Sujet, dont elle tend à devenir l'expression politique. Ce qui explique que mon analyse du Sujet dans la société moderne se termine par une réflexion sur la démocratie.

De la souveraineté populaire aux droits de l'homme

Ceux qui se sont un jour considérés comme citoyens, qui ont découvert que le pouvoir était une création humaine et que sa forme pouvait être transformée par une décision collective cessèrent de croire sans réserve aux traditions ou au droit divin. La souveraineté du peuple et les droits de l'homme semblèrent, en ce moment fondateur, les deux faces de la démocratie : l'homme affirme sa liberté en se posant comme citoyen et c'est la création de la République, aux États-Unis comme en France, qui apporte la garantie la plus solide aux droits individuels. Mais l'histoire de la démocratie est celle de la séparation progressive de ces deux principes, de la souveraineté populaire et des droits de l'homme. L'idée de souveraineté populaire a tendu à se déformer en celle d'un pouvoir populaire qui fait peu de cas de la légalité et se charge d'aspirations révolutionnaires, tandis que la défense des droits de l'homme s'est trop souvent réduite à celle de la propriété.

Aujourd'hui, le pouvoir de l'État « populaire » a conquis une telle puissance, a si souvent détruit les mouvements sociaux en même temps que les libertés publiques, qu'il est devenu proprement impossible de défendre les démocraties « populaires » contre la démocratie « bourgeoise », ou la liberté « réelle » contre la liberté « formelle ». Nous pensons donc que la démocratie n'est forte que quand elle soumet le pouvoir politique au respect de droits de plus en plus largement définis, civiques d'abord, mais aussi sociaux et même culturels. Si l'idée de droits de l'homme retrouve tant de force, c'est parce que l'objectif principal n'est plus de renverser un pouvoir traditionnel, mais de se protéger contre un pouvoir qui s'identifie à la modernité et au peuple et laisse de moins en moins d'espace à la contestation et aux initiatives.

En passant ainsi de l'idée unificatrice de souveraineté populaire à la défense des droits, en premier lieu du droit des gouvernés de choisir leurs gouvernants, la démocratie s'impose de combattre sur deux fronts et non plus sur un seul. Elle doit combattre le pouvoir absolu, celui du despotisme militaire comme celui du parti totalitaire, mais elle doit aussi mettre des limites à un individualisme extrême qui pourrait dissocier complètement la société civile de la société politique et laisser celle-ci soit à des jeux facilement corrupteurs, soit au pouvoir envahissant des administrations et des entreprises.

Bien peu osent encore défendre la conception unanimiste et populaire de la démocratie, qui a servi si constamment de couverture à des régimes autoritaires et répressifs. Plus nombreux, en revanche, sont ceux qui souhaitent le dépérissement non seulement de l'État, mais du système politique, et placent toute leur confiance dans le marché, étendu au domaine des décisions politiques. Il faut s'éloigner autant des uns que des autres et reconnaître que la démocratie repose aujourd'hui à la fois sur le libre choix des dirigeants et sur la limitation du pouvoir politique par un principe non politique, comme l'avaient affirmé aux XVIe, XVIIe et XVIIIe siècles les théoriciens, religieux ou laïcs, du droit naturel. La liberté de chacun n'est pas assurée parce que le peuple est au pouvoir, car cette expression peut justifier des dictatures nationalistes ou révolutionnaires. Elle ne l'est pas davantage du fait que chacun peut choisir librement ce que lui offre le marché, car celui-ci ne garantit ni l'égalité des chances de tous, ni l'orientation des ressources vers la satisfaction des besoins les plus fortement ressentis, ni la lutte contre l'exclusion. Il faut donc que la démocratie combine l'intégration, c'est-à-dire la citoyenneté, qui suppose en premier lieu la liberté des choix politiques, avec le respect des identités, des besoins et des droits. Pas de démocratie sans combinaison d'une société ouverte et du respect des acteurs sociaux, sans l'association de procédures froides et de la chaleur des convictions et des appartenances. Ce qui nous éloigne tout à la

fois d'une conception populaire et d'une conception libérale de la démocratie.

La démocratie est avant tout le régime politique qui permet aux acteurs sociaux de se former et d'agir librement.
Ses principes constitutifs sont ceux qui commandent
l'existence des acteurs sociaux eux-mêmes. Il n'y a d'acteurs sociaux que si se combinent la conscience intériori-
sée de droits personnels et collectifs, la reconnaissance de
la pluralité des intérêts et des idées, en particulier des
conflits entre dominants et dominés, et enfin la responsabilité de chacun à l'égard d'orientations culturelles communes. Ce qui se traduit, dans l'ordre des institutions politiques, par trois principes : la reconnaissance des *droits
fondamentaux*, que le pouvoir doit respecter ; la *représentativité* sociale des dirigeants et de leur politique ; la
conscience de *citoyenneté*, d'appartenance à une collectivité fondée sur le droit.

Il convient de présenter avec plus de précision ces trois
principes qui définissent un mode d'action politique plus
largement que ne le font des règles institutionnelles.

La liberté négative

Le XX⁰ siècle a été dominé par des régimes qui, au nom
du peuple, ont supprimé les libertés pour atteindre ou sauvegarder l'indépendance et la puissance économique de la
nation. De sorte que les principaux adversaires de la démocratie n'ont plus été les anciens régimes, mais les nouveaux
régimes totalitaires, qu'ils soient fascistes, communistes
ou nationalistes tiers-mondistes. La conception positive de
la liberté comme réalisation de la souveraineté populaire
cède alors la place à une conception négative, et la démocratie est définie et défendue comme le régime qui
empêche quiconque, selon les définitions d'Isaiah Berlin et
Karl Popper, de s'emparer du pouvoir ou de le conserver
contre la volonté de la majorité. La pensée libérale a remplacé si complètement le mouvement révolutionnaire
comme défenseur de la démocratie que celle-ci semble
mieux définie par le respect des minorités que par le gouvernement de la majorité et apparaît comme inséparable
de l'économie de marché. A l'est de l'Europe, l'effondre-

ment des régimes communistes, à partir du moment où la puissance militaire soviétique cessa de les protéger, donne la priorité au difficile remplacement de l'économie administrée par l'économie de marché, et la démocratie y est moins définie comme le régime qui assure la libre représentation des intérêts que comme celui qui met fin à la domination de l'économie par le pouvoir politique de la *nomenklatura*. Au principe unificateur de la souveraineté populaire se substitue celui de la séparation des pouvoirs et même des sous-systèmes sociaux : la religion doit être séparée du pouvoir politique et celui-ci de la gestion de l'économie mais aussi de la justice ; le gouvernement ne doit intervenir dans la vie privée que pour protéger la liberté, donc au nom de la tolérance et de la diversité, et non plus de l'intégration et de l'homogénéité sociales. Ce libéralisme politique s'impose face aux militarismes du tiers-monde et aux régimes qui veulent imposer le respect d'une foi religieuse, autant que contre les dictatures communistes qui continuent en 1992 à gouverner la Chine, Cuba, le Vietnam et le nord de la Corée. Après avoir mis nos espoirs dans l'action politique, nous sommes si convaincus que le pire obstacle à la liberté, mais aussi à la modernisation, est le despotisme politique, qu'il soit de type absolutiste traditionnel, de type totalitaire ou de type seulement autoritaire, que nous nous méfions de tout ce qui lie trop étroitement action politique et vie sociale, de toute définition de la démocratie comme type de société, et pas seulement comme régime politique. Nos passions ne sont plus politiques et nous pensons à la politique avec prudence plutôt qu'avec enthousiasme. Parfois même, le mot démocratie semble si souillé qu'on hésite à l'employer : si les « démocraties populaires » n'ont été que le masque de dictatures imposées par une armée étrangère, l'idée même de démocratie ne porte-t-elle pas en elle-même un risque de perversion et n'est-il pas plus clair et plus sûr de parler seulement de libertés et de se méfier de toutes les conceptions du pouvoir ? Ce qu'indique Claude Lefort quand il définit la démocratie non par le pouvoir du peuple, mais par l'absence de pouvoir central, car il est plus important de supprimer le trône que d'y faire asseoir un nouveau Prince, peuple au lieu de roi, dont le pouvoir risque d'être plus absolu encore.

Ce renversement de l'idée de démocratie, ce passage de la conquête par la force de la souveraineté populaire au respect des libertés et des minorités, traduit trop fidèlement les drames politiques du XXᵉ siècle pour ne pas être accepté. Mais comme point de départ de la réflexion, non comme point d'arrivée.

Point de départ, oui, car il ne peut pas y avoir de liberté politique si le pouvoir n'est pas limité par un principe supérieur à lui, qui s'oppose à ce qu'il devienne absolu. Les religions ont longtemps apporté un tel principe de limitation du pouvoir, en même temps qu'elles assuraient, dans le christianisme comme dans l'islam, la soumission des populations au pouvoir établi. Dans les sociétés sécularisées, la religion a perdu ces deux fonctions de limitation et de légitimation du pouvoir. Mais l'idée religieuse s'est sécularisée en devenant appel aux droits de l'homme et au respect de la personne humaine. Aujourd'hui comme hier, il n'est possible de construire la démocratie que si on la fait reposer sur un principe non politique de limitation du pouvoir politique. A cette idée résistent tous ceux pour qui la modernité se définit comme une naturalisation progressive de la société, qui doit aboutir à la transparence des institutions et à la libre activité des individus et des collectivités. Mais qui ose maintenir aujourd'hui une conception aussi orgueilleuse ? Qui peut oublier que le pouvoir de l'homme sur la nature et sur lui-même, s'il est la condition de la liberté, peut en être aussi l'obstacle le plus dangereux, en transformant la société en machine ou en armée, en bureaucratie ou en camp de travail forcé ? Ce n'est pas seulement la volonté collective qui doit être respectée, mais la créativité personnelle et donc la capacité de chaque individu d'être le sujet de sa propre vie, au besoin contre les instruments du travail, de l'organisation et de la puissance de la collectivité. La conception négative de la liberté, qu'Isaiah Berlin a formulée avec le plus de force, est le fondement indispensable de la démocratie, car il est plus important de limiter le pouvoir que de donner un pouvoir absolu à une souveraineté populaire qui ne prend jamais seulement la forme d'un contrat social et d'une libre délibération, car elle est aussi administration et armée, pouvoir et garanties juridiques de ce pouvoir. Il est impossible aujourd'hui de parler de démocratie directe, de pouvoir populaire et même d'autogestion sans voir aussitôt surgir de ces mots fantomatiques la figure bien réelle du parti totalitaire, de ses militants autoritaires, la médiocrité arrogante de ses petits chefs, la lourdeur étouffante des appels à l'unité du peuple et de la nation. La démocratie, c'est-à-dire le libre choix des gouvernants par les gouvernés, ne peut exister que si la liberté dispose d'un espace indestructible, si le champ du pouvoir est plus limité que celui de l'organisation sociale et celui des choix individuels. Mais cette condition nécessaire n'est pas suffisante. Si le pouvoir doit être limité, il faut aussi que les acteurs sociaux se sentent responsables de leur propre liberté, reconnaissent la valeur et les droits de la personne humaine, ne définissent pas les autres et eux-mêmes seulement par la collectivité où ils sont nés, ou par leurs intérêts. Pas de démocratie solide sans cette responsabilité que les milieux éducatifs, en particulier la famille et l'école, mais aussi le *peer-group*, font naître ou disparaître.

La citoyenneté

Une deuxième condition de la démocratie est que les gouvernés veuillent choisir leurs gouvernants, veuillent participer à la vie démocratique, se sentent *citoyens*. Ce qui suppose une conscience d'appartenance à la société politique qui dépend à son tour de l'intégration politique du pays. Si celui-ci est fragmenté entre des ethnies étrangères ou hostiles les unes aux autres, et plus simplement encore si les inégalités sociales sont si grandes que les habitants n'ont pas le sentiment d'un bien commun, la démocratie manque de fondement. Pour qu'elle soit forte, il faut qu'existe une certaine égalité des conditions, disait Rousseau, et une conscience nationale. Autant la soumission de la société à l'État affaiblit ou même détruit la démocratie, autant l'intégration et l'unité de la société politique la renforcent. Si les affaires publiques apparaissent aux citoyens comme étrangères à leurs propres intérêts, pourquoi s'en préoccuperaient-ils ? Ils acceptent facilement des relations de clientèle en se soumettant passivement à la contrainte. La conscience de citoyenneté, a montré T. H. Marshall, permet seule de rétablir l'unité de la société, brisée par la distance et les conflits entre les classes sociales.

Faut-il aller plus loin et introduire l'idée qu'une société démocratique repose nécessairement sur des valeurs communes et, en particulier, sur des valeurs religieuses et morales dont la présence assurerait la limitation du pouvoir politique ? L'idée est très présente dans la société américaine, beaucoup moins dans les pays européens et dans les nouvelles nations où la conscience nationale se donne des fondements plus historiques et politiques que religieux et moraux. Mais, dans les deux cas, l'exaltation de la société nationale porte en elle plus de dangers que d'appuis pour la démocratie. Elle produit le rejet de l'autre, justifie la conquête, exclut les minorités ou ceux qui s'écartent du « nous » ou le critiquent. Ici, la citoyenneté se transforme en cette affirmation conquérante de la souveraineté populaire dont sont sortis tant de régimes autoritaires. Gardons à l'idée de citoyenneté un sens plus séculier, éloigné de tout culte de la collectivité politique, nation, peuple ou république. Être citoyen, c'est se sentir responsable du bon fonctionnement des institutions qui respectent les droits de l'homme et permettent une représentation des idées et des intérêts. Ce qui est beaucoup, mais n'implique pas une conscience morale ou nationale d'appartenance, laquelle existe le plus souvent mais ne constitue pas une condition fondamentale de la démocratie. Norberto Bobbio a justement associé la démocratie au contrôle de la violence, allant jusqu'à rappeler que, dans notre demi-siècle, aucun conflit guerrier n'a opposé deux démocraties.

La représentativité

Il ne faut pas séparer cette conscience d'appartenance institutionnelle de la conscience des rapports et des conflits sociaux à laquelle elle apporte une réponse. La démocratie ne peut exister sans être *représentative*, donc sans que le choix entre plusieurs gouvernants corresponde à la défense d'intérêts et d'opinions différents. Pour que la démocratie soit représentative, il faut certes que l'élection des gouvernants soit libre, mais il faut aussi que les intérêts sociaux soient *représentables*, qu'ils aient une certaine priorité par rapport aux choix politiques. Si c'est l'appui donné à un parti qui détermine les positions prises face aux principaux problèmes sociaux, le système démocratique est faible, alors qu'il est fort si les partis politiques apportent des réponses à des questions sociales formulées par les acteurs eux-mêmes, et non pas seulement par les partis et la classe politiques.

Si la démocratie a été si forte dans les pays industriels d'Europe et d'Amérique du Nord, c'est parce que ces pays ont connu des conflits sociaux ouverts, de portée générale, en même temps qu'ils acquéraient une relative intégration sociale et une forte cohésion nationale. Là où le conflit de classes a été fort, la démocratie l'a été aussi. En Grande-Bretagne en particulier, société de classes par excellence et mère de la démocratie. En France, la démocratie a été plus faible parce que les acteurs sociaux y ont constamment été subordonnés à des agents politiques, dans l'opposition comme au gouvernement. L'attitude révolutionnaire n'est pas favorable à la démocratie, car au lieu de définir un conflit social susceptible de solutions ou de réformes politiques, elle pose l'existence de contradictions politiques insurmontables et la nécessité de renverser et d'éliminer l'adversaire, ce qui conduit au rêve d'une société socialement et politiquement homogène, et à considérer que l'adversaire social est un traître au peuple et à la nation. Le conflit proprement social est au contraire toujours limité, et c'est quand ces limites disparaissent que les mouvements sociaux sont remplacés par des contre-cultures politiques ou par la violence. La démocratie ne supporte que les conflits limités mais elle est affaiblie par l'absence de conflits centraux et profonds, car c'est un obstacle important à la représentativité sociale des agents politiques. La démocratie suppose donc une société civile fortement structurée, associée à une société politique intégrée, l'une et l'autre aussi indépendantes que possible de l'État défini comme le pouvoir qui agit au nom de la nation, se chargeant de la guerre et de la paix, de la place du pays dans le monde et de la continuité entre son passé, son présent et son avenir.

Les partis

Moins fondamentales sont les formes institutionnelles
de la démocratie, celles qui organisent la formation des
choix politiques, qui se situent donc du côté de l'offre politique plutôt que des demandes sociales. Il ne faut pas
inclure dans ces formes institutionnelles la liberté de choisir les gouvernants, dont on a déjà dit qu'elle est la définition même de la démocratie. Mais, pour que celle-ci fonctionne, il faut que s'agrègent des choix particuliers, de
sorte que les citoyens puissent choisir des gouvernants
avec une idée aussi claire que possible des implications et
des conséquences de ce choix dans les principaux domaines de la vie collective. Comment peut-il y avoir un libre
choix des gouvernants par les gouvernés si les électeurs ne
savent pas quelle sera la politique économique, sociale ou
internationale des élus ? Si les candidats ne représentent
que des groupes d'intérêt particuliers, comment pourrait-
on établir un lien entre ces intérêts et des choix globaux ?
Une telle situation ne peut aboutir qu'à limiter l'influence
des électeurs, enfermés dans la vie locale, et à supprimer
tout contrôle sur les décisions majeures qui sont alors prises soit par l'élite politique elle-même, soit sous la pression
des intérêts économiques les plus puissants.

Nous sommes habitués à penser que les partis politiques
sont des instruments indispensables de cette agrégation
des demandes sociales et de cette formulation des choix
politiques généraux. Mais leur espace est étroit entre la
multiplication des lobbies d'une part, l'écrasement des
demandes sociales par les idéologies et les appareils politiques de l'autre. Les États-Unis souffrent souvent d'avoir
des partis trop faibles, réduits à n'être que des machines
électorales ; la France est paralysée par des discours idéologiques qui ne servent souvent qu'à maintenir l'emprise
des candidats et des appareils politiques sur des forces
sociales qui ne sont plus que des courroies de transmission
d'une volonté politique. Plus un parti se considère comme
porteur d'un modèle de société au lieu d'être un simple
instrument de formation des choix politiques, plus la
démocratie est faible et plus les citoyens sont subordonnés
aux dirigeants des partis. Cette faiblesse est aussi visible en
France et en Espagne que dans la plupart des pays latino-

américains où Albert Hirschman a montré que les « grands partis populaires » s'approchent parfois dangereusement des partis uniques tels qu'ils existent dans les pays proprement totalitaires. Mais, inversement, la démocratie n'est pas renforcée par la faiblesse de la société politique et sa soumission aux intérêts économiques ou aux demandes des minorités. La citoyenneté suppose le souci de la chose publique et la continuité la plus grande possible entre les demandes sociales et les décisions à longue portée de l'État.

Le libéralisme n'est pas la démocratie

A la fin du XXe siècle, la démocratie semble avoir remporté de grandes victoires, mais c'est là une interprétation trop optimiste de l'écroulement des régimes totalitaires. La démocratie n'a en fait remporté que peu de victoires et n'a même livré que peu de batailles. Les plus glorieuses furent celles de *Solidarność* en Pologne en 1980-81, et celle des étudiants chinois en 1989. Dans les autres pays communistes, il est plus juste de considérer la chute du Mur de Berlin comme l'événement le plus important. La joie qui l'accompagna ne fut pas un cri de victoire mais de soulagement et la fin d'un long enfermement. On a pu parler de révolution démocratique en Roumanie, mais a-t-elle eu lieu ou n'appartient-elle qu'au monde des possibles ? En Amérique latine, les dictatures militaires ont accepté de remettre le pouvoir à des autorités civiles au Brésil, en Uruguay, au Chili et même au Paraguay, tandis qu'en Argentine, c'est la défaite militaire et non un soulèvement populaire qui a amené au pouvoir un régime démocratique. L'euphorie que crée la chute de régimes odieux autant qu'inefficaces s'accompagne d'une étrange absence de réflexion sur la démocratie, définie seulement comme l'absence de pouvoir autoritaire ou totalitaire. Dans les pays post-communistes de l'Europe centrale, les idées et les projets politiques se sont vite épuisés et partout le retour à l'économie de marché commande tous les autres changements. Ni l'éducation ni la justice sociale ne mobilisent de fortes réflexions ; la seule question qui passionne est de savoir d'où viendront les capitaux et les entrepreneurs dans des pays qui ne possèdent et ne produisent ni les uns ni les autres. Les intellectuels ne jouent pas de rôle important dans cette installation des nouvelles démocraties, alors qu'ils avaient occupé la première place dans la lutte contre les dictatures.

Dans les pays occidentaux, le déclin de l'intérêt pour la démocratie est aussi grand. Après une longue période de « tout politique », ces pays vivent dans le « tout-économique » : compétitivité internationale, équilibre des échanges commerciaux, solidité de la monnaie, capacité de développer les nouvelles technologies, voilà les objectifs de la gestion politique. Pour le reste, on se satisfait volontiers d'être bien protégé contre les monopoles politiques, la bureaucratie d'État, la rhétorique des politiciens et les excès des intellectuels, dont beaucoup ont manifesté plus d'intérêt pour des terroristes proches ou des dictateurs lointains que pour les garanties juridiques des libertés. La démocratie est considérée comme aussi naturelle que l'économie de marché ou la pensée rationnelle, et est donc censée devoir être protégée plutôt que développée et organisée.

Cette conception ne saurait être acceptée, même si son importance historique doit être reconnue. Il est vrai qu'une société libérale et riche a une forte capacité d'intégration et surtout peut limiter l'intervention volontariste et donc autoritaire de l'État, et qu'on peut observer que, du début du XIXe siècle à la fin du XXe, l'espace des libertés s'est considérablement étendu dans les pays centraux ; que le bien-être, l'éducation, la séparation des dogmes religieux ou politiques et de la société civile ont remplacé la démocratie censitaire et l'élitisme républicain par une démocratie de masse, expression politique d'une classe moyenne devenue majoritaire, remplaçant la pyramide des classes, et dont la configuration, les normes et les formes d'organisation sont très mobiles. Seymour Martin Lipset a accumulé les arguments en faveur de l'idée que la démocratie est si étroitement associée à l'abondance qu'elle peut être définie comme la dimension politique de la modernisation.

Mais il est vrai aussi — comme cela a été dit presque sans interruption depuis la Révolution française — que cette identification de la démocratie à la société libérale, c'est-à-dire à une société de développement endogène où l'action modernisatrice se confond avec l'exercice de la modernité elle-même, avec l'application de la pensée rationnelle à la vie sociale, à travers la différenciation la plus grande possible des sous-systèmes — économique, politique, judiciaire, religieux, culturel —, n'apporte aucune réponse à la domination de la vie politique par les maîtres de la société civile, notamment par les possesseurs de l'argent, et n'empêche pas la société libérale d'être, en même temps qu'une société d'intégration, une société d'exclusion. C'est ici que la réponse de Marcel Gauchet à Michel Foucault prend toute sa force. La société libérale n'est nullement le masque d'une société de répression ; il est presque absurde de lui faire ce reproche, alors que les victimes des systèmes totalitaires et autoritaires trouvent en elle leur seul refuge. C'est parce qu'elle est ouverte, parce qu'elle est intégratrice et flexible, que l'exclusion y est aussi dramatique, alors qu'une société hiérarchisée, immobile ou peu mobilisée, était, comme une vieille maison, pleine de recoins et de cachettes protectrices. Les sociétés traditionnelles ne séparaient pas la marginalité de l'infériorité, la pauvreté de l'exploitation. Les sociétés modernes libérales, en supprimant en grande partie les marques et les contraintes de l'infériorité, « libèrent » la marginalité. Plus nos sociétés sont ouvertes et égalitaires, plus elles accentuent la marginalité et même l'exclusion de ceux qui se réfèrent à d'autres normes sociales ou culturelles que celles du *mainstream*, ou qui accumulent les handicaps personnels et collectifs. Cette observation a le moins de force dans une Europe fortement marquée par une longue tradition social-démocrate, où la sécurité sociale prélève une partie aussi (voire plus) importante du produit national que le budget propre de l'État ; elle en a davantage aux États-Unis, pays de culture profondément démocratique, où n'existent guère les barrières culturelles et sociales élevées en Europe par les « ordres » ou les classes supérieurs pour se protéger, mais où abondent les ghettos et les formes extrêmes de misère et de décomposition sociale. C'est parce que ce modèle libéral se répand rapidement en Europe que s'y développe aussi, en France en particulier, une conscience aiguë de l'augmentation de l'inégalité, perception inexacte de la dérive réelle des exclus loin de la classe moyenne et de la désagrégation des mécanismes, notamment des conflits sociaux et politiques, qui rattachaient ces défavorisés à l'ensemble de la société. Ils étaient des exploités, ils deviennent des étrangers, et ce n'est pas par hasard qu'ils se redéfinissent eux-mêmes souvent en termes ethniques et culturels plutôt que sociaux et économiques.

Cette séparation croissante des *in* et des *out* prend une forme de plus en plus spectaculaire à mesure qu'on s'éloigne des centres de l'économie planétaire. L'ouverture au marché mondial, souvent préparée par des régimes autoritaires antipopulistes, peut s'accompagner d'un retour à la démocratie, mais aussi d'une accentuation du dualisme économique. En Amérique latine, par exemple, la dégradation des régimes nationaux-populaires a d'abord entraîné dans de nombreux pays le triomphe de dictatures militaires et le remplacement du protectionnisme par une politique libérale de recherche des avantages comparatifs sur le marché mondial ; mais cette politique économique s'est très bien accommodée d'un retour aux élections libres, sans que soit pour autant inversée la tendance, qui a dominé les années quatre-vingt, à la montée de la marginalité et à la croissance du secteur informel de l'économie. Les pauvres sont devenus plus pauvres, de larges secteurs de la classe moyenne traditionnelle — enseignants, fonctionnaires, etc. — ont vu leur situation se détériorer gravement, tandis que les riches maintenaient leurs positions et profitaient de l'exportation massive des capitaux fournis souvent par l'endettement extérieur de leur pays. Cette inégalité croissante, que les chercheurs de PREALC ont appelée la « dette sociale » de ces pays, marque les limites de la démocratisation. Qui peut employer ce mot quand les pouvoirs réels s'exercent au profit des minorités riches et au détriment des majorités pauvres ? Dans l'ensemble des pays, la distance s'accroît entre inclus et exclus, aussi bien dans ceux où les inclus sont 80 % que là où ils ne sont que 20 ou 40 %, comme dans l'Afrique sahélienne ou les pays andins de l'Amérique latine. Il est impossible de se satisfaire d'une conception purement libérale de la démocratie, même s'il faut reconnaître que le développement endogène est le fondement le plus solide de la démocratie.

La théorie de la démocratie de Jürgen Habermas

L'insuffisance de la conception libérale, qui se heurte à la réalité brutale de l'inégalité, conduit la pensée contemporaine dans une direction opposée, vers le retour à l'universalisme des Lumières. Il ne peut y avoir de démocratie que si les citoyens, au-delà de leurs idées et de leurs intérêts particuliers, peuvent s'entendre sur des propositions acceptées par tous. La communauté scientifique, telle que l'a décrite Robert K. Merton, peut être considérée comme démocratique dans la mesure où le pouvoir personnel et les rivalités entre écoles ou institutions y sont subordonnés à la recherche et à la démonstration de la vérité. Cette conception est au plus loin de la pensée libérale qui ne croit pas au consensus, mais seulement au compromis, à la tolérance et au respect des minorités. Les libéraux sont agnostiques, tandis que les défenseurs des Lumières sont rationalistes ou déistes. Encore faut-il que l'esprit des Lumières ne reste pas enfermé dans le domaine de la pensée scientifique, qu'il pénètre dans la vie sociale, c'est-à-dire dans le domaine des valeurs et des normes, et même dans celui de l'expérience la plus subjective, celle du goût et du jugement esthétique. La difficulté est immense et le risque est même grand de retomber dans l'image autoritaire d'un rationalisme détruisant ou méprisant tout ce qui lui apparaît comme irrationnel, du sentiment amoureux à la religion, de l'imaginaire à la tradition. C'est cette difficulté qu'a tenté de surmonter Jürgen Habermas.

Il écarte deux solutions extrêmes : réduire l'acteur humain à la pensée scientifique et technique, à la raison instrumentale, et, en sens inverse, en appeler aux particularismes de l'individu ou de la communauté contre les contraintes du rationalisme. Il critique, à la suite d'Adorno et de Horkheimer, la domination de la pensée qu'il appelle stratégique, mais il a une horreur absolue pour l'appel à des forces populaires — *völkisch* — qui a apporté le nazisme en Allemagne. Il croit à la possibilité de faire apparaître l'universel dans la communication entre les expériences particulières nourries de la particularité d'un monde vécu *(Lebenswelt)*, d'une culture. On ne doit pas se contenter des compromis qu'offre la politique libérale, ni même d'une tolérance qui juxtapose les particularismes au lieu de les intégrer. On doit accepter qu'il n'y ait pas de démocratie sans citoyenneté, et pas de citoyenneté sans accord non seulement sur des procédures et des institutions, mais sur des contenus.

Mais comment lier l'universel et le particulier ? Par la communication, et plus concrètement par la discussion et l'argumentation qui permettent de reconnaître en l'autre ce qui est le plus authentique et ce qui se rattache à une valeur morale ou à une norme sociale universaliste. Cette démarche de respect et d'écoute de l'autre apparaît comme un fondement plus solide de la démocratie que l'affrontement des intérêts conduisant à des compromis et à des garanties juridiques.

Mais comment ce passage du vécu au pensé et du particulier à l'universel peut-il se réaliser ? Comment peut-on renverser la tendance dominante de notre modernité, qui a opposé l'universel de la raison au particularisme de la foi, de la tradition et de la communauté ? Habermas donne ici au problème de la démocratie moderne une ampleur beaucoup plus grande que celle que lui reconnaît en général la science politique. Il s'agit de fonder la coexistence et la communication entre des positions, des opinions ou des goûts qui se présentent d'abord comme purement subjectifs et donc réfractaires à toute intégration. La société moderne ne se définit-elle pas par la séparation croissante, dit Habermas après Piaget, de l'objectif, du social et du subjectif ? N'a-t-elle pas perdu tout principe central d'unité et n'appelle-t-elle pas une théorie de la communication qui soit une théorie de l'intercompréhension et donc de la socialité ? Habermas rappelle constamment qu'il n'y a pas de démocratie sans écoute et reconnaissance de l'autre, sans recherche de ce qui a une valeur universelle dans l'expression subjective d'une préférence. La délibération démocratique, dans un Parlement, devant un tribunal ou dans les médias, suppose d'abord qu'on reconnaisse une certaine validité à la position de l'autre, sauf dans le cas où celui-ci se place nettement et même volontairement au-delà des frontières de la société. Ce qui conduit directement à l'affirmation classique — que Habermas reprend à Parsons comme à Durkheim — selon laquelle les jugements moraux et sociaux sont des moyens de maintien et de reproduction des valeurs culturelles, des normes sociales et des mécanismes de socialisation. Dans le cas des jugements esthétiques, la communication va plus loin que dans celui des jugements moraux, puisqu'elle se réfère à une condition humaine ou à des démarches de l'esprit qui ont une nature presque universelle, ou qui s'appliquent au moins dans un ensemble plus vaste qu'une société, et qu'on appelle parfois une civilisation. Habermas rejoint ainsi les nombreux théoriciens pour lesquels une société n'est pas seulement un ensemble de production, mais une collectivité qui a des exigences d'intégration sociale et de maintien de ses valeurs culturelles autant que de production ; en termes plus concrets, où l'éducation et la justice sont aussi importantes que l'économie et la politique.

Mais si cette position a beaucoup de force face à une conception instrumentale extrême qui réduit la vie sociale à l'action technique, au choc des intérêts et aux compromis qui s'établissent entre eux, elle est exposée aux critiques souvent présentées dans ce livre, en particulier contre l'idée de la correspondance entre les institutions qui font respecter des valeurs et des normes et les individus socialisés par la famille, l'école ou d'autres agents de socialisation. Il existe en réalité un décalage constant entre le système et les acteurs, car le système a aussi pour but sa propre puissance, et les acteurs cherchent leur autonomie individuelle, de quelque type qu'elle soit. Ce qui empêche d'accepter l'image de la société à laquelle fait appel Habermas, qui est celle d'un mouvement constant du particulier vers l'universel, dans lequel la vie politique joue le rôle d'une *Bildung* qui élève les individus au-dessus d'eux-mêmes. A cette image, qui réduit la communication à l'écoute attentive de l'autre, à la délibération soucieuse avant tout du bien commun, il faut opposer ce qui s'interpose entre les consciences, le flux des informations, des langages et des représentations, contrôlé par des pouvoirs au même titre que les flux d'argent et de décision.

Ce que Habermas rappelle avec raison c'est que le conflit social n'est jamais un affrontement complet, un jeu à somme nulle, comme le rapport de l'acheteur et du vendeur sur un marché. Car il n'y a pas de conflit social sans référence culturelle commune aux deux adversaires, sans historicité partagée. Le débat démocratique combine donc toujours trois dimensions : le *consensus*, qui est la référence aux orientations culturelles communes, le *conflit*, qui oppose les adversaires, le *compromis*, qui combine ce conflit avec le respect d'un cadre social — en particulier juridique — qui le limite.

En ce qui concerne l'expérience esthétique, la communication est d'une nature différente, mais plus limitée encore, car elle combine la référence commune à ce que Habermas appelle l'authenticité, la présence sensible de l'expérience esthétique, avec un contenu culturel qui constitue une tradition, une histoire dont la démarche herméneutique découvre la présence et qui crée une distance insurmontable avec d'autres traditions. Au point que nous éprouvons nous-mêmes la plus grande difficulté à relier aujourd'hui les arts de la représentation qui ont triomphé avec la modernité classique et les arts contemporains qui tendent à être soit langage, soit lyrisme, mais sans référence à un objet à représenter.

Cette distance entre le particulier et l'universel, qui prend des formes différentes dans les conduites morales et dans l'expérience esthétique, ne peut être franchie, me semble-t-il, que si on accorde une valeur universelle, comme un des fondements de la modernité, à l'affirmation libre du Sujet. Ce à quoi Habermas ne devrait pas s'opposer, car, s'il critique l'idée de Sujet au nom de l'intersubjectivité, c'est en conférant à l'idée de Sujet le sens que lui avait donné Hegel et, avant lui, la métaphysique occidentale. Aussi éloigné que lui de faire appel à un tel principe, je crains qu'il n'accepte trop facilement de le remplacer par les idées classiques de société et de culture, réintroduites sous le nom de « monde vécu » (*Lebenswelt*). Ce qui enlève à la vie sociale son caractère dramatique mais dynamique. Nous nous approchons le plus de l'universel, et donc de la modernité, en nous revendiquant nous-mêmes comme Sujets, en transformant notre individualité, imposée par notre être biologique, en production de notre Je, en *subjectivation*. Et cette production de soi ne s'opère que dans et par la lutte contre les appareils, surtout contre les systèmes de domination culturelle, en particulier contre l'État quand celui-ci domine la culture autant que la vie politique et économique. Que le sujet personnel ne se constitue qu'en reconnaissant l'autre comme sujet renforce encore cette idée centrale : c'est le sujet, ce n'est pas l'intersubjectif, c'est la production de soi, ce n'est pas la communication, qui constituent le fondement de la citoyenneté et donnent un contenu positif à la démocratie.

Un exemple récent illustre cette idée. Il semblait exister en France un débat traditionnel sur la définition de la nationalité entre les défenseurs du droit du sang, si prédominant en Allemagne, et les tenants du droit du sol, plus facilement admis par les pays d'immigration. Or la commission de réforme du Code de la nationalité, réunie par le gouvernement en 1987, s'éloigna rapidement de cette opposition classique et, à la surprise générale, parvint à un consensus explicite sur la proposition que la nationalité devait être le résultat d'un choix par le nouveau venu, que ce choix devait être facilité autant que possible, et que la France devait mener une politique d'intégration et non de rejet ou de marginalisation des immigrés. Cette conclusion avait une portée générale : contre toutes les définitions soit de la majorité, soit des minorités par une nature sociale, par un héritage culturel modelant les individus, elle élargissait ce qu'on a appelé la définition française de la nationalité — la volonté de vivre ensemble — sans affirmer que, pour être français, il fallait cesser d'avoir d'autres attaches. Contre toutes les formes de détermination automatique de la nationalité — par le lieu d'origine ou par la naissance —, il était affirmé que le statut national devait le plus possible résulter d'un choix. J'aurais souhaité qu'on allât même plus loin et qu'on demandât à tous, quel que soit le statut national de leurs parents ou grands-parents, de faire explicitement un tel choix. Seul cet appel à la liberté peut écarter toutes les formes de racisme, de xénophobie ou de rejet des minorités.

Si la démocratie est possible, c'est parce que les conflits sociaux opposent des acteurs qui, en même temps qu'ils se combattent entre eux, se réfèrent aux mêmes valeurs, auxquelles ils cherchent à donner des formes sociales opposées. Au lieu de se confier à un rationalisme généralisé, tentative pour revenir au règne de la raison objective et étendre l'esprit des Lumières, il faut se tourner vers le sujet comme principe fondateur de la citoyenneté et définir les conflits sociaux comme un débat sur le Sujet — enjeu culturel central — entre les acteurs sociaux opposés et complémentaires.

Mais cet appel au Sujet ne peut être une nouvelle version de l'appel à la raison ou à la modernité propre à la philosophie des Lumières. Pour celle-ci, il s'agissait de se dégager du particulier pour s'orienter vers l'universel. Je pense au contraire que l'appel au Sujet signifie à la fois, et de manière indissociable, l'engagement dans un conflit social et une orientation culturelle. On ne peut construire une société sur la raison, et pas davantage sur le Sujet. Cette dernière illusion serait même plus dangereuse encore que la précédente, qui a conduit aux catastrophes provoquées par les régimes communistes. L'appel au Sujet n'est pas un principe qui puisse commander directement et positivement la loi et l'organisation sociale ; c'est un recours contre la puissance d'appareils qui se présentent comme les gestionnaires, voire les producteurs de l'information. Habermas parle d'« agir communicationnel », mais qu'est-ce que la *communication* ? Si on admet qu'elle consiste à dégager l'universel à partir du particulier, on retombe dans les illusions rationalistes ; si on voit au contraire des interlocuteurs enfermés dans des identités et des cultures entièrement différentes, il n'y a plus que l'amour ou la haine qui puisse s'établir entre eux. Dans un cas, le conflit disparaît ; dans l'autre, il devient total et insurmontable. En fait, la communication est le face-à-face des locuteurs en même temps que la transmission de messages de l'un à l'autre ; elle est flux d'informations, mais aussi signe du travail de subjectivation que chacun accomplit de son côté et qu'il cherche à reconnaître chez l'autre. Ce qu'apporte l'idée de communication est surtout négatif : la société n'est plus ici appuyée sur l'histoire, la nature ou la volonté divine ; elle est interaction, échange, en un mot action. Ce qui pousse à l'extrême ce qui était déjà visible dans la société industrielle. Là, on parlait de travail, et ce mot introduisait le conflit de l'autonomie ouvrière et de l'organisation industrielle. De même, en parlant de communication, on ne doit pas plus éliminer les conflits qu'en parlant du travail ; on doit au contraire les faire apparaître en pleine lumière, car la communication est le contraire de l'information et plus encore de l'expression de soi. Si l'expression triomphe seule, elle s'enferme dans la conscience et l'affirmation de soi, ce qui jette dans tous les dangers du culturalisme ou du différentialisme absolu. Si l'information triomphe, elle subordonne les individus et les groupes à son pouvoir qui est de même nature que celui de l'argent.

Pour qu'il y ait démocratie, il faut que les conflits sociaux soient limités au sommet par des valeurs comme celles de la modernité : la rationalisation et la subjectivation ; mais il faut aussi qu'existent des forces politiques représentatives, c'est-à-dire capables de représenter les faces opposées d'une société de consommation. Le débat démocratique existe si les demandes sociales commandent la vie politique mais sont à leur tour commandées par des orientations culturelles dont elles constituent les expressions sociales, opposées et complémentaires. Un conflit social central, mais à l'intérieur d'enjeux culturels communs aux adversaires, telle est la condition fondamentale de la démocratie. La liberté de choix des gouvernants, toujours indispensable, ne suffit pas à constituer la démocratie.

Habermas pense avec raison que la démocratie ne peut se réduire au compromis, qu'il n'y a pas de citoyenneté sans consensus, mais il cherche à canaliser cette tradition, qui est celle des Lumières, avec le marxisme. Ce qui est difficile, car le marxisme parle de contradictions entre classes, de lutte à mort entre forces productives et rapports sociaux de production. Je parle au contraire de conflits, et non de contradictions, conflits qui se placent à l'intérieur des grands enjeux de la modernité. Ce qui veut dire qu'aucun acteur social ne peut s'identifier complètement à la modernité, ni les appareils qui dirigent les industries culturelles, ni la subjectivité des individus et des groupes qui défendent une tradition ou une communauté en même temps qu'ils affirment les droits du sujet. Je crains que Habermas ne sacrifie la dimension conflictuelle de la société, car s'il défend l'indépendance des acteurs face à la logique des systèmes, c'est avec l'espoir que la particularité de leur monde vécu pourrait être incorporée au monde des Lumières et à son universalisme. Ce qui n'a de sens concret que dans une perspective libérale, qui n'est pas celle de Habermas, le marché respectant le maximum de diversité et de complexité. L'argumentation, le débat ne débouchent pas sur l'intégration des perspectives et des demandes ; ils ne peuvent que mettre en lumière l'insurmontable conflit entre la puissance des appareils et la liberté du sujet personnel.

La différence entre les deux perspectives vient surtout de ce que Habermas part de l'expérience allemande de la culture comme culture historique particulière, comme *Volksgeist* et *Zeitgeist*, alors que je ne définis pas le sujet comme individualité ou comme communauté, mais comme exigence de liberté, à la limite sans contenu, mais avec une grande capacité de défense, de lutte et de volonté de libération. Habermas cherche à retrouver l'universalisme à partir des cultures et des personnalités particulières ; je cherche au contraire à retrouver la liberté créatrice du sujet contre la domination de la vie individuelle et collective par les appareils qui détiennent l'argent, le pouvoir et l'information, donc contre la logique des systèmes.

L'idée de monde vécu, de *Lebenswelt*, à laquelle recourt Habermas, est chargée d'obscurité, car d'un côté elle est un double de l'idée de culture et désigne les valeurs et les normes transmises par le langage comme par les monuments et les institutions ; de l'autre, son existence même dément la correspondance du système et de l'acteur imposée par l'idée de culture, et introduit l'image romantique d'un vécu en opposition avec les normes sociales, se réfugiant dans l'intimité ou se perdant dans la nature pour échapper aux conventions ou aux injonctions de la vie sociale. Or aujourd'hui, c'est bien cette dissociation du monde vécu et des organisations qui est dénoncée par la pensée critique et qui donne naissance à ces nouveaux mouvements sociaux qui ne parviennent pas à s'organiser, précisément parce qu'ils se placent hors la société plutôt que contre le pouvoir, et qui sont plus près de la contre-culture que d'une action revendicative. C'est revenir en arrière, aux rêves de la rationalité objective, que de concevoir le monde vécu comme celui de l'organisation sociale et culturelle, tandis que l'idée de Sujet n'apparaît que quand le déchirement entre l'acteur et le système est reconnu. Faut-il ajouter que ce débat n'est pas seulement théorique, mais qu'il oppose la recherche difficile de nouveaux mouvements de contestation à la résurgence du libéralisme rationaliste. Ici encore, le versant philosophique de la pensée sociale est tourné vers la recherche de l'Un perdu, tandis que la pensée socio-historique est plus sensible aux formes de plus en plus extrêmes de rupture de l'ordre du monde.

Pour beaucoup, la démocratie est définie par la participation ; pour moi, elle l'est par la liberté, par la créativité des individus et des groupes, de même qu'au niveau des relations interpersonnelles, l'amour est reconnaissance de l'autre comme sujet au-delà du désir sexuel, contre l'idéal de la fusion des individus dans l'universel, dans la vérité ou dans la loi morale. Ce qui impose de ne jamais opposer l'universalisme et le particularisme, pas plus que la raison et la religion ou la technique et la communauté. La démocratie est la forme politique qui garantit la compatibilité et la combinaison de ce qui apparaît trop souvent comme contradictoire et risque de conduire au conflit entre les appareils de domination et les dictatures de l'identité, conflit mortel quel qu'en soit le vainqueur. L'appel au Sujet impose d'accepter un certain pluralisme des valeurs, au sens d'Isaiah Berlin, qui a voulu lutter à la fois contre l'arrogance de la pensée française des Lumières et les dangers du romantisme allemand.

La démocratisation

Cette réflexion nous a fait passer d'une analyse des institutions démocratiques à celle de l'action démocratisante. La première part de l'importance centrale des élections libres, mais elle se prolonge par une réflexion sur la citoyenneté et la participation politique. Elle repose sur l'idée que la démocratie est étroitement associée au développement endogène : c'est dans cette situation que la rationalisation est l'enjeu de conflits entre les acteurs sociaux qui se considèrent comme les agents de la rationalisation, en même temps qu'ils combattent les intérêts égoïstes, particularistes, de leur adversaire. L'histoire a montré avec force que les régimes démocratiques se formaient en effet là où la sécularisation et la rationalisation triomphaient, même si, au début, c'est une monarchie absolue qui avait été l'agent principal de la modernisation. Ce type d'analyse ne peut en aucun cas être écarté. Il est impossible de faire vivre un régime démocratique là où règne l'Un, que ce soit l'unité d'une religion d'État, celle d'un pouvoir absolu ou celle d'une culture définie par son opposition à d'autres. Une société qui se définit avant tout par son identité et plus encore par son unicité ne peut pas être démocratique ; elle est trop engagée dans une logique qui ne profite qu'à l'État, lequel réduit alors la société à la nation et la multiplicité des acteurs sociaux à l'unité du peuple.

Mais cette analyse peut conduire à des confusions si graves qu'elle doit être examinée de manière critique. On ne peut accepter sans résistance l'idée que seuls les pays à développement endogène ont des chances d'être démocratiques et que tous les autres sont condamnés à des régimes autoritaires. Il est vrai que non seulement il existe une corrélation évidente entre le régime démocratique et la modernisation économique, mais encore, on l'a vu, que les éléments constitutifs de la démocratie — la conscience des droits, la représentativité des forces politiques et la citoyenneté — se rencontrent plus aisément dans ces sociétés fortement intégrées par un développement économique avancé que dans celles qui sont soumises à la violence privée, segmentées en tribus et en ethnies et dominées par des conquérants.

Mais on peut avancer une autre hypothèse, à savoir que plus on s'éloigne du développement endogène, plus on entre dans des sociétés civiles faibles dirigées par un despotisme éclairé ou une dictature plus ou moins totalitaire, et plus le sort de la démocratie est lié à la formation de mouvements populaires plus fortement mobilisateurs. Ce qui réintroduit l'idée de révolution dont ce livre s'est nettement écarté à plusieurs reprises.

Ne peut-on repérer des forces sociales ou même culturelles qui s'opposent à l'État autoritaire ou post-révolutionnaire ? Face aux régimes autoritaires modernisateurs, du type allemand ou japonais, puis turc, mexicain ou brésilien, n'est-ce pas la mobilisation sociale, dont l'orientation a souvent été révolutionnaire, qui a contribué à développer la société civile, comme on l'a vu dans l'Allemagne post-bismarckienne ou au Japon, avant le triomphe des nationalismes extrêmes, au moment de la grande extension impérialiste, ou encore dans la Corée du Sud au cours des dernières décennies ? N'est-ce pas cette orientation révolu-

tionnaire anticapitaliste ou anti-impérialiste qui a donné
son contenu démocratique au Mexique de Cardenas ?

Mais il faut aller plus loin aujourd'hui, car le XXᵉ siècle
a vu se constituer des régimes de plus en plus totalitaires,
du communisme soviétique ou maoïste à la révolution islamiste, qui se sont appuyés au départ sur une révolution
sociale, mais en la transformant vite en un pouvoir totalitaire répressif. Ne faut-il pas dire que seules les forces
culturelles, plus mobilisatrices encore que les forces sociales ou institutionnelles, sont capables de résister à ces régimes et constituent le fondement d'une démocratie possible ? Les dissidents soviétiques, les étudiants et
intellectuels chinois depuis le mur de la démocratie jusqu'aux massacres de Tien-Anmen, sont des exemples de
résistance plus culturelle que sociale, menée au nom de
valeurs plus que d'intérêts.

Les chances de la démocratie sont faibles dans un
régime totalitaire où les protestataires sont isolés. La chute
des régimes autoritaires est donc plus souvent due à leur
décomposition interne qu'au succès de mouvements d'opposition populaire. Ce qui aboutit à la victoire presque
passive d'une démocratie réduite à un libre choix politique, dont le caractère superficiel est vite révélé par la faiblesse de la participation politique et même des partis politiques, ainsi qu'on le voit en Union soviétique après l'échec
du putsch de l'été 1991. Mais les forces de libération culturelle, même si elles sont dans l'ensemble fragiles, peuvent
indiquer les conditions actuelles de la démocratisation
dans les pays les plus éloignés d'un modèle endogène de
développement. Et ce d'autant plus que, dans les pays
développés eux-mêmes, c'est une protestation morale et
culturelle qui résiste le mieux à l'emprise de la société de
consommation qui a absorbé la plus grande partie des
mouvements sociaux de l'époque antérieure. Contre les
industries culturelles qui contrôlent l'information, c'est au
nom du consommateur et non plus du producteur, c'est-
à-dire de la culture et de la personnalité, et non plus de
l'économie, que se forment des mouvements sociaux sur
l'action desquels se fonde la démocratie. Dans ces pays
aussi, les demandes se forment difficilement, car la société
de consommation exerce, sans violence, une emprise qui

ne peut être comparée à celle des régimes totalitaires, mais qui est aussi d'une grande efficacité.

Ce parallélisme n'est pas artificiel ; il s'est toujours imposé. De la même manière que les mouvements anticapitalistes et les politiques anti-impérialistes ont été associés en partie, ce qui a conféré sa force exceptionnelle au marxisme-léninisme, on voit aujourd'hui la critique culturelle de la société de consommation rencontrer la critique morale et politique de la société totalitaire, car les deux ordres de protestation en appellent à la liberté personnelle et au respect d'une identité collective qui s'étend à l'humanité tout entière.

Ne revenons pas aux facilités d'un libéralisme qui s'accommode si aisément de la misère et de la dépendance d'une grande partie de l'humanité et qui s'enfonce dans une société de « consumation » où se dissout le Sujet humain. Contre les totalitarismes, mais aussi en restant éloigné d'une société réduite à un marché, il faut concevoir une démocratie qui repose sur des mouvements sociaux qui défendent le Sujet humain contre la double impersonnalité du pouvoir absolu et du règne de la marchandise. A l'est de l'Europe, on n'a confiance aujourd'hui que dans le marché. Ce qui se justifie, car le retour à l'économie de marché est indispensable pour éliminer la *nomenklatura*. Mais ce qui élimine le passé ne suffit pas à construire un avenir et la phase de confiance absolue en l'économie de marché et en l'aide extérieure ne saurait durer longtemps. Les mouvements de protestation qui se forment déjà peuvent évoluer dans un sens dangereux, populiste ou nationaliste, favorable à de nouvelles solutions autoritaires. Il est donc urgent de réfléchir à la formation possible de nouveaux mouvements sociaux qui transforment la résistance au totalitarisme en institutions démocratiques. De la même manière, dans les pays d'Amérique latine ou d'Afrique qui reviennent à la liberté politique, ce n'est pas seulement par une ouverture de l'économie sur le marché mondial que seront sauvées les libertés, car cette ouverture peut accroître encore les inégalités et donc appeler des solutions autoritaires ; il faut que l'appel à la liberté, associé à des mouvements de défense communautaire, se mobilise pour empêcher le triomphe d'une démocratie censitaire reposant sur l'exclusion sociale et la manipulation politique du plus grand nombre.

Ainsi, les conditions de la démocratisation ne se réduisent pas aux principes de fonctionnement de la démocratie. Pas plus que la modernisation ne se réduit à la modernité en acte. Mais les luttes pour la démocratisation se pervertissent dès lors qu'elles n'ont plus pour objectif l'autonomie de la société civile et de ses acteurs sociaux. De même que les modernisations autoritaires ont glissé vers la catastrophe dès lors qu'elles ne se sont plus considérées comme des moyens transitoires pour construire une société civile et une croissance « autosoutenue ». Sommes-nous incapables de nous garder à la fois contre les mirages d'un libéralisme qui profite au centre plus qu'à la périphérie, et contre le danger mortel d'un pouvoir révolutionnaire ou nationaliste qui substitue ses intérêts à ceux du peuple dont il s'est rendu maître ?

L'espace public

Il n'y a pas de société politiquement transparente, où la volonté d'indépendance et de libération des contraintes intérieures se transforme entièrement en institutions représentatives. Entre ces institutions et ces mouvements de libération politique se manifeste toujours une forte tension. Les premières tendent à devenir oligarchiques, comme les seconds peuvent devenir autoritaires ou populistes. De là la nécessité d'un système politique aussi autonome que possible par rapport à l'État d'un côté, aux acteurs de la société civile de l'autre, mais capable de jouer un rôle de médiateur entre deux. Ce système n'est pas seulement défini par un ensemble d'institutions démocratiques, de mécanismes de prise des décisions reconnues comme légitimes ; il correspond à l'ensemble de l'espace public, en particulier à l'influence des médias et aux initiatives des intellectuels.

Le rôle des journalistes et des intellectuels dans une démocratie n'est pas d'opposer la volonté populaire au pouvoir de l'État, ce qu'il est dans les régimes non démocratiques, mais de combiner la mise en œuvre du développement endogène, en particulier les conflits sociaux dont l'enjeu est l'utilisation sociale de la rationalisation, avec la mobilisation des forces de libération. Combiner la liberté et la libération n'est pas aisé ; beaucoup de forces politiques et nombre d'intellectuels ont échoué dans cette tâche, mais la social-démocratie — au sens contemporain du mot — ainsi que certains intellectuels ont permis à cette combinaison d'exister et de créer les espaces politiques les plus démocratiques, c'est-à-dire non seulement ceux où les libertés publiques sont le mieux établies, mais aussi ceux où la conscience de citoyenneté est la plus forte. Ces intellectuels ont surtout eu le mérite de lutter de toutes leurs forces contre le populisme autoritaire qui s'oppose à la fois à la liberté politique et à la défense des droits individuels, et qui, sous les formes les plus diverses, du communisme au nationalisme tiers-mondiste, a semblé dominer le monde au milieu de ce siècle. Les révolutionnaires et les libéraux rivalisent de violence et de mépris quand ils parlent de ces humanistes ; c'est pourtant eux qui sont les plus réalistes et qui ont le mieux réussi à associer les institutions libres à une volonté collective de participation, ce qui constitue une bonne définition pratique de la démocratie.

Leur rôle est d'autant plus grand que les problèmes de la démocratie ne peuvent être posés qu'au niveau mondial, car les relations internationales pèsent de plus en plus directement sur le fonctionnement des régimes politiques nationaux. Nous ne pouvons pas nous vanter du bon fonctionnement de nos institutions démocratiques sans voir que nos pays exercent une action de domination sur d'autres et constituent donc un obstacle à leur démocratisation. Raisonnement qui vaut aussi à l'intérieur des frontières de chaque pays où, trop souvent, l'élite « éclairée » se flatte de son libéralisme tout en exerçant une domination ou en gérant des mécanismes d'exclusion qui créent une vaste zone où la démocratie ne pénètre pas.

Il est inadmissible de s'enfermer orgueilleusement dans le monde des libertés sans se demander si ces libertés ne supposent pas autour d'elles beaucoup de servitudes, comme l'élégance des classes supérieures dissimule la brutalité des conditions de vie des masses déshéritées. Il est tout aussi dangereux d'appeler démocratique l'invasion des espaces de liberté par des masses populaires vite transformées en troupes d'assaut disciplinées et dont l'intervention ne fait que porter au pouvoir des dictateurs encore moins libéraux que les anciennes oligarchies. Il est impossible de choisir entre la défense des institutions démocratiques et la demande populaire de participation ; il n'y a pas d'autre solution que de les combiner. La démocratisation est la subjectivation de la vie politique. De même que le Sujet est à la fois liberté personnelle et appartenance collective, de même la démocratie est à la fois traitement institutionnalisé des conflits formés autour de la rationalité moderne et défense de la liberté personnelle et collective. Au siècle passé, on a découvert qu'elle devait avoir un contenu à la fois juridique et économique ; nous savons aujourd'hui qu'elle doit avoir un contenu culturel en même temps que politique.

Trop longtemps, la démocratie est apparue comme une formule politique permettant à la bourgeoisie de se dégager des contraintes de l'État ; les masses populaires, méfiantes à son égard, attendaient plutôt de partis et de leaders révolutionnaires ou populistes la diminution des injustices sociales. Aujourd'hui, au contraire, la droite et la gauche non démocratiques s'écroulent et la démocratie remplace la révolution en tant qu'objectif le plus mobilisateur. Ainsi s'opère le rapprochement des institutions démocratiques et du mouvement de démocratisation.

Le moment n'est-il pas venu, pour rendre compte des mémorables événements de 1989, les plus enthousiasmants que nous ayons vécus depuis le milieu de l'année 1789, de dépasser l'opposition de la conception négative et de la conception positive de la liberté, de la démocratie politique et de la démocratie sociale, des institutions démocratiques et de la volonté de démocratisation, et de redonner ainsi à l'idée de démocratie une place centrale dans la réflexion politique ? Objectif qui peut sembler banal, mais qui ne l'est pas ; car, au-delà d'un unanimisme démocratique, on découvre vite la force de résistance à la fois d'un libéralisme qui réduit la démocratie à un simple marché politique et de mouvements de libération plus soucieux de défendre l'identité et l'homogénéité d'un pays que les libertés de ses citoyens.

Ne cédons plus à la tentation, née au XVIIIᵉ siècle, d'identifier l'homme et le citoyen, espoir grandiose qui a entraîné les plus grandes catastrophes, car il a conduit à détruire toutes les barrières qui pouvaient limiter un pouvoir absolu. La démocratie, au lieu de confondre l'homme et le citoyen, doit au contraire reconnaître explicitement, comme la Déclaration des droits de l'homme et du citoyen, que la souveraineté populaire doit respecter les droits naturels et même reposer sur eux. La société la plus démocratique est aussi celle qui établit les *limites* les plus strictes à l'emprise des pouvoirs politiques sur la société et sur les individus. Ce qui revient à dire que la société la plus moderne est celle qui reconnaît le plus explicitement les droits égaux de la rationalisation et de la subjectivation, et la nécessité de les combiner.

La démocratie n'est pas le triomphe de l'Un ou la transformation du peuple en Prince. Elle est tout au contraire la subordination des institutions à la liberté personnelle et collective. Elle protège celle-ci contre le pouvoir politico-économique d'un côté, contre la pression de la tribu et de la tradition, de l'autre. Elle se protège aussi contre elle-même, c'est-à-dire contre l'isolement d'un système politique suspendu entre l'irresponsabilité de l'État et les demandes des individus, dans un vide qu'il remplit de ses intérêts propres, de ses luttes intestines et de sa rhétorique. Aujourd'hui, la pression de l'État sur la société est forcément grande, tant sont urgents les problèmes de la modernisation et de la concurrence économique et militaire. C'est donc le renforcement du Sujet qui est la tâche prioritaire. Nos sociétés, quelles qu'elles soient, tendent à se soumettre à la loi du Prince ou à celle du marché ; la démocratie exige qu'à ces deux principes d'ordre résiste l'esprit de liberté, d'indépendance et de responsabilité. Ce qui donne un rôle important à ce qu'on a appelé, d'un terme inadéquat, les agences de socialisation, la famille et l'école en particulier, qui, au lieu de seulement socialiser, doivent au contraire transformer les individus en sujets conscients de leurs libertés et de leurs responsabilités à l'égard d'eux-mêmes. Sans cette action de subjectivation des individus, la démocratie n'a pas de fondement solide.

L'esprit de liberté suppose aussi que la loi où il est inscrit soit respectée. Pas de démocratie là où règnent l'argent, le clientélisme, l'esprit courtisan, les gangs ou la corruption.

Ce qui implique, comme le disent à juste titre les défenseurs de l'esprit « républicain » en France — trop oublieux, en revanche, de la dimension représentative de la démocratie —, que le pouvoir central fasse appliquer la loi au lieu de se soumettre à l'influence des intérêts locaux. Lorsque la loi et les élus disparaissent devant les affrontements des gangs et de la police, ou ceux qui opposent entre eux des groupes ethniques qui se disputent le contrôle d'un territoire, il n'est plus possible de parler de démocratie, même si les élections sont libres et si les partis alternent au pouvoir. Point de démocratie, donc, sans paix civile, car, sans celle-ci, les faibles ne sont pas défendus, tandis que les révolutions, si elles transforment rapidement la nature de l'élite dirigeante, menacent, plus qu'elles ne renforcent, la démocratie. La liberté personnelle ne se réduit pas au « laisser-faire, laisser-passer » qui peut couvrir le pouvoir des groupes économiques dirigeants ; pas davantage à l'arrivée au pouvoir de défenseurs du peuple qui peuvent former une nouvelle élite dirigeante échappant à tout contrôle populaire réel. Pas de démocratie sans volonté organisée de mettre le fonctionnement de toutes les institutions au service de la liberté et de la sécurité de chacun, comme de réduire le plus possible les inégalités sociales. Nous ne devrions pas renoncer à séparer la démocratie formelle de la démocratie réelle, à condition bien sûr de ne pas confondre celle-ci avec les dictatures qui s'autoproclamèrent démocraties populaires.

La personnalité démocratique

Theodor Adorno, qui était de formation marxiste, en vint, pour comprendre le nazisme, à élaborer la notion de personnalité autoritaire, en partie sous l'influence de Nevitt Sanford et d'autres chercheurs américains dont l'orientation était plus proche de la psychologie sociale. Le régime nazi, qui était expliqué en général par une conjoncture historique ou même par la personnalité du dictateur, relevait, selon lui, dans son fonctionnement et surtout dans sa capacité de mobilisation, d'une dimension générale de la personnalité, l'*autoritarisme*, dont on trouvait des expressions dans les conduites sexuelles comme dans la vie politique, dans le rapport aux minorités comme dans l'éducation des enfants. Cet exemple célèbre nous engage à chercher les fondements de la démocratie au-delà d'un type de développement, la modernisation endogène, qui explique seulement la présence de la liberté « négative » dans un type de personnalité, dans la capacité des individus d'agir comme Sujets, et non pas seulement comme consommateurs. C'est aussi hors du champ politique qu'il convient de chercher la raison d'apparaître et de survivre des régimes démocratiques. Pas de démocratie solide si, face à l'État comme face à l'ordre établi, n'existe pas une volonté de liberté personnelle qui s'appuie à son tour sur la défense d'une tradition culturelle, car l'individu séparé de toute tradition n'est qu'un consommateur de biens matériels et symboliques, incapable de résister aux pressions et aux séductions manipulées par les détenteurs du pouvoir. C'est pourquoi la démocratie a été si souvent associée à une foi religieuse qui apportait à la fois les exigences de la conscience et l'appui d'un pouvoir spirituel capable de résister au pouvoir temporel.

La démocratie est forte là où cette conscience démocratique se combine avec une société ouverte dans laquelle les forces de contrôle social sont affaiblies au profit de l'esprit d'invention, d'entreprise et de rationalisation. Personnalité démocratique et société ouverte se complètent. Parfois, elles se développent conjointement ; c'est alors que la démocratie est la plus forte. Si la première se développe dans une société qui reste close et soumise à un pouvoir absolu ou à de forts mécanismes de reproduction de l'ordre établi, l'esprit démocratique, porté par des minorités agissantes, devient revendicatif et même insurrectionnel, au nom du droit de résistance à l'oppression.

Là où, au contraire, la société est ouverte au grand large et aux changements qui viennent de l'extérieur ou de l'intérieur, mais où est largement acceptée une autorité traditionnelle ou charismatique, les institutions démocratiques ne sont pas vivifiées par la personnalité démocratique et la société libérale n'est pas capable de fonctionner par le peuple et pour le peuple.

Cette complémentarité de la société ouverte et de la personnalité démocratique n'est qu'une nouvelle forme de l'association de la rationalisation et de la subjectivation dans la définition de la modernité. Ce n'est pas la modernité qui produit la démocratie ; c'est la capacité de combiner la rationalisation et la subjectivation qui définit la modernité. C'est pourquoi l'esprit de liberté comme la recherche de l'efficacité sont à l'origine de la modernité. Mais d'où viennent-ils ?

L'esprit de rationalisation, on l'a dit plus d'une fois, a une origine négative : la décomposition des systèmes de reproduction et de contrôle social, ce que la pensée libérale a très bien compris. La subjectivation, au contraire, apparaît là où existent des revendications positives de liberté et de communauté, là où le pouvoir politique et social est activement limité par l'appel religieux, ou plus largement spirituel, à la liberté, et par la conscience de responsabilité à l'égard d'une communauté, famille, nation, Église ou autre. Les deux ordres de conditions sont directement complémentaires : la démocratie est forte là où l'ordre politique et social est faible et débordé d'en haut par la morale, d'en bas par la communauté. Idée tout à fait opposée à celle qui a longtemps prévalu et qui a identifié la démocratie à la participation, à l'installation du peuple au pouvoir, au règne de la majorité. Nous avons reconnu l'importance de toutes ces composantes, mais nous avons trop souffert des régimes autoritaires et totalitaires qui en appelaient à la participation et au peuple pour ne pas savoir aujourd'hui que la démocratie repose sur la limitation du pouvoir central, comme l'enseigne la pensée libérale. De sorte qu'il faut abandonner les débats entre pensée libérale et pensée de gauche, car il n'y a pas de démocratie sans la combinaison des idées qu'elles ont l'une ou l'autre défendues, sans un pouvoir limité qui suppose une société ouverte et sans une conscience de citoyenneté. Mais ces idées opposées au premier abord se combinent dès lors qu'on place au centre de l'analyse l'idée de Sujet et la lutte de celui-ci contre les appareils de domination. La démocratie n'est pas seulement un ensemble d'institutions ou un type de personnalité ; elle est avant tout une lutte contre le pouvoir et contre l'ordre établi, qu'il soit le Prince, la religion ou l'État, et pour la défense des minorités contre la majorité. Elle est engagement dans ces luttes en même temps que dégagement d'un Sujet qui refuse d'être réduit au citoyen ou au travailleur, et qui ne se satisfait pas d'être confondu avec ce nuage idéologique qu'est l'idée d'Humanité. La démocratie n'est pas seulement un état du système politique, mais plus encore un travail et un combat permanents pour subordonner l'organisation sociale à des valeurs qui ne sont ni l'une ni l'autre proprement sociales : la rationalité et la liberté. La démocratie n'est pas le triomphe du peuple, mais la subordination du monde des œuvres, des techniques et des institutions à la capacité créatrice et transformatrice des individus et des collectivités.

POINTS D'ARRIVÉE

Images de la société

La sociologie s'est constituée non pas comme l'étude de la vie sociale, définition trop générale, mais en définissant le bien par l'utilité sociale des conduites observées. Pour cette sociologie classique, le bien n'est ni la conformité à l'ordre du monde ou aux lois divines ni même la création d'un ordre qui contienne les passions et la violence, mais la contribution d'un acteur — ou mieux d'un organe — au fonctionnement du corps social. La vie d'une société repose sur l'intériorisation des normes, sur la correspondance entre les institutions qui élaborent et font respecter les normes et celles qui se chargent de socialiser les membres de la collectivité, en particulier les nouveaux venus, enfants ou immigrés. L'individu est donc défini par ses statuts, auxquels correspondent des rôles qui sont des attentes de comportement de la part d'autrui. L'*Homo sociologicus* n'est pas conduit par l'intérêt, mais par des attentes : le père est celui qui se comporte comme le fils le prévoit et l'espère ; l'ouvrier ou le médecin sont ceux qui remplissent leur rôle conformément à des modèles inscrits dans la loi, le contrat collectif et surtout l'état des mœurs et des idées. La fraternité dont parle la Révolution française rêve d'une société où chacun se mettrait au service de la grande famille. Ce fonctionnalisme suppose que la société soit organisée non plus autour de traditions et de privilèges qui, par définition, sont particularistes, mais autour de la raison dont l'universalisme garantit que tous les membres de la société peuvent y être socialisés. L'école conçue par cette pensée sociale a cherché à dépouiller l'enfant de son héritage particulier pour le mettre en relation avec la raison, soit par la culture scientifique, soit par un commerce aussi direct que possible avec les grandes œuvres de l'esprit humain, de la philosophie et de l'art. De la conception allemande de la *Bildung* à la construction en France, par André Malraux, des maisons de la culture s'est développé un effort continu pour associer l'apprentissage de la raison et de la beauté avec l'intégration sociale. Talcott Parsons, au milieu du XXe siècle, a donné sa forme la plus élaborée à cette sociologie classique qui repose donc sur la double idée du triomphe de la raison dans la société moderne et de la fonctionnalité comme critère du bien. L'idée de *société* domine la sociologie non pas comme la simple définition d'un champ de recherche, mais comme un principe d'explication. La raison s'incarne dans la société moderne et la conduite normale est celle qui contribue au bon fonctionnement de la société. L'homme est avant tout un citoyen.

Autour de ce noyau central du sociologisme qui nous a dominé, avant même la création de la sociologie, s'étend le vaste domaine de l'explication des conduites par l'ensemble historique dont elles font partie et par la position qu'elles occupent sur l'axe qui conduit de la tradition à la modernité. On a beaucoup parlé de société globale, d'esprit du temps (*Zeitgeist*) ou de mode de production. Historicisme simple ou complexe, intermédiaire entre la définition plus ancienne d'une conduite par son appartenance à une culture et son rôle dans le processus de production de la société par elle-même à travers ses innovations culturelles, ses débats politiques, ses formes d'organisation et de pouvoir. Cet historicisme s'écroule sous nos yeux. La pensée sociale bascule du côté de l'acteur, non pour s'enfermer dans la subjectivité de ce dernier, mais pour suivre toutes les formes d'action, qui vont de la recherche rationnelle de l'intérêt jusqu'à l'affrontement du sujet et des pouvoirs, en passant par les débats autour des politiques sociales et des libertés publiques.

La sociologie classique est aujourd'hui mise en cause. La correspondance entre les acteurs et le système n'apparaît plus comme « naturelle » et nous ne sommes plus persuadés que doive triompher la raison universaliste sur les traditions et les intérêts particuliers. Au contraire, la société moderne, disent beaucoup des meilleurs sociologues, est dominée par la rupture de cette correspondance du système et des acteurs. D'un côté, le pouvoir se concentre et des groupes limités contrôlent les flux d'argent, d'influence et d'information. Ce qu'on appelle l'intégration sociale peut être réinterprété comme le contrôle exercé par ces centres de pouvoir sur des acteurs sociaux de plus en plus manipulés. Parallèlement, ces acteurs se définissent moins par des rôles que par une position sur un marché, donc par leurs intérêts propres d'un côté et de l'autre par une subjectivité protégeant la liberté de l'acteur contre une société trop organisée et défendant une identité, des particularismes culturels, d'une langue à une religion, d'un territoire à une ethnie.

A la correspondance de l'acteur et du système se substituent deux images opposées : celle du système sans acteurs et celle de l'acteur sans système. La première a dominé les années soixante-dix, la seconde les années quatre-vingt. Au lendemain de Mai 68, après l'évaporation du communisme utopique et le rapide affaiblissement des nouveaux mouvements sociaux, commence une longue période de glaciation de la pensée sociale. La société n'est plus conçue que comme un système de contrôle, de répression et de reproduction des inégalités. Par réaction contre le modernisme optimiste de l'après-guerre, se répand l'idée que toutes les tentatives de réforme, d'intervention de la société sur elle-même ne font qu'accroître la domination du centre sur la périphérie. La société est bien une machine, mais une machine infernale. Ce discours était trop éloigné de la réalité pour encourager des recherches concrètes, qui disparaissent donc presque complètement pendant une longue décennie au long de laquelle des constructions de type idéologique, parfois abritées derrière quelques chiffres, remplacent l'analyse sociologique. Leur fonction principale n'est pas de décrire la vie sociale, mais d'offrir une idéologie correspondant bien aux inquiétudes d'une grande partie du monde intellectuel et de l'ensemble de la société. Cette vision de la société, qui pousse l'esprit critique jusqu'à l'antimodernisme, traduit les appréhensions du monde socio-culturel face au triomphe arrogant du monde des technologies nouvelles et de la consommation. Le discours structuro-marxiste fut la langue et l'idéologie d'une intelligentsia en rupture de société.

Cet intermède ne pouvait durer longtemps. Tandis que des sociologues et des philosophes proclamaient l'immobilité de l'ordre, tout bougeait autour d'eux, l'éducation comme la consommation marchande, les technologies de la production comme celles de la santé. Dès le début des années quatre-vingt, dans certains pays, au milieu de la décennie en France, à sa fin dans les pays communistes du Centre et de l'Est européens, les régimes volontaristes s'écroulèrent en même temps que la pensée purement critique était remplacée par le bruyant triomphe de l'économie de marché et des demandes de consommation, de mouvement et de liberté. Certains veulent participer à ce triomphe du libéralisme, replacent l'*Homo sociologicus* à l'intérieur de l'*Homo œconomicus* et expliquent les conduites les plus diverses comme des choix rationnels. D'autres, plus pessimistes, décrivent l'acteur social comme tâtonnant dans un monde qui n'est plus éclairé par des valeurs, des normes et des formes d'organisation, comme échangeant des signaux chargés de sous-entendus, de mensonges et de pièges, avec d'autres acteurs qui tâtonnent dans le même brouillard. Monde où chacun agit sans croire à rien, sinon au désir de sauver sa peau dans un monde hostile, en apprenant à donner le change.

Ces deux images opposées, celle du système sans acteurs, qui fut poussée à l'extrême par Nicos Poulantzas et l'école d'Althusser, et celle de l'acteur sans système, à laquelle Erving Goffman donna la forme la plus élaborée, signifient, par leur opposition insurmontable, la décomposition de la sociologie classique ; mais elles n'en présentent pas les formes extrêmes. Cette décomposition peut être poussée beaucoup plus loin. D'un côté, Niklas Luhman se représente le système social comme un système biologique qui se transforme de l'intérieur et surtout se différencie, image qui correspond à des aspects importants de notre société fragmentée, au développement de l'art pour l'art autant qu'à l'indépendance mutuelle de la vie économique, de la vie politique, de l'univers religieux ou de la vie privée. De l'autre côté, l'acteur social est replacé dans une tradition et l'analyse de l'action devient une herméneutique. Il n'y a pas de communication possible entre ce systémisme et cette herméneutique. L'objet construit par la sociologie classique cesse d'exister et on comprend que des domaines importants de l'analyse sociale soient repris en charge d'un côté par la philosophie, de l'autre par la science économique. De sorte que même le fonctionnement de la société, ses transformations historiques et son unité concrète, qui correspond presque toujours à celle de l'État national, ne semblent plus avoir aucun sens, ne semblent plus correspondre à des valeurs, à des normes, ou plus généralement à des projets politiques. Entre l'objectif et le subjectif s'étendent des friches sociales, et ceux qui croient encore y voir un ensemble bien organisé d'institutions semblent trompés par un mirage ou prisonniers de leurs désirs. L'idée de post-modernité, on l'a dit, décrit cette décomposition de l'image classique de la société, si bien qu'on pourrait la redéfinir comme l'idée d'une ère post-sociale ou post-historique, termes qui marquent une rupture encore plus complète que l'idée de post-modernité avec l'expérience des derniers siècles.

Il n'existe aucune nécessité pour que la culture et l'économie, les valeurs et l'intérêt se combinent par des moyens institutionnels et politiques pour former une société. Nous observons au contraire une dissociation et un mélange croissants de ces deux univers. Tandis qu'une partie de la population, majoritaire au Nord, minoritaire au Sud, vit dans un univers technique et économique, une autre partie, minoritaire au Nord, majoritaire au Sud, vit à la recherche d'une identité défensive. En France même, pendant que certains parlent d'ouverture, de concurrence et de nouvelles technologies, d'autres veulent surtout sauver l'indépendance et l'originalité de la nation. Appartiennent-ils encore à la même société ? Leur opposition est beaucoup plus profonde que celle de la droite et de la gauche. Et parfois, à l'intérieur du même individu, l'économiste Jean Fourastié par exemple, chantre des Trente Glorieuses et du progrès technique, mais aussi penseur chrétien angoissé par certains effets de la modernité, les deux univers se rencontrent et se combattent plutôt qu'ils ne se combinent. Le rêve républicain se dissipe : le monde politique n'est plus assez solide pour permettre la fusion de la défense de l'identité culturelle et de la confiance dans le marché. Et la vie politique, loin d'absorber ces contradictions, est affaiblie par elles, ce qui entraîne la décomposition des grands partis qui se voulaient porteurs d'un projet de société. Cette dissociation de l'identité culturelle et de la rationalité économique explique la crise du social et la quasi-disparition de ce mot qui semble désormais aussi périmé et aussi chargé de nostalgie que celui de charité.

Mais ne voyons pas seulement dans la décomposition du social une crise aux effets dangereux. L'épuisement de l'idée de société marque avant tout une nouvelle étape de la modernité et de la sécularisation. A l'image romaine du citoyen, à la religion du bien public et de l'utilité sociale, se substitue la figure du Sujet humain dont les efforts de liberté et de responsabilité ne sont plus garantis par aucune loi au point qu'ils se définissent de plus en plus souvent par leur refus des lois arbitraires. Si Marcuse et Foucault ont raison de dénoncer les formes nouvelles du conformisme social et les pressions qui s'exercent au nom de l'hygiène ou de l'intérêt bien compris de chacun pour contrôler les passions, limiter les déviances et faire triompher un moralisme qui s'appuie sur la science, il faut opposer aux nouvelles figures de l'intégration sociale et culturelle l'idée d'un Sujet en rupture avec la loi de l'utilité sociale et la logique des appareils, et dont la demande de liberté n'est séparable ni du désir ni de la tradition, ni du Ça ni du Nous.

Il est vrai qu'en cette fin de XXe siècle, nous voyons surtout se déplacer le pendule de l'histoire de la gauche vers la droite : après le collectivisme, l'individualisme ; après la révolution, le droit ; après la planification, le marché. Et cette tendance apparaît comme une revanche de la « nature » trop longtemps emprisonnée par la dictature des appareils et des idéologies. Mais l'idée de Sujet n'est pas plus liée à l'économie de marché qu'à la planification centralisée, deux variantes opposées de la logique des systèmes. En revanche, on voit s'opposer une logique de l'intégration sociale de plus en plus utilitariste et un Sujet défini par un rapport de l'individu à lui-même et non plus par son appartenance à une essence ou à une communauté. L'écroulement actuel des régimes communistes ou nationalistes entraîne la fin de la confusion entre le Sujet personnel et la société comme Sujet collectif, la fin de l'identification des droits de l'homme aux devoirs du citoyen.

La société était, comme la raison elle-même, une expression déiste de l'ancien esprit religieux, une nouvelle forme d'alliance entre l'homme et l'univers. Cette alliance ne peut plus exister et c'est cette rupture entre l'ordre humain et l'ordre des choses qui nous fait entrer en pleine modernité. La morale ne peut plus enseigner la conformité à un ordre ; elle doit inviter chacun à prendre la responsabilité de sa vie, à défendre une liberté qui est bien éloignée d'un individualisme ouvert à tous les déterminismes sociaux, mais qui gère les relations difficiles entre les fragments éclatés de la modernité rationaliste, la sexualité, la consommation, la nation et l'entreprise.

Beaucoup restent attachés au modèle ancien de la société, surtout à une époque où les échanges transnationaux, d'un côté, les nouveaux communautarismes, de l'autre, se déchaînent. Mais cette nostalgie de la raison objective et de la Cité, si respectable soit-elle, ne peut fournir de réponse aux problèmes réels de la vie personnelle et collective. L'homme moderne n'est pas plus un citoyen de la société des Lumières qu'une créature de Dieu ; il n'est responsable que devant lui-même.

C'est d'abord du côté néo-libéral que cette nouvelle orientation se fit jour, avec l'intérêt porté aux stratégies des entreprises et des gouvernements cherchant à s'adapter à un environnement changeant et peu contrôlé, à un marché mondial en constant déséquilibre. Mais, presque en même temps, se répandait une conception de l'acteur moins conquérante et mieux adaptée à ceux qui doivent se débrouiller plutôt que vaincre. L'acteur est présenté alors comme cherchant à organiser un environnement qui n'est plus réglé par des valeurs, des normes ou même des conventions. Conception qui gère l'héritage de la sociologie critique, car si la société est un système qui ne fonctionne qu'au service de sa propre puissance, l'acteur et le système sont dissociés et le premier ne peut agir que de manière à la fois égoïste et incertaine. Parallèlement, la sociologie de la modernisation se renversait en une sociologie de l'action opposant les valeurs de liberté et de responsabilité aux intérêts du système. Enfin la sociologie de l'action devint ouvertement une sociologie du Sujet, ce qu'elle avait toujours été, mais sans s'être encore dégagée d'un moule historiciste. C'est à cette tendance qu'appartient le livre qu'on vient de lire et qui a cherché sa voie à partir du double rejet d'une sociologie purement critique et de l'historicisme.

Évitons cependant d'opposer trop complètement des formes de pensée qui se seraient succédé. Car l'idée de Sujet, après avoir été liée à l'image d'un principe transcendant d'ordre du monde, s'est incarnée dans l'histoire à l'époque de la modernité triomphante, avant de résister à l'emprise des pouvoirs et des appareils. L'histoire de la modernisation est aussi et d'abord celle de la subjectivation. Contre l'opinion de ceux qui ont interprété cette histoire comme le passage du subjectif à l'objectif et de la conviction à la responsabilité, il faut reconnaître la sécularisation du Sujet à partir de ce que Weber a appelé l'ascétisme dans le monde. La sociologie n'est plus l'étude de la seule rationalisation et de la fonctionnalité des institutions sociales. Elle a pour objet principal le conflit du Sujet et des systèmes, de la liberté et du pouvoir. Ce livre est une défense de la modernité en ce qu'il s'efforce de montrer que la vie sociale est construite par les luttes et les négociations qui s'organisent autour de la mise en œuvre sociale des orientations culturelles dont l'ensemble forme ce que je nomme l'historicité. Aujourd'hui, dans la société post-industrielle que j'ai nommée « programmée », l'enjeu de ces luttes n'est pas l'utilisation sociale de la technique, mais celle de la production et de la diffusion massive des représentations, des informations et des langages. Cette affirmation centrale remplit d'un coup le vide qui s'était créé entre l'économie et la culture. A la définition de l'acteur par son identité, elle substitue sa définition en termes de rapports sociaux, donc de rapports de pouvoir, car il n'existe pas de rapport social qui ne comporte une dimension de pouvoir, une asymétrie entre dominants et dominés. De l'autre côté, elle remplace l'idée de marché par celle d'entreprise comme centre de pouvoir, qu'il s'agisse d'entreprises économiques, politiques ou culturelles.

Le Sujet se pose par opposition à la logique du système. Le Sujet et le système ne sont pas des univers séparés, mais des mouvements sociaux antagonistes, des acteurs sociaux et politiques qui s'affrontent, même lorsque les demandes du Sujet ne sont pas prises en charge par des agents politiques et que les grands systèmes de production font croire à beaucoup qu'ils ne sont que les agents de la rationalité économique, voire les serviteurs du public : la société ne peut plus être définie comme un ensemble d'institutions ou comme l'effet d'une volonté souveraine ; elle n'est ni la création de l'histoire, ni celle d'un Prince ; elle est un champ de conflits, de négociations et de médiations entre la rationalisation et la subjectivation, qui sont les deux faces complémentaires et opposées de la modernité.

Cette affirmation porte en elle la critique du culturalisme et de l'économisme qui correspondent certes à la décomposition présente de l'idée de société, mais qui sont également incapables de rendre compte des analyses de l'autre, ce qui ruine tout effort pour construire une pensée sociale d'ensemble, en particulier pour comprendre les relations entre un Nord économiste et un Sud culturaliste. Seule une pensée proprement sociale, une sociologie, peut offrir une explication d'ensemble, et non pas une interprétation d'une partie seulement des phénomènes observables. Les hommes font leur histoire, mais ils la font à travers des conflits sociaux, en même temps qu'à partir d'orientations culturelles. Nous ne sommes pas sortis de la société industrielle pour entrer dans la post-modernité ; nous construisons une société programmée où la production de biens symboliques a pris la place centrale qu'occupait la production des biens matériels dans la société industrielle. Dans cette société peut se produire une rupture profonde entre l'économie et la culture, de même qu'autrefois, au début de la modernité, des forces de développement économique ou scientifique avaient créé des îlots de rationalité dans un univers de tradition et de communauté. Mais cette rupture doit être reconnue comme pathologique et ne peut être analysée que comme la séparation de deux domaines complémentaires, entre lesquels le système politique doit établir des médiations.

La science sociale doit retrouver, derrière la séparation du marché et de la communauté, de l'économisme et du culturalisme, l'unité d'un système d'action historique, c'est-à-dire d'orientations culturelles et d'acteurs sociaux en conflit dans la mesure où ils cherchent à donner des formes sociales opposées à ces orientations culturelles. Les acteurs ne sont plus définis par leur situation sociale, comme à l'époque d'une société de classes ; ils doivent être saisis directement comme des mouvements sociaux. L'un parle de stratégie, d'adaptation au changement et au marché, de pensée opérationnelle et de calculs de coûts et d'avantages ; l'autre parle du Sujet, de sa liberté, de la volonté de l'individu d'être un acteur. Ces acteurs s'opposent l'un à l'autre, mais ils sont unis par leur commune référence au mouvement créateur et donc à une hypermodernité. Mais, comme à chaque période de l'histoire, ces mouvements sociaux peuvent se transformer en leur contraire, en antimouvements sociaux. C'est alors que l'action offensive du Sujet est renversée par une action défensive qui en appelle à l'identité et à la communauté plutôt qu'à la liberté ; et c'est alors que, parallèlement, les stratégies des entreprises politiques, économiques ou culturelles sont renversées par le règne de l'argent, que le capitalisme de production cède la place au capitalisme financier. Notre société, au niveau mondial comme au niveau de chacun des pays industrialisés, est faite de ces tendances opposées vers la construction d'un nouveau système d'action historique et vers sa destruction au profit d'un dualisme qui sépare l'économie et la culture comme le Nord du Sud, lesquels ne correspondent pas seulement à des continents séparés, mais sont aussi l'un et l'autre présents à l'intérieur de chaque pays.

Depuis le début des années quatre-vingt, les inégalités se sont fortement accrues au niveau mondial car les pays industrialisés ont répondu à la crise des années soixante-dix par un bond en avant technologique sans précédent tandis que de vastes régions du tiers-monde et des pays intermédiaires subissaient un recul dramatique. Nous vivons donc un éclatement extrême entre une vision économiste et une vision culturaliste de la société : d'un côté, celui des riches, l'école du « rational choice » revient à l'idée de l'*Homo œconomicus* ; de l'autre, celui des pays appauvris ou paralysés, le culturalisme devient de plus en plus agressif, rejette une modernité vue de l'extérieur et cherche dans un passé mythique des compensations à un présent sans avenir. Au lieu de choisir notre camp ou de participer à des joutes oratoires, nous devons reconnaître dans ces deux positions, par-delà leur antagonisme, les fragments décomposés d'une nouvelle étape de la modernité qui a de la peine à se constituer, mais que doit déjà percevoir l'analyse.

Cette image de la société sera accusée de nous ramener à l'historicisme si longuement critiqué dans la deuxième partie de ce livre. Mais il faut séparer deux affirmations bien différentes. La première, la plus générale, est que toute société « moderne » doit être considérée comme produit de sa propre activité et doit donc être définie par un certain mode de production d'elle-même. La seconde est que seule la société industrielle, entendue en un sens large, s'est pensée elle-même et construite en termes de développement historique et d'évolution. Il n'est nullement contradictoire de définir notre société comme hyper-moderne et de dire qu'elle est issue de cette pensée évolutionniste qui avait caractérisé une étape des sociétés modernes. De la même manière, la société classique, celle de la philosophie politique du XVIe au XVIIIe siècle, avait été une société moderne, celle de la Renaissance, de la création de la science et de l'État modernes, mais s'était pensée en termes d'ordre et non de mouvement, en termes politiques et non économiques. Après cette société pensée par Machiavel, Hobbes et Rousseau, après aussi la société industrielle pensée par Comte, Hegel et Marx, nous voyons se former une société post-industrielle, programmée, dans laquelle les catégories morales occupent la place centrale qui avait été celle des catégories politiques puis économiques et qui, avant que n'apparaisse la modernité, avait jadis été occupée par la pensée religieuse.

Le passage de la société moderne à la société programmée ne se fait pas dans la continuité d'un progrès sans fin. Il s'opère dramatiquement et lentement, de la même manière que s'était effectué le passage de la société politique à la société économique, de la société de l'économie marchande et du droit à la société de l'industrie et des luttes de classes, au XIXe siècle, à travers crises et commotions. Depuis 1968, nous vivons la crise et la décomposition de la société industrielle, de son champ culturel, de ses acteurs sociaux, de ses formes d'action politique. Au début des années quatre-vingt, cette crise est parvenue à son terme au point qu'on ne perçoit plus que l'opposition des deux mondes, celui du calcul économique et celui de l'identité culturelle, et les dangers qui menacent la planète si elle continue à se jeter dans une croissance incontrôlée. Mais on peut prévoir et même observer la renaissance du social. De nouveaux acteurs apparaissent. Ceux que j'ai, le premier, appelés les nouveaux mouvements sociaux n'ont été que des formes fragiles et presque monstrueuses de mélange des acteurs de l'avenir et d'idéologies du passé, des centaures sociaux, mais l'opinion publique, grâce surtout aux médias et à quelques intellectuels délivrés des discours du passé, est déjà sensible aux nouveaux problèmes sociaux et esquisse de nouveaux débats. L'objet principal de ce livre est de définir le champ culturel, en particulier les formes de la pensée sociale qui constituent l'enjeu des rapports et des conflits sociaux et les formes d'action politique qui se réorganisent sous nos yeux.

Mais rien n'est plus éloigné de mes intentions que de revenir à une conception déiste du droit naturel et de définir les conduites par leur accord ou leur désaccord avec des principes établis par un Dieu créateur ou par la nature. Si mon analyse est à mes yeux sociologique, c'est parce que le Sujet ne se définit et ne se construit que comme acteur de conflits sociaux en même temps que comme créateur d'historicité. Cette association d'un conflit social — et de ses formes de négociation — avec des orientations culturelles communes aux adversaires définit l'acteur social et plus directement encore le mouvement social, ce qui interdit de réduire la vie sociale soit à la mise en œuvre de valeurs communes, soit, inversement, à une lutte de classes aussi radicale qu'une guerre civile. Le Sujet ne peut donc être conçu en dehors de rapports sociaux, et surtout du pouvoir qui transforme la rationalité instrumentale en système d'ordre en quête de sa plus grande puissance. La démarche qui place au centre de l'analyse l'idée de Sujet est aussi celle qui définit en termes sociaux la formation ou la destruction de ce Sujet.

Ce qui empêche souvent de percevoir le grand renversement de la science sociale, c'est l'opposition, que nous avons héritée du siècle passé, entre une pensée de gauche, insistant sur la logique impersonnelle des systèmes, surtout économiques, et une pensée de droite, plus individualiste et libérale. On pourrait d'abord répondre que les conflits idéologiques se déroulent aujourd'hui à fronts renversés, la gauche défendant les individus et les minorités contre le profit et la puissance, la droite demeurant plus attachée à la logique impersonnelle du marché. Mais cette réponse manque l'essentiel, à savoir que si le XIXᵉ siècle a été dominé par l'économie, le XXᵉ l'a été par la politique et surtout par la résistance au totalitarisme. Ce qui devrait nous empêcher de réduire notre vision de l'individu à la recherche rationnelle de l'intérêt. C'est de la résistance au pouvoir absolu qu'est née l'importance nouvelle reconnue au Sujet moral, au point que le débat central aujourd'hui n'est plus entre holisme et individualisme, mais entre sociologie du sujet et individualisme rationaliste, maintenant que les systèmes qui dominent le monde en appellent au marché et à l'intérêt et non plus à la mission historique de l'État ou à la mobilisation d'une classe.

Le rôle des intellectuels

Mais s'il est vrai que certains intellectuels travaillent à construire la nouvelle scène culturelle sur laquelle commencent à apparaître des acteurs sociaux bien différents de ceux de la société industrielle, nous sentons avec une gêne croissante que, dans leur ensemble, ils sont de plus en plus absents de la vie publique, au point que surgit la question : ne disparaissent-ils pas du centre de la vie collective, comme avant eux les clercs avaient été écartés quand triompha la sécularisation, quand les historiens remplacèrent les théologiens et les scientifiques les interprètes des textes sacrés ? Les intellectuels ont eu partie liée avec la sécularisation. Ils ont constamment parlé contre les maîtres du pouvoir et de l'argent, au nom du mouvement nécessaire de l'histoire, en espérant que celui-ci renverserait les privilèges et l'ignorance et accroîtrait la participation du plus grand nombre aux résultats et à la gestion du progrès. Plus la production était socialisée, plus s'imposait le socialisme, pensait Marx. Les intellectuels ont donc parlé au nom de ceux qui n'avaient pas la parole, mais en tirant leur légitimité de leur connaissance des lois de l'histoire. Ce qui a fait d'eux à la fois les conseillers du Prince modernisateur et les défenseurs du peuple opprimé, à la fois une élite dégagée des conventions ou des traditions et des révolutionnaires convaincus que seule la science pouvait détruire les anciens régimes et labourer assez profondément le sol pour qu'y lèvent un jour les moissons de la liberté. Cette image de l'intellectuel n'appartient plus au présent. Les intellectuels ont souvent divorcé d'avec la modernité et ceux qui ne l'ont pas fait se sont laissé souvent entraîner au service de despotes qu'ils croyaient éclairés et qui n'étaient que des tyrans totalitaires. Ce qui a terni l'image des intellectuels plus gravement encore que l'action, jugée marginale et presque délirante, de ceux qui prenaient le parti du nationalisme fasciste. Le courant le plus vigoureux de la vie intellectuelle depuis un siècle est l'antimodernisme, nourri de Nietzsche et en partie de Freud. L'École de Francfort, puis Michel Foucault lui ont donné des expressions largement diffusées, avant que le gauchisme le plus extrême ne se mêle au nouveau libéralisme dans le post-modernisme. La religion de l'avenir est remplacée peu à peu par la nostalgie de l'Être, par le regret de ce que Horkheimer appelait la raison objective.

Beaucoup d'intellectuels se sont battus depuis un siècle contre l'idée de Sujet. Le plus souvent ils l'ont fait au nom de la raison et au nom de l'histoire, quelquefois au nom de la nation. Certains ont repris l'héritage des clercs qui déchiffraient l'ordre rationnel d'un monde créé par Dieu et accessible à l'intelligence humaine. D'autres, acceptant mieux la mort de Dieu, ont cherché à soumettre la conscience humaine non plus à sa révélation ou aux lois du monde créé par Lui, mais à une force impersonnelle, le Progrès, l'Évolution. Les meilleurs ont été fascinés par la destruction des conventions qu'opère une sexualité libérée qui, cessant d'être fonctionnelle, porte en elle l'instinct de mort autant que la pulsion de vie. Nostalgie de l'Être et réflexion sur la sexualité se sont conjuguées pour nourrir une pensée à la fois créatrice et critique à l'égard des philosophies sociales du progrès qui en appelaient à une société moderne, rationnelle, contre les privilèges et les croyances des communautés traditionnelles. Il ne s'agit plus de rêver utopiquement d'une société illuminée par la raison, mais d'échapper à l'emprise de la société et des pouvoirs, soit pour se réfugier dans l'expérience esthétique, comme le firent si souvent les Allemands depuis la fin du XVIIIe siècle, soit pour traverser l'écran de la conscience à la poursuite d'une sexualité libérée des normes sociales, comme le firent les surréalistes ou Georges Bataille. De sorte que le monde des années quatre-vingt, qui en appelle au rationalisme économique ou à la consommation au Nord, à l'identité culturelle menacée au Sud, est un monde sans intellectuels, tant ceux-ci se méfient de l'avenir.

Beaucoup ont vécu, à Francfort et ailleurs, comme une décadence l'émergence de la *société de consommation*. Son importance est pourtant centrale car, dans une certaine partie du monde, depuis quelques décennies, et aux États-Unis bien avant l'Europe et le Japon, est apparue une pensée « positive » qui peut prendre les formes les plus médiocres — de même que la pensée négative d'autrefois pouvait revêtir la forme tout aussi médiocre de la superstition et de la sacralisation des injustices humaines — et qui remplace la culpabilité par le désir, l'angoisse du salut par la volonté de bonheur, la soumission à l'ordre divin et naturel par la recherche de la responsabilité et de la solidarité.

Le rôle des intellectuels n'est certainement pas de participer aux formes les plus marchandes de la société de consommation ; mais il n'est pas davantage de la rejeter en bloc, de mépriser des demandes qui émanent de ceux qui ont été si longtemps privés de consommation comme de liberté et d'instruction et de ne pas réfléchir sur les formes les plus hautes qu'elle peut prendre. Les intellectuels qui restent fidèles à l'héritage des Lumières tendent trop souvent à condamner une société de masse, jugée grossière. Ils se contentent de dénoncer l'indigence ou les dangers d'une consommation culturelle de masse et leur talent apparaît dans la critique plutôt que dans les propositions, ce qui implique de leur part une défiance extrême à l'égard de la conscience qui est toujours, selon eux, fausse conscience. Attitude qui rejoint celle de l'élite républicaine, qui a toujours souhaité réserver le pouvoir aux citoyens instruits, détenteurs de compétences, ou même interprètes qualifiés du sens de l'histoire. De Guizot à Lénine, bien des intellectuels ont parlé au nom d'une avant-garde : la bourgeoisie n'était-elle pas l'avant-garde d'un peuple qui ne pouvait acquérir d'un coup l'instruction nécessaire ? Et le parti révolutionnaire ne devait-il pas éclairer un peuple et une masse enfermés dans l'ignorance, l'isolement et la répression ? Les intellectuels ont toujours été portés à concilier leur désir d'agir pour le peuple avec leur méfiance à l'égard du gouvernement par le peuple.

Plus les intellectuels se sont enfermés dans l'antimodernisme et dans une position uniquement critique, plus ils ont renforcé leur influence sur le milieu des cadres socioculturels, enseignants et étudiants surtout, dont le nombre augmente et qui sont mécontents d'être enfermés dans une condition matérielle bien inférieure à celle des cadres technico-économiques. Mais, dans le même temps, ils ont perdu leur influence sur l'ensemble de la société. Ils ont imposé assez facilement leur antimodernisme au monde universitaire et même à une partie de la presse et de l'édition, mais ils ont été débordés par la masse immense de ceux qui consacrent plus de temps à la télévision qu'aux livres, qui sont sensibles à l'élévation de leur niveau de vie qui leur a permis d'acquérir un équipement électroménager, d'avoir une automobile, de partir en vacances et de faire entrer leurs enfants dans des universités pour eux naguère hors d'atteinte. Faut-il ne voir dans cette culture de masse et dans l'influence des médias que conformisme et consommation de produits marchands ? Ce jugement est aussi sommaire que celui qui ne voit dans les livres des intellectuels que d'inutiles obscurités et un jargon rebutant. C'est en effet cette culture de masse, dont la télévision est l'agent principal de création et de diffusion, qui a accueilli ce Sujet que la « haute culture » pourchassait en l'accusant de tous les crimes. Ce retour du Sujet peut prendre les formes les plus mercantiles, mais il fait naître aussi des émotions, des mouvements de solidarité et de réflexion sur les plus grands problèmes de la vie humaine : la naissance, l'amour, la reproduction, la maladie, la mort, et aussi les rapports entre hommes et femmes, parents et enfants, majorités et minorités, riches et pauvres de la planète. Les problèmes sociaux, qui n'intéressent plus ceux qui ramènent tout à l'intérêt, ou ceux qui ne parlent que de culture, les voici qui, chassés par la grande porte, reviennent par la lucarne de la télévision où les problèmes de l'éducation, de la santé, de l'immigration, entre bien d'autres, sont souvent débattus avec plus de compétence et de passion que dans les enceintes parlementaires ou les universités.

Au lieu de tourner le dos à cette culture de masse, le rôle des intellectuels devrait être d'en dégager la créativité en même temps que d'en combattre l'emploi mercantile et de la protéger contre la démagogie et la confusion. Ce qui suppose que soient abandonnées les barrières qui séparent trop souvent les lettrés du reste de la population et que la jeunesse étudiante surmonte la distance entre une formation professionnelle pilotée de l'aval et une culture générale nourrie d'antimodernisme ou d'attachement à un universalisme plus chargé d'esprit dominateur que d'ouverture à l'expérience vécue. Le rôle des intellectuels devrait être d'aider à l'émergence du Sujet en augmentant la volonté et la capacité des individus d'être des acteurs de leur propre vie. Le Sujet se heurte à la logique dominante du système qui le réduit au rôle de consommateur et de défenseur de ses intérêts dans un environnement changeant ; il est également menacé par la fuite hors du champ social et de sa diversité, vers l'homogénéité factice d'une tradition communautaire ou vers une foi religieuse. Les intellectuels ont pour tâche principale de construire l'alliance du Sujet et de la raison, de la liberté et de la justice. Comment ne parleraient-ils pas au nom de la raison alors qu'elle est leur seule force face à l'argent, au pouvoir et à l'intolérance ? Comment ne défendraient-ils pas le Sujet, mouvement de réflexion de l'individu sur lui-même, contre les ordres imposés, les interdits transmis et toutes les formes de conformisme ?

Les intellectuels *d'en bas*, ceux qui parlent de l'individu et des droits de l'homme, doivent remplacer les intellectuels *d'en haut*, ceux qui ne parlent que du sens de l'Histoire. Les intellectuels ont été trop longtemps séduits par les pouvoirs qui se présentaient comme les agents de la raison ; on doit aujourd'hui demander à ceux qui ont servi les tyrans qu'ils se taisent, et aux autres qu'ils défendent mieux la liberté contre le pouvoir, l'authenticité des demandes personnelles et collectives contre la bonne conscience des nantis. C'est en France que ce changement de figure des intellectuels est le plus difficile à réaliser, tant les intellectuels français se sont fortement identifiés aux principes de la raison et à leur réalisation historique.

Aujourd'hui, toutes les philosophies de l'histoire, si indifférentes à la liberté des individus et des minorités, voire des majorités, sont disqualifiées, en même temps que les princes qu'elles ont servis, et leurs intellectuels organiques n'inspirent plus confiance. Ceux qui ont conquis le respect du plus grand nombre sont ceux qui ont su résister à la tyrannie, dissidents et témoins, massacrés, emprisonnés ou exilés, méprisés souvent aussi par ceux qui ne révèrent que la raison, même quand elle devient raison d'État. Leur conduite exemplaire parle à ceux qui connaissent mieux la privation que la programmation, qui sont plus sensibles à la compassion qu'au lyrisme des chevauchées à travers l'Histoire. La vie intellectuelle doit abandonner la chasse au Sujet, sa grande affaire depuis si longtemps, et apprendre à ne plus opposer le sens à la conscience ni l'individu à la société.

La pleine modernité

Le long siècle qui s'achève ne fut pas seulement un épisode de bruit et de fureur succédant aux espoirs pacifiques des XVIIIᵉ et XIXᵉ siècles. Les bouleversements vécus ont été trop profonds pour que quiconque puisse rêver d'un retour aux eaux calmes de la philosophie des Lumières, même si nous sentons que, selon le mot de François Furet, la Révolution française est finie, et si la célébration de son bicentenaire n'en a retenu que la Déclaration des droits de l'homme, c'est-à-dire ce qui, en elle, se rattachait à la longue tradition, chrétienne et sécularisée, du droit naturel, en oubliant ce qui annonçait en elle l'ère des révolutions, la formation d'un pouvoir absolu, la Terreur, le passage de l'esprit révolutionnaire au pouvoir policier. Nous ne passons pas davantage aujourd'hui de la modernité à la post-modernité que nous ne revenons aux grands équilibres qui ont été bouleversés par les idées de progrès et de développement. Quand nous cherchons à définir les deux siècles qui s'achèvent, nous devons les évaluer comme une période de *modernité limitée*. Si la modernité est la représentation de la société comme produit de son activité, la période qui s'est nommée elle-même « moderne » ne l'a été en effet qu'en partie. Elle n'a pas rompu entièrement le lien qui rattachait la vie sociale à l'ordre du monde Elle a cru à l'histoire comme d'autres, avant elle, avaient cru à la création divine ou au mythe fondateur de la communauté. Parallèlement, elle a cherché le fondement du bien et du mal dans l'utilité ou la nocivité d'une conduite pour la société. Ainsi l'humanité, libérée de la soumission à la loi de l'univers ou de Dieu, resta soumise à la loi de l'histoire, de la raison ou de la société. Le réseau des correspondances entre l'homme et l'univers ne fut pas rompu ; cette semi-modernité rêva encore de construire un monde naturel parce que rationnel.

La crise de la modernité, qui apparaît à certains comme une rupture avec la sécularisation et la confiance en la raison, n'est-elle pas plutôt l'entrée dans une modernité plus complète qui a rompu toutes les amarres qui la retenaient encore au rivage de l'ordre naturel, divin ou historique, des choses ? Pendant l'époque de la modernité limitée, l'homme s'est pris pour un dieu ; il s'est enivré de sa puissance et s'est emprisonné dans une cage de fer qui fut moins celle des techniques que celle du pouvoir absolu, d'un despotisme qui se voulait modernisateur et qui devint totalitaire. En même temps, à partir du milieu du XIXᵉ siècle, l'idée de modernité fut de plus en plus recouverte par celle de modernisation, par la mobilisation de ressources non économiques et non modernes visant à assurer un développement qui ne peut être spontané, endogène. Ces deux mouvements se conjuguèrent pour effacer la première image de la modernité dont toute la force venait de son rôle libérateur. A mesure que les anciens régimes se décomposent ou sont renversés, les mouvements de libération s'épuisent et la société moderne se retrouve prisonnière de sa propre puissance d'un côté, des conditions historiques et culturelles de sa réalisation de l'autre. Parvenue à la fin du XXᵉ siècle, la modernité a disparu, écrasée par ses propres agents, et se réduit à un avant-gardisme accéléré qui se retourne en post-modernité désorientée. C'est de cette crise de la proto-modernité que naît, en même temps que les jeux de la post-modernité et les horreurs du monde totalitaire, la modernité plus complète dans laquelle nous entrons.

Ou plutôt la société moderne se trouve placée aujourd'hui devant un choix. Elle peut se soumettre entiè-

rement à la logique de l'action instrumentale et de la
demande marchande, pousser la sécularisation jusqu'à la
suppression de toute image du Sujet, se borner à combiner
la rationalité instrumentale et la consommation de masse
avec la mémoire de traditions transmises et avec une
sexualité libérée des normes sociales. L'autre route qui
s'ouvre devant elle consiste à combiner rationalisation et
subjectivation, efficacité et liberté. Si l'on ajoute que, dans
bien des régions du monde, c'est la défense communautaire et la mobilisation nationale qui l'emportent de plus
en plus, on peut situer cette seconde voie à égale distance
de l'utilitarisme extrême et de la recherche obsédante de
l'identité. La raison ne se réduit pas à l'intérêt ni au
marché, dès lors qu'elle anime l'esprit de production, et le
Sujet ne se réduit pas à la communauté, au Moi collectif,
dès lors qu'il en appelle à une liberté inséparable du travail
critique de la raison. Libéralisme et culturalisme nous
apparaissent une fois encore comme les éléments décomposés de la modernité brisée. Cette modernité n'existe
qu'en combinant la raison et le Sujet. Combinaison chargée de conflits, mais entre des forces qui partagent la
même référence à la créativité humaine et au refus de toutes les essences et de tous les principes d'ordre.

   La modernité réalisée ne juge plus les conduites d'après
leur conformité à la loi divine ou par leur utilité sociale ;
elle n'a pas d'autre objectif que le *bonheur*, sentiment qu'a
l'individu d'être un sujet et d'être reconnu capable d'actions sociales visant à accroître sa conscience de liberté et
de créativité. Ce bonheur personnel n'est pas séparable du
désir de bonheur pour les autres, de la solidarité avec leur
recherche du bonheur, de compassion pour leur malheur.
La modernité ne s'installe que quand se dissipent les
ombres de la culpabilité et l'espoir placé dans une rédemption qui revêt des formes aussi souvent politiques que religieuses. Les pensées purement critiques, inséparables de
la négation du Sujet, sont toujours contraires à la modernité et sont souvent animées par un antimodernisme renforcé par la nostalgie de l'Être. Au contraire, s'il faut se
méfier des pensées qui en appellent seulement à l'intégration par la consommation et au consensus par la suppression des conflits, n'est-il pas temps d'accepter le bonheur,
et n'est-ce pas cette nécessité d'unir la raison et le Sujet, si

longtemps opposés, qui fait du monde moderne un monde de femmes, puisque les hommes se sont identifiés à la raison contre le sentiment, l'intimité et la tradition, tandis que les femmes « modernes » aspirent à la fois à gérer les instruments de la raison et à vivre le bonheur d'être un Sujet, corps et âme unis, ainsi que l'a montré la recherche de Simonetta Tabboni en Italie ? La modernité ne se satisfait plus de l'esprit de conquête ni de son ascétisme, elle est contradictoire avec la nostalgie de l'équilibre, de la communauté et de l'homogénéité. Elle est à la fois liberté et travail, communauté et individualité, ordre et mouvement. Elle réunit ce qui était séparé et lutte contre les menaces de rupture qui tendent plus dangereusement que jamais à séparer le monde des techniques et celui des identités.

Parcours

Ces idées sont-elles en continuité ou en opposition avec celles que j'ai exposées dans mes livres précédents ?

J'ai appelé historicité l'ensemble des modèles culturels par lesquels une société produit ses normes dans les domaines de la connaissance, de la production et de la morale. Modèles culturels qui constituent les enjeux des conflits entre les mouvements sociaux qui luttent pour leur donner une forme sociale conforme aux intérêts de diverses catégories sociales. Cette formulation est assurément historiciste : elle ne considère pas les problèmes généraux de l'ordre social et de la démocratie ; sa démarche n'est pas celle de la philosophie politique ; elle définit une société par son travail, sa production, sa capacité d'agir sur elle-même. C'est donc de la société industrielle — et ensuite post-industrielle — et non de la société en général qu'elle parle. L'influence sur elle de la pensée marxiste, ou plus simplement d'une histoire économique et sociale influencée par le marxisme, est évidente. La sociologie que j'ai produite s'inscrit dans la pensée de la modernité. Et il me semble aujourd'hui aussi impossible de renoncer à cette conception de la société, comme produite par ses investissements culturels ou économiques, que de renoncer à l'idée de Sujet. L'idée de mouvement social repose sur une approche historiciste, mais elle a toujours appelé, et avec la même force, une référence au Sujet, c'est-à-dire à la liberté et à la créativité d'un acteur social menacé de dépendance et d'aliénation par les forces dominantes qui le transforment en agent soit de leur propre volonté, soit d'une nécessité considérée comme naturelle. Ce qui tourne le dos à la conception de Marx et de Lukacs pour qui l'acteur n'est important que quand il est l'agent de la nécessité historique.

Lorsque je parle d'historicité, je parle de création d'une expérience historique, et non pas de position dans l'évolution historique, dans le développement de l'esprit ou des forces de production. Peut-être ai-je eu tort de vouloir reprendre ce mot en le détournant de son sens originel. En tout cas, ce choix fut consciemment fait pour rompre avec une vision évolutionniste.

Aujourd'hui, oui, ma confiance en l'histoire s'est usée, et je n'accepte plus d'identifier l'homme au travailleur ou au citoyen. Oui, je crains davantage l'État totalitaire et tous les appareils de pouvoir qu'un capitalisme que deux générations de *Welfare State* ont rendu moins sauvage. Oui, je préfère la démocratie, même quand elle ne supprime pas l'injustice, à la révolution qui met toujours en place un pouvoir absolu. Mais tout ce qui fait que l'homme que je suis aujourd'hui n'est plus la copie conforme de celui qui entrait à l'université peu après la mort de Hitler ne m'empêche pas d'apercevoir une grande continuité non seulement dans ma vie personnelle, mais aussi dans une tradition longue et multiple à laquelle je me sens de plus en plus clairement appartenir et vers laquelle je me sens guidé par saint Augustin et Descartes, par la Déclaration des droits de l'homme et certains militants du mouvement ouvrier, par les intellectuels modernisateurs d'Amérique latine et par *Solidarność*. Tous ont opposé à l'ordre établi un principe non social — qu'il faut bien appeler spirituel, même dans le cas des disciples de Locke — de contestation et d'action. Tous ont accepté et voulu la modernité, qui ne peut être séparée de la rationalisation, mais ont opposé à l'orgueil de l'action technique et administrative la résistance, la dissidence et la liberté du sujet humain.

J'ai analysé le mouvement ouvrier comme la défense de l'autonomie ouvrière contre l'organisation du travail, le distinguant ainsi du socialisme chargé de confiance historicistes dans le progrès. Puis j'ai défini la société post-industrielle comme celle où la production de biens matériels cédait la place centrale à la production de biens culturels et où le conflit principal opposait la défense du Sujet à la logique du système de production, de consommation et de communication. Je définis aujourd'hui la modernité par la subjectivation autant que par la rationalisation. Comment n'aurais-je pas suivi cette voie alors qu'au début de ma vie adulte j'ai participé activement aux protestations et aux manifestations contre les guerres coloniales menées par mon propre pays, avant de me sentir frère des intellectuels et des ouvriers qui rejetaient la dictature communiste à Budapest en 1956, à Prague en 1968, à Gdansk en 1980, avant d'affirmer qu'en Mai 1968, derrière une idéologie archaïque, éclataient des formes nouvelles de contestation qui en appelaient à la personnalité et à la culture plus qu'à l'intérêt, et de défendre en Amérique latine ceux qui luttaient contre l'injustice et la dictature non en lançant des guérillas hyper-léninistes, destructrices de l'action collective, mais par l'appel à la démocratie ? L'idée de mouvement social, si souvent au centre de mon travail, s'oppose radicalement à celle de luttes des classes, car celle-ci en appelle à la logique de l'histoire, tandis que celle-là en appelle à la liberté du Sujet, même contre les pseudo-lois de l'histoire.

Je n'ignore pas qu'à se référer à l'éthique ou à la liberté du Sujet, le discours s'use vite ; mais s'use-t-il moins et ne porte-t-il pas en lui plus de dangers quand il en appelle à l'histoire et à la raison ? Il me semble également impossible aujourd'hui de me satisfaire d'une société de consommation qui élimine l'idée de Sujet que de régimes néo-communautaires qui transforment les croyants en police politique. Pour éviter Charybde et Scylla, ne faut-il pas prendre de la distance, c'est-à-dire défendre l'être humain, au-delà de ses rôles sociaux et de ses appartenances, en misant sur sa capacité de conscience et de résistance ? Le siècle qui s'achève a été trop violent pour qu'on fasse confiance à l'histoire ou au progrès. Il nous appelle, à voix plus basse mais plus convaincante, à ouvrir des clairières individuelles et collectives dans la forêt des techniques, des

règlements et des biens de consommation et à ne rien préférer à la liberté.

Certains jugeront que cette pensée est aussi fragile, aussi
passagère que les nouveaux mouvements sociaux dont elle
voulut être, à la fin des années soixante-dix, l'expression
théorique. Comment ne pas reconnaître, disent-ils, que ces
mouvements n'ont pas duré plus longtemps que les sectes
politiques du socialisme utopique au XIXᵉ siècle, et que
l'appel au Sujet ne fait que masquer l'absence d'acteurs
sociaux et politiques réels ? Le recours à Dieu comme le
culte de la raison ou l'appel à l'histoire sont certes chargés
de dangers, de théocratie répressive en particulier, disent
certains de mes critiques, mais ils ont mis en mouvement
les nations et les classes. Votre appel au Sujet n'est-il pas
la copie pâlie de ces grands soulèvements, l'expression
moralisatrice des inquiétudes d'une nouvelle classe
moyenne plus soucieuse de sécurité que de conflits,
d'ordre que de changement ? Ces reproches travestissent
la réalité. Après un long siècle dominé par les programmes
et les appareils politiques, le déclin de ceux-ci ouvre aux
principes éthiques et aux mouvements proprement
sociaux un espace qui est déjà bien rempli, ce que n'aper-
çoivent pas ceux qui regardent encore dans une direction
opposée, celle où les lumières et les bruits de la société
industrielle sont en train de disparaître.

Ma réflexion, comme d'autres, différentes et parfois
opposées, s'efforce de dégager le sens non pas seulement
d'idées nouvelles, mais de pratiques de tous ordres, individuelles et collectives, qui manifestent les enjeux, les
acteurs et les conflits d'un monde nouveau. A côté des
conduites stratégiques tournées vers le profit et la puissance, notre monde est plein d'utopies libératrices, de
défenses communautaires, d'images érotiques, de campagnes humanitaires, de recherches du regard de l'autre,
fragments dispersés de l'invention d'un Sujet qui est raison
et liberté, intimité et communauté, engagement et dégagement. C'est à reconstruire cette figure du Sujet qui ne sera
jamais transformé en monument, sauf après sa disparition
de l'histoire, qu'a été consacré ce livre. Il n'appartient pas
seulement à l'histoire des idées, car celle-ci n'est qu'une
partie de l'histoire sociale et culturelle et le sens des
conduites humaines est aussi présent dans les pratiques

quotidiennes et les actions collectives organisées que dans les créations de l'art et de la pensée. Bien des discours et bien des pratiques nouvelles nous ont convaincus que nous étions sortis de la pensée historiciste, de la société industrielle et des idéologies qui ont accompagné l'accumulation capitaliste ou socialiste ; n'est-il pas temps d'admettre que nous sommes entrés dans une pleine modernité et de reconnaître l'espace et le temps dans lesquels apparaissent déjà de nouveaux acteurs sociaux, une nouvelle culture, de nouvelles expériences vécues ?

Étape

Nous n'avons plus confiance dans le progrès ; nous ne croyons plus que l'enrichissement entraîne avec lui la démocratisation et le bonheur. A l'image libératrice de la raison a succédé le thème inquiétant d'une rationalisation qui concentre au sommet le pouvoir de décision. De plus en plus, nous craignons que la croissance détruise des équilibres naturels fondamentaux, augmente les inégalités au niveau mondial, impose à tous une course épuisante au changement. Derrière ces inquiétudes apparaît un doute plus profond : l'humanité n'est-elle pas en train de rompre son alliance avec la nature, de devenir sauvage au moment où elle se croit libérée des contraintes traditionnelles et maîtresse de son destin ? Quelques-uns regrettent la société traditionnelle, ses codes, ses hiérarchies, ses rites ; ils sont nombreux surtout dans les pays où la modernisation est venue du dehors, apportée par des colonisateurs ou par un despote éclairé. D'autres se retournent vers la vision rationaliste du monde, laïque ou religieuse, qui appelait les êtres humains à cultiver la raison dont les lois sont les mêmes que celles qui régissent l'univers. La connaissance, disent-ils, libère des passions comme de l'ignorance et de la pauvreté. La science ne confère la puissance à l'homme que parce qu'elle le soumet aux lois objectives du monde. Cette attitude se rencontre surtout dans les pays et les catégories sociales qui ont joué un rôle central dans un développement défini avant tout comme rationalisation. Certains enfin croient surtout à l'ordre social, non pas aux intérêts acquis ni à la défense des privilèges, mais à la recherche du bien commun, et ils conçoivent le plus souvent la société comme un système naturel, mécanique ou organique, dont il faut découvrir et respecter les lois, semblables à celles des ensembles naturels. Il y a plus de traits communs que d'oppositions entre eux tous : ils cherchent à reconstruire un ordre social qui soit en même temps naturel et à mettre les êtres humains en accord avec le monde en les soumettant à la raison.

La sociologie a toujours joué un rôle important dans cette recherche de l'unité perdue. Elle est née en France d'un effort, constant de Comte à Durkheim, pour combiner la modernité avec l'intégration sociale et culturelle. Aujourd'hui, le renversement des mouvements sociaux anticapitalistes et anti-impérialistes en régimes totalitaires a conduit beaucoup à se retourner plus franchement vers le passé et à remplacer la science sociale de la modernité par la philosophie politique qui s'interroge, comme Ambrogio Lorenzetti dans sa fresque du palais de Sienne, sur le bon gouvernement, soumettant ainsi les catégories sociales à celles de l'analyse politique ou morale, par un mouvement inverse de celui qu'avaient accompli tant de penseurs de la modernité, de Tocqueville à Marx.

Mais aucune de ces réponses ne parvient à enrayer la dissociation de l'homme et de la nature que nous vivons à la fois comme une libération et comme une menace. Notre puissance collective est devenue si grande que nous ne savons plus ce que signifie vivre en accord avec la nature : presque tout, de notre alimentation à nos jeux, en passant par nos machines, est le produit de la science et de la technique, et presque personne ne souhaite arrêter une course à la découverte scientifique dont nous attendons de nouveaux bienfaits. En même temps, nous sentons que le pouvoir est partout et que la société est moins régie par des institutions reposant sur le droit et la morale que par les exigences de la concurrence économique, les programmes des planificateurs ou les campagnes de publicité. La société, qui est à la fois technique et pouvoir, division du travail et concentration des ressources, devient de plus en plus étrangère aux valeurs et aux demandes des acteurs sociaux. Si l'idée de société de masse ou de consommation a remplacé celle de société industrielle, c'est parce qu'elle prend acte de la séparation du monde de la production et de l'univers de la consommation, alors que la société industrielle définissait encore l'être humain comme travailleur, donc dans les mêmes termes que le système de production.

Nous ne percevons plus l'existence d'une société organisée autour d'institutions politiques. Nous voyons d'un côté des centres de gestion économique, politique et militaire ; de l'autre, l'univers privé du besoin. Entre le système et l'acteur, toute correspondance semble avoir disparu. Nous n'appartenons plus à une société, à une classe sociale ou à une nation, dans la mesure où notre vie est, pour partie, déterminée par le marché mondial et, pour une autre partie, enfermée dans un univers de vie personnelle, de relations interpersonnelles et de traditions culturelles. Daniel Bell peut à juste titre s'inquiéter du déclin des sociétés où la production, la consommation et la gestion politique constituent des univers séparés, régis par des normes opposées entre elles. Tandis que le marché remplace les normes sociales et les valeurs culturelles par la concurrence, les conduites personnelles remplacent la participation sociale par l'obsession de l'identité, et nos sociétés deviennent des ensembles de moins en moins coordonnés de collectivités, de sous-cultures et d'individus. Comme l'identité collective autant qu'individuelle est fragile dans un monde ouvert à tous les vents du marché, entre le marché et la vie privée s'étend un no man's land où l'on voit encore les ruines de la vie publique et où la violence s'installe du même pas que la socialisation recule.

Quelle réponse apporter dans une situation où la nostalgie de l'Un et de l'ordre du monde semble vaine et où la séparation complète de l'acteur et du système fait coexister sans les intégrer une subjectivité sauvage et un ordre imposé ? Le livre qu'on vient de lire a cherché cette réponse. Après avoir suivi le recul du dualisme chrétien et cartésien, refoulé par le matérialisme optimiste des Lumières et plus encore par les philosophies du Progrès, puis la réaction antimoderniste contre l'historicisme, de Nietzsche à l'École de Francfort et à Michel Foucault, et avoir enfin constaté la rupture entre le néo-libéralisme rationaliste qui ne croit qu'au changement et le subjectivisme post-moderniste qui bricole en combinant les signes des cultures passées, il a proposé l'idée que la seule manière d'éviter l'éclatement de la société moderne était de reconnaître que la modernité ne reposait pas tout entière sur la rationalisation ; qu'elle se définissait, depuis son origine, par la séparation — mais aussi la complémentarité — de la raison et du Sujet, plus précisément de la rationalisation et de la subjectivation. Au lieu de considérer que la rationalité technique et économique détruit de plus en plus la subjectivité, elle montre comment la modernité produit le Sujet, lequel n'est ni l'individu ni le Soi (*Self*) construit par l'organisation sociale, mais le travail par lequel un individu se transforme en acteur, c'est-à-dire en agent capable de transformer sa situation au lieu de la reproduire par ses comportements.

Ce n'est pas dans la sociologie proprement dite, mais dans l'œuvre de Freud que cette réflexion a pris racine, si l'on veut bien admettre que, dans sa théorie comme dans sa pratique, Freud a cherché à dépasser l'opposition brutale du Ça et du Surmoi et à trouver le fondement d'un *Ich* qui ne peut être qu'un Je pour celui qui a si constamment dénoncé les illusions du Moi et de la conscience.

L'appel au Sujet peut se retourner contre la rationalisation et se dégrader en obsession de l'identité ou en enfermement dans une communauté ; il peut aussi être volonté de liberté et s'allier à la raison comme force critique. Parallèlement, la raison peut s'identifier aux appareils de gestion qui contrôlent les flux d'argent, de décision et d'information, et détruire le Sujet, le sens que l'individu cherche à donner à ses actes. Mais elle peut aussi s'allier aux mouvements sociaux qui prennent la défense du Sujet contre une concentration des ressources qui correspond à une logique de pouvoir, non à la logique de la raison.

La réponse précise qu'apporte ce livre est que la raison et le Sujet, qui peuvent en effet devenir étrangers ou hostiles l'un à l'autre, peuvent aussi s'unir et que l'agent de cette union est le mouvement social, c'est-à-dire la transformation de la défense personnelle et culturelle du Sujet en action collective dirigée contre le pouvoir qui soumet la raison à ses intérêts. Ainsi se trouve réanimé un espace social qui semblait vidé de tout contenu, entre une économie mondialisée et une culture privatisée. Autant l'ancienne définition de la vie sociale comme ensemble de correspondances entre institutions et mécanismes de socialisation est définitivement détruite par la modernité triomphante, autant les contenus réels de celle-ci dépendent de plus en plus de la capacité qu'ont les mouvements sociaux, porteurs de l'affirmation du Sujet, de refouler à la fois la puissance des appareils et l'obsession de l'identité. C'est autour de cette identification des notions de Sujet et de mouvement social qu'a été construite la troisième partie de ce livre.

L'histoire de la modernité est celle de la *double affirmation de la raison et du Sujet*, depuis l'opposition de la Renaissance et de la Réforme qu'Érasme lui-même ne parvint pas à surmonter. Les mouvements sociaux, ceux de la bourgeoisie révolutionnaire, puis le mouvement ouvrier, enfin les nouveaux mouvements sociaux dont les objectifs sont plus culturels qu'économiques, en appellent de plus en plus directement à la combinaison de la raison et du Sujet, en séparant de manière croissante d'un côté la raison de la société, de l'autre le Sujet de l'individu.

Ces conclusions excluent tout retour à une philosophie de l'ordre social ou de l'histoire, bien que chacun sente en lui la pression en faveur de l'intégration sociale, qu'elle soit de type religieux, politique ou juridique. Mais tel est le prix à payer pour être protégé de toutes les tentations totalitaires qui ont déferlé sur le monde depuis près d'un siècle et l'ont couvert de camps de concentration, de guerres saintes et de propagandes politiques. La modernité est réfractaire à toutes les formes de totalité, et c'est le dialogue entre la raison et le Sujet, qui ne peut ni se rompre ni s'achever, qui maintient ouvert le chemin de la liberté.

PRINCIPAUX OUVRAGES UTILISÉS

Première partie

ALQUIÉ Ferdinand, *La Découverte métaphysique de l'homme chez Descartes*, PUF, 1950, 384 p. (citation p. 198).

SAINT AUGUSTIN, *Confessions*, Seuil, Points Sagesse, Intr. A. Mandouze, 1982, 418 p., en particulier livres VIII, X et XI.

BENETON Philippe, *Introduction à la politique moderne*, Hachette Pluriel, 1987, 490 p. (1re partie : « Les anciens et les modernes », pp. 29-147).

BENICHOU Paul, *Morales du Grand Siècle*, Gallimard, Bibliothèque des Idées, 1948, 231 p.

BENJAMIN Walter, *Paris, capitale du XIXe siècle. Le livre des passages, 1927-1929 et 1934-1940*, 1re éd. 1982, tr. fr. Cerf, 1989, 972 p. (en particulier Baudelaire, pp. 247-404).

BESNARD Philippe, *Protestantisme et capitalisme*, Colin U2, 1970, 427 p.

Bloom Alan, *L'Ame désarmée. Essai sur le déclin de la culture générale*, Préface de Saul Bellow, tr. fr. Julliard, 1987, 332 p.

BRUBAKER R., *The Limits of Rationality. An Essay on the Social and Moral Thought of Max Weber*, Londres, Allen and Unwin, 1984.

BURLAMAQUI J. J., *Éléments de droit naturel*, Genève, 1751 (nouv. éd. Paris, 1983).

CASSIRER Ernst, *La Philosophie des Lumières*, 1932, tr. fr., Fayard (nouv. éd., 1966, 351 p.).

CHARTIER Roger, *Les Origines culturelles de la Révolution francaise*, Seuil, 1990, 245 p.

COLIN Pierre et MONGIN Olivier (sous la dir. de), *Un monde désenchanté ? Débat avec Marcel Gauchet*, Cerf, 1988, 104 p.

COLLETTI Lucio, *Ideologia e societa*, Bari, Laterza, 1969 (en particulier la 2ᵉ partie consacrée à Rousseau).

COMTE Auguste, *Discours sur l'esprit positif*, 1844, nouv. éd. Vrin, 1983, 172 p.
— *Discours sur l'ensemble du positivisme*, 1849 ;
— *Catéchisme positiviste*, 1849, Éd. P. F. Pécaut, Garnier,1909 ;
— *Système de politique positive*, 1851-54, vol. 7-10 de la reproduction de l'édition originale, Anthropos, 1968-71 ;
— Cf. aussi *Politique d'Auguste Comte*, textes réunis par P. Arnaud, Colin, Coll. U., 1965, 392 p.

CONDORCET, *Esquisse d'un tableau historique des progrès de l'esprit humain*, 1795, Ed. A. Pons, Flammarion, 1988, 352 p.

DARAKI Maria, « L'Émergence du sujet singulier dans les "Confessions d'Augustin" », *Esprit*, 1981, pp. 95-117.

DERATHE Robert, *Jean-Jacques Rousseau et la science politique de son temps*, Vrin, 2ᵉ éd., 1950, 464 p.

DESCARTES René, l'édition Bridoux de La Pléiade comprend le *Discours de la méthode*, 1637 (pp. 125-179), les *Méditations métaphysiques*, 1641 (pp. 257-334) suivies des *Objections et réponses* (pp. 335-552), *Les Passions de l'âme*, 1647 (pp. 695-802) et des lettres, parmi lesquelles les « Lettres à Elisabeth ».

DUMONT Louis, *Essais sur l'individualisme. Une perspective anthropologique sur l'idéologie moderne*, Seuil, Esprit, 1983, 267 p. (en particulier 1ʳᵉ partie pp. 33-114).

DURKHEIM Émile, *Montesquieu et Rousseau précurseurs de la sociologie*, Rivière, 1953, 200 p.

EHRARD Jean, *L'Idée de nature en France à l'aube des Lumières*, Flammarion, 1970, 445 p.

EISENSTADT Samuel N., *The Protestant Ethic and Modernization. A Comparative View*, New York, Londres, Basic books, 1968, 400 p.

ÉRASME, on se reportera à Jean-Claude MARGOLIN, *Érasme par lui-même*, Seuil, 1965. Je remercie J.-C. Margolin de m'avoir communiqué plusieurs de ses articles publiés dans des revues françaises et étrangères.

FEBVRE Lucien, *Un destin : Martin Luther*, Rieder, 1928, 3e éd. PUF, 1952, 219 p.

FLEISHMANN Eugen, *La Philosophie politique de Hegel*, Plon, 1964, 402 p.

FURET François, *La Révolution 1770-1880*, *Histoire de France*, t. IV, Hachette, 1988, 525 p.

FURET François et OZOUF Mona, *Dictionnaire critique de la Révolution française*, Flammarion, 1988, 1 125 p.

GAUCHET Marcel, *Le Désenchantement du monde. Une histoire politique de la religion*, N.R.F., Bibliothèque des Sciences Humaines, 1985, 303 p.

— *La Révolution des droits de l'homme*, N.R.F., Bibliothèque des Histoires, 1988, 341 p.

GIERKE Otto, *Natural Law and the Theory of Society 1500-1800*, rééd. (avec un essai de E. Troeltsch), Boston, Beacon Press, 1960, 423 p.

GILSON Étienne, *Études sur le rôle de la pensée médiévale dans la formation du système cartésien*, 1930, 336 p.

GOYARD-FABRE Simone, *La Philosophie des Lumières en France*, Klincksieck, 1972, 341 p.

— *John Locke et la raison raisonnable*, Vrin, 1986, 197 p.

— *Philosophie politique XVIe-XXe siècle*, PUF, 1987, 544 p.

GROETHUYSEN Bernard, *Philosophie de la Révolution française*, Gallimard, 1956 et 1982 (précédé d'un texte sur Montesquieu), 307 p.

— *Origines de l'esprit bourgeois en France*, t. I, *L'Église et la bourgeoisie*, 1927, éd. fr. Gallimard, 1977, 305 p. (seul le tome I a été publié),

— *J.-J. Rousseau*, Gallimard, 1949, 2e éd. 1983, 409 p.

GROOT (Grotius) Hugode, *Le Droit de la guerre et de la paix*, 1625, publication de l'Université de Caen, 1984, 2 vol., 1 043 p.

HALÉVY Élie, *La Formation du radicalisme philosophique. La Révolution et la doctrine de l'utilité 1789-1805*, Alcan, 1901-1904, 3 vol. (t. I : *La Jeunesse de Bentham*, t. II : *Évolution de la doctrine utilitaire* ; t. III : *Le radicalisme philosophique*).

HAZARD Paul, *La Crise de la conscience européenne 1680-1715*, 1935, nouv. éd. Fayard, 1971, 443 p.

HEGEL G. W. F., *La Phénoménologie de l'Esprit*, 1806, tr. fr. de J. Hyppolite, t. 1, Aubier, 1938, 358 p.
— *Le Droit naturel*, 1801, tr. fr. Gallimard Idées, 1972, 186 p.

HOBBES, *Leviathan, 1651*, Pelican Classics, Penguin Books, 1968, 729 p, tr. fr. de F. Tricaud, Sirey, 1971, 781 p.
— *Le Citoyen ou les Fondements de la politique*, Flammarion, avec une introduction de Simone Goyard-Fabre, 1982, 408 p.

HYPPOLITE Jean, *Études sur Marx et Hegel*, Rivière, 1955 ;
— *Introduction à la philosophie de l'histoire de Hegel*, Rivière, 1944, nouv. éd. Seuil, 1983, 124 p.

KANT Emmanuel, *Fondements de la métaphysique des mœurs*, 1785, tr. fr. Vrin, 1987, 153 p.
— *Critique de la raison pratique*, 1788, tr. fr. avec Intr. de F. Alquié, 1943, Quadrige, PUF, 1985, 189 p.

LEITES Edmund, *La Passion du bonheur. Conscience puritaine et sexualité moderne*, 1986, tr. fr. Cerf, 1988, 191 p. et illustrations.

LEWIS Geneviève, *L'Individualité selon Descartes*, thèse 1947, PUF, 1950, 250 p.

LOCKE John, *Deuxième Traité du gouvernement civil*, Londres, 1688, éd. S. Goyard-Fabre, Flammarion, 1984, ou éd. B. Gilson, Vrin, 1985 (l'édition critique de P. Laslett, Cambridge University Press, revue en 1963, apporte des commentaires importants).

LUKACS Georg, *Histoire et conscience de classe*, 1923, tr. fr. Minuit, Arguments, 1960, 381 p.

LUTHER Martin, on se réfère surtout ici aux écrits de 1520 :
— « De la liberté du chrétien » ;
— « A la noblesse chrétienne de la nation allemande sur l'amendement de la condition du chrétien » ;
— « Prélude sur la captivité babylonienne de l'Église » ;
— le « Traité du serf arbitre » est de 1525.

MANDOUZE André, *Saint Augustin. L'aventure de la raison et de la grâce*, thèse, Études Augustiniennes, 1968, 797 p.

MANENT Pierre, *Histoire intellectuelle du libéralisme*, Calmann-Lévy, 1987, et Pluriel, 250 p.
— *Naissance de la politique moderne, Machiavel, Hobbes, Rousseau*, Payot, 1977.

MARCUSE Herbert, *Raison et révolution, Hegel et la nais-*

sance de la théorie sociale, 1941, tr. fr. Minuit, 1968, 472 p. ;

— *L'Homme unidimensionnel. Essai sur l'idéologie de la société industrielle avancée*, tr. fr., Minuit, 1968, 281 p.

MARX Karl, dans l'édition M. Rubel de La Pléiade, *Les Manuscrits de 1844* (t. II, pp. 3-141), *L'Idéologie allemande* (avec Friedrich Engels) (t. III, pp. 1039-1325). Cf. aussi *Les Luttes de classes en France*, 1848-1849, et *La Guerre civile en France*, 1871.

MAUZY Robert, *L'Idée de bonheur dans la littérature et la pensée françaises au XVIIIe siècle*, Colin, 1960, 727 p.

MENDES SARGO Emmanuel, *La Guerre des paysans. Thomas Müntzer et le communisme*, thèse non publiée, Nanterre, 1985.

MORNET Daniel, *Les Origines intellectuelles de la Révolution française, 1715-1787*, 1933, rééd. Colin, 1967 et La Manufacture, 1989, 632 p.

PARSONS Talcott, *Sociétés. Essai sur leur évolution comparée*, 1966, tr. fr. 1973, 158 p. — *Le Système des sociétés modernes*, tr. fr. Dunod, 1973, 170 p.

PASCAL, *Pensées*, Éd. Brunschvicg, Hachette, 1897.

POLANYI Karl, *La Grande Transformation*, 1944, tr. fr. (avec une préface de Louis Dumont), Gallimard, 1983, 423 p.

POLIN Raymond, *Politique et philosophie chez Thomas Hobbes*, PUF, 1953 (et colloque Thomas Hobbes dirigé par R. Polin, PUF, 1990, 421 p.) ; — *La Politique morale de John Locke*, PUF, 1960, 320 p.

POPPER Karl, *Misère de l'historicisme 1944-45*, tr. fr. 1956, revue par Renée Bouveresse, Vrin, 1986, éd. Agora, 1988, 214 p.

PUFENDORF Samuel, *Le Droit de la nature et des gens*, 1672, publication de l'Université de Caen, 1987, 2 vol., 619 et 506 p.

RAYNAUD Philippe, *Max Weber et les dilemmes de la raison moderne*, PUF, 1987, 217 p.

RIALS Stéphane, *La Déclaration des droits de l'homme et du citoyen*, Pluriel, 1988, 772 p.

ROUSSEAU Jean-Jacques, *Discours sur les sciences et les arts*, 1750 ;

— *Discours sur l'origine de l'inégalité*, 1754 ;

— *Du contrat social*, 1762 ;

— *Émile ou De l'éducation*, 1762.

SALVADORI Massimo, *Dopo Marx*, Turin, Einaudi, 1981.

SCAFF Lawrence A., *Fleeing the Iron Cage : Culture, Politics and Modernity in the Thought of Max Weber*, Berkeley University of California Press, 1989, 265 p.

SÈVE René, *Leibniz et l'école moderne du droit naturel*, PUF, 1989, 237 p.

STAROBINSKI Jean, *Jean-Jacques Rousseau. La transparence et l'obstacle*, Plon, 1957, nouv. éd. Gallimard Tel, 1982, 475 p. ;

— *L'Invention de la liberté 1700-1789*, Genève, Skira, 1964, 224 p.

TAWNEY R. H., *La Religion et l'essor du capitalisme*, 1926, tr. fr. avec préface de E. Labrousse, Rivière, 1951, 320 p.

TAYLOR Charles, *Sources of the Self The Making of Modern Identity*, Cambridge University Press, 1989, 601 p.

TOCQUEVILLE Alexis de, *De la démocratie en Amérique*, 1835 et 1840, éd. Garnier-Flammarion avec préface de F. Furet, 2 vol., 1981 570 p. + 414 p., en particulier t. I, 2e partie, et t. II, 3e et 4e parties.

TOULMIN Stephen, *Cosmopolis. The Hidden Agenda of Modernity*, New York, Free Press, 1990, 228 p.

VENTURI Franco, *Au siècle des Lumières*, Mouton, 1971, 301 p.

VERNANT Jean-Pierre, *L'Individu, la mort, l'amour. Soi-même et l'autre en Grèce ancienne*, Gallimard, Bibliothèque des Histoires, 1989, 232 p.

WAHL Jean, *Le Malheur de la conscience dans la philosophie de Hegel*, Rieder, 1929, PUF, 1951, 208 p.

WEBER Max, *L'Éthique protestante et l'esprit du capitalisme*, 1905. J'ai utilisé la traduction anglaise de T. Parsons, 3e éd., Londres, Allen and Unwin, 1950 ;

— *Économie et société*, 1922, tr. fr. t. I, Plon, 1971, 637 p. (j'ai utilisé la tr. espagnole en 2 volumes de J. Medina E. Mexico, Fondo de cultura economica) ;

— *Le Savant et le politique* « La science comme vocation » et « La politique comme vocation », 1919), Plon, 1959, 201 p.

Deuxième partie

ADORNO Theodor, FRANKEL-BRUNSWIK Else, LEVINSON Daniel J. et NEVITT Sanford R., *The Authoritarian Personality*, New York, Harper, 1950, 990 p. (cf. aussi M. Horkheimer).

ALBERT Michel, *Capitalisme contre capitalisme*, Seuil, 1991, 318 p.

ARENDT Hannah, *La Crise de la culture* (recueil d'essais), 1954, tr. fr. Gallimard, 1972, 380 p.

ARON Raymond, *Dimensions de la conscience historique*, Plon, 1961, 341 p.
— *Les Désillusions du progrès. Essai sur la dialectique de la modernité*, Calmann-Lévy, 1972, 381 p.

BAREL Yves, *La Société du vide*, Seuil, 1984, 268 p.

BAUDRILLARD Jean, *A l'ombre des majorités silencieuses ou La Fin du social*, 1re éd. 1978, Médiations Denoël-Gonthier, 1982, 115 p.
— *Pour une critique de l'économie politique du signe*, Gallimard Les Essais, 1972, 268 p.

Beck Ulrich, *Risikogesellschaft*, Francfort, Suhrkamp, 1982.

Bell Daniel, *Les Contradictions culturelles du capitalisme*, 1976, tr. fr. PUF, 1979, 293 p.

BERMAN Marshall, *All That is Solid Melts into Air : the Experience of Modernity*, New York, Simon and Shuster, 1983.

CASTORIADIS Cornélius, *L'institution imaginaire de la société*, Seuil, 1975, 498 p. (2e partie et chapitre III de la 1re partie) ;
— *Le Monde morcelé. Les carrefours du labyrinthe III*, Seuil, 1989, 278 p. (en particulier pp. 189-225) ;
— « The State of the Subject Today », *Thesis Eleven*, n° 24, Melbourne, 1984, pp. 5-43.

CROZIER Michel et FRIEDBERG E., *L'Acteur et le système. Les contraintes de l'action collective*, Seuil, 1977, 433 p.

CROZIER Michel, *On ne change pas la société par décret*, Grasset, 1979, 298 p.
— *État modeste, État moderne. Stratégies pour un autre changement*, Fayard, 1987, 316 p.

DELANNOI Gil, TAGUIEFF Pierre-André (sous la dir. de), *Théories du nationalisme*, Kimé, 1991, 324 p.

DELEUZE Gilles, *Nietzsche et la philosophie*, PUF, 1962, 233 p.

DIANI Marco (sous la dir. de), *The Immaterial Society. Design, Culture and Technology in the Post-Modern World*, Englewood Cliffs, Prentice Hall, 1992 (articles de Herbert Simon, Michel Maffesoli, etc.).

DREYFUS Hubert, RABINOW Paul, *Michel Foucault, un parcours philosophique*, Paris, Gallimard, Bibliothèque des Sciences Humaines, 1984, 366 p. (le livre contient deux essais de Michel Foucault et un entretien avec lui, pp. 297-346).

DUBUFFET Jean, *Lettres à J. B. 1946-1985*, Hermann, 1991, 430 p.

DURKHEIM Émile, *L'Éducation morale*, 1925 (nouv. éd. PUF, 1963, 243 p.).

FEATHERSTONE M. (sous la dir. de), *Post-Modernism*, Sage, 1988 ;
— « In Pursuit of the Post-Modern : an Introduction », in *Theory, Culture and Society*, 5 (2-3), 1988, pp. 195-216.

FINKIELKRAUT Alain, *La Défaite de la pensée*, Gallimard, 1987, 165 p.

FOSTER Hal (sous la dir. de), *Post-Modern Culture*, Londres, Pluto, 1985 ;
— (sous la dir. de), *The Anti-Aesthetic. Essays on Post-Modern Culture*, Seattle, B. Press, 1983 (articles de Jean Baudrillard, Fredric Jameson) réimp. 1989, 159 p. ill...

FOUCAULT Michel, *Surveiller et punir. Naissance de la prison*, NRF, 1975, 318 p.
— *La Volonté de savoir, Histoire de la sexualité*, t. I, Gallimard, Bibliothèque des Histoires, 1976, 211 p.
— *L'Usage des plaisirs, Histoire de la sexualité* t. II, NRF, Bibliothèque des Histoires, 1984, 287 p.
— *Le Souci de soi, Histoire de la sexualité*, t. III, NRF, Bibliothèque des Histoires, 1984, 288 p.
— *Résumé des cours 1970-1982*, Julliard, 1989, 166 p.

FOURASTIÉ Jean, *Le Grand Espoir du xxᵉ siècle*, 2ᵉ éd., PUF, 1950, 224 p.

FREUD Sigmund, *Pour introduire le narcissisme*, 1914 (tr. J. Laplanche in *La Vie sexuelle*, 1969).
— *Métapsychologie*, 1915, tr. fr. NRF Idées, 1968, 187 p.
— *Psychologie collective et analyse du Moi*, 1921 (dans *Essais de psychanalyse*, tr. Jankélévitch).

— *Le Moi et le Ça*, 1923, *ibid.*

— *Sigmund Freud présenté par lui-même*, 1925, tr. fr. NRF, 1984, 143 p.

— *Malaise dans la civilisation*, 1929, tr. fr. PUF, 1971, 107 p.

— *L'Homme Moïse et la religion monothéiste*, 1939, tr. fr. avec préface de Marie Moscovici, NRF, 1989, 256 p.

FRIEDMANN Georges, *La Crise du progrès*, Gallimard, 1936 ; — *Où va le travail humain ?* (nouv. éd., Gallimard, 1963, 450 p.)

— *Sept Études sur l'homme et la technique*, Gonthier Médiations, 1966, 215 p.

FROMM Erich, *La Peur de la liberté*, 1941, tr. fr. Buchet-Chastel, 1963, 245 p.

GAUCHET Marcel, SWAIN Gladys, *La Pratique de l'esprit humain : l'institution asilaire et la pratique démocratique*, Gallimard, Bibl. des Sciences humaines, 1980, 524 p.

GELLNER Ernest, *Nations et nationalisme*, 1983, tr. fr. Payot, 1989, 208 p.

GRODDECK Georg, *Au fond de l'homme, cela (Le livre du Ça)*, tr. fr. Gallimard, Bibliothèque des Idées, 1963, 330 p., avec une introduction de L. Durrell.

HOBSBAWN Eric, *Nations et nationalisme depuis 1780*, tr. fr., Gallimard, Bibliothèque des Histoires, 1992, 247 p.

HORKHEIMER Max, *Théorie traditionnelle et théorie critique*, tr. fr. Gallimard, Les Essais, 1974, 311 p.

— *Critique of Instrumental Reason* (recueil d'essais écrits entre 1957 et 1967), New York, Continuum, 1974, 163 p.

— *Éclipse de la raison*, 1947, Payot, 1974, 239 p.

— avec Th. Adorno, *La Dialectique de la raison*, 1947, tr. fr. Gallimard, 1974, 281 p.

HUGHES Stuart, *Consciousness and Society, the Orientation of European Social Thought, 1890-1930*, Random House, 1958, 433 p.

JAMESON Fredric, *Post-Modernism or the Culture Logic of Late Capitalism*, Londres et New York, Verso, 1991, 438 p.

JAY Martin, *L'Imagination dialectique. L'École de Francfort, 1923-1950*, 1973, tr. fr. Payot, 1977, 416 p.

— *Marxism and Totality. The Adventures of a Concept*

from Lukacs to Habermas, University of California Press,1984, 576 p.

LACAN Jacques, *D'une question préliminaire à tout traitement possible de la psychose* et *Subversion du sujet et dialectique du désir dans l'inconscient freudien*, in *Écrits*, Seuil, 1966, 924 p., pp. 531-583 et 793-827.

LACLAU Ernesto, *Politics and Ideology in Marxist Theory*, Londres, Verso, 1979.

LASH Scott, *Sociology of Post-Modernism*, Londres, Routledge, 1990, 300 p.
— avec Jonathan FRIEDMAN (sous la dir. de), *Modernity and Identity*, Oxford, Blackwell, 1992.

LE RIDER Jacques, *Modernité viennoise et crises de l'identité*, PUF, 1990, 432 p.

LIPVETSKY Gilles, *L'Ère du vide. Essais sur l'individualisme contemporain*, Gallimard, 1983, 247 p.
— *L'Empire de l'éphémère. La mode et son destin dans les sociétés modernes*, Paris, NRF, Bibliothèque des Sciences Humaines, 1987, 340 p.

LIPSET Seymour M., *L'Homme et la politique*, tr. fr. Seuil, 1963, 464 p., avec une présentation de J.-M. Domenach.

LOWENTHAL Leo, *Literature, Popular Culture and Society*, Englewood Cliffs, Prentice Hall, 1961, 169 p.

LYOTARD Jean-François, *La Condition post-moderne*, Éd. de Minuit, 1979, 108 p.
— *Le Post-moderne expliqué aux enfants*, Galilée, 1986.
— *Le Différend*, Minuit, 1983, 280 p.

MAFFESOLI Michel, *Le Temps des tribus*, Klincksieck, 1988, 226 p.

MALDONADO Tomas, *Il futuro della modernita*, Milan, Feltrinelli, 1987.

MARCUSE Herbert, *Éros et civilisation*, 1955, tr. fr. Minuit, 1963, 240 p.
— *L'Homme unidimensionnel*, 1967, tr. fr. Minuit, 1968, 281 p.

MOSCOVICI Marie, *L'Ombre de l'objet. Sur l'inactualité de la psychanalyse*, Seuil, 1990, 149 p.

MUSIL Robert, *L'Homme sans qualités*, tr. fr. Ph. Jaccottet, Seuil, 1966, 800 et 1 043 p. (éd. antérieure 1957-58 en 4 vol.).

NIETZSCHE Friedrich, *La Naissance de la tragédie*, tr. fr. de G. Bianquis, Gallimard, 1940, 239 p.

— *Humain, trop humain. Un livre pour esprits libres*, 1878, tr. fr. Gallimard, Folio, 1968, 400 et 413 p.
— *Aurore. Pensées sur les préjugés moraux*, 1881, tr. fr. Gallimard, 1970, 787 p.
— *Le Gai Savoir, la gaya scienza*, 1882, tr. fr. et intr. de P. Klossowski, Club Français du Livre, 10/18, 1957, 431 p.
— *Le Crépuscule des idoles* suivi de *Le Cas Wagner*, 1848, tr. fr. Flammarion, 1985 (avec introduction de Christian Jambet), 250 p.
— *Par-delà le bien et le mal*, 1888, tr. fr. Bordas, 1948, Pluriel, 257 p.

Roheim Geza, *Psychanalyse et anthropologie. Culture. Personnalité. Inconscient*, Gallimard, 1967, tr. de Marie Moscovici, 605 p.

Schopenhauer Arthur, *Le Monde comme volonté et comme représentation*, 1818, tr. fr. A. Burdeau revue par R. Roos, PUF, 1966, 1434 p.

Schorske Karl, *Vienne fin de siècle*, 1979, tr. fr. 1983, 383 p.

Sennett Richard, *Les Tyrannies de l'intimité*, 1967, tr. fr. Seuil, 1979.

Simon Herbert, March James, *Les Organisations*, 1966, tr. fr. 2e éd. Dunod, 1969, 253 p., avec préface de M. Crozier.

Thurow Lester, *Head to Head : the Coming Economic Battle among Japan, Europe and America*, Morrow, 1992, 336 p.

Turkle Sherry, *The Second Self Computer and Human Spirit*, New York, Simon and Shuster, 1984.

Turner Brian S. (sous la dir. de), *Theories of Modernity and PostModernity*, Londres, Sage, 1990, 184 p. (en particulier articles sur Habermas et Lyotard).

Vattimo Gianni, *La Fin de la modernité. Nihilisme et herméneutique dans la culture post-moderne*, 1985, tr. fr. Seuil, 1987, 191 p.
— *La Société transparente*, Desclée de Brouwer, 1990.
— (sous la dir. de), *La Sécularisation de la pensée*, 1986, tr. fr. Seuil, 1988, 217 p.

Weber Eugen, *La Fin des terroirs : la modernisation de la France rurale*, 1977, tr. fr., Fayard, 1983, 945 p.

Westbrook Robert B., *John Dewey and American Democracy*, Cornell University Press, 1991, 570 p.

Wieviorka Michel, *L'Espace du racisme*, Seuil, 1991, 251 p.

Troisième partie

ARDIGO Achille, *La sociologia oltre il post-moderno*, Bologne, Il Mulino, 1988.

ATLAN Henri, *Entre le cristal et la fumée. Essai sur l'organisation du vivant*, Seuil, 1979, nouv. éd. Points Sciences, 1986, 286 p.
— *Tout, non, peut-être*, Seuil, 1991, 351 p.

BALANDIER Georges, *Le Détour. Pouvoir et modernité*, Fayard, 1985, 266 p.

BAUDELAIRE Charles, *Le Peintre de la vie moderne*, en particulier *IV : La Modernité*, in Robert Laffont, « Bouquins », 1980, pp. 797-799.

BELLAH Robert, *et al.*, *Habits of the Heart. Individualism and Commitment in American Life*, Berkeley, University of California Press, 1985, 355 p.

BERLIN Isaiah, *Éloge de la liberté*, 1969, tr. fr., Calmann-Lévy, 1988, 288 p.
— *The Crooked Timber of Humanity*, New York, Knopf, 1991.

BERMAN Marshall, *The Politics of Authenticity. Radical Individualism and the Emergence of Modern Society*, New York, Atheneum, 1970.

BERNSTEIN Richard (sous la dir. de), *Habermas and Modernity*, Cambridge, MIT Press, 1985.

BIRNBAUM Pierre, LECA Jean (sous la dir. de), *Sur l'individualisme*, Presses de la Fondation nationale des sciences politiques, 1986 (en particulier l'article d'A. Pizzorno).

BIRNBAUM Pierre, *La Fin du politique*, Seuil, 1975, 285 p. (en particulier la 2e partie) ;
— *La Logique de l'État*, Fayard, 1982, 236 p. (en particulier les deux premières parties).

BOBBIO Norberto, *Il futuro della democrazia*, Turin, Einaudi, 1984 (nouv. éd. 1991, 220 p.).

BOURETZ Pierre (sous la dir. de), *La Force du droit. Panorama des débats contemporains*, éd. Esprit, 1991, 274 p. (en particulier les articles de Bouretz sur Rawls et de Lenoble sur Habermas).

CASTELLS Manuel, *The City and the Grass-Roots*, Londres, Edward Arnold, 1983, 450 p.

COHEN Jean, ARATO Andrew, *Civil Society and Political Theory*, Cambridge, MIT Press, 1992, 771 p.

DUBET François, *La Galère. Jeunes en survie*, Fayard, 1987, 503 p.
— *Les Lycéens*, Seuil, 1991, 311 p.
DUMONT Louis, *Homo aequalis 1 : Genèse et épanouissement de l'idéologie économique*, Gallimard, Bibliothèque des Sciences humaines, 1977, rééd. 1985, 270 p.
— *Essais sur l'individualisme. Une perspective anthropologique sur l'idéologie moderne*, Seuil, 1983, 280 p.
— *Homo aequalis 2 : L'idéologie allemande. France-Allemagne et retour*, Gallimard, Bibliothèque des Sciences Humaines, 1991, 312 p.
ERIKSON Erik, *Adolescence et crise. La quête de l'identité*, Flammarion, 1972, 341 p.
FERRY Jean-Marc, *Habermas, l'éthique de la communication*, PUF, 1987, 587 p.
FERRY Luc et RENAUT Alain, *68-86, itinéraires de l'individu*, Gallimard, 1986, 134 p.
FRIEDMANN Georges, *La Puissance et la sagesse*, Gallimard, 1970, 503 p. (en particulier la 2e partie, « L'effort intérieur »).
— *Journal de guerre 39-40*, Gallimard, 1987, 308 p.
FUKUYAMA Francis, *La Fin de l'histoire et le dernier homme*, tr. fr., Flammarion, 1992, 452 p.
GIACOMETTI Alberto, *Écrits*, Hermann, 1990, 306 p.
GIDDENS Anthony, *The Consequences of Modernity*, Cambridge Polity Press, 1990, 186 p.
— *Modernity and Self-Identity*, 1992.
GOFFMAN Erving, *The Presentation of Sey in Everyday Life*, Doubleday, 1959, éd. Anchor, 255 p.
GORZ André, *Adieu au prolétariat*, Galilée, 1980, 240 p. ;
— *Métamorphoses du travail, quête du sens. Critique de la raison économique*, Galilée, 1988, 302 p.
HABERMAS Jürgen, *Théorie et pratique. Critique de la politique*, 1963, tr. fr. Payot, 1975, 2 vol., 240 et 236 p.
— *Après Marx*, 1976, tr. fr. Fayard, 1985, 340 p.
— *Théorie de l'agir communicationnel*, 1981, tr. fr. 2 vol., Fayard, 1987, 447 et 477 p. (tr. de J.-M. Ferry t.1 ; J.-L. Schlegel, t. 2).
— *Le Discours de la philosophie de la modernité. Douze conférences*, 1985, tr. fr. Fayard, 1988, 484 p.
— *Morale et communication*, 1983, tr. fr. Cerf, 1986, 212 p.

— *Écrits politiques 1985-1987-1990*, tr. fr. Cerf, 1990, 263 p.

HARRÉ Ron, *Personal Being : A Theory for Individual Psychology*, Oxford, Blackwell, 1983, 299 p.

HELLER Agnes, *The Power of Chain*, Londres, Routledge and Kegan Paul, 1985, 317 p. (surtout chap. III, « Everyday life, Rationality of Reason, Rationality of intellect »).

HIRSCHMAN Albert, in David Collier (sous la dir. de), *The New Authoritarianism in Latin America*, Princeton University Press, 1979.

KEPEL Gilles, *La Revanche de Dieu*, Seuil, 1991, 283 p.

KHOSROWKHAVAR Farhad, Rupture de l'unanimisme dans la révolution iranienne, thèse pour le Doctorat ès Lettres non publ., 1992, 567 p. et 186 p. d'annexes.

KOHUT Heinz, *The Analysis of the Self*, New York International University Press, 1971, trad. fr. : Le Soi : la psychanalyse des transferts narcissiques, PUF, 1974, 376 p. ;
— *The Restoration of the Self*, New York International University Press, 1977.

LAING Ronald D., *The Divided Self*, Harmondsworth, Penguin, 1965, trad. fr. *Le Moi divisé*, Stock, 1970, 191 p.

LAPEYRONNIE Didier, *De l'expérience à l'action*. Mémoire d'habilitation, n.p., EHESS, 1992, 248 p.

LAPEYRONNIE Didier, MARIE Jean-Louis, *Campus Blues. Les Étudiants face à leurs études*, Seuil, 1992, 266 p.

LASCH Christopher, *The Culture of Narcissism*, New York, Norton, 1978, 268 p.,
— *The Minimal Self*, Londres, Picador, 1985.

LASH Scott, FRIEDMAN Jonathan (sous la dir. de), *Modernity and Identity*, Oxford, Blackwell, 1992.

LEFORT Claude, *Essais sur le politique XIXᵉ-XXᵉ siècle*, Seuil, Esprit, 1986, 332 p.
— *L'Invention démocratique, Les limites de la domination totalitaire*, Fayard, 1981, 347 p.

LEVINAS Emmanuel, *Humanisme de l'autre homme*, 1971, Livre de Poche, 1988, 122 p.

LÉVY Bernard-Henri, *Les Aventures de la liberté*, Grasset, 1991, 489 p.

MAC INTYRE Alasdair, *After Virtue*, Londres, Duckworth, 1981.

MAFFESOLI Michel, *Le Temps des tribus*, Méridiens Klincksieck, 1988, nouv. éd. Livre de poche, 280 p.

MAHEU Louis, SALES Arnaud (sous la dir. de), *La Recomposition du politique*, L'Harmattan et les Presses de l'Université de Montréal, 1991, 324 p.

MALLET Serge, *La Nouvelle Classe ouvrière*, Seuil, 1963, 266 p.

MARSHALL T. H., *Citizenship and Social Class*, Cambridge University Press, 1950.

MATTER Herbert, *Alberto Giacometti*, tr. fr. Gallimard, 1988, 223 p.

MAUPEOU-ASSOUD Nicole de, *Ouverture du ghetto étudiant. La gauche étudiante à la recherche d'un nouveau mode d'intervention politique 1960-1970*, Anthropos, 1974.

MEAD George Herbert, *L'Esprit, le soi et la société*, 1934, tr. fr. PUF, 1963, 332 p.

MELUCCI Alberto, *L'invenzione del presente*, Bologne, Mulino, 1982 ;

MONGARDINI Carlo, *Il futuro della politica*, Milan, Franco Angeli, 1990, 124 p.

MORIN Edgar, *L'Esprit du temps*, Grasset, 1962, 277 p.
— *Pour sortir du XXe siècle*, Nathan, 1981, 380 p.

MOSCOVICI Serge, *L'Âge des foules*, Fayard, 1981, 503 p.
— *La Machine à faire des dieux. Sociologie et psychanalyse*, Fayard, 1988, 485 p.

PERRON Roger, *Genèse de la personne*, PUF Le Psychologue, 1985, 256 p.

POULANTZAS Nicos, *Les Classes sociales dans le capitalisme aujourd'hui*, Seuil, 1974, 365 p.

RAWLS John, *La Théorie de la justice comme équité ; une théorie politique et non pas métaphysique*, in *Philosophy and Public Affairs*, XIV, 3, 1985, tr. fr. in *Individu et justice sociale*, Seuil, 1988, 317 p. Publication d'un colloque tenu autour de John Rawls, *Théorie de la justice*, 1971, tr. fr. Seuil, 1987.

RENAUT Alain, *L'Ere de l'individu. Contribution à une histoire de la subjectivité*, Gallimard, Bibliothèque des Idées, 1989, 299 p.

REX John, *Ethnic Identity and Ethnic Mobilization in Britain*, Economic and Social Research Council, 1991, 129 p.

RICŒUR Paul, *Soi-même comme un autre*, Seuil, 1990, 428 p. (en particulier la préface sur l'analyse critique du *cogito* et les premières études sur l'ipséité, la personne et l'approche pragmatique).

RORTY Richard, *Contingency, Irony and Solidarity*, Cambridge University Press, 1989, 201 p.

SARTRE Jean-Paul, *L'Existentialisme est un humanisme*, Nagel, 1946, 141 p. ;
— *Critique de la raison dialectique*, précédée de *Questions de méthode*, t. 1, *Théorie des ensembles pratiques*, Gallimard, Bibliothèque des Idées, 1960, 755 p.
— *Situation III*, NRF, 1949 (en particulier « Matérialisme et révolution », pp. 135-225) ;
— *Situation VII, Problèmes du marxisme* (en particulier la polémique avec Claude Lefort).

TABBONI Simonetta, *Costruire nel presente. Le giovani donne, il tempo e il denaro*, Milan, Franco Angeli, 1992, 169 p.

Le Temps de la réflexion, 1981, II, « Le religieux dans le politique » (articles de C. Lefort, M. Abensour, E. Weil, L. Strauss, etc.), Gallimard, 542 p.

Thesis Eleven, n° 23, Melbourne, 1989, « Redefining Modernity. The Challenge to Sociology » (art. de Bauman, Beck, Bohm, Arnason, Raulet, Touraine) ;
— n° 31,1992 : « Interpreting Modernity » (articles de A. Heller, C. Castoriadis, A. Honneth, M. Jay, N. Luhman).

TOTARO Francesco, *Produzione del senso. Forme del valore et dell'ideologia*, Publication de l'Université Catholique de Milan, 1979, 216 p. (en particulier ch. IV sur Weber).

TOURAINE Alain, *Sociologie de l'action*, Seuil, 1965, 501 p.
— *Production de la société*, Seuil, 1973, 543 p.
— *Pour la sociologie*, Seuil, Points, 1974, 243 p.
— *La Voix et le regard*, Seuil, 1978, 310 p.
— *Le Retour de l'acteur. Essai de sociologie*, Fayard, 1984, 350 p.

WALZER Michel, *The Revolution of the Saints. A Study in the Origin of Radical Politics*, Cambridge, Massachusetts, 1965, 2e éd., 1982, 334 p.

WERNER Richard, *Cultural Marxism and Political Sociology*, Londres, Sage, 1981, 271 p. (ch. IV, V et VI sur la formation de la conscience de classe).

WIEVIORKA Michel, *Sociétés et terrorisme*, Fayard, 1988, 565 p.
— *L'Espace du racisme*, Seuil, 1991, 252 p.
ZINOVIEV Alexandre, *L'Avenir radieux*, L'Age d'Homme, 1978, 280 p.

INDEX DES NOMS CITÉS

Index réalisé par Sophie Grandjean.

INDEX THÉMATIQUE

Table

Deuxième partie

LA MODERNITÉ EN CRISE

Table 509

Troisième partie

NAISSANCE DU SUJET